Die Fahrt der Beagle

CHARLES DARWIN

DIE FAHRT DER BEAGLE

DARWINS ILLUSTRIERTE REISE UM DIE WELT

Aus dem Englischen von Eike Schönfeld

wbg THEISS

INHALT

11
Vorwort

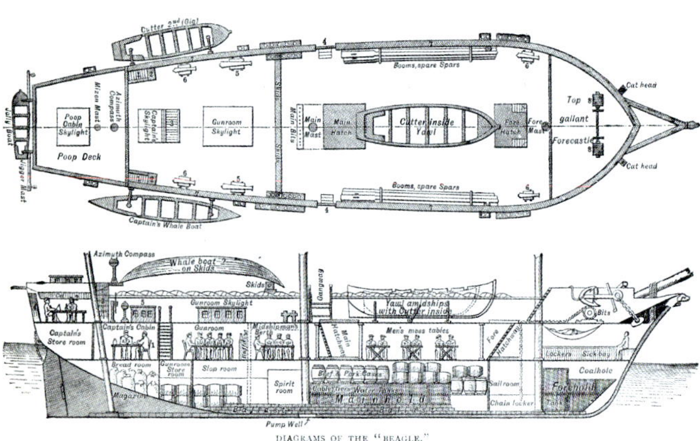

17
1. Kapitel
ST. JAGO – KAPVERDISCHE INSELN
Porto Praya – Ribeira Grande – atmosphärischer Staub mit Infusorien – Lebensweise einer Seeschnecke und eines Tintenfischs – St. Paul's Rocks, nicht vulkanisch – eigentümliche Inkrustationen – Insekten die ersten Ansiedler auf Inseln – Fernando Noronha – Bahia – blank geschliffene Felsen – Lebensweise eines Diodon – pelagische Confervae und Infusorien – Ursachen verfärbter See

33
2. Kapitel
RIO DE JANEIRO
Rio de Janeiro – Exkursion nördlich von Kap Frio – große Verdunstung – Sklaverei – Bucht von Botofago – Land-Planarien – Wolken auf dem Corcovado – starker Regen – musikalische Frösche – phosphoreszierende Insekten – Springkäfer, Schnellkraft von – blauer Nebel – Geräusch eines Schmetterlings – Entomologie – Ameisen – Wespe, die eine Spinne tötet – parasitische Spinne – Listen einer Aranea – gesellige Spinne – Spinne mit einem asymmetrischen Netz

49
3. Kapitel
MALDONADO
Monte Video – Maldonado – Exkursion zum Polanco – Lazo und Bolas – Rebhühner – Fehlen von Bäumen – Hirsche – Capybara oder Wasserschwein – Tucutuco – Molothrus, kuckuckähnliche Lebensweise – Tyrann – Spottdrossel – Caracaras – vom Blitz geformte Röhren – getroffenes Haus

67
4. Kapitel
VOM RIO NEGRO NACH BAHÍA BLANCA
Rio Negro – Von den Indianern angegriffene Estancias – Salzseen – Flamingos – Vom Rio Negro zum Rio Colorado – heiliger Baum – patagonischer Hase – Indianerfamilien – General Rosas – Weiterfahrt nach Bahía Blanca – Sanddünen – Negerleutnant – Bahía Blanca – Salzinkrustationen – Punta Alta – Zorillo

Seite 69

79
5. Kapitel
BAHÍA BLANCA
Bahía Blanca – Geologie – zahlreiche riesige ausgestorbene Vierfüßer – jüngste Ausrottung – Lebensdauer von Arten – große Tiere benötigen keine üppige Vegetation – Südafrika – sibirische Fossilien – zwei Exemplare des Straußen – Lebensweise des Töpfervogels – Gürteltiere – Giftschlange, Kröte, Eidechse – Überwinterung von Tieren – Lebensweise der Seefeder – Indianerkriege und Massaker – Pfeilspitze, archäologisches Relikt

99

6. Kapitel

VON BAHÍA BLANCA NACH BUENOS AYRES

Aufbruch nach Buenos Ayres – Rio Sauce – Sierra Ventana – dritte Posta – Pferde treiben – Bolas – Rebhühner und Füchse – Merkmale des Landes – langbeiniger Regenpfeifer – Terutero – Hagelsturm – natürliche Einhegungen in der Sierra Tapalguen – Pumafleisch – Fleischkost – Guardia del Monte – Auswirkungen von Rind auf Vegetation – Artischocke – Buenos Ayres – Corral, in dem Rinder geschlachtet werden

Seite 112

111

7. Kapitel

BUENOS AYRES NACH SANTA FÉ

Exkursion nach Santa Fé – Distelfelder – Lebensweise der Viscacha – kleine Eule – Salzflüsse – flache Ebenen – Mastodon – Santa Fé – Wandel der Landschaft – Geologie – Zahn von ausgestorbenem Pferd – Beziehung von fossilen und neuen Vierfüßern in Nord- und Südamerika – Auswirkungen großer Dürre – Parana – Lebensweise des Jaguars – Scherenschnabel – Eisvogel, Papagei und Scherenschwanz – Revolution – Buenos Ayres – Zustand der Regierung

127

8. Kapitel

BANDA ORIENTAL UND PATAGONIEN

Exkursion nach Colonia del Sacramiento – Wert einer Estancia – Rinder, wie gezählt – ungewöhnliche Zucht Ochsen – perforierte Kiesel – Hirtenhunde – Pferde zugeritten, Gauchos zu Pferde – Wesen der Bewohner – Rio Plata – Schwärme von Schmetterlingen – Spinnen als Aeronauten – Phosphoreszieren des Meeres – Port Desire – Guanako – Port St. Julian – Geologie Patagoniens – Fossil eines gigantischen Tieres – Organisationstypen konstant – Wandel in der Zoologie Amerikas – Gründe für das Aussterben

151

9. Kapitel

SANTA CRUZ, PATAGONIEN UND DIE FALKLANDINSELN

Santa Cruz – Expedition flussaufwärts – Indianer – gewaltige Basaltlavaströme – vom Fluss nicht transportierte Fragmente – Auskolkung des Tales – Kondor, Lebensweise des – Kordilleren – erratische Blöcke von gewaltiger Größe – indianische Relikte – Rückkehr zum Schiff – Falklandinseln – wilde Pferde, Rinder, Kaninchen – wolfartiger Fuchs – Feuer aus Knochen – Methode, wilde Rinder zu jagen – Geologie – Steinströme – Schauplätze von Gewalt – Pinguin – Gänse – Eier von Doridae – zusammengesetzte Tiere

173

10. Kapitel

FEUERLAND

Feuerland, erste Ankunft – Bahía Buen Suceso – eine Schilderung der Feuerländer an Bord – Gespräch mit den Wilden – Landschaft der Wälder – Kap Hoorn – Wigwam-Bucht – elende Lage der Wilden – Hungersnöte – Kannibalen – Muttermord – religiöse Empfindungen – großer Sturm – Beagle-Kanal – Ponsonby-Sund – Wigwams bauen und die Feuerländer ansiedeln – Gabelung des Beagle-Kanal – Gletscher – Rückkehr zum Schiff – zweiter Besuch der Ansiedlung mit dem Schiff – Gleichheit der Stellung bei den Eingeborenen

195

11. Kapitel

MAGELLANSTRASSE – KLIMA DER SÜDKÜSTE

Magellanstraße – Port Famine – Besteigung des Tarn – Wälder – essbarer Pilz – Zoologie – großer Seetang – verlassen Feuerland – Klima – Obstbäume und Erzeugnisse der Südküste – Höhe der Schneegrenze in den Kordilleren – Niedergang von Gletschern zum Meer – Eisberge bilden sich – Transport von Felsblöcken – Klima und Erzeugnisse der antarktischen Inseln – Konservierung gefrorener Kadaver – Rekapitulation

213

12. Kapitel

ZENTRALCHILE

Valparaíso – Exkursion zum Fuß der Anden – Struktur des Landes – Besteigung der Glocke von Quillota – zerschmetterte Grünsteinmassen – gewaltige Täler – Bergwerke – Zustand der Bergleute – Santiago – heiße Bäder von Cauquenes – Goldminen – Mahlwerke – perforierte Steine – Lebensweise des Pumas – El Turco und Tapacolo – Kolibris

228

Karte

ROUTE DER H.M.S. *BEAGLE*

231

13. Kapitel

CHILOÉ UND CHONOS-INSELN

Chiloé – allgemeines Gepräge – Exkursion im Boot – eingeborene Indianer – Castro – zahmer Fuchs – Besteigung des San Pedro – Chonos-Archipel – Halbinsel Tres Montes – granitene Gebirgskette – schiffbrüchige Seeleute – Lows Hafen – wilde Kartoffel – Torfformation – Myoptamus, Otter und Mäuse – Cheucau und Bellvogel – Opetiorhynchus – eigentümliches Kennzeichen der Ornithologie – Sturmvögel

249

14. Kapitel

CHILOÉ UND CONCEPCIÓN – SCHWERES ERDBEBEN

San Carlos, Chiloé – Osorno bricht aus, zeitgleich mit Aconcagua und Coseguina – Ritt nach Cucao – undurchdringliche Wälder – Valdivia – Indianer – Erdbeben – Concepción – großes Erdbeben – Felsen gespalten – Aussehen der früheren Städte – das Meer schwarz und kochend – Richtung der Vibrationen – Steine umhergeschleudert – große Welle – dauerhafte Erhebung des Landes – Gebiet vulkanischer Phänomene – die Verbindung zwischen den hebenden und eruptiven Kräften – Ursache von Erdbeben – langsame Erhebung von Gebirgsketten

269

15. Kapitel

ÜBERQUERUNG DER KORDILLEREN

Valparaíso – Portillo-Pass – Weisheit von Maultieren – Gebirgsbäche – Minen, wie entdeckt – Beweise für die allmähliche Anhebung der Kordilleren – Wirkung von Schnee auf Felsen – geologische Struktur der beiden Hauptketten, ihr eindeutiger Ursprung und ihre Erhebung – große Absenkung – roter Schnee – Winde – Schneegipfel – trockene und klare Luft – Elektrizität – Pampas – Zoologie der anderen Seite der Anden – Heuschrecken – große Wanzen – Mendoza – Uspallata-Pass – verkieselte Bäume, begraben, während sie noch wuchsen – Inkasbrücke – schlechter Zustand der Pässe übertrieben – Cumbre – Casuchas – Valparaíso

295

16. Kapitel

NORDCHILE UND PERU

Küstenstraße nach Coquimbo – große Lasten von den Bergleuten getragen – Coquimbo – Erdbeben – stufenförmige Terrassen – Fehlen junger Ablagerungen – Gleichzeitigkeit der Tertiärformationen – Exkursion ins Tal hinauf – Straße nach Guasco – Wüsten – Copiapó-Tal – Regen und Erdbeben – Hydrophobie – der Despoblado – indianische Ruinen – wahrscheinlicher Klimawechsel – Flussbett von einem Erdbeben gebogen – kalte Stürme – Geräusche von einem Berg – Iquique – Salzalluvium – salpetersaures Natron – ungesundes Land – Ruinen von Callao, von einem Erdbeben umgeworfen – neuzeitliche Senkung – erhöhte Muscheln auf San Lorenzo, ihr Zerfall – Ebene mit eingebetteten Muscheln und Keramikfragmenten – Alter der indianischen Rasse

Seite 299

325
17. Kapitel
GALAPAGOS-ARCHIPEL
Die ganze Gruppe vulkanisch – Zahl der Krater – blattlose Büsche – Kolonie auf Charles Island – James Island – Salzsee in Krater – Naturgeschichte der Gruppe – Ornithologie, merkwürdige Finken – Reptilien – große Schildkröten, Lebensweise von – Meerechse, ernährt sich von Seetang – Landechse, grabende Lebensweise, pflanzenfressend – Bedeutung von Reptilien für Archipel – Fische, Muscheln, Insekten – Botanik – amerikanischer Organisationstypus – Unterschiede in den Arten oder Rassen auf verschiedenen Inseln – Zahmheit der Vögel – Furcht vor dem Menschen, ein erworbener Instinkt

359
18. Kapitel
TAHITI UND NEUSEELAND
Fahrt durch das Low-Archipel – Tahiti – Anblick – Vegetation auf den Bergen – Blick auf Eimeo – Exkursion ins Landesinnere – tiefe Schluchten – Abfolge von Wasserfällen – Anzahl wilder Nutzpflanzen – Mäßigkeit der Einwohner – ihre moralische Verfassung – Parlament einberufen – Neuseeland – Bay of Islands – Hippahs – Exkursion nach Waimate – Mission – englisches Unkraut jetzt wild – Waiomio – Bestattung einer Neuseeländerin – Fahrt nach Australien

387
19. Kapitel
AUSTRALIEN
Sydney – Exkursion nach Bathurst – Erscheinungsbild der Wälder – Gruppe Einheimischer – allmähliche Ausrottung der Aborigines – Infektion, übertragen durch Umgang mit gesunden Männern – Blue Mountains – Anblick der großen golfartigen Täler – ihr Ursprung, ihre Formation – Bathurst, allgemeine Höflichkeit der Unterschicht – Zustand der Gesellschaft – Van Diemen's Land – Hobart – Aborigines alle vertrieben – Mount Wellington – King George's Sound – freudloses Erscheinungsbild des Landes – Bald Head, Kalkablagerungen auf Ästen – Gruppe Einheimischer – verlassen Australien

409
20. Kapitel
KEELINGINSEL – KORALLENFORMATIONEN
Keelinginsel – einzigartige Erscheinung – karge Flora – Transport von Samen – Vögel und Insekten – Quellen mit Ebbe und Flut – tote Korallenfelder – in Baumwurzeln transportierte Steine – großer Krebs – Korallen fressender Fisch – Korallenformationen – Laguneninseln oder Atolle – Tiefe, in der riffbauende Korallen leben können – weite Gebiete, die mit flachen Koralleninseln durchsetzt sind – Absenkung ihres Fundaments – Barriereriffe – Saumriffe – Umwandlung von Saumriffen in Barriereriffe und Atolle – Indiz für Veränderung der Höhe – Strände an Barriereriffen – Malediven-Atolle, ihre eigentümliche Struktur – tote und gesunkene Riffe – Gebiete mit Absenkung und Anhebung – Verteilung von Vulkanen – Absenkung langsam und in gewaltigem Maße

437
21. Kapitel
VON MAURITIUS NACH ENGLAND
Mauritius, schönes Erscheinungsbild – St. Helena – Geschichte der Veränderungen der Vegetation – Ursache des Aussterbens von Landmuscheln – Ascension – Änderung bei eingeführten Ratten – Vulkanbomben – Felder mit Infusorien – Bahia – Brasilien – Pracht der Tropenlandschaft – Pernambuco – einzigartiges Riff – Sklaverei – Rückkehr nach England – Rückschau auf unsere Fahrt

458
Anmerkungen

470
Register

478
Bildnachweis

EINE BEMERKUNG ZUM TEXT

Die Fahrt der Beagle von Charles Darwin ist ein lebendiges und spannendes Reisetagebuch, aber auch ein detailreiches wissenschaftliches Journal zur Biologie, Geologie und Anthropologie, das 1839 unter dem Titel *Journal and Remarks* veröffentlicht wurde. Der Titel bezieht sich auf die zweite Vermessungsfahrt der HMS *Beagle*, die am 27. Dezember 1831 unter dem Befehl von Kapitän Robert Fitz Roy, R.N. (Royal Navy), vom englischen Plymouth aus in See stach. Die Reise war ursprünglich auf zwei Jahre angelegt, dauerte dann jedoch fast fünf Jahre – die *Beagle* kehrte erst am 2. Oktober 1836 zurück. Von dieser Zeit verbrachte Darwin drei Jahre und drei Monate mit Erkundungen an Land und achtzehn Monate auf See.

Die Anfänge des Buches waren etwas verworren und es erschien unter mehreren Titeln. Der Text für die vorliegende Ausgabe der *Fahrt der Beagle* wurde aus der gleichnamigen zweiten Edition von 1845, der berühmtesten des Werks, ausgewählt, die ausführliche Überarbeitungen im Lichte von Darwins Interpretation der gesammelten Spezimen enthielt, aus denen er seine Ideen zur Evolution entwickelte. Die Ausgabe wurde von dem Verleger John Murray besorgt, der Darwin dafür ein Pauschalhonorar bezahlte.

Für diese illustrierte Ausgabe wurde Darwins Originaltext vorsichtig gekürzt. Außerdem wurden ihm Auszüge aus anderen Werken beigestellt. Die Texte in den blauen Kästen sind u.a. entnommen aus: Kapitän Fitz Roys Reisebericht Proceedings of the Second Voyage, 1831-36 und Darwins bahnbrechendem Buch *Die Entstehung der Arten durch natürliche Zuchtwahl*, hier zitiert in der Übersetzung von Carl W. Neumann (Philipp Reclam jun., Stuttgart 1963). Mit diesen Beigaben wird Darwins Forschungsreise abgerundet und noch besser verständlich.

JOURNAL OF RESEARCHES

INTO THE

NATURAL HISTORY & GEOLOGY

OF THE

COUNTRIES VISITED DURING THE VOYAGE ROUND THE WORLD OF H.M.S. 'BEAGLE'

UNDER THE COMMAND OF CAPTAIN FITZ ROY, R.N.

BY CHARLES DARWIN, M.A., F.R.S.

AUTHOR OF 'ORIGIN OF SPECIES,' ETC.

A NEW EDITION

WITH ILLUSTRATIONS BY R. T. PRITCHETT OF PLACES VISITED AND OBJECTS DESCRIBED

LONDON

JOHN MURRAY, ALBEMARLE STREET

1890

Titelblatt der Ausgabe von 1890

Porträt von Darwin mit einunddreißig Jahren, 1840

VORWORT

Im Vorwort zur ersten Ausgabe dieser Arbeit wie auch in der *Zoologie der Fahrt der Beagle* habe ich geschrieben, ich hätte auf den von Kapitän Fitz Roy geäußerten Wunsch hin, einen Mann der Wissenschaft an Bord zu haben, verbunden mit dem Angebot, einen Teil seiner Unterkunft abzutreten, meine Dienste angeboten, was durch die Freundlichkeit des Hydrographen, Kapitän Beaufort, die Billigung der Admiralität erhalten habe. Da ich der Auffassung bin, dass die mir vergönnte Gelegenheit zum Studium der Naturgeschichte der verschiedenen Länder, die wir besuchten, gänzlich Kapitän Fitz Roy geschuldet ist, hoffe ich, es sei mir gestattet, meinen Ausdruck der Dankbarkeit gegen ihn zu wiederholen und hinzuzufügen, dass ich während der fünf Jahre, die wir zusammen waren, seine herzlichste Freundschaft und beständige Unterstützung erfahren habe. Kapitän Fitz Roy wie auch allen Offizieren der *Beagle*[1] werde ich für die unbeirrbare Freundlichkeit, die sie mir auf unserer langen Fahrt erwiesen haben, stets die äußerste Dankbarkeit bewahren.

Dieser Band enthält, in der Form eines Tagebuchs, eine Schilderung unserer Fahrt und einen Abriss jener Beobachtungen in der Naturgeschichte und Geologie, die meines Erachtens für eine breite Leserschaft von Interesse sein werden. Manche Teile in dieser Ausgabe habe ich stark gedrängt und überarbeitet, anderen ein wenig hinzugefügt, um den Band für die populäre Lektüre passender zu gestalten; dabei hoffe ich, dass der Naturforscher daran denken wird, bei Detailfragen sich der umfangreicheren Veröffentlichungen zu bedienen, welche die wissenschaftlichen

~ AUS ~

VERLAUF DER ZWEITEN EXPEDITION 1831–1836

VON ROBERT FITZ ROY

In dem Bestreben, auf der Fahrt keine Gelegenheit zum Sammeln von nützlichen Informationen zu versäumen, schlug ich dem Hydrographen vor, dass ein gut ausgebildeter Mann der Wissenschaft gesucht werde, der die Unterkunft, die ich zu bieten habe, mit mir teilen würde, um die Möglichkeit zu nutzen, ferne Länder, über die noch wenig bekannt ist, zu besuchen. Kapitän Beaufort billigte den Vorschlag und schrieb an Professor Peacock, in Cambridge, der sich mit einem Freund, Professor Henslow, beriet, und er nannte Mr. Charles Darwin, den Enkel von Dr. Darwin dem Dichter, als jungen Mann von aussichtsreicher Befähigung, der die Geologie, ja alle Zweige der Naturgeschichte sehr liebe. Demzufolge wurde Mr. Darwin das Angebot unterbreitet, mein Gast an Bord zu sein, das er unter Bedingungen annahm; es wurde von der Admiralität die Genehmigung eingeholt und von dieser der Befehl erteilt, dass er wegen des Proviants in die Schiffsbücher eingetragen werde. Die Bedingungen von Mr. Darwin waren, dass es ihm freistehen solle, die *Beagle* und die Expedition zu verlassen, so er das für angebracht halte, und dass er einen gerechten Anteil an den Ausgaben meines Tisches bezahlen würde.

Ergebnisse der Expedition einschließen. Die *Zoologie der Fahrt der Beagle* enthält einen Bericht über die fossilen Säugetiere von Professor Owen, die lebenden Säugetiere von Mr. Waterhouse, die Vögel von Mr. Gould, die Fische von Reverend L. Jenyns und die Reptilien von Mr. Bell. Den Beschreibungen einer jeden Art habe ich Angaben über ihre Lebensweise und Verbreitung angefügt. Diese Arbeiten, die ich dem hohen Talent und dem uneigennützigen Eifer der oben genannten namhaften Autoren schulde, hätten nicht unternommen werden können ohne die Freigebigkeit der Lords des Schatzamts Ihrer Majestät, welche in Vertretung des Sehr Ehrenwerten Schatzkanzlers geruhten, zur Deckung eines Teils der Publikationskosten die Summe von £ 1000 zu bewilligen.

Ich selbst habe gesonderte Bände über die *Struktur und Verteilung von Korallenriffen*, über die *Vulkanischen Inseln, die auf der Fahrt der Beagle besucht wurden* sowie über die *Geologie Südamerikas* veröffentlicht. Der sechste Band der *Geological Transactions* enthält zwei Aufsätze von mir über die «Erratischen Blöcke und vulkanischen Phänomene

Die HMS *Beagle*

Südamerikas». Die Herren Waterhouse, Walker, Newman und White haben mehrere treffliche Aufsätze über die Insekten verfasst, die gesammelt wurden, und ich vertraue darauf, dass denen noch viele folgen werden. Die Pflanzen aus den südlichen Regionen Amerikas werden von Dr. J. Hooker in seiner großartigen Arbeit über *Die Botanik der Südlichen Hemisphäre* dargestellt. Die Flora des Galapagos-Archipels ist Thema einer gesonderten Abhandlung von ihm in *Linnean Transactions.* Reverend Professor Henslow hat eine Liste der Pflanzen veröffentlicht, die von mir auf den Keelinginseln gesammelt wurden, und Reverend J. M. Berkeley hat meine kryptogamen Pflanzen beschrieben.

Das Vergnügen, mich für die großartige Unterstützung erkenntlich zu zeigen, die ich von mehreren anderen Naturforschern erhalten habe, werde ich im Verlauf dieser und meiner anderen Arbeiten haben; an dieser Stelle soll es mir aber gestattet sein, Reverend Professor Henslow, der, als ich noch Student in Cambridge war, wesentlichen Anteil daran hatte, mir die Naturgeschichte schmackhaft zu machen – der sich während meiner Abwesenheit der Sammlungen annahm, die ich nach Hause schickte und mittels seiner Korrespondenz meine Bemühungen lenkte – und der mir seit meiner Rückkehr beständig jedwede Unterstützung zuteil werden ließ, die der liebste Freund nur bieten könnte, meinen aufrichtigsten Dank zu sagen.

—Down Bromley, Kent
Juni 1845

OBEN: Darwin an Bord der *Beagle*
GEGENÜBER: Robert Fitz Roy, gemalt von dem britischen Porträtisten Samuel Lane

Porto Praya auf der Insel St. Jago,
Thomas Medland, 1806

1. Kapitel

ST. JAGO – KAPVERDISCHE INSELN

Porto Praya – Ribeira Grande – atmosphärischer Staub mit Infusorien – Lebensweise einer Seeschnecke und eines Tintenfischs – St. Paul's Rocks, nicht vulkanisch – eigentümliche Inkrustationen – Insekten die ersten Ansiedler auf Inseln – Fernando Noronha – Bahia – blank geschliffene Felsen – Lebensweise eines Diodon – pelagische Confervae und Infusorien – Ursachen verfärbter See

Ihrer Majestät Schiff *Beagle*, eine Brigg mit zehn Kanonen unter dem Kommando Kapitän Fitz Roys, lief am 27. Dezember 1831 von Devonport aus, nachdem sie von schweren Südweststürmen zweimal zurückgeworfen worden war. Ziel der Expedition war es, die Vermessung von Patagonien und Feuerland, die unter Kapitän King von 1826 bis 1830 begonnen worden war, abzuschließen – die Küsten Chiles, Perus und einiger Inseln im Pazifik zu vermessen – und eine Reihe chronometrischer Messungen um die ganze Welt durchzuführen. Am 6. Januar erreichten wir Teneriffa, wo uns indes aus Furcht, wir schleppten die Cholera ein, die Landung untersagt wurde; am folgenden Morgen sahen wir die Sonne über den zackigen Konturen der Großen Kanarischen Insel aufgehen und unversehens den Gipfel von Teneriffa erleuchten, während die tiefer gelegenen Landstri-

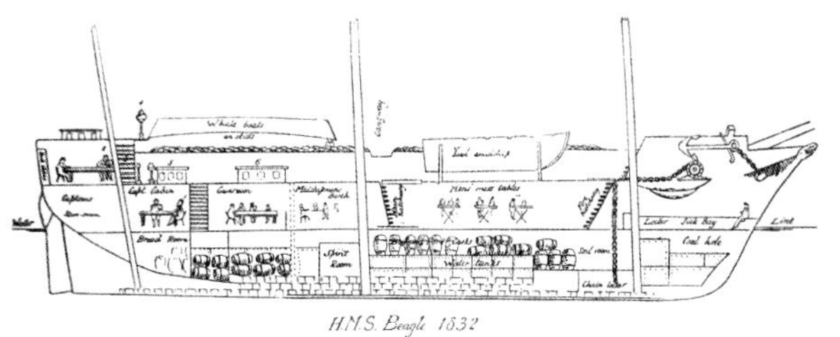

Die *Beagle* im Querschnitt

che in Schäfchenwolken gehüllt waren. Dies war der erste von vielen herrlichen Tagen, die unvergessen bleiben sollten. Am 16. Januar 1832 gingen wir vor Porto Praya auf St. Jago vor Anker, der Hauptinsel des Kapverdischen Archipels.

Die Umgebung von Porto Praya bietet von See her ein trostloses Bild. Die vulkanischen Feuer einer vergangenen Zeit sowie die sengende Hitze einer tropischen Sonne haben das Erdreich an den meisten Stellen für jede Vegetation untauglich gemacht. Das Land erhebt sich in aufeinander folgenden Stufen Tafelland, durchsetzt von einigen abgestutzten konischen Hügeln, und der Horizont wird von einer unregelmäßigen Kette erhabenerer Berge eingefasst. Es regnet sehr selten, doch während einer kurzen Periode im Jahr gießt es in Strömen, und unmittelbar darauf sprießt aus jedem Spalt eine leichte Vegetation. Diese verdorrt schnell, und von solchem natürlich gebildeten Heu ernähren sich die Tiere. Als die Insel entdeckt wurde, war die unmittelbare Umgebung von Porto Praya mit Bäumen bestanden,[1] deren rücksichtslose Zerstörung hier wie auf St. Helena und auch auf manchen der Kanarischen Inseln zu einer nahezu vollständigen Unfruchtbarkeit geführt hat. Die breiten, flachen Täler, wovon viele nur während weniger Tage in der Saison als Wasserlauf dienen, sind mit Buschwerk aus blattlosen Sträuchern bedeckt. Nur wenige Lebewesen bewohnen diese Täler. Der häufigste Vogel ist ein Eisvogel *(Alcedo iagoensis)*, der zahm auf den Zweigen der Rizinusölpflanze hockt und sich von dort auf Heuschrecken und Eidechsen stürzt. Er trägt ein buntes Gefieder, das aber nicht so schön ist wie das der europäischen Art: In Flug, Gebaren und seinem Lebensraum, welcher gemeinhin das trockenste Tal ist, bestehen ebenfalls große Unterschiede.

Einmal ritten zwei der Offiziere und ich nach Ribeira Grande, einem Dorf wenige Meilen östlich von Porto Praya. Bis wir das Tal von St. Martin erreichten, bot das Land sein übliches mattbraunes Erscheinungsbild; dort jedoch bringt ein sehr kleines Wasserrinnsal einen höchst erfrischenden Rand üppiger Vegetation hervor. Im Laufe einer Stunde gelangten wir nach Ribeira Grande, wo uns der Anblick einer großen Festungsruine und einer Kathedrale überraschte. Diese kleine Stadt war, bevor ihr Hafen verlandete, der Hauptort der Insel; heute bietet sie ein melancholisches, aber sehr pittoreskes Erscheinungsbild. Nachdem wir uns als Führer eines schwarzen Padre und als Dolmetscher eines Spaniers versichert hatten, der im Spanischen Unabhängigkeitskrieg gedient hatte, besuchten wir eine Ansammlung von Gebäuden, deren bedeutendstes eine alte Kirche war. Hier sind die Gouverneure und Oberbefehlshaber der Inseln begraben. Manche Grabsteine waren mit Daten aus dem sechzehnten Jahrhundert versehen.[2]

Ein andermal ritten wir zu dem kleinen Dorf St. Domingo, das nahe dem Mittelpunkt der Insel gelegen war. Auf einer kleinen Ebene, die wir überquerten, wuchsen ein paar verkümmerte Akazien; ihre Spitzen waren von dem steten Passat auf eigentümliche Weise gebeugt worden – einige sogar im rechten Winkel zum Stamm. Die Richtung

~ AUS ~

VERLAUF DER ZWEITEN EXPEDITION 1831–1836

VON ROBERT FITZ ROY

Am 15. November [1831] erhielt ich von den Lords Commissioners der Admiralität meine Instruktionen:

> Sie werden hiermit aufgefordert und angewiesen, mit dem Schiff, das unter Ihrem Befehl steht, sobald dieses in jeder Hinsicht bereit ist, in See zu stechen und in aller geziemenden Eile nacheinander Madeira oder Teneriffa, die Kapverdischen Inseln, Fernando Noronha und den Stützpunkt in Südamerika anzulaufen; die normalen Tätigkeiten sowie die Vermessungen auszuführen, wie sie in dem beigefügten Merkblatt dargelegt sind, das auf unsere Anweisung hin von dem Hydrographen dieses Amtes ausgefertigt wurde; bei der Erledigung besagter Messungen, und Ihren anderen Tätigkeiten, die Anweisungen und Vorschläge des Merkblatts zu beachten und zu befolgen.

Robert Fitz Roy von der HMS *Beagle* um 1845

> Sie unterstehen dem Befehl von Konteradmiral Sir Thomas Baker, Oberbefehlshaber der Schiffe Ihrer Majestät auf dem südamerikanischen Stützpunkt, während Sie sich in den Grenzen dieses Stützpunkts befinden, bei der Ausführung der oben genannten Aufgaben und neben den Ihnen in dem Merkblatt erteilten Anweisungen; zur Frage der Versorgung haben wir dem Konteradmiral Ihren Wunsch angezeigt, dass Sie nach Möglichkeit von ihm und den Dienststellen seines Stützpunkts jegliche Hilfe an Ausrüstung wie Proviant erhalten, die Sie eventuell benötigen.
>
> Doch in der ganzen Zeit Ihrer Ausführung der oben aufgeführten Pflichten haben Sie (ungeachtet des 16. Artikels des 4. Abschnitts des 6. Kapitels, S. 78, der gedruckten Generalanweisungen) bei jeder Gelegenheit Berichte über die Geschehnisse und Ihre Fortschritte an unseren Secretary zu senden.
>
> Sollte Ihnen ein Unglück zustoßen, wird der Offizier, auf den das Kommando über die *Beagle* dann übergeht, hiermit aufgefordert und angewiesen, soweit es ihm möglich ist, den Abschnitt der Vermessung, mit dem das Schiff gerade befasst ist, abzuschließen, nicht jedoch den nächsten Schritt der Fahrt zu beginnen; wenn z. B. gerade die Vermessung der Westküste Südamerikas durchgeführt wird, hat er nicht den Pazifik zu überqueren, sondern über Rio de Janeiro und den Atlantik nach England zurückzukehren.

Santo Antão, Kapverden

der Zweige zeigte exakt nach Nordnordost und Südsüdwest, wodurch diese natürlichen Wetterfahnen die vorherrschende Richtung der Gewalt des Passats anzeigen. Unser Fortkommen hatte auf dem kargen Erdreich so wenig Eindruck hinterlassen, dass wir hier unseren Weg verfehlten und jenen nach Fuentes nahmen. Das merkten wir erst, als wir dort anlangten, und danach waren wir froh über unseren Irrtum. Fuentes ist ein hübsches Dorf mit einem kleinen Bach, und alles schien gut zu gedeihen, freilich bis auf das, was dies doch am ehesten sollte – seine Einwohnerschaft. Die schwarzen Kinder, vollkommen nackt, boten einen ganz elenden Anblick; sie trugen Bündel Feuerholz, halb so groß wie der eigene Körper.

Die Szenerie von St. Domingo ist, anders als das überwiegend düstere Gepräge der übrigen Insel, von einer gänzlich unerwarteten Schönheit. Das Dorf liegt in einer Talsohle und ist umgrenzt von hohen, zerklüfteten Wänden geschichteter Lava. Die schwarzen Felsbrocken stellen einen ganz auffallenden Kontrast zu der leuchtend grünen Vegetation dar, welche den Ufern eines kleinen, klaren Wasserlaufs folgt. Es war gerade ein großer Festtag, und das Dorf war voller Menschen.

Im Allgemeinen ist die Atmosphäre diesig, was durch das Herabsinken von äußerst feinem Staub verursacht wird, der auch die astronomischen Instrumente leicht beschädigt hatte. Am Morgen, bevor wir vor Porto Praya ankerten, sammelte ich ein kleines Päckchen dieses braun gefärbten feinen Staubes, der offenbar von der Gaze der Wetterfahne an der Mastspitze aus dem Wind gefiltert worden war. Auch hatte mir Mr. Lyell vier Päckchen Staub gegeben, der einige hundert Meilen nördlich dieser

Inseln auf ein Fahrzeug gefallen war. Professor Ehrenberg[3] hat ermittelt, dass dieser Staub zu großen Teilen aus Infusorien mit kieselhaltigen Schilden und aus kieselhaltigem Pflanzengewebe besteht. In den fünf Päckchen, die ich ihm schickte, hat er nicht weniger als siebenundsechzig verschiedene organische Formen bestimmt! Die Infusorien sind, mit Ausnahme zweier im Meer lebender Spezies, allesamt Süßwasserbewohner.

Die Geologie dieser Insel ist der interessanteste Teil ihrer Naturgeschichte. Bei Einfahrt in den Hafen kann man ein vollkommen horizontales weißes Band vor der Stirnseite der Steilküste sehen, das einige Meilen weit in einer Höhe von ungefähr fünfundvierzig Fuß überm Wasser die Küste entlangläuft. Bei näherer Untersuchung erkennt man, dass diese weiße Schicht aus kalkhaltiger Materie besteht, in der zahlreiche Muschelschalen eingelagert sind, von denen die meisten oder alle noch heute an der umliegenden Küste vorkommen. Sie ruht auf altem vulkanischem Gestein und wurde von einem Basaltstrom bedeckt, der ins Meer gelangt sein muss, als die weiße Muschelschicht auf dessen Grund lag. Es ist interessant, die Veränderungen, die durch die Hitze der darüberliegenden Lava erzeugt wurden, auf die bröckelige Masse zu verfolgen, die an manchen Stellen in einen kristallinen Kalkstein umgewandelt wurde, an anderen in einen dichten gefleckten Stein. Wo die schlackigen Fragmente der Unterseite des Stroms den Kalk erreichten, wurde er in Gruppen wunderschön radialer Fasern verwandelt, die eine Ähnlichkeit mit Aragonit aufweisen. Die Lavafelder erheben sich in stufigen, sanft ansteigenden Ebenen zum Innern hin, woher die Fluten geschmolzenen Steins ursprünglich kamen. Seit historisch belegter Zeit wurden, glaube ich, an keiner Stelle St. Jagos Anzeichen vulkanischer Tätigkeit festgestellt.

Im Laufe unseres Aufenthalts beobachtete ich die Lebensweise einiger Meerestiere. Die große *Aplysia* ist weit verbreitet. Dieser Hinterkiemer ist ungefähr fünf Zoll lang und von schmutzig gelber Farbe mit violetter Äderung. Zu beiden Seiten der Unterseite bzw. des Fußes befindet sich eine breite Membran, die zuweilen anscheinend als Ventilator dient, indem sie eine Wasserströmung erzeugt, die über die Dorsalkiemen oder Lungen fließt. Er ernährt sich von dem feinen Seegras, das zwischen den Steinen im trüben und seichten Wasser wächst: Im Magen habe ich mehrere Steinchen gefunden, wie im Muskelmagen eines Vogels.

Mit großem Interesse beobachtete ich mehrmals die Lebensweise eines Oktopus oder Tintenfisches. Obwohl sie in den Tümpeln, die das zurückweichende Wasser hinterlässt, häufig vorkommen, waren diese Tiere nicht leicht zu fangen. Vermittels ihrer langen Greifarme und Saugnäpfe vermochten sie ihren Körper in sehr schmale Ritzen zu zwängen, und wenn sie sich derart festgesetzt hatten, bedurfte es großer Kraft, sie herauszuziehen. Dann wiederum schossen sie, mit dem Schwanz voraus, pfeilschnell von einer Seite des Tümpels zur anderen, wobei sie das Wasser gleichzeitig mit einer dunklen, kastanienbraunen Tinte verfärbten. Weiterhin entziehen sich diese Tiere der Entdeckung durch eine ganz außerordentliche, chamäleonartige

Illustration eines Tintenfisches

OBEN: Seehase aus der Gattung *Aplysia*
UNTEN: Holzschnitt, der in der 1890er Ausgabe der *Fahrt der Beagle* im Text auf der Seite gegenüber besprochen wird.

Fähigkeit, die Farbe zu wechseln. Offenbar variieren sie die Färbung entsprechend der Beschaffenheit des Bodens, über den sie gelangen: In tiefem Wasser war die Grundfärbung ein bräunliches Violett; setzte man sie jedoch an Land oder in flaches Wasser, wandelte sich diese dunkle Färbung zu einem gelblichen Grün. Bei näherer Untersuchung erwies sich diese Farbe als ein Französisch-Grau mit zahlreichen winzigen Pünktchen Hellgelb darin: Ersteres war von wechselnder Intensität, Letztere verschwanden wechselweise vollständig und kehrten wieder. Diese Veränderungen geschahen dergestalt, dass Wolken, deren Färbung zwischen einem Hyazinthrot und einem Kastanienbraun changierte,[4] unablässig über den Körper glitten. Einem leichten Galvanisierungsschock ausgesetzt, wurde jeder Teil nahezu schwarz: Ein ähnlicher Effekt, jedoch in geringerem Maße, trat ein, wenn man die Haut mit einer Nadel kratzte. Diese Wolken oder Rötungen, wie man sie auch nennen könnte, sollen durch die abwechselnde Ausdehnung und Kontraktion winziger Bläschen hervorgerufen werden, die verschiedenfarbige Flüssigkeiten enthalten.[5]

St. Paul's Rocks – Bei der Überquerung des Atlantiks gelangten wir am Morgen des 16. Februar in die Nähe der Insel St. Paul's. Diese Anhäufung von Felsen liegt auf 0° 58' nördlicher Breite und 29° 15' westlicher Länge. Sie ist 540 Meilen von der Küste Amerikas und 350 von der Insel Fernando de Noronha entfernt. Der höchste Punkt ist nur fünfzig Fuß über dem Meeresspiegel, und der gesamte Umfang beträgt knapp eine Dreiviertelmeile. Diese kleine Spitze ragt unvermittelt aus den Tiefen des Ozeans. Ihre mineralogische Beschaffenheit ist nicht einfach. An manchen Stellen ist der Stein eine Art Feuerstein, an anderen wie Feldspat, darin auch dünne Adern Serpentin. Es ist ein beachtenswertes Faktum, dass all die vielen kleinen Inseln, die fern von jedem Kontinent im Pazifischen, Indischen und Atlantischen Ozean liegen, mit Ausnahme der Seychellen und dieser kleinen Felsenspitze, wie ich meine, entweder aus Korallen oder erup-tierter Materie bestehen. Die vulkanische Natur dieser ozeanischen Inseln ist offenkundig eine Erweiterung jenes Gesetzes und die Wirkung jener gleichen Ursachen, seien es chemische oder mechanische, deren Ergebnis es ist, dass eine übergroße Mehrheit der heute noch

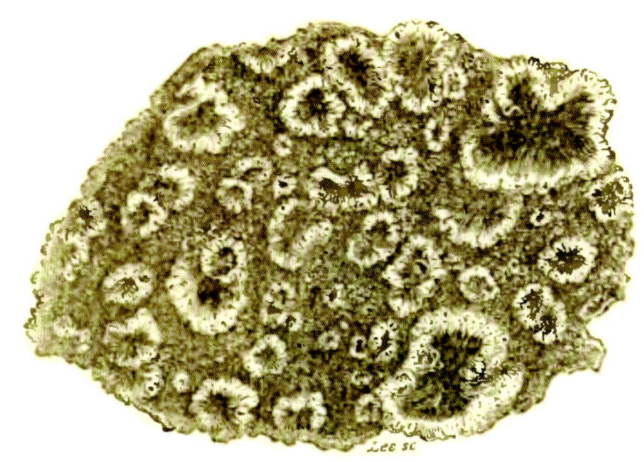

aktiven Vulkane entweder in der Nähe von Meeresküsten oder als Inseln mitten im Meer stehen.

Die Felsen von St. Paul erscheinen aus der Ferne wie von leuchtend weißer Farbe. Diese verdankt sich teils dem Dung einer ungeheuren Vielzahl von Seevögeln und teils dem Überzug einer harten, schimmernden Substanz mit einem Perlenlüster, die mit der Felsenoberfläche eng verbunden ist. Untersucht man sie mit dem Glas, zeigt sich, dass sie aus zahlreichen, äußerst dünnen Schichten besteht, deren Gesamtstärke ungefähr ein Zehntel Zoll beträgt. Ich darf an dieser Stelle erwähnen, dass an einem Küstenabschnitt von Ascension, wo sich eine starke Ansammlung Muschelsand findet, das Meerwasser auf den dem Gezeitenstrom ausgesetzten Felsen eine Inkrustation abgelagert hat, die, wie in dem Holzschnitt dargestellt, bestimmten kryptogamischen Pflanzen ähnelt *(Marchantiae)*, die man häufig auf feuchten Wänden sieht. Die Wedel sind an der Oberfläche wunderbar glänzend, und diejenigen Flächen, die sich ganz dem Licht ausgesetzt bildeten, sind pechschwarz gefärbt, diejenigen im Schatten von Gesimsen dagegen nur grau. Ich habe Proben dieser Inkrustationen mehreren Geologen gezeigt, und alle meinten, sie seien vulkanischen Ursprungs oder Eruptivgestein!

Mit ihrer Härte und Durchsichtigkeit – mit ihrer Glätte gleich jener der feinsten Olivamuschel –, mit dem unangenehmen Geruch, den sie verströmen, und dem Farbverlust unter dem Lötrohr – zeigt sie eine große Ähnlichkeit mit lebenden Seemuscheln. Überdies weiß man, dass die Teile von Seemuscheln,

Weißbauchtölpel, St. Peter's und St.Paul's Rocks, Brasilien

die gewöhnlich vom Mantel des Tieres bedeckt und abgeschirmt, von blasserer Farbe sind als jene, die dem Licht ganz ausgesetzt sind, so wie es auch bei dieser Inkrustation der Fall ist. Wenn wir uns in Erinnerung rufen, dass Kalk, sei es als Phosphat oder Karbonat, in die Struktur der harten Teile, wie Knochen und Muscheln, aller lebenden Tiere eindringt, so ist es physiologisch interessant, 6 Substanzen anzutreffen, die härter als Zahnschmelz sind, und farbige Oberflächen, die so glatt poliert sind wie die einer frischen Muschel und durch anorganische Mittel aus toter organischer Materie umgebildet – wobei sie in ihrer Form auch manche der niederen pflanzlichen Produkte nachahmen.

Wir trafen auf St. Paul nur zwei Arten von Vögeln an – den Tölpel und die Noddiseeschwalbe. Beide sind von zahmem und dummem Wesen und Besucher so wenig gewöhnt, dass ich etliche mit meinem Geologenhammer hätte töten können. Der Tölpel legt seine Eier auf dem nackten Fels ab, die Seeschwalbe hingegen macht ein sehr einfaches Nest aus Seetang. Keine einzige Pflanze, nicht einmal eine Flechte, wächst auf diesem Eiland; dennoch ist es von mehreren Insekten und Spinnen bewohnt. Die folgende Liste vervollständigt, glaube ich, die Landfauna: eine Fliege *(Olfersia)*, die auf dem Tölpel lebt, und eine Zecke, die als Parasit auf den Vögeln hierher gelangt sein muss; ein kleiner brauner Nachtfalter, der zu einer Gattung gehört, die sich von Federn ernährt; ein Käfer *(Quedius)* und eine Assel, die unterm Dung haust, und schließlich zahlreiche Spinnen, welche vermutlich jenen kleinen Begleitern und Reinigern der Wasservögel nachstellen. Die häufig wiederholte Beschreibung, die stattliche Palme und andere edle Tropenpflanzen, danach die Vögel und schließlich der Mensch nähmen von den Koralleninseln im Pazifik Besitz, sobald sie entstanden sind, ist möglicherweise nicht ganz korrekt; ich fürchte, es zerstört die Poesie dieser Geschichte, dass von Federn und Schmutz sich nährende Insekten und Spinnen die ersten Bewohner eines neu entstandenen Landes im Ozean sind.

Fernando de Noronha, 20. Februar – Soweit ich es während der wenigen Stunden, die wir dort verbrachten, beobachten konnte, ist die Beschaffenheit der Insel vulkanisch, wahrscheinlich aber nicht jüngeren Datums. Das auffallendste Merkmal ist ein konischer Berg, ungefähr tausend Fuß hoch, dessen oberer Teil außerordentlich steil ist und an einer Seite über seinen Fuß überhängt. Auf St. Helena hingegen stellte ich fest, dass einige Spitzen mit ganz ähnlicher Gestalt und Beschaffenheit durch die Injektion geschmolzenen Steins in nachgiebige Schichten geformt worden waren, welche dadurch die Form für diese gigantischen Obelisken geschaffen hatten. Die gesamte Insel ist mit Wald bedeckt, doch aufgrund des trockenen Klimas gibt es keine Anzeichen üppigen Wuchses.

Bahia oder San Salvador, Brasilien, 29. Februar – Ein entzückender Tag ist vergangen. Entzücken allein ist indes ein schwacher Begriff, um die Empfindungen eines Naturforschers auszudrücken, der zum ersten Mal allein durch einen brasilianischen Wald gewandert ist. Die Eleganz der Gräser, die Neuheit der parasitischen Pflanzen, die Schönheit der Blumen, das schimmernde Grün des Laubes, vor allem aber die allgemeine Üppigkeit der Vegetation erfüllten mich mit Bewunderung. Ein höchst paradoxes Gemisch aus Geräusch und Stille durchdringt die schattigen Teile des Waldes. Der Insektenlärm ist so laut, dass er selbst noch von einem Schiff aus, das mehrere hundert Yard vor der Küste ankert, vernommen werden kann; in der Abgeschiedenheit

GEGENÜBER: Fernando de Noronha, Brasilien

~ AUS ~

VERLAUF DER ZWEITEN EXPEDITION 1831–1836

VON ROBERT FITZ ROY

Vor Sonnenuntergang am 19. sahen wir die Insel Fernando Noronha mit ihrem hoch aufragenden Berggipfel, und gegen Mitternacht ankerten wir vor der Hafeneinfahrt.

Am nächsten Morgen ging ich unter Schwierigkeiten an Land, die Brandung war so hoch, dass jedes normale Boot untergegangen wäre. Mit großer Umsicht brachten unsere breiten gutgebauten Walboote ohne Unfall die Instrumente und eine kleine Gruppe an Land und nahmen sie später wieder auf.

Wir ankerten in einer kleinen Bucht unter der (sogenannten) Zitadelle, doch es gibt einen sichereren und insgesamt besseren Platz eine Meile weiter nördlich. Da es mein Ziel war, zur Zeitmessung die Sonnenstände zu erfassen und die am Ufer verwendeten Chronometer möglichst schnell mit jenen an Bord zu vergleichen, ging ich nah an der Stelle an Land, wo der verstorbene Kapitän Foster seine Beobachtungen machte; doch das Haus, in dem er seine Pendel-Beobachtungen anstellte, war schwer zu finden. Nicht einmal der Gouverneur konnte es mir sagen, denn er kam erst nach Fosters Abreise; und die meisten Inselbewohner, die alle aus Brasilien emigriert waren, hatten die Behausungen gewechselt.

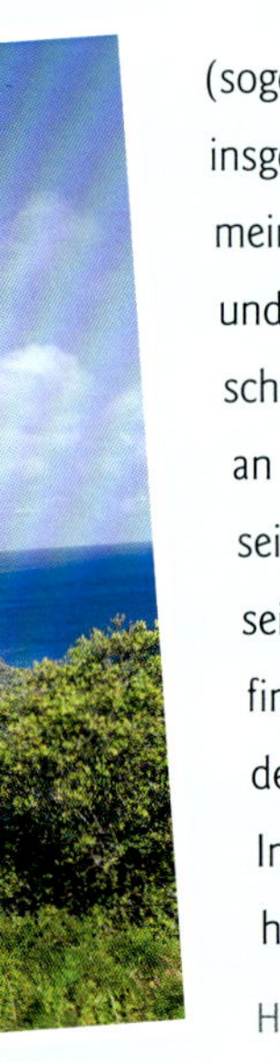

Hügel und Strände auf Fernando de Noronha

des Waldes selbst scheint dagegen umfassende Stille zu herrschen. Einem, der die Naturgeschichte liebt, verschafft ein solcher Tag eine tiefere Freude, als er jemals wieder zu erfahren hoffen kann.

An der gesamten Küste Brasiliens auf einer Länge von wenigstens 2000 Meilen und gewiss noch eine beträchtliche Strecke landeinwärts gehört der massive Fels überall, wo er auftritt, zu einer Granitformation. Der Umstand, dass diese gewaltige Fläche sich aus Materialien zusammensetzt, die nach Ansicht der meisten Geologen durch Erhitzung unter Druck kristallisiert worden sind, gibt Anlass zu

Steilwände an der Küste von Bahia, Brasilien

vielen merkwürdigen Überlegungen. Wurde dieser Effekt unter den Tiefen eines tiefen Ozeans erzeugt? Oder erstreckte sich darüber früher eine Decke aus Schichten, die seitdem entfernt worden ist? Können wir glauben, dass eine Kraft, die über eine fast ewige Zeit wirkte, den Granit auf so vielen tausend Quadratmeilen freilegen konnte?

An einer Stelle nicht weit von der Stadt, wo sich ein Flüsschen ins Meer ergoss, entdeckte ich etwas, was mit einem von Humboldt erörterten Thema in Verbindung stand.[7] Bei den Katarakten der großen Flüsse Orinoko, Nil und Kongo sind die syenitischen Felsen von einer schwarzen Substanz überzogen, die den Eindruck macht, als sei sie mit Graphit poliert worden. Die Schicht ist extrem dünn, und bei der Analyse durch Berzelius wurde entdeckt, dass sie aus den Oxiden von Mangan und Eisen bestand. Im Orinoko tritt sie auf den Felsen auf, die periodisch von den Fluten überspült werden, und ausschließlich an den Stellen, wo der Strom schnell fließt oder, wie die Indianer sagen: «Die Felsen sind da schwarz, wo der Fluss weiß ist.» Dort zeigt der Überzug ein tiefes Braun statt schwarzer Farbe und scheint allein aus einer eisenhaltigen Substanz zu bestehen. Gesteinsproben vermögen keine genaue Vorstellung von diesen braun gebrannten Steinen zu vermitteln, die in den Sonnenstrahlen glitzern.

Einmal sah ich amüsiert den Eigenarten eines *Diodon antennatus* zu, der gefangen wurde, als er in Strandnähe umherschwamm. Von diesem Fisch mit der schlaffen Haut weiß man wohl, dass er über die außergewöhnliche Fähigkeit verfügt, sich nahezu zu einer Kugelform aufzublähen. Nachdem man ihn für kurze Zeit aus dem Wasser genommen und dann

Bahia, Brasilien

wieder hineingetaucht hat, wird eine beträchtliche Menge Wasser und Luft durch den Mund und vielleicht ebenso durch die Kiemenöffnungen aufgenommen. Dieser Vorgang wird durch zwei Verfahren vollzogen: Die Luft wird verschluckt und sodann in die Körperhöhle gedrückt, wobei ihr Austritt durch eine Muskelkontraktion verhindert wird, welche äußerlich sichtbar ist: Das Wasser hingegen tritt in einem sanften Strom durch das Maul ein, das weit offen und regungslos gehalten wird; letztere Handlung muss daher von einer Saugwirkung abhängen. Die Haut um den Unterleib ist weit lockerer als auf dem Rücken; daher wird durch die Aufblähung die Unterseite weit mehr gedehnt als die obere, weswegen der Fisch mit dem Rücken nach unten dahintreibt. Cuvier bezweifelt, ob der Igelfisch in dieser Lage schwimmfähig ist, doch kann er sich so nicht nur in gerader Linie fortbewegen, er kann sich auch nach beiden Seiten wenden. Letztere Bewegung wird einzig mithilfe der Brustflossen bewerkstelligt, wobei der Schwanz eingeklappt und nicht benutzt wird. Indem der Körper mit so viel Luft emporgehoben wird, ragen die Kiemenöffnungen aus dem Wasser, allerdings fließt ein Wasserstrom, eingesogen durch das Maul, beständig durch sie hindurch.

Nachdem der Fisch ein wenig in diesem aufgeblähten Zustand verblieben war, stieß er Luft wie auch Wasser mit beträchtlicher Kraft durch die Kiemenöffnungen und das Maul wieder aus. Er konnte nach Belieben eine bestimmte Wassermenge ausstoßen, weswegen es den Anschein hat, als nähme er diese Flüssigkeit teilweise deshalb auf, um sein spezifisches Gewicht zu regulieren. Dieser Diodon verfügte über mehrere Verteidigungsmittel. Er konnte fest zubeißen und Wasser über eine gute Entfernung aus dem Maul ausstoßen, wobei er vermöge der Bewegung seiner Kiefer ein eigenartiges Geräusch machte. Durch die Aufblähung seines Körpers richten sich die Papillen, womit die Haut bedeckt ist, auf und werden spitz. Das Merkwürdigste ist jedoch, dass er, wird er angefasst, durch die Haut am Bauch einen wunderschönen karmesinroten faserigen Stoff absondert, der Elfenbein und Papier auf so dauerhafte Weise färbt, dass sich die Tönung in all ihrer Leuchtkraft bis zum heutigen Tage hält: Natur und Nutzen dieses Sekrets sind mir vollkommen unbekannt.

18. März – Wir verließen Bahia. Einige Tage später, wir waren nicht sehr weit von den Abrolhos-Inseln entfernt, wurde meine Aufmerksamkeit auf eine rötlich-braune Erscheinung auf dem Meer gelenkt. Durch ein schwaches Glas schien die gesamte Wasseroberfläche wie von gehackten und an den Enden gezackten Stücken Heu bedeckt. Dabei handelt es sich um winzige zylindrische Confervae in Bündeln oder Flößen von jeweils zwanzig bis sechzig. Mr. Berkeley teilt mir mit, dass es sich dabei um dieselbe Art *(Trichodesmium erythraeum)* wie jene handelt, die auf weiten Flächen im Roten Meer angetroffen wird, woher sich auch der Name «Rotes Meer» ableitet.[8]

Unweit des Keeling-Atolls im Indischen Ozean beobachtete ich zahlreiche kleine Massen Confervae, wenige Zoll im Quadrat, die aus langen zylindrischen, äußerst dünnen Fäden bestanden, sodass sie für das unbewehrte Auge kaum sichtbar waren, vermischt mit anderen, recht langen Körpern, die an beiden Enden leicht konisch zuliefen. Zwei davon sind, vereint, in dem Holzschnitt abgebildet. Ihre Länge variiert von 0,04 bis 0,06 und gar bis 0,08 Zoll, ihr Durchmesser von 0,006 bis 0,008 Zoll. Bei der einen Extremität des zylindrischen Teils ist zumeist eine grüne Scheidewand zu erkennen, die aus einem körnigen Stoff besteht und in der Mitte am dicksten ist. Dies ist meines Erachtens der Boden eines sehr zarten, farblosen Beutels aus einer fleischigen Substanz, welche die Außenhülle bedeckt, aber nicht bis in die äußersten konischen Spitzen hineinreicht. In manchen Exemplaren ersetzten kleine, aber vollkommene Kugeln aus bräunlichem körnigem Stoff die Scheidewände, und ich beobachtete den eigenartigen Prozess, in dem sie erzeugt wurden. Die fleischige Substanz der inneren Schicht ordnete sich unvermittelt zu Linien, wovon einige eine Form annahmen, die von einem gemeinsamen Zentrum ausging; sodann zog sie sich mit einer unregelmäßigen und raschen Bewegung weiter zusammen, sodass das Ganze im Verlauf einer Sekunde zu einer vollkommenen kleinen Kugel vereint war, welche die Position der Scheidewand am einen Ende der nunmehr völlig leeren Hülle einnahm. Die Bildung der körnigen Kugel wurde von einer zufälligen Verletzung beschleunigt. Hinzuzufügen wäre noch, dass ein Paar dieser Körper häufig aneinander gefügt war, wie oben dargestellt, Kegel an Kegel, und zwar an jenem Ende, wo die Scheidewand liegt.

Ich möchte hier noch einige weitere Beobachtungen anfügen, die mit der Verfärbung des Meeres durch organische Ursachen zusammenhängen. An der Küste Chiles, einige Meilen nördlich von

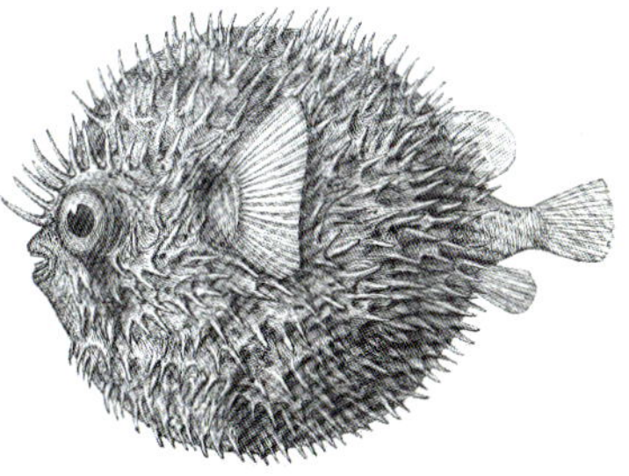
Fig. 314.—Diodon maculatus, inflated.

Fig. 313.—Diodon maculatus.

Ein *Diodon*, identifiziert als *Diodon maculatus*, in aufgeblähtem und normalem Zustand

Abbildungen von Protozoa aus *Meyers Konversations-Lexikon* von 1910.
«Infusorien» meint Protozoa aus dem Stamm der *Ciliophora*, wurde aber oft zur Beschreibung von mikroskopisch kleinen Lebewesen verwendet.

Concepión, gelangte die *Beagle* eines Tages durch breite Streifen trüben Wassers, genau wie bei einem angeschwollenen Fluss, und wiederum ein Grad südlich von Valparaíso, fünfzig Meilen vor der Küste, wo die gleiche Erscheinung noch ausgedehnter war. Ein Teil des Wassers hatte, in ein Glas gegeben, eine blassrötliche Färbung, und unterm Mikroskop untersucht, wimmelten darin winzige Tierchen, die umhersausten und häufig explodierten. Ihre Form ist oval und in der Mitte von einem Ring aus vibrierenden, geschwungenen Wimpern zusammengezogen. Allerdings erwies es sich als sehr schwierig, sie sorgfältig zu untersuchen, denn beinahe in dem Augenblick, als die Bewegung aufhörte, platzten ihre Körper, noch während sie unser Gesichtsfeld querten. Manchmal platzten beide Enden zugleich, manchmal nur eines, und dann wurde eine Menge grober, bräunlicher, körniger Substanz ausgestoßen. Das Wetter war an den Tagen davor ruhig gewesen, und der Ozean war in einem ungewöhnlichen Maße angefüllt mit Lebewesen.[9]

Im Meer um Feuerland habe ich in nicht allzu großer Entfernung vom Land schmale Wasserstreifen gesehen, die von der großen Zahl von Krustentieren, die in ihrer Form großen Garnelen ähneln, eine leuchtend rote Farbe erhalten hatten. Die Robbenfänger nennen das Walfutter. Ob Wale sich davon ernähren, weiß ich nicht, doch Seeschwalben, Kormorane und gewaltige Herden großer, unbeholfener Robben gewinnen aus diesen schwimmenden Krebsen an manchen Abschnitten der Küste ihre Hauptnahrung. Seeleute schreiben die Verfärbung des Wassers ausnahmslos Fischlaichen zu; ich aber sah dies nur einmal bestätigt. In einer Entfernung von mehreren Seemeilen vom Galapagos-Archipel fuhr das Schiff durch drei Streifen eines dunkelgelblichen oder schlammartigen Wassers; diese Streifen waren etliche Meilen lang, aber nur einige Yard breit, und vom sie umgebenden Wasser waren sie getrennt durch einen gewundenen, aber gleichwohl deutlichen Rand. Die Farbe stammte von kleinen gallertartigen Kugeln, die einen Durchmesser von ungefähr einem Fünftel eines Zolls hatten und in denen zahlreiche winzige kugelförmige Ovula eingelagert waren: Es waren zwei ausgeprägte Arten, die eine war von rötlicher Farbe und unterschied sich von der anderen auch in der Form.

In den obigen Schilderungen gibt es zwei Umstände, die bemerkenswert erscheinen: Erstens, wie halten sich die verschiedenen Körper, welche die Bänder mit ihren definierten Rändern bilden, zusammen? Bei den garnelenähnlichen Krabben war die Bewegung so exakt gleichzeitig wie bei einem Regiment Soldaten; dies aber kann bei den Eiern oder den Confervae nicht von einer annähernd freiwilligen Handlung rühren, auch bei den Infusorien ist das unwahrscheinlich. Zweitens, was bewirkt die Länge und Schmalheit der Streifen? Die Erscheinung gleicht jener, die sich in jedem Sturzbach beobachten lässt, wo sich der Strom in lange Streifen auswindet, die der Schaum in den Strudeln gesammelt hat, so stark, dass ich die Wirkung einem ähnlichen Vorgang der Strömungen von Luft oder Meer zuschreiben muss. Dies vorausgesetzt, müssen wir annehmen, dass die verschiedenen geordneten Körper an bestimmten günstigen Orten entstehen und von dort gruppenweise von Wind oder Wasser entfernt werden. Ich gestehe jedoch, dass man sich einen solchen Ort als Geburtsstätte der Millionen und Abermillionen Tierchen und Confervae nur unter größten Schwierigkeiten vorstellen kann: denn woher kommen an solchen Orten die Samen? – wo die Elternkörper doch von Wind und Wellen über den riesigen Ozean verteilt worden sind. Unter einer anderen Annahme kann ich ihre lineare Ordnung jedoch nicht verstehen.

Panorama von Rio de Janeiro, Stich um 1860 von Théodose du Monsel

2. Kapitel

RIO DE JANEIRO

Rio de Janeiro – Exkursion nördlich von Kap Frio – große Verdunstung – Sklaverei – Bucht von Botofago – Land-Planarien – Wolken auf dem Corcovado – starker Regen – musikalische Frösche – phosphoreszierende Insekten – Springkäfer, Schnellkraft von – blauer Nebel – Geräusch eines Schmetterlings – Entomologie – Ameisen – Wespe, die eine Spinne tötet – parasitische Spinne – Listen einer Aranea – gesellige Spinne – Spinne mit einem asymmetrischen Netz

4. April bis 5. Juli 1832 – Einige Tage nach unserer Ankunft lernte ich einen Engländer kennen, der sein Gut besuchen wollte, das einiges über hundert Meilen von der Hauptstadt, nördlich von Kap Frio, gelegen war. Gern nahm ich sein freundliches Angebot an, ihn zu begleiten.

8. April – Unsere Gesellschaft bestand aus sieben. Der erste Abschnitt war sehr interessant. Der Tag war drückend heiß, und während wir durch den Wald ritten, regte sich nichts bis auf die großen, blinkenden Schmetterlinge, die träge umherflatterten. Der Blick, der sich uns bot, als wir die Hügel hinter Praia Grande überquerten, war außerordentlich schön; die Farben waren intensiv, und die vorherrschende Tönung war ein dunkles Blau; der Himmel und das stille Wasser der Bucht wetteiferten um die größte Pracht.

9. April – Wir brachen noch vor Sonnenaufgang von unserem kläglichen Schlafplatz auf. Die Straße verlief durch eine schmale Sandebene, die zwischen dem Meer und den inneren Salzlagunen lag. Die Vielzahl schöner fischender Vögel wie weißer Reiher und

~ AUS ~

LEBEN UND BRIEFE VON CHARLES DARWIN

VON CHARLES DARWIN

In Rio de Janeiro vergingen drei Monate wie ebenso viele Wochen. Ich habe während dieser Zeit eine äußerst entzückende Exkursion 150 Meilen weit landeinwärts gemacht. Ich wohnte auf einem Landgute, welches das letzte Stück urbar gemachten Landes ist; dahinter liegt ein ungeheurer undurchdringlicher Wald. Es ist fast unmöglich, sich die Ruhe eines solchen Lebens vorzustellen. Nicht ein einziges menschliches Wesen unterbricht auf Meilen die Einsamkeit. Sich inmitten der Dämmerung eines solchen Waldes auf einen vermodernden Baumstamm zu setzen und dann sich zu Hause zu wähnen, ist ein Vergnügen, das es lohnt, einige Unannehmlichkeiten auf sich zu nehmen.

Rio de Janeiro, Brasilien

Kranich und die Sukkulenten mit ihren ganz fantastischen Formen verliehen der Szenerie einen Reiz, den sie ansonsten nicht besessen hätte. Die wenigen verkümmerten Bäume waren mit parasitischen Pflanzen überladen, worunter vor allem Schönheit und köstlicher Duft einiger Orchideen zu bewundern waren. Während die Sonne aufstieg, wurde der Tag extrem heiß, und die Reflexion von Licht und Wärme von dem weißen Sand war sehr quälend. Wir speisten in Mandetiba; das Thermometer stand im Schatten bei 29 °C. Gleichwohl erfrischte uns der schöne Blick auf die fernen bewaldeten Berge, die sich im vollkommen stillen Wasser einer ausgedehnten Lagune spiegelten. Da die *vênda*[1] hier sehr gut war und ich die angenehme, aber seltene Erinnerung an ein ausgezeichnetes Abendessen habe, will ich dankbar sein und sie hier als typische Vertreterin ihrer Kategorie beschreiben. Diese Häuser sind oftmals groß und aus dicken, aufrechten Pfählen mit dazwischen eingeflochtenen Zweigen errichtet und anschließend verputzt. Nur selten haben sie einen Fußboden und nie Glasfenster, sind im Allgemeinen jedoch ganz ordentlich bedacht. Die Vorderseite ist durchweg offen und bildet eine Art Veranda, auf der Tische und Bänke stehen. Die Schlafzimmer schließen sich zu beiden Seiten an, und dort mag der Reisende dann auf einer hölzernen Plattform, mit einer dünnen Strohmatte bedeckt, so bequem schlafen, wie er kann. Die *vênda* steht in einem Hof, wo die Pferde gefüttert werden.

Bei der Ankunft pflegten wir stets die Pferde abzusatteln und ihnen ihren Mais zu geben; sodann, mit einer tiefen Verbeugung, den senhôr um die Freundlichkeit zu bitten, uns etwas zu essen zu geben. Wenn wir Glück hatten, erhielten wir, nach ein paar Stunden Wartezeit, Geflügel, Reis und Farinha. Im Campos Novos hingegen erging es uns gar prächtig; zum Abendessen gab es Reis und Geflügel, Biskuit, Wein und Branntwein; am Abend Kaffee und zum Frühstück Kaffee und Fisch. Das alles kostete, zusammen mit Futter für die Tiere, nur zwei Shilling Sixpence pro Kopf.

Von Mandetiba aus reisten wir weiter durch eine verschlungene Seenwüste; in einigen gab es Süß-, in anderen Salzwassermuscheln. Von Ersteren fand ich zahlreiche *Limnaea* in einem See, in den, wie die Anwohner mir versicherten, einmal im Jahr, manchmal häufiger, das Meer gelangt und das Wasser recht salzig macht. Zweifellos könnten in dieser Lagunenkette, welche die Küste Brasiliens säumt, in Bezug auf Meeres- und Süßwassertiere zahlreiche interessante Fakten beobachtet werden. M. Gay[2] hat dargelegt, er habe in der Umgebung von Rio Muscheln der im Meer lebenden Gattungen Solenidae und Mytilus sowie Süßwasser-Ampullariae vorgefunden, die zusammen in Brackwasser lebten.

Wir verließen die Küste für eine Weile und gelangten wieder in den Wald. Die Bäume waren sehr stattlich und, verglichen mit denen Europas, auffallend wegen ihrer weißen Stämme. Meinem Notizbuch entnehme ich, dass mich «wunderbare, schöne, blühende Parasiten» immer wieder als die ungewöhnlichsten Objekte in diesen großartigen Szenerien beeindruckt haben. Nach Einbruch der Dunkelheit trafen wir in Engenhodo ein, nachdem wir zehn Stunden im Sattel gesessen hatten. Während der gesamten Reise überraschten mich beständig die großen Strapazen, deren sich die Pferde auszusetzen vermochten; sie schienen sich von einer Verletzung weit schneller als jene unserer englischen Zucht zu erholen. Der Gemeine Vampir ist oftmals Ursache vieler Unannehmlichkeiten, indem er die Pferde in den Widerrist beißt. Wir biwakierten eines Abends spät bei Coquimbo in Chile, als mein Diener bemerkte, dass eines der Pferde sehr störrisch war, und nachsehen ging, was los war; er glaubte, etwas erkannt zu haben, legte unvermittelt die Hand auf den Widerrist des Pferdes und hielt den Vampir fest. Am Morgen war die Stelle, wo der Biss zugefügt worden war, leicht daran zu erkennen, dass sie ein wenig geschwollen und blutig war. Drei Tage danach ritten wir das Pferd wieder, ohne jede schlimmen Nachwirkungen.

13. April – Nach drei Tagesreisen erreichten wir Socêgo, das Gut Senhôr Manuel Figuiredas, eines Verwandten von einem aus unserer Gesellschaft. Das Haus war einfach und, obwohl es die Form eines Scheune hatte, dem Klima gut angepasst. Das Haus bildete zusammen mit dem Kornspeicher, den Ställen und Werkstätten der Schwarzen, denen man diverse Handwerke beigebracht hatte, ein grobes Viereck; in dessen Mitte trocknete ein großer Haufen Kaffee. Das Hauptprodukt jenes Landstrichs ist Kaffee. Jeder Strauch soll jährlich im Durchschnitt 2 Pfund abwerfen; manche geben aber bis zu acht. Auch Mandioka oder Cassave wird in großen Mengen angebaut. Jeder Teil dieser Pflanze ist nützlich: Die Blätter und Stängel werden von den Pferden gefressen und die Wurzeln zu einem Brei gestampft, welcher, trocken gepresst und gebacken, das Hauptnahrungsmittel in Brasilien stellt.

14. April – Von Socêgo aus ritten wir zu einem weiteren Gut am Rio Macâe, was der letzte Flecken kultiviertes Land in dieser Richtung ist. Das Gut war zweieinhalb Meilen lang, und wie viele breit, hatte der Besitzer vergessen. Nur ein sehr kleines Stück war gerodet worden, dennoch vermochte nahezu jeder Morgen all die verschiedenen reichen Erzeugnisse eines Tropenlandes zu tragen. Der Wald quoll über von schönen Dingen, worunter die Baumfarne, wenngleich nicht groß, wegen ihres leuchtend grünen Laubs und des eleganten Schwungs der Wedel der Bewunderung am würdigsten waren.

18. April – Auf der Rückreise verbrachten wir zwei Tage in Socêgo, die ich damit verbrachte, im Wald Insekten zu sammeln. Die Bäume haben, obwohl so hoch, in ihrer überwiegenden Zahl keinen größeren Umfang als drei oder vier Fuß. Natürlich gibt es einige von weit größeren Ausmaßen. Senhôr Manuel fertigte da gerade ein Kanu von 70 Fuß Länge aus einem massiven Stamm, welcher ursprünglich 110 Fuß lang und von beträchtlicher Dicke gewesen war. Der Kontrast der Palmen, die mitten unter den gewöhnlichen, Äste tragenden Arten wachsen, verleiht der Szenerie doch stets einen tro-pischen Charakter. Hier nun waren die Wälder von der Kohlpalme geziert – einer der schönsten ihrer Familie. Mit einem solch schmalen Stamm, dass man ihn mit zwei Händen umfassen kann, wiegt sie ihr elegantes Haupt in einer Höhe von vierzig oder fünfzig Fuß über der Erde. Die holzigen Kriechpflanzen, ihrerseits wieder von anderen Kriechpflanzen überdeckt, waren sehr dick: Manche, die ich maß, besaßen einen Umfang von zwei Fuß. Viele der älteren Bäume boten durch die Lianentressen, die von ihren Zweigen herabhingen, ein sehr eigenartiges Bild und glichen Heubündeln. Wandte man den Blick von der Welt des Laubwerks oben auf die Erde darunter, wurde er von der äußersten Eleganz der Blätter von Farnen und Mimosen angezogen. Letztere bedeckten die Erde an manchen Stellen mit einem nur wenige Zoll hohen Dickicht. Indem man über diese dichten Mimosenbeete ging, wurde vom Wechsel des Schattens, den das Herabhängen ihrer empfindlichen Blattstiele erzeugte, ein breiter Pfad bezeichnet. Es fällt leicht, die einzelnen Gegenstände der Bewunderung in diesen großartigen Szenen zu bestimmen, dagegen ist es unmöglich, eine angemessene Vorstellung von den höheren Empfindungen der Verwunderung, des Staunens und der Andacht mitzuteilen, die den Geist erfüllen und erheben.

Gemeiner Vampir *(Desmodus rotundus)*

OBEN: Kaffeebohnen, ein wichtiger Exportartikel auch in Darwins Zeit
UNTEN: Ernte der Cassave-Wurzel (Ausschnitt, 1789)

19. April – Nach der Abreise von Socêgo gingen wir während der ersten beiden Tage auf demselben Weg zurück. Es war sehr mühsame Arbeit, da die Straße zumeist über eine glühend heiße Sandebene unweit der Küste führte. Am dritten Tag nahmen wir eine andere Route und gelangten durch das heitere kleine Dorf Madre de Deôs. Es ist dies einer der Hauptverkehrswege Brasiliens, doch war er in einem so schlechten Zustand, dass mit Ausnahme der schwerfälligen Ochsenkarren kein Radfahrzeug darauf vorankam. Am Abend des 23. erreichten wir Rio, wo wir unseren angenehmen kleinen Ausflug beendeten.

Im Verlaufe meines weiteren Aufenthalts in Rio wohnte ich in einem Häuschen in der Bucht von Botofago. Es war unmöglich, sich etwas Herrlicheres zu wünschen, als so einige Wochen in einem solch großartigen Land zu verbringen.

Die wenigen Beobachtungen, die ich anzustellen vermochte, beschränkten sich nahezu ausschließlich auf die wirbellosen Tiere. Sehr interessierte mich die Existenz einer Abteilung der Gattung *Planaria*, welche das trockene Land bewohnt. Diese Tiere besitzen eine so einfache Struktur, dass Cuvier sie zu den Darmwürmern rechnete, obgleich sie nie im Leib anderer Tiere angetroffen wurden. Zahlreiche Arten bewohnen Salz- wie Süßwasser; diejenigen aber, von denen ich spreche, fanden sich noch in den trockeneren Teilen des Waldes, unter modernden Baumstämmen, von denen sie sich, glaube ich, ernähren. In ihrer allgemeinen Form ähneln sie kleinen Wegschnecken, sind aber proportional viel schmaler, und einige Arten sind wunderschön mit Längsstreifen gefärbt. Ihr Aufbau ist sehr einfach: Nahe der Mitte der Unter- oder Kriechseite befinden sich zwei Querschlitze, von deren vorderem sich ein trichterförmiger und äußerst empfindlicher Mund vorwölben kann. Einige Zeit, nachdem das übrige

Botofago-Bucht, Rio de Janeiro

Tier schon durch die Wirkungen von Salzwasser oder einer andern Ursache vollständig tot war, bewahrte sich dieses Organ noch seine Lebenskraft.

Ich fand nicht weniger als zwölf verschiedene Arten von Land-Planarien in verschiedenen Teilen der südlichen Hemisphäre.[3] Einige Exemplare, die ich in Van Diemen's Land bekam, vermochte ich nahezu zwei Monate lang am Leben zu erhalten, indem ich sie mit modrigem Holz fütterte. Nachdem ich eines diagonal in zwei annähernd gleiche Teile geschnitten hatte, hatten beide innerhalb von zwei Wochen die Form vollkommener Tiere angenommen. Allerdings hatte ich ihren Körper so geteilt, dass eine der Hälften beide tieferen Öffnungen enthielt und die andere folglich keine. Mit Ablauf von fünfundzwanzig Tagen nach der Operation hätte die vollkommenere Hälfte von keinem anderen Exemplar mehr unterschieden werden können. Das andere hatte an Größe stark zugenommen, und zum hinteren Ende hin bildete sich in der parenchytamösen Masse ein freier Raum, in dem ein rudimentärer Mund in Form eines Bechers deutlich zu erkennen war; auf der Unterseite hingegen war noch kein entsprechender Schlitz offen. Hätte die zunehmende Hitze des Wetters, während wir uns dem Äquator näherten, nicht alle Einzelwesen zerstört, so hätte dieser letzte Schritt, daran besteht kein Zweifel, seine Struktur noch vervollkommnet. Auch wenn das Experiment allseits bekannt ist, war es interessant, die allmähliche Ausbildung eines jeden lebenswichtigen Organs aus der einfachen Extremität eines anderen Tieres zu beobachten. Die Erhaltung dieser Planarien ist äußerst schwierig; sobald das Ende des Lebens den üblichen Gesetzen des Wandels gestattet zu handeln, wird ihr gesamter Körper mit einer Geschwindigkeit, die ich niemals sonst erreicht gesehen habe, weich und flüssig.

Erstmals besuchte ich den Wald, in dem diese Planarien gefunden wurden, in Begleitung eines alten portugiesischen Priesters, der mich mit auf die Jagd nahm. Die Zerstreuung bestand darin, einige Hunde ins Dickicht zu schicken, dann geduldig abzuwarten und auf jedes Tier zu feuern, das sich zeigen mochte. Begleitet wurden wir vom Sohn eines Bauern aus der Nachbarschaft – ein gutes Exemplar eines wilden brasilianischen Jünglings.

Jedermann hat schon von der Schönheit der Gegend um Botofogo gehört. Das Haus, in dem ich

Amazonische Land-Planarie (Plattwurm)

wohnte, stand nahe dem bekannten Berg Corcovado. Es wurde mit großer Berechtigung gesagt, steile konische Berge seien charakteristisch für die Formation, die Humboldt Gneis-Granit benennt. Nichts kann auffallender sein als der Eindruck dieser gewaltigen runden Massen nackten Felses, die sich aus der üppigsten Vegetation erheben.

Ich beobachtete häufig mit Interesse die Wolken, die, vom Meer hereinwallend, dicht unterhalb der höchsten Stelle des Corcovado eine Bank bilden. Dieser Berg scheint, solcherart eingehüllt, wie die meisten anderen auf eine weit erhabenere Höhe anzusteigen als auf die tatsächliche von 2300 Fuß.

Das Klima in den Monaten Mai und Juni, also am Winteranfang, war herrlich. Die mittlere Temperatur, durch Beobachtung um neun Uhr morgens wie abends gemessen, betrug lediglich 22 °C. Häufig regnete es stark, doch die trocknenden Südwinde machten die Wege schnell wieder angenehm. An einem Vormittag fielen im Laufe von sechs Stunden 1,6 Zoll Regen. Als dieser Sturm über die Wälder fegte, die den Corcovado umgeben, war das Geräusch der Tropfen, die auf die unzählbare Menge der Blätter schlugen, ganz bemerkenswert; es war noch in einer Entfernung von einer Viertelmeile zu hören, und es klang wie das Rauschen großer Wassermassen. Nach den heißeren Tagen war es herrlich, still im Garten zu sitzen und zuzusehen, wie der Abend in die Nacht überging. Die Natur erwählt in diesen Klimaten ihre Sänger aus bescheideneren Künstlern als in Europa. Ein kleiner Frosch der Gattung *Hyla* sitzt auf einem Grashalm ungefähr einen Zoll über der Wasseroberfläche und lässt ein angenehmes Zirpen erschallen: Wenn mehrere

Der Corcovado, heute Standort der berühmten Christus-Statue

~ AUS ~

VERLAUF DER ZWEITEN EXPEDITION 1831–1836

VON ROBERT FITZ ROY

Charles Darwins Sextant an Bord der *Beagle*

Im Hinblick auf astronomische Beobachtungen hatte ich in Rio de Janeiro äußerst großes Pech, mit Ausnahme jener für Zeit und Breitengrad, die Sextanten und künstliche Horizonte erfordern. Da Regenzeit war, eigneten sich nur wenige Nächte für das Beobachten der Transite von Sternen durch den Mond, und diese wenigen lagen zu nah am Vollmond, um nutzbar zu sein. Wäre das Wetter anders gewesen, so bezweifle ich dennoch, dass ich befriedigende Resultate erzielt hätte, denn das Transit-Instrument war von schlechter Bauart, und obendrein war ich nicht an seinen Gebrauch gewöhnt. So viel Zeit wurde, zu Lasten anderer Pflichten, für das Justieren und Nachjustieren des mangelhaften Instruments aufgewendet, dass ich beschloss, den Durchgang nicht mehr zu bestimmen, bis ich wieder freie Zeit und eine Aussicht auf wolkenlose Nächte haben würde.

zusammen sind, singen sie mehrstimmig in verschiedenen Tönen. Dazu veranstalten verschiedene Zikaden und Grillen ein unaufhörliches schrilles Kreischen, was aber, durch die Entfernung gemildert, nicht unangenehm ist. Jeden Abend nach Einbruch der Dunkelheit begann dieses Konzert; häufig habe ich nur dagesessen und ihm gelauscht, bis meine Aufmerksamkeit von einem merkwürdigen vorbeieilenden Insekt abgelenkt wurde.

Um diese Zeit sieht man die Leuchtkäfer von Hecke zu Hecke flitzen. In einer dunklen Nacht kann man das Licht aus über hundert Schritt Entfernung sehen. Es fällt auf, dass bei all den unterschiedlichen Arten von Glühwürmchen, leuchtenden Springkäfern und diversen Meerestieren (wie Krustentieren, Medusen, Nereiden, einem Korallentier der Gattungen *Clytia* und *Pyrosoma*), die ich beobachtet habe, das Licht immer von einer markanten grünen Farbe war. Alle Leuchtkäfer, die ich hier fing, gehörten den *Lampyridae* an (worin die Familie des englischen Glühwürmchens eingeschlossen ist), und die überwiegende Anzahl der Exemplare waren *Lampyris occidentalis*.[4] Ich fand heraus, dass dieses Insekt die leuchtendsten Blitze abgab, wenn es gereizt wurde: In den Pausen waren die Bauchringe verdunkelt. Der Blitz leuchtete nahezu gleichzeitig in beiden Ringen auf, doch war er gerade noch wahrnehmbar zuerst im vorderen. Der Leuchtstoff war flüssig und sehr klebrig: Kleine Stellen, wo die Haut eingerissen war, strahlten hell und leicht funkelnd weiter, wohingegen die unverletzten Stellen verdunkelt waren. Wurde das Insekt geköpft, blieben die Ringe ununterbrochen hell, aber nicht so leuchtend wie zuvor: Eine örtliche Reizung mit einer Nadel steigerte stets die Lebhaftigkeit des Lichts. Einmal behielten die Ringe ihre Leuchteigenschaft noch beinahe vierundzwanzig Stunden nach dem Tod des Insekts bei.

Als wir in Bahia waren, schien das verbreitetste Leuchtinsekt ein Schnellkäfer *(Pyrophosus luminosus)* zu sein. Das Licht wurde auch in diesem Fall durch Reizung heller. An einem Tag belustigte ich mich mit der Beobachtung der Sprungkraft dieses Insekts, welche, wie mir scheinen will, nicht angemessen beschrieben worden ist.[5]

Mehrmals genoss ich kurze, aber äußerst angenehme Exkursionen in die umliegende Landschaft. An einem Tag besuchte ich den botanischen Garten, wo man viele für ihre große Nützlichkeit bekannte Pflanzen wachsen sehen konnte. Die Blätter von Kampfer, Pfeffer, Zimt und Nelkenbäumen waren herrlich aromatisch; und Brotfrucht, Jaca und Mango wetteiferten miteinander in der Pracht ihres Laubwerks. Die Landschaft in der Umgebung Bahias gewinnt beinahe ihren Charakter von den beiden letzteren Bäumen. Bevor ich sie sah, konnte ich mir nicht vorstellen, dass überhaupt ein Baum einen solch schwarzen Schatten auf den Boden werfen konnte. Beide stehen zu der immergrünen Vegetation dieser Klimaten im selben Verhältnis wie Lorbeer und Steineiche zum helleren Grün der Laubbäume Englands. Man kann beobachten, dass die Häuser in den Tropen von den wunderschönsten Vegetationsformen umgeben sind, weil viele gleichzeitig für den Menschen von größtem Nutzen sind. Wer kann bezweifeln, dass diese Eigenschaften in der Banane vereint sind, der Kokosnuss, den vielen Palmenarten, der Orange und dem Brotfruchtbaum?

Während dieses Tages beeindruckte mich besonders eine Bemerkung von Humboldt, der häufig auf den «feinen Dunst» anspielt, «der, ohne die Transparenz der Luft zu verändern, ihre Tönungen harmonischer wiedergibt und ihre Wirkungen mildert». Es ist dies eine Erscheinung, die ich in den gemäßigten Zonen nie bemerkt habe. Die Atmosphäre, durch eine kurze Distanz von einer halben oder einer Dreiviertelmeile gesehen, war vollkommen klar, auf eine größere Entfernung hingegen wurden alle Farben zu einem wunderschönen Dunst von blassem Französisch-Grau mit einem kleinen Blauton darin vermischt. Der Zustand der Atmosphäre zwischen Morgen und Mittag, wenn der Effekt am deutlichsten war, hatte mit Ausnahme seiner Trockenheit nur eine geringe Veränderung erfahren. Währenddessen hatte sich der Unterschied zwischen Taupunkt und Temperatur von 7,5° auf 17° erhöht.

Einem Pfad folgend, schritt ich in einen stattlichen Wald, und auf einer Höhe von fünf- oder sechshundert Fuß bot sich mir eine jener großartigen Ansichten, wie sie auf jeder Seite Rios so üblich sind. Nie kehrte ich von diesen Exkursionen mit leeren Händen zurück. An jenem Tage fand ich das Exemplar eines eigenartigen Pilzes mit Namen *Hymenophallus*. Die meisten Menschen kennen den englischen *Phallus*, der im Herbst die Luft mit seinem abscheulichen Gestank beschmutzt, der hingegen, wie der Entomologe wohl weiß, für manche unserer Käfer ein köstlicher Duft ist. So verhielt es sich auch hier; ein Strongylus ließ sich, angelockt von dem Geruch, auf dem Pilz nieder, als ich ihn auf der Hand trug. Wir sehen hier in zwei weit voneinander entfernten Ländern einen ähnlichen Bezug zwischen Pflanzen und Insekten derselben Familie, obwohl beider Arten verschieden sind. Während unseres Aufenthalts in Brasilien legte ich eine große Insektensammlung an. Einige allgemeine Beobachtungen über die relative Bedeutung der verschiedenen Ordnungen mögen für den englischen Entomologen von Interesse sein. Die großen und leuchtend bunten Lepidoptera zeugen von der Zone, die sie bewohnen, viel klarer als jede andere Tierrasse. Ich meine hier nur die Schmetterlinge, denn die Schwärmer treten anders, als man ob der Üppigkeit der Vegetation hätte erwarten können, doch in weit geringerer Zahl als in unseren gemäßigten Breiten auf. Höchst überrascht war ich über die Lebensweise des *Papilio feronia*. Dieser Schmetterling ist nicht selten und frequentiert gemeinhin die Orangenhaine. Obwohl ein Hochflieger, lässt er sich doch häufig auf Baumstämmen nieder. Dabei ist der Kopf durchweg nach unten gerichtet, und die Flügel sind in einer horizontalen Ebene ausgebreitet, statt vertikal eingefaltet zu sein, wie es ansonsten der Fall ist. Er ist der einzige Schmetterling, den ich je die Beine zum Laufen habe benutzen sehen. Dies war mir nicht bewusst, weswegen das Insekt mehr als einmal, als ich mich ihm vorsichtig mit der Zange näherte, zur Seite entkam, gerade als das Instrument sich schließen wollte. Weit eigenartiger jedoch ist die Fähigkeit dieser Art, Geräusche zu machen.[6]

Von dem allgemeinen Aussehen der Coleoptera war ich enttäuscht. Die Zahl winziger und dunkel gefärbter Käfer ist außerordentlich hoch.[7] Die Vitrinen Europas können bislang nur die größere Art aus tropischen Klimaten vorweisen. Es genügt, den Geist eines Entomologen aus der Fassung zu bringen, um sich auf die künftigen Dimensionen eines vollständigen Katalogs zu freuen. Die Fleisch fressenden Käfer, Carabidae, treten in den Tropen in äußerst geringer Zahl auf: Das ist umso bemerkenswerter, als die Fleisch fressenden Vierfüßer in den heißen Ländern so überreich vorhanden sind. Diese Beobachtung machte ich, als ich nach Brasilien kam, und ebenso, als ich die vielen eleganten und aktiven Formen der Harpalidae sah, die sich wieder auf den gemäßigten Ebenen von La Plata zeigten. Nehmen die sehr zahlreichen Spinnen und räuberischen Hymenoptera den Platz der Fleisch fressenden Käfer ein? Die Aasfresser und Brachelytera sind sehr selten; dann wiederum sind die Rhyncophora und Chrysomelidae, welche allesamt auf die Pflanzenwelt als Nahrung angewiesen sind, in erstaunlicher Zahl vorhanden. Ich beziehe mich hier nicht auf die Zahl der unterschiedlichen Arten, sondern auf die der einzelnen Insekten, denn von dieser hängt ja das auffallendste Gepräge der Entomologie unterschiedlicher Länder ab. Besonders zahlreich sind die Ordnungen Orthoptera und Hemiptera; ebenso die stechende Untergruppe der Hymenoptera, mit Ausnahme vielleicht der Bienen. Ein Mensch ist, wenn er erstmals einen

Schmetterlinge und Nachtfalter

tropischen Wald betritt, erstaunt über die Arbeit der Ameisen: In alle Richtungen zweigen vielbegangene Pfade ab, auf denen Armeen unermüdlicher Plünderer zu sehen sind, manche ausrückend, andere zurückkehrend, beladen mit Teilen grüner Blätter, oftmals größer als der eigene Körper.

Bestimmte wespenartige Insekten, die in den Ecken der Veranden für ihre Larven Tonzellen bauen, sind in der Umgebung von Rio sehr zahlreich. Diese Zellen stopfen sie voll mit halb toten Spinnen und Raupen, und anscheinend wissen sie wunderbar genau, wie sie sie in einem Maße zu stechen haben, dass sie gelähmt sind, aber weiterleben, bis ihre Eier ausgebrütet sind; und die Larven fressen sodann die grausige Masse machtloser, halb getöteter Opfer – ein Anblick, der von einem enthusiastischen Naturforscher[8] als wundersam und erfreulich beschrieben wurde! Mit großem Interesse beobachtete ich einmal einen tödlichen Kampf zwischen einer Pepsis und einer Spinne von der Gattung *Lycosa*. Die Wegwespe unternahm einen jähen Angriff auf die Spinne und flog dann fort; die Spinne war offenkundig verletzt, denn bei dem Versuch zu fliehen rollte sie einen kleinen Hang hinab, hatte jedoch noch genügend Kraft, in ein dichtes Grasbüschel zu krabbeln. Bald kehrte die Wespe zurück und schien überrascht, ihr Opfer nicht gleich zu finden. Daraufhin begann sie eine regelrechte Jagd ganz

Von Charles Darwin gesammelte Insekten

wie die eines Hundes nach einem Fuchs, wobei sie kleine halbkreisförmige Vorstöße unternahm und beständig Flügel und Fühler vibrieren ließ. Die Spinne wurde, obgleich gut verborgen, bald entdeckt, worauf die Wespe, augenscheinlich nach wie vor die Klauen ihrer Widersacherin fürchtend, nach zahlreichen listigen Manövern zwei Stiche an der Unterseite des Mittelleibs anbrachte. Nachdem sie dann die nunmehr reglose Spinne sorgfältig mit den Fühlern untersucht hatte, machte sie sich daran, den Körper wegzuziehen. Ich aber hielt Tyrann wie Beute auf.[9]

Die Zahl der Spinnen ist im Verhältnis zu anderen Insekten hier, verglichen mit England, sehr viel größer, vielleicht mehr als bei jeder anderen Untergruppe der Gliedertiere. Die Artenvielfalt bei den Springspinnen scheint nahezu endlos. Die Gattung oder vielmehr Familie der *Epeira* wird hier von vielen eigentümlichen Formen charakterisiert; manche Spezies haben spitz zulaufende, lederartige Panzer, andere vergrößerte und stachlige Tibiae. Jeder Pfad durch den Wald ist mit dem festen gelben Netz einer Art verbarrikadiert, die zur gleichen Untergruppe wie die *Epeira clavipes* von Fabricius gehören, die, wie Sloane einst sagte, in der Karibik so feste Netze machten, dass sie damit Vögel fingen. Eine kleine, hübsche Spinnenart mit sehr langen Vorderbeinen, die offenbar einer unbeschriebenen

OBEN: Darwin beobachtete das Sozialverhalten der Ameisen
LINKS: Eine Lehmwespe *(Eumeninae)* baut ein Ton-Nest

Gattung angehört, lebt als Parasit auf nahezu jedem dieser Netze. Vermutlich ist sie zu unbedeutend, um von der großen *Epeira* bemerkt zu werden, und darf daher den winzigen Insekten nachstellen, die an den Fäden kleben und sonst verschwendet wären. Bekommt diese Spinne Angst, stellt sie sich tot, indem sie die Vorderbeine ausstreckt, oder lässt sich unvermittelt vom Netz fallen. Eine große *Epeira* von derselben Untergruppe wie *Epeira tuberculata* und *conica* ist sehr verbreitet, zumal in einer trockenen Umgebung. Ihr Netz, in der Regel zwischen den großen Blättern der gemeinen Agave angelegt, ist manchmal nahe der Mitte durch ein Paar oder gar vier Zickzackbänder verstärkt, welche zwei angrenzende Strahlen verbinden. Wird ein großes Insekt,

Eine Spinne der Gattung *Araneus*, vormals *Epeira*

Avenida Rio Branco, Rio de Janeiro, Aufnahmedatum unbekannt

eine Heuschrecke oder Wespe, darin gefangen, lässt die Spinne es mittels einer geschickten Bewegung sehr rasch rotieren, und indem sie gleichzeitig aus ihren Spinnwarzen ein Fadenband ausstößt, wickelt sie ihre Beute alsbald in eine Hülle gleich dem Kokon einer Seidenraupe.

Ich darf hier noch erwähnen, dass ich nahe bei Santa Fé Bajada viele große schwarze Spinnen mit einer rubinfarbenen Zeichnung auf dem Rücken antraf, die gesellig leben. Die Netze waren vertikal angelegt, wie es bei der Gattung *Epeira* durchweg der Fall ist; sie waren mit einem Abstand von ungefähr zwei Fuß voneinander getrennt, jedoch alle an einigen gemeinsamen Fäden befestigt, die von großer Länge waren und sich in alle Richtungen der Gemeinschaft ausdehnten. Solcherart waren manche großen Büsche an der Oberseite von den vereinigten Netzen umschlossen. Azara[10] hat eine gesellig lebende Spinne in Paraguay beschrieben, die Walckenaer für eine *Theridion* hält, die wahrscheinlich aber eine *Epeira* ist und vielleicht sogar zur selben Art gehört wie meine. Allerdings kann ich mich nicht erinnern, ein zentrales Nest gesehen zu haben, das so groß wie ein Hut war, worin im Herbst, wenn die Spinnen sterben, Azara zufolge die Eier abgelegt werden. Da alle Spinnen, die ich sah, dieselbe Größe hatten, müssen sie auch annähernd gleich alt gewesen sein. Diese gesellige Lebensweise bei einer so repräsentativen Gattung wie der *Epeira* ist bei Insekten, die so blutdürstig und einzelgängerisch sind, dass selbst die beiden Geschlechter einander angreifen, ein sehr eigentümliches Faktum.

Ansicht von Monte Video, Stich von William Core Ouseley, 19. Jahrhundert

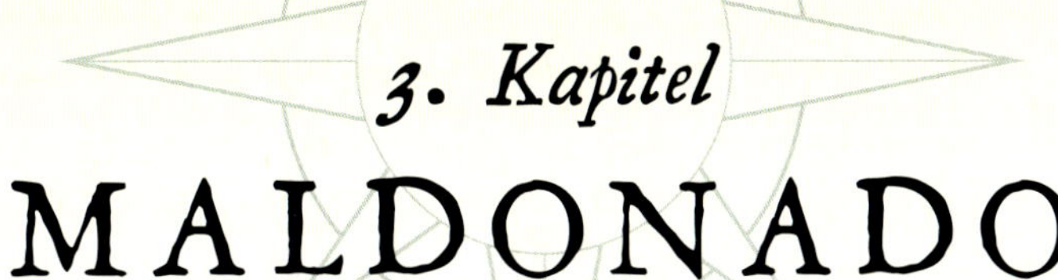

3. Kapitel

MALDONADO

Monte Video – Maldonado – Exkursion zum Polanco – Lazo und Bolas – Rebhühner – Fehlen von Bäumen – Hirsche – Capybara oder Wasserschwein – Tucutuco – Molothrus, kuckuckähnliche Lebensweise – Tyrann – Spottdrossel – Caracaras – vom Blitz geformte Röhren – getroffenes Haus

5. Juli 1832 – Am Morgen setzten wir Segel und liefen aus dem prächtigen Hafen Rio de Janeiros aus. Auf unserer Fahrt zum Plata sahen wir nichts Besonderes, nur einmal begegneten wir einem großen Schwarm Tümmler, viele hundert an der Zahl. An manchen Stellen war das ganze Meer von ihnen gefurcht, während sie zusammen in Sprüngen dahinzogen, wobei der ganze Körper herauskam und so das Wasser zerschnitt. Das Schiff fuhr neun Knoten schnell, diese Tiere aber konnten mit der größten Leichtigkeit vor unserem Bug hin und her kreuzen und dann uns voraus dahinjagen. Sobald wir in die Mündung des Plata einfuhren, wurde das Wetter sehr unbeständig. In einer Nacht wurden wir von zahlreichen Seehunden und Pinguinen umringt, die so merkwürdige Geräusche machten, dass der wachhabende Offizier meldete, er höre das Vieh an Land brüllen. In einer zweiten Nacht gewahrten wir das prächtige Schauspiel eines natürlichen Feuerwerks; Mastspitze und Rahnocke leuchteten vom Elmsfeuer, und fast konnten die Umrisse der Wetterfahne ausgemacht werden, so als wäre sie mit Phosphor eingerieben worden. Das Meer leuchtete so stark, dass die Bahnen der Pinguine von einem glutroten Kielwasser bezeichnet waren, und das Dunkel des Himmels war vorübergehend von dem lebhaftesten Blitz erhellt.

Elmsfeuer, auch Sankt-Elms-Feuer oder Eliasfeuer genannt, ein Wetterphänomen, das an den Spitzen von Schiffsmasten geisterhafte «Flammen» entstehen lässt

26. Juli – Wir gingen in Monte Video vor Anker. Die *Beagle* war während der folgenden zwei Jahre damit beschäftigt, die äußersten Süd- und Ostküsten Amerikas südlich des Plata zu vermessen. Um nutzlose Wiederholungen zu vermeiden, will ich jene Teile meines Tagebuchs exzerpieren, die sich auf die gleichen Gebiete beziehen, ohne mich dabei immer an die Reihenfolge zu halten, in der sie besucht wurden.

Maldonado liegt am Nordufer des Plata, nicht sehr weit vom Mündungstrichter entfernt. Es ist ein äußerst stilles, verlorenes Städtchen und so angelegt wie in diesen Ländern allgemein üblich, dass die Straßen einander im rechten Winkel schneiden und in der Mitte eine große Plaza, also ein Platz liegt, welcher durch seine Größe die Spärlichkeit der Bevölkerung noch offensichtlicher macht. Es gibt dort kaum Betrieb; die Ausfuhr beschränkt sich auf wenige Felle und lebendes Vieh. Die Einwohner sind im Wesentlichen Grundbesitzer, dazu noch ein paar Ladenbesitzer und die nötigen Handwerker wie Schmiede und Zimmerleute, die nahezu jedes Geschäft im Umkreis von fünfzig Meilen besorgen. Die Stadt wird vom Fluss durch einen Streifen aus Sandhügeln getrennt, der ungefähr eine Meile breit ist; sie ist an allen Seiten von offenem, leicht gewelltem Land umgeben, das von einer gleichförmigen Schicht aus feinem, grünem Rasen bedeckt ist, auf welchem zahllose Herden Rinder, Schafe und Pferde grasen. Das Erscheinungsbild des Landes ist das ganze Nordufer des Plata entlang sehr ähnlich. Der einzige Unterschied ist, dass die Granithügel hier ein wenig markanter sind.

Ich blieb zehn Wochen in Maldonado und stellte während dieser Zeit eine nahezu vollkommene Sammlung der Tiere, Vögel und Pflanzen zusammen. Bevor ich diesbezüglich Beobachtungen anstelle, möchte ich eine kleine Exkursion schildern, die ich bis zum Polanco machte, der in einer Entfernung von ungefähr siebzig Meilen in nördlicher Richtung fließt. Als Beweis dafür, wie billig alles in diesem Land ist, darf ich anführen, dass ich für zwei Männer sowie eine Schar von acht Reitpferden lediglich zwei Dollar, also acht Shilling am Tag bezahlte. Meine Begleiter waren mit Pistolen und Säbeln wohl bewaffnet, eine Vorsichtsmaßnahme, die ich als ziemlich unnötig ansah, doch die erste Nachricht, die wir hörten, war, dass am Vortag ein Reisender aus Monte Video mit durchgeschnittener Kehle tot an der Straße aufgefunden worden war.

~ AUS ~

VERLAUF DER ZWEITEN EXPEDITION 1831–36

VON ROBERT FITZ ROY

Den Juni über blieben wir in Maldonado, beschäftigt mit der *Adventure* sowie der Ausbesserung und dem Streichen unseres eigenen Schiffs. In dieser Zeit hielt sich Mr. Darwin am Ufer auf, manchmal im Dorf Maldonado, manchmal auf Exkursionen in beträchtlichen Entfernungen im Landesinnern, und meine eigene Zeit war angefüllt mit Berechnungen und Kartenarbeit, während die Offiziere das Kielholen der *Adventure* beaufsichtigten. Dieser Vorgang, an einem Ort, der teilweise den Südwestwinden ausgesetzt war, war überaus langwierig, und wären da nicht die anderen Aspekte gewesen, die Maldonado und Gorriti in vieler Hinsicht zu bieten hatten, hätte die Lage für solch einen Zweck als außerordentlich schlecht gewählt erscheinen können. Erst als kein Wellengang herrschte, konnten wir sie längsseits ziehen und sie auf die Seite legen (ein unter allen Umständen schwieriger Vorgang, da sie eine Gesamttragfähigkeit von einhundertsiebzig Tonnen hatte), und dazwischen lagen viele Tage, an denen keinerlei Fortschritte erzielt wurden.

José-Ignacio-Leuchtturm, Maldonado, Uruguay

Monte Video, 1865

Dies geschah in der Nähe eines Kreuzes, dem Zeugnis eines vorigen Mordes.

In der ersten Nacht schliefen wir in einem abgelegenen kleinen Landhaus, und dort merkte ich alsbald, dass ich zwei, drei Gegenstände besaß, zumal einen Taschenkompass, die grenzenloses Erstaunen auslösten. In jedem Haus wurde ich gebeten, den Kompass vorzuzeigen und mit seiner Hilfe sowie einer Landkarte die Richtung verschiedener Orte anzugeben. Es erregte die lebhafteste Bewunderung, dass ich, ein vollkommener Fremder, die Straße (denn Richtung und Straße sind in diesem offenen Lande Synonyme) nach Orten wusste, wo ich noch niemals gewesen war. Ich hatte einige Schwefelhölzchen dabei, welche ich entzündete, indem ich darauf biss; es wurde als so wunderbar erachtet, dass ein Mann mit den Zähnen Feuer machen konnte, dass üblicherweise die ganze Familie zusammengeholt wurde, um es zu sehen: Einmal bot man mir für ein einziges einen Dollar. Dass ich mir morgens das Gesicht wusch, sorgte in dem Dorf Las Minas für zahlreiche Spekulationen; ein würdiger Handwerker unterzog mich ob einer solch eigentümlichen Übung einem peinlichen Kreuzverhör, ebenso darüber, warum wir an Bord einen Bart trügen, denn das hatte er von meinem Führer gehört. Es ist Brauch in diesem Land, im ersten passenden Hause um Unterkunft für die Nacht zu bitten. Das Erstaunen über den Kompass sowie meine anderen Gaukeleien waren bis zu einem gewissen Grade von Vorteil, denn damit und mit den langen Geschichten, die meine Führer über mich erzählten, wie ich Steine brach, giftige von harmlosen Schlangen unterscheiden konnte, Insekten sammelte usw., entschädigte ich sie für ihre Gastfreundschaft. Ich schreibe, als wäre ich unter den Bewohnern Zentralafrikas gewesen: Die Banda Oriental wäre von dem Vergleich nicht geschmeichelt, das aber war da mein Eindruck.

Am folgenden Tag ritten wir zu dem Dorf Las Minas. Es liegt auf einer kleinen Ebene und ist von niedrigen Felsenhügeln umgeben. Es weist die übliche symmetrische Form auf und gibt mit seiner weiß getünchten Kirche in der Mitte ein recht hübsches Erscheinungsbild ab. Nachts hielten wir an einer *pulperia*, also einem Trinkladen. Im Laufe des Abends kamen zahlreiche Gauchos herein, um Branntwein zu trinken und Zigarren zu rauchen; ihr Äußeres ist sehr auffallend; im Allgemeinen sind sie groß und gut aussehend, jedoch mit einem stolzen und zügellosen Gehabe. Häufig tragen sie einen Schnauzbart, und in ihrem Nacken ringelt sich langes schwarzes Haar.

Am dritten Tag folgten wir einem recht unsteten Weg, da ich mich der Untersuchung einiger Marmorschichten widmete. Auf den schönen Rasenebenen sahen wir viele Strauße *(Struthio rhea)*. Einige Herden umfassten bis zu zwanzig oder dreißig Vögel. Sie boten, wenn sie schon auf der

Payada en una Pulpería, von dem argentinischen Künstler Carlos Morel (19. Jh.)

kleinsten Erhöhung standen und gegen den klaren Himmel betrachtet wurden, ein sehr stattliches Bild. In keinem anderen Teil des Landes begegnete ich solch zahmen Straußen; es war einfach, bis auf eine kleine Entfernung an sie heranzugaloppieren; dann aber breiteten sie die Flügel aus und liefen mit vollen Segeln davon, sodass das Pferd zurückblieb.

Nachts kamen wir zum Haus des Don Juan Fuentes, eines reichen Grundbesitzers, jedoch keinem meiner Begleiter persönlich bekannt. Nähert man sich dem Haus eines Fremden, so gilt es gemeinhin, verschiedene kleine Anstandsregeln zu beachten: Während man langsam auf die Tür zureitet, entbietet man den Gruß *Ave Maria*, und erst wenn jemand herauskommt und einen bittet abzusteigen, ist es üblich, vom Pferd zu steigen: Die förmliche Antwort des Besitzers ist *sin pecado concebida* – ohne Sünde empfangen. Hat man dann das Haus betreten, wird einige Minuten lang eine allgemeine Konversation geführt; erst dann bittet man um die Erlaubnis, die Nacht dort verbringen zu dürfen. Dies wird als Selbstverständlichkeit gewährt. Sodann nimmt der Fremdling mit der Familie das Mahl ein, ein Raum wird ihm zugewiesen, wo er sich dann mit der Schabracke, die zum *recado* (dem Sattel der Pampas) gehört, sein Lager bereitet.

Kurz nach unserer Ankunft bei Don Juan wurde eine der großen Rinderherden aufs Haus zugetrieben, und drei Tiere wurden ausgewählt, um für den Vorrat des Haushalts geschlachtet zu werden. Diese halb wilden Rinder sind sehr lebhaft, und da sie den tödlichen *lazo* nur zu gut kennen, lieferten sie den Pferden eine lange und mühevolle Hetzjagd. Nachdem wir Zeuge des schieren Reichtums geworden waren, der sich in der Zahl der Rinder, Männer und Pferde darstellte, war Don Juans klägliches Haus doch recht eigenartig. Die Fußböden waren aus gehärtetem Schlamm, die Fenster ohne Glas; das Wohnzimmer rühmte sich lediglich einiger weniger derbster Stühle und Hocker, dazu zweier Tische.

Über diese Länder sind so viele Werke verfasst worden, dass es beinahe überflüssig ist, den *lazo* oder auch die *bolas* zu beschreiben. Der *lazo* besteht aus einem sehr kräftigen, aber dünnen, gut geflochtenen Seil aus ungegerbten Lederstreifen. Ein Ende ist an dem breiten Sattelgurt befestigt, der das komplizierte Geschirr des *recado*, des in den Pampas benutzten Sattels, zusammenhält; das andere läuft in einen kleinen Ring aus Eisen oder Messing aus, mit dem eine Schlinge gebildet werden kann. Will der Gaucho nun den *lazo* gebrauchen, so hält er in der Zügelhand eine kleine Rolle und in der anderen die Schlinge, die sehr groß gemacht ist und in der Regel einen Durchmesser von ungefähr acht Fuß hat. Diese wirbelt er um den Kopf, wobei er die Schlinge durch eine geschickte Bewegung des

Ein dunstiger Morgen im heutigen Uruguay, das vormals zur Banda Oriental gehörte

Handgelenks offen hält; dann wirft er es und lässt es auf jeden beliebigen ausgewählten Punkt fallen. Der *lazo* ist, wenn nicht gebraucht, als kleine Rolle am hinteren Ende des *recado* festgebunden. Die *bolas,* also Kugeln, sind von zweierlei Art: Die einfachste, welche hauptsächlich zum Einfangen von Straußen benutzt wird, besteht aus zwei runden Steinen, die mit Leder überzogen und durch einen dünnen geflochtenen, ungefähr acht Fuß langen Riemen verbunden sind. Die andere Art unterscheidet sich nur dadurch, dass drei Kugeln mittels Riemen an einem gemeinsamen Mittelpunkt verbunden sind. Der Gaucho hält den kleinsten der drei in der Hand und wirbelt die anderen beiden immerzu um seinen Kopf; sodann zielt er und schleudert sie wie einen Kettenschuss rotierend durch die Luft. Treffen die Kugeln auf einen Gegenstand, so wickeln sie sich darum herum und schlingen sich umeinander, wodurch sie sich fest verfangen. Größe und Gewicht der Kugeln variieren, entsprechend dem Zweck, für den sie gemacht sind: Bestehen sie aus Stein, werden sie, obgleich nicht größer als ein Apfel, mit solcher Kraft geschleudert, dass sie manchmal selbst einem Pferd das Bein brechen können. Ich habe solche Kugeln auch aus Holz in der Größe einer Steckrübe gesehen, damit man diese Tiere einfangen kann, ohne sie dabei zu verletzen. Die Kugeln sind zuweilen auch aus Eisen gefertigt; diese können aus größter Entfernung geschleudert werden. Die Hauptschwierigkeit beim Gebrauch von *lazo* oder *bolas* liegt darin, so gut reiten zu können, dass man sie bei vollem Tempo und während einer jähen Kehrtwendung regelmäßig um den Kopf wirbeln

und dabei noch zielen kann: Zu Fuß würde diese Kunst jedermann schnell lernen.

Im Laufe der beiden folgenden Tage gelangte ich an den am weitesten entfernten Punkt, den zu untersuchen ich bestrebt war. Das Land zeigte das gleiche Bild, bis der feine grüne Rasen schließlich mühseliger als eine staubige Chaussee wurde. Überall sahen wir große Mengen Rebhühner *(Nothura major)*. Diese Vögel bilden keine Ketten, auch verstecken sie sich nicht wie die englische Art. Es scheint ein sehr törichter Vogel zu sein. Ein Mann zu Pferde kann, indem er im Kreis darum herumreitet oder vielmehr in einer Spiralwindung, sodass er sich ihnen jedes Mal weiter nähert, so viele wie er mag totschlagen. Die gewöhnlichere Methode ist es, sie mit einer Laufschlinge zu fangen, also einem kleinen *lazo* aus dem Kiel einer Straußenfeder, der am Ende eines langen Stocks befestigt ist. Auf diese Weise wird ein Junge auf einem ruhigen alten Pferd an einem Tag deren dreißig oder vierzig fangen. Im arktischen Nordamerika[1] fangen die Indianer den Polarhasen, indem sie spiralförmig um ihn herumlaufen, wenn er in seiner Sasse hockt: Die Mitte des Tages wird als die beste Zeit erachtet, wenn die Sonne hoch steht und der Schatten des Jägers nicht sehr lang ist.

Bei unserer Rückkehr nach Maldonado folgten wir einem ganz anderen Weg. Frühmorgens erstiegen wir die Sierra de las Animas. Durch die aufgehende Sonne war die Landschaft beinahe pittoresk. Nach Westen hin weitete sich der Blick über eine gewaltige flache Ebene bis zum Mount bei Monte Video, nach Osten über das mit Warzen überzogene Land von Maldonado.

Das allgemeine und nahezu vollständige Fehlen von Bäumen in der Banda Oriental ist bemerkenswert. Einige der Felsenhügel sind teilweise mit

Das Capybara (Wasserschwein), heute als *Hydrochoerus hydrochaeris* klassifiziert

Dickicht überzogen, und am Ufer der größeren Flüsse, zumal im Norden von Las Minas, sind Weiden nichts Ungewöhnliches. Beim Arroyo Tapes hörte ich von einem Palmenwald, und einen dieser Bäume sah ich bei Pan de Azucar auf 35°S. Diese und die von den Spaniern gepflanzten Bäume bilden die einzigen Ausnahmen in der allgemeinen Seltenheit von Wäldern. An eingeführten Arten können Pappeln, Olivenbäume, Pfirsich- und andere Obstbäume aufgezählt werden: Die Pfirsichbäume gedeihen so gut, dass sie für die Stadt Buenos Ayres den Hauptvorrat an Brennholz liefern. Man hat mit einiger Berechtigung geschlossen, dass das Vorhandensein von Waldland grundsätzlich von der jährlichen Niederschlagsmenge bestimmt werde,[2] doch weist diese Provinz im Winter ergiebige und starke Regenfälle auf, und der Sommer ist zwar trocken, jedoch nicht im Übermaß.[3] Nahezu ganz Australien ist von hohen Bäumen bedeckt, und dennoch besitzt dieses Land ein weit trockeneres Klima. Wir müssen daher eine andere, unbekannte Ursache vermuten.

Während unseres Aufenthalts in Maldonado sammelte ich mehrere Vierfüßer, achtzig verschiedene Vögel und zahlreiche Reptilien, darunter neun Schlangenarten. Unter den einheimischen Säugetieren ist das einzige heute noch verbreitete von einiger Größe der *Cervus campestris*. Dieser Hirsch ist überall in den Ländern, die an den Plata grenzen, und in Nordpatagonien außerordentlich reich vorhanden, häufig in kleinen Gruppen.

Die Ordnung Rodentia ist hier mit sehr zahlreichen Arten vertreten: Allein an Mäusen erhielt ich nicht weniger als acht verschiedene.[4] Das größte Nagetier der Welt, das *Hydrochaerus capybara* (das Wasserschwein), ist hier ebenfalls heimisch. Eines, das ich in Monte Video schoss, wog 98 Pfund: Seine Länge von der Spitze der Schnauze bis zu seinem Stummelschwanz betrug drei Fuß und zwei Zoll, der Umfang drei Fuß und acht Zoll. Diese großen Nager frequentieren gelegentlich die Inseln in der Mündung des Plata, wo das Wasser recht salzig ist, sind aber weit häufiger an den Ufern von Süßwasserseen und Flüssen anzutreffen. Bei Maldonado leben im Allgemeinen drei bis vier zusammen. Am Tag liegen sie entweder zwischen den Wasserpflanzen oder fressen offen auf der Rasenebene.[5] Aus der Ferne betrachtet, ähneln sie nach Gangart und Farbe Schweinen; hocken sie jedoch auf dem Hinterteil und betrachten mit einem Auge aufmerksam einen Gegenstand, nehmen sie wieder das Aussehen ihrer Artverwandten an, der Meerschweinchen und Kaninchen. Bei Maldonado waren diese Tiere sehr zahm; mit einem behutsamen Gang näherte ich mich vier älteren bis auf fünf Yard. Diese Zahmheit kann möglicherweise damit erklärt werden, dass der Jaguar schon seit einigen Jahren vertrieben ist und der Gaucho es nicht lohnend findet, sie zu jagen. Während ich mich immer weiter näherte, machten sie häufig ihr eigentümliches Geräusch, ein leises, abruptes Grunzen, dem eigentlich kein tatsächlicher Ton eignet und das vielmehr durch die plötzlich ausgestoßene Luft entsteht: Das einzige vergleichbare Geräusch, das ich kenne, ist das erste heisere Bellen eines großen Hundes. Diese Tiere werden leicht in großer Zahl getötet, doch ihr Fell ist von geringem Wert, und das Fleisch ist sehr mäßig. Auf den Inseln im Rio Parana sind sie außerordentlich zahlreich und stellen die gewöhnliche Beute des Jaguars.

Das Tucutuco *(Ctenomys brasiliensis)* ist ein eigenartiges Tierchen, welches kurz gefasst als Nager mit der Lebensweise eines Maulwurfs beschrieben werden kann. In manchen Teilen des Landes kommt es äußerst zahlreich vor, ist aber schwierig beizubringen, und niemals, glaube ich, kommt es aus der Erde. An der Öffnung seines Baus wirft er Erdhaufen auf, ähnlich jenen des Maulwurfs, nur kleiner. Beträchtliche Landstriche sind von diesen Tieren so vollständig unterhöhlt, dass Pferde, die darübergehen, bis über die Fesseln einsinken. Dieses Tier erkennt man allgemein an dem ganz eigenartigen Geräusch, das es macht, wenn es unter der Erde ist. Wer es zum ersten Mal hört, ist äußerst überrascht, ist es doch nicht einfach zu sagen, woher es kommt, ebenso wenig lässt sich erraten, was für ein Tier es ausstößt. Das Geräusch besteht aus einem kurzen, aber nicht rauen, nasalen Grunzen, das ungefähr vier Mal in rascher Abfolge wiederholt wird;[6] den Namen Tucutuco hat es in Nachahmung seines Geräuschs erhalten. In Anbetracht der ausschließlich unterirdischen Lebensweise des Tucutuco kann Blindheit, auch wenn sie so verbreitet ist, kein sehr schlimmes Leiden sein; dennoch erscheint es seltsam, dass ein Tier überhaupt ein Organ hat, das häufig verletzt ist. Lamarck wäre hocherfreut gewesen, hätte er davon gewusst, als er (wahrscheinlich wahrhaftiger als gewöhnlich) über die allmählich *erworbene* Blindheit des Aspalax spekulierte,[7] ein Nager, der unter der Erde lebt, und über den Olm, ein Reptil, welches in dunklen, wassergefüllten Höhlen lebt; bei beiden Tieren befindet sich das Auge in einem nahezu rudimentären Zustand und ist mit einer sehnenartigen Membran und Haut bedeckt. Beim gemeinen Maulwurf ist das Auge außerordentlich klein, aber voll ausgebildet, obgleich viele Anatomen bezweifeln, dass es mit dem eigentlichen Sehnerv verbunden ist; seine Sehkraft ist wohl unvollkommen, dabei aber nützlich für das Tier, wenn es seinen Bau verlässt. Beim Tucutuco, das wohl niemals an die Erdoberfläche kommt, ist das Auge weit größer, oftmals jedoch erblindet und nutzlos, was dem Tier anscheinend aber keinerlei Ungemach bereitet; zweifellos hätte Lamarck gesagt, das Tucutuco gelange nun allmählich in den Zustand von Aspalax und Olm.

Auf den wogenden Grasebenen um Maldonado gibt es vielerlei Vögel in großer Zahl. Darunter finden sich mehrere Arten einer Familie, die nach Struktur und Verhalten mit unserem Star verwandt

Die Kammratte oder Tucotuco, wie *Ctenomys magellanicus* heute genannt wird

sind: Einer davon *(Molothrus niger)* fällt mit seiner Lebensweise besonders auf. Häufig sieht man einige zusammen auf dem Rücken einer Kuh oder eines Pferdes stehen, und wenn sie auf einer Hecke hocken und sich in der Sonne das Gefieder putzen, versuchen sie zuweilen zu singen oder vielmehr zu zischen; das Geräusch ist sehr eigenartig und ähnelt jenem von Luftblasen, die rasch aus einer kleinen Öffnung unter Wasser entweichen, sodass ein scharfes Geräusch entsteht. Azara zufolge legt dieser Vogel, ähnlich dem Kuckuck, seine Eier in den Nestern anderer Vögel ab.

Mr. Swainson hat zu Recht bemerkt,[8] dass mit Ausnahme des *Molothrus pecoris*, wozu noch der *M. niger* hinzugefügt werden muss, der Kuckuck der einzige Vogel ist, der wahrhaft parasitisch genannt werden kann, indem er sich nämlich «sozusagen an einem anderen Lebewesen festsetzt, dessen Tierwärme seine Jungen ins Leben bringt, von dessen Nahrung sie leben und dessen Tod den ihren im frühen Alter nach sich ziehen würde». Viele Theorien, selbst phrenologische, wurden vorgebracht, um den Ursprung dessen zu erklären, dass der Kuckuck seine Eier anderen Vögeln ins Nest legt. Allein M. Prevost hat, glaube ich, mit seinen Beobachtungen[9] Licht auf dieses Rätsel geworfen: Er meint, dass das Kuckuckweibchen, welches den meisten Beobachtern zufolge wenigstens vier bis sechs Eier legt, sich mit dem Männchen, nachdem es nur ein oder zwei Eier gelegt hat, aufs Neue wieder paaren muss. Müsste das Kuckuckweibchen nun selbst auf seinen Eiern sitzen, würde es entweder auf allen gleichzeitig sitzen müssen und daher die zuerst gelegten so lange verlassen, dass sie wahrscheinlich unfruchtbar würden, oder es müsste jedes oder je zwei Eier getrennt ausbrüten, sobald sie gelegt sind: Doch da der Kuckuck kürzer in diesem Land bleibt als jeder andere Zugvogel, hätte es nicht genügend Zeit für das sukzessive Brüten.

Rostflanken-Spottdrossel
(Mimus patagonicus)

Ich will nur noch zwei weitere Vögel erwähnen, die sehr verbreitet sind und sich ob ihrer Lebensweise hervortun. Der *Saurophagus sulphuratus* steht stellvertretend für den großen amerikanischen Stamm der Tyrannen. In seiner Struktur nähert er sich eng dem echten Würger an, mit seiner Lebensweise kann er indes mit vielen Vögeln verglichen werden. Ich habe ihn häufig beobachtet, wie er ein Feld bejagt, gleich einem Falken über einer Stelle schwebt und dann zu einer anderen weiterzieht. Sieht man ihn so in der Luft stehen, könnte man ihn auf kurze Entfernung durchaus mit einem aus der Ordnung der Raubvögel verwechseln; sein Sturzflug hingegen ist jenem des Falken an Kraft und Schnelligkeit weit unterlegen. Ansonsten hält sich der Saurophagus in der Umgebung von Wasser auf und bleibt dabei, ähnlich dem Eisvogel, an einem Ort; er fängt kleine Fische, die sich dem Ufer nähern. Am Abend bezieht der Saurophagus Stellung in einem Busch, häufig am Wegesrand, und wiederholt unablässig einen schrillen und recht angenehmen Schrei, der zuweilen artikulierten Worten gleicht: Die Spanier sagen, es klinge wie die

~ AUS ~

DIE ZOOLOGIE DER FAHRT DER HMS BEAGLE

VON CHARLES DARWIN

Falco Brasiliensis Auctorum; Caracara bei Azara; *Tharu* bei Molina; und *Carrancha* bei den Einwohnern in La Plata: Dies ist einer der häufigsten Vögel Südamerikas und er hat ein großes Verbreitungsgebiet. Er ist in Mexiko und auf den Westindischen Inseln zu finden. Auch besucht er, nach M. Audubon, ab und an Ost- wie West-Florida; sein Name ist brasilianisch, doch kommt er nirgends so oft vor wie in den Savannen La Platas. Er folgt gemeinhin dem Menschen, ist aber auch in den unfruchtbaren Ebenen Patagoniens zu finden; im Norden dieses Gebiets kam fortwährend eine große Zahl von ihnen zur Straße zwischen dem Rio Grande und dem Colorado, um die Kadaver von an Erschöpfung gestorbenen Tieren zu fressen.

Worte *Bien te veo* (Ich sehe dich gut), weswegen sie ihm diesen Namen gegeben haben.

Eine Spottdrossel *(Mimus orpheus)*, von den Einheimischen Calandria genannt, ist insofern bemerkenswert, als sie über einen Gesang verfügt, der dem jeden anderen Vogels im Land bei weitem überlegen ist: Ja, sie ist nahezu der einzige Vogel Südamerikas, den ich beobachtet habe, wie er sich zum Zwecke des Singens aufstellt. Bei Maldonado waren diese Vögel zahm und keck; beständig hielten sie sich in großer Zahl bei den Landhäusern auf, um an dem Fleisch zu picken, das an Pfosten oder Wänden aufgehängt war: Gesellte sich ein anderer, kleinerer Vogel zu dem Mahl, verjagten ihn die Calandria rasch. Auf den weiten, unbewohnten Ebenen Patagoniens lebt eine weitere nahe verwandte Art, *O. Patagonica of d'Orbigny*, welche gern die mit Dornbüschen überzogenen Täler aufsucht, ein wilderer Vogel mit einer etwas anderen Stimmlage. Es ist doch merkwürdig, dass ich, als ich diese zweite Art sah, allein aufgrund der feinen Unterschiede in der Lebensweise glaubte, sie unterscheide sich von der bei Maldonado. Nachdem ich mir später ein Exemplar verschafft hatte und die beiden ohne besondere Sorgfalt verglich, erschienen sie mir so ähnlich, dass ich meine Meinung änderte; nun sagt aber Mr. Gould, sie seien durchaus verschieden, eine Folgerung, die den geringfügigen Unterschied in der Lebensweise berücksichtigt, dessen er sich indes nicht bewusst war.

Anzahl, Zahmheit und abstoßende Lebensweise der Aas fressenden Falken Südamerikas machen diese für jeden, der nur die Vögel Nordeuropas gewöhnt ist, ganz besonders auffallend. In dieser Liste können vier Arten des Caracara oder Polyborus

SIR CHARLES LYELL COLLN.
ACC. NO. 2271
SIR CHARLES LYELL COLLN.
ACC. NO. 2271
British Museum (Natural History)

Von Darwin auf der Fahrt gesammelte Exemplare: Mollusken von verschiedenen Orten entlang der Route und Spiritusgläser mit Eidechsen, alle heute im Naturhistorischen Museum in London

aufgeführt werden, der Truthahngeier, der Gallinazo und der Kondor. Die Caracaras werden von ihrer Struktur her zu den Adlern gezählt: Wir werden bald sehen, wie schlecht ihnen ein so hoher Rang ansteht. Mit ihrer Lebensweise nehmen sie gut den Platz unserer Aaskrähen, Elstern und Raben ein, ein Vogeltribus, der in der übrigen Welt weit verbreitet ist, in Südamerika hingegen völlig fehlt. Um mit dem *Polyborus brasiliensis* zu beginnen: Es ist ein verbreiteter Vogel und hat eine große geografische Reichweite; auf den Grassavannen von La Plata (wo er den Namen Carrancha trägt) ist er stark vertreten und auf den gesamten unfruchtbaren Ebenen Patagoniens keineswegs selten. In der Wüste zwischen den Flüssen Negro und Colorado lauern sie beständig an der Straße, um die Kadaver der erschöpften Tiere zu fressen, die dort an Ermattung und Durst eingehen. Obwohl er in diesen trockenen und offenen Ländern gut vertreten ist, ebenso an den ariden Küsten des Pazifik, trifft man ihn doch auch in den feuchten, undurchdringlichen Wäldern von Westpatagonien und Feuerland an. Die Carranchas wie die Chimangos sind ständige Gäste der *estancias* und Schlachthöfe. Stirbt ein Tier auf der Ebene, beginnt der Gallinazo sein Festmahl, und danach picken die beiden Arten des Polyborus die Knochen sauber. Obwohl diese Vögel ständig zusammen fressen, sind sie doch keineswegs Freunde. Sitzt der Carrancha ruhig auf einem Ast oder auf der Erde, so fliegt der Chimango häufig lange noch in einem Halbkreis hin und her, auf und nieder, wobei er jedes Mal am unteren Ende des Halbkreise versucht, seinen größeren Verwandten zu packen. Der Carrancha nimmt wenig Notiz davon, wippt nur mit dem Kopf. Obwohl sich die Carranchas oftmals in großer Zahl versammeln, sind sie nicht gesellig; in Wüstengegenden trifft man sie einzeln an, häufiger aber noch als Paar.

Der *Polyborus chimango* ist erheblich kleiner als die letztgenannte Art. Er ist ein wahrer Allesfresser, der nicht einmal Brot verschmäht, und man hat mir versichert, dass er die Kartoffelernte in Chiloe ernstlich schädigt, indem er die Wurzeln kurz nach der Einpflanzung herauszieht. Von allen Aasfressern ist er üblicherweise der Letzte, der das Skelett eines toten Tiers verlässt; häufig sieht man ihn im Gerippe einer Kuh oder eines Pferdes, wie einen Vogel im Käfig. Eine weitere Spezies ist der *Polyborus novae zelandiae*, der auf den Falklandinseln stark verbreitet ist. Dieser Vogel ähnelt in seiner Lebensweise in vieler Hinsicht dem Carrancha. Er lebt vom Fleisch toter Tiere und von den Früchten des Meeres; auf den Ramirez-Felsen ernähren sie sich ausschließlich aus dem Meer. Er ist außerordentlich zahm und furchtlos und durchstreift die Umgebung von Häusern nach Schlachtabfällen. Tötet eine Jagdgesellschaft ein Tier, versammeln sich einige alsbald, stehen an allen Seiten auf der Erde und warten geduldig ab. Die *Beagle* war nur im Sommer auf den Falklands, doch die Offiziere der *Adventure*, die im Winter dort waren, erwähnen viele außerordentliche Beispiele für die Dreistigkeit und Raubgier dieser Vögel. Sie stürzten sich sogar auf einen Hund, der bei einer Gesellschaft im Schlaf lag, und die Jäger konnten nur unter Schwierigkeiten verhindern, dass ihnen die verwundeten Gänse vor ihren Augen gegriffen wurden. Mr. Usborne hatte während der Vermessung einen herberen Verlust zu beklagen, indem sie ihm einen kleinen Kater's-Kompass in einem roten Maroquinleder-Etui stahlen; er wurde nicht mehr gefunden. Sie sind laut, stoßen immer mehrere raue Schreie aus, von denen einer wie jener der englischen Saatkrähe klingt, weswegen die Robbenfänger ihn stets Krähe nennen.

Wir müssen jetzt nur noch den Truthahngeier *(Vultur aura)* und den Gallinazo erwähnen. Ersterer begegnet einem überall zwischen Kap Hoorn bis Nordamerika, wo das Land mäßig feucht ist. Anders als *Polyborus brasiliensis* und Chimango hat er auch den Weg zu den Falklandinseln gefunden. Der Truthahngeier ist ein einzelgängerischer Vogel, allenfalls lebt er als Paar. Man erkennt ihn sogleich aus großer Entfernung an seinem hohen, erhabenen und eleganten Flug. Überall kennt man ihn als echten Aasfresser. An der Westküste Patagoniens, zwischen den dicht bewaldeten Inseln und dem zerklüfteten Land, lebt er ausschließlich von dem, was das Meer hergibt, und von den Kadavern toter Seehunde. Wo sich diese Tiere auf den Felsen versammeln, lassen sich auch die Geier blicken.

Der Gallinazo *(Cathartes atratus)* hat eine andere Verbreitung als letztgenannte Art, da er niemals südlich einer Breite von 41° auftritt. Azara schreibt, es gebe eine Überlieferung, derzufolge diese Vögel zur Zeit der Eroberung noch nicht bei Monte Video gesehen worden, dass sie jedoch den Bewohnern aus weiter nördlich gelegenen Gegenden nachgezogen seien. Der Gallinazo bevorzugt ein feuchtes Klima, eher noch die Nähe von Süßwasser; daher ist er in Brasilien und La Plata weit verbreitet, wohingegen man ihn in der Wüste und den ariden Ebenen Nordpatagoniens nie antrifft, es sei denn an einem Wasserlauf. Diese Vögel bevölkern die Pampas bis zum Fuße der Kordilleren, aber nie

Der Schopfcaracara *(Caracara plancus)*

Oben: Röhren aus Kieselsäure, die entstehen, wenn der Blitz in lockeren Sand einschlägt
Unten: Tang-Sammler an der Küste zwischen North Wales und Cumberland, nicht weit von Drigg

habe ich von einem in Chile gehört: In Peru sind sie als Straßenkehrer geschützt.

In einem breiten Streifen aus Sandhügeln, der die Laguna del Potrero von den Küsten des Plata trennt, entdeckte ich in einigen Meilen Entfernung von Maldonado eine Gruppe jener gesinterten Kieselröhren, die gebildet werden, wenn ein Blitz in dem lockeren Sand einschlägt. Diese Röhren ähneln in jeder Hinsicht jenen von Drigg in Cumberland, wie sie in den *Geological Transactions*[10] beschrieben sind. Die Sandhügel von Maldonado verändern, da ungeschützt von Vegetation, beständig ihre Lage. Daher ragen die Röhren über die Oberfläche, und zahlreiche nahebei liegende Fragmente verweisen darauf, dass sie einstmals in größerer Tiefe steckten. Vier fuhren senkrecht in den Boden hinein: Indem ich mit der Hand daran entlanggrub, verfolgte ich eine bis auf eine Tiefe von zwei Fuß, und einige Fragmente, die offensichtlich zu ein und derselben Röhre gehört hatten, maßen, als sie dem anderen Teil angefügt wurden, fünf Fuß und drei Zoll.

Die Innenfläche ist vollständig gesintert, glänzend und glatt. Ein kleines Fragment, unterm Mikroskop untersucht, sah wegen der zahlreichen winzigen Blasen eingeschlossener Luft oder vielleicht des Dampfes aus wie eine Erzprobe, die unter dem Lötrohr geschmolzen wurde. In ähnlicher Weise wie jene in den *Geological Transactions* beschriebenen sind die Röhren im Allgemeinen komprimiert und haben tiefe Längsfalten, sodass sie einem welken Gemüsestiel oder der Borke von Ulme oder Korkeiche sehr ähneln. Ihr Umfang beträgt ungefähr zwei Zoll, bei manchen Fragmenten jedoch, die zylindrisch und ohne Furchen sind, bis zu vier. Die Runzeln oder Furchen hat offenbar der Druck des sie umgebenden losen Sands verursacht, der einwirkte, solange die Röhre vermöge der ungeheuren Hitze noch weich war. Den nicht komprimierten Fragmenten nach zu urteilen müssen Maß oder Bohrung des Blitzes (wenn solche Begriffe hier Verwendung finden dürfen) ungefähr eineinviertel Zoll betragen haben. In Paris gelang es M. Hachette und M. Beudant,[11] Röhren herzustellen, welche in vieler Hinsicht diesen Blitzröhren ähnelten, indem sie sehr starke galvanische Schocks durch fein pulverisiertes Glas leiteten: Bei Zugabe von Salz, womit sich die Schmelzbarkeit erhöhte, waren die Röhren größer. Bei pulverisiertem Feldspat und Quarz scheiterten sie gleichermaßen.

Das Gebiet um den Rio Plata scheint solchen elektrischen Phänomenen besonders ausgesetzt. Im Jahre 1793[12] ereignete sich in Buenos Ayres eines der zerstörerischsten Gewitter, die jemals aufgezeichnet wurden: An siebenunddreißig Stellen im Stadtgebiet schlug der Blitz ein, neunzehn Menschen fanden den Tod. Aufgrund der in etlichen Reisebüchern aufgeführten Fakten neige ich zu der Vermutung, dass Gewitter sehr häufig an großen Flussmündungen auftreten. Ist es nicht möglich, dass die Vermengung großer Massen Süß- und Salzwasser das elektrische Gleichgewicht stören könnte?

Die Kirche wie auch das Haus habe ich kurz danach gesehen: Das Haus gehörte Mr. Hood, dem Generalkonsul in Monte Video. Einige Folgen waren eigenartig: Die Tapete war zu beiden Seiten der Linie, wo die Klingeldrähte verlaufen waren, auf nahezu einem Fuß Breite geschwärzt. Das Metall war geschmolzen, und obgleich das Zimmer ungefähr fünfzehn Fuß hoch war, hatten die Kügelchen, die auf Sessel und Mobiliar fielen, eine Kette winziger Löcher gebohrt. Ein Teil der Wand war wie durch Schießpulver zerschmettert, und die Bruchstücke waren mit einer Gewalt weggesprengt worden, die ausgereicht hatte, die Wand an der gegenüberliegenden Seite des Raumes einzudellen.

Landschaft von El Carmen in den Valles Calchaquies, Argentinien

4. Kapitel

VOM RIO NEGRO NACH BAHÍA BLANCA

Rio Negro – Von den Indianern angegriffene Estancias – Salzseen – Flamingos – Vom Rio Negro zum Rio Colorado – heiliger Baum – patagonischer Hase – Indianerfamilien – General Rosas – Weiterfahrt nach Bahía Blanca – Sanddünen – Negerleutnant – Bahía Blanca – Salzinkrustationen – Punta Alta – Zorillo

24. Juli 1833 – Die *Beagle* verließ Maldonado und erreichte am 3. August die Mündung des Rio Negro. Es ist der bedeutendste Fluss auf dem gesamten Küstenstreifen zwischen Magellanstraße und Plata. Er tritt ungefähr dreihundert Meilen südlich der Mündung des Plata ins Meer. Vor rund fünfzig Jahren wurde hier unter der alten spanischen Regierung eine kleine Ansiedlung gegründet, die noch heute die südlichste von zivilisierten Menschen bewohnte Position (41° S) an dieser Ostküste Amerikas ist.

Das Land nahe der Flussmündung ist aufs Äußerste dürftig: Auf der Südseite beginnt ein langer Abschnitt lotrechter Kliffs, welche einen Teil der geologischen Natur des Landes bloßlegen. Die Schichten bestehen aus Sandstein, und ein Lager fiel insofern auf, als es aus einem fest zementierten Konglomerat aus Bimssteinkieseln bestand, die über vierhundert Meilen weit von den Anden hergewandert sein müssen. Die Oberfläche ist überall von einer dicken Geröllschicht bedeckt, die sich weit und breit über die offene Ebene erstreckt. Wasser ist äußerst rar und, wo angetroffen, stets brackig. Die Vegetation ist kärglich, und obgleich es vielerlei Büsche gibt, sind doch alle mit furchteinflößenden

~ AUS ~
VERLAUF DER ZWEITEN EXPEDITION 1831–1836

VON ROBERT FITZ ROY

Unsere Boote wurden von flachem Wasser aufgehalten, und ich stellte zu meinem Verdruss fest, dass die Beagle an einer schmalen Einfahrt ankerte, zwischen der Küste und einer großen Bank, die sich weit nach Südosten erstreckte, und dass sie, bevor es weiter nach Westen gehen konnte, nach Osten zurück und eine andere Route suchen musste. Das war ein Dilemma; aber unsere Lage wurde besser, da ein kleiner Schoner unter der Flagge von Buenos Ayres (oder Argentinien) auf uns zukam.

Sehr rasch war er so nah, dass unser Schiff ihn erreichte, und ein Engländer kam an Bord, der anbot, die *Beagle* zu einem sicheren Ankerplatz im Hafen zu lotsen. Dies war Mr. Harris, der Besitzer des kleinen Schoners (ein Mann aus El Carmen am Negro, der von dort aus entlang der Küste Handel trieb), mit dem wir in den nächsten zwölf Monate angenehmen Umgang hatten.

Dornen bewehrt, so als wollten sie den Fremden davor warnen, diese ungastliche Region zu betreten.

Die Ansiedlung liegt achtzehn Meilen flussaufwärts. Die Straße folgt dem Fuß des Steilufers, welches die Nordgrenze des großen Tales bildet, worin der Rio Negro fließt. Unterwegs kamen wir an den Ruinen einiger schöner *estancias* vorbei, die einige Jahre zuvor von den Indianern zerstört worden waren. Sie widerstanden mehreren Attacken. Ein Mann, der bei einer zugegen war, gab mir eine lebhafte Beschreibung der Geschehnisse. Die Bewohner waren genügend lange vorgewarnt, um alle Rinder und Pferde in den Corral[1] zu treiben, welcher das Haus umgab, auch, um eine kleine Kanone aufzustellen. Die Indianer waren Araukaner aus dem Süden Chiles, mehrere hundert an der Zahl und äußerst diszipliniert. Zunächst erschienen sie in zwei Gruppen auf einem nahegelegenen Hügel; nachdem sie dann abgestiegen und sich ihrer Fellumhänge entledigt hatten, rückten sie nackt zum Angriff vor. Die einzige Waffe des Indianers ist ein sehr langer Bambus oder *chuzo*, der mit Straußenfedern geschmückt und mit einer scharfen Speerspitze versehen ist. Mein Informant schien sich des Zitterns dieser *chuzos*, während sie heranflogen, mit dem größten Entsetzen zu erinnern. Als sie dicht davor waren, rief der Cacique Pincheira den Belagerten zu, sie sollten ihre Waffen übergeben, sonst werde er ihnen allen die Kehle durchschneiden. Da dies vermutlich unter allen Umständen das Ergebnis ihres

Einmarschs gewesen wäre, erfolgte die Antwort mittels einer Salve aus Musketen. Die Indianer rückten mit großer Stetigkeit bis zum Zaun des Corrals vor: Doch zu ihrer Überraschung fanden sie die Pfosten statt mit Lederriemen mit Eisennägeln befestigt vor, weswegen sie natürlich vergebens versuchten, sie mit ihren Messern durchzuschneiden. Das rettete den Christen das Leben: Viele der verwundeten Indianer wurden von ihren Kameraden fortgetragen; und nachdem endlich einer der Unter-Caciques verwundet wurde, erscholl das Hornsignal zum Rückzug. Sie kehrten zu ihren Pferden zurück und hielten offenbar Kriegsrat. Das war eine schreckliche Pause für die Spanier, da ihre gesamte Munition bis auf einige wenige Patronen verbraucht war. Im Nu saßen die Indianer auf und galoppierten außer Sichtweite.

Der Ort heißt gleichermaßen El Carmen oder Patagones. Er ist am Hang eines Felsens erbaut, der dem Fluss zugewandt ist, und viele Häuser sind sogar in den Sandstein gegraben. Der Fluss, ungefähr zwei- bis dreihundert Yard breit, ist tief und reißend. Die vielen Inseln mit ihren Weidenbäumen und die flachen Landzungen, die eine hinter der anderen an der Nordgrenze des breiten, grünen Tals zu sehen sind, bieten mithilfe der strahlenden Sonne einen beinahe pittoresken Anblick. Die Zahl der Einwohner geht nicht über ein paar Hundert hinaus. Diese spanischen Kolonien tragen nicht wie unsere britischen die Elemente des Wachstums in sich. Viele Indianer reinen Blutes leben hier: Der Stamm der Cacique Lucanee hat beständig seine *toldos*[2] am Ortsrand stehen. Die örtliche Regierungspartei versorgt sie mit Nahrungsmitteln, indem sie ihnen die ganzen ausgemergelten Pferde gibt, und sie verdienen sich ein wenig mit der Fertigung von Pferdedecken und anderem Reitgerät.

El Carmen oder Patagones, Rio Negro

Einmal ritt ich zu einem großen Salzsee, *salina* genannt, welcher fünfzehn Meilen von der Stadt entfernt liegt. Winters besteht er aus einem seichten See aus Salzwasser, der sommers in eine Fläche aus schneeweißem Salz umgewandelt wird. Die Schicht am Rand ist zwischen vier und fünf Zoll dick, zur Mitte hin nimmt die Dicke dabei zu. Jährlich wird eine große Menge Salz aus der Salina gewonnen, und große Haufen, um die hundert Tonnen schwer, lagen zur Ausfuhr bereit. Die Saison der Ausbeutung der Salinas bildet die Ernte von Patagones, hängt doch der Wohlstand des Ortes davon ab. Beinahe die gesamte Einwohnerschaft lagert am Flussufer, und die Menschen sind damit beschäftigt, das Salz in Ochsenkarren herauszuziehen. Das Salz ist in großen Würfeln kristallisiert und beachtlich rein: Mr. Trenham Reeks war so freundlich, etwas davon für mich zu analysieren, und er stellt darin nur 0,26 Gips und 0,22 Erdmaterie fest.

Das Ufer des Sees besteht aus Schlamm: Darin eingebettet liegen zahlreiche große Gipskristalle, wovon manche drei Zoll lang sind, auf der Oberfläche wiederum liegen andere aus schwefelsaurem Natron verstreut. Die Gauchos nennen Erstere *padre del sal* und Letztere *madre*; sie sagen, dass diese progenitiven Salze stets an den Rändern der Salinas auftreten, wenn das Wasser zu verdunsten beginnt. An vielen Stellen war der Schlamm von zahlreichen Exemplaren eines wurmartigen Tieres aufgewühlt, einer Art Ringelwurm. Wie verblüffend, dass Tiere in Salzwasser überhaupt existieren können und dass sie zwischen Kristallen aus schwefelsaurem Natron und Kalk umherkriechen! Und was wird aus diesen Würmern, wenn die Oberfläche während des langen Sommers zu einer festen Salzschicht ausgehärtet ist? Der See wird von Flamingos in beträchtlicher Zahl bewohnt, die auch dort brüten; in ganz Patagonien, im nördlichen Chile und auf den Galapagosinseln begegnete ich überall dort Tieren, wo Salzseen waren. Hier sah ich sie auf der Suche nach Nahrung umherwaten – wahrscheinlich nach den Würmern, die im Schlamm wühlen; und Letztere ernähren sich wohl von Infusorien und Confervae. So haben wir hier eine kleine lebende Welt in sich, die diesen Binnensalzseen angepasst ist. Ein winziges Krustentier *(Cancer salinus)* soll in unabsehbarer Zahl in den Salzpfannen bei Lymington leben,[3] aber nur in denjenigen, in denen die Flüssigkeit durch Verdunstung eine beträchtliche Dichte erhalten hat – nämlich ungefähr ein Viertel Pfund Salz auf einen Viertelliter Wasser.

Nördlich des Rio Negro, zwischen ihm und dem bewohnten Land bei Buenos Ayres, haben die Spanier nur eine kleine Ansiedlung, die kürzlich erst bei Bahía Blanca errichtet worden ist. Die Entfernung in gerader Linie nach Buenos Ayres beträgt nahezu fünfhundert britische Meilen. Nachdem die Nomadenstämme der Indianer zu Pferde, welche schon immer den größeren Teil dieses Landes bewohnt haben, bei den abgelegenen *estancias* letzthin für sehr viel Unruhe gesorgt haben, hat die Regierung in Buenos Ayres seit einiger Zeit eine Armee unter dem Befehl von General Rosas zu dem Zweck ausgerüstet, diese auszulöschen. Die Truppen lagerten nun am Ufer des Colorado, eines Flusses, der ungefähr achtzig Meilen nördlich des Rio Negro liegt. Als General Rosas Buenos Ayres verließ, rückte er in direkter Linie durch die unerforschten Ebenen vor: Und nachdem das Land dadurch weitgehend von Indianern befreit war, ließ er in weiten Abständen immer wieder ein kleines Kommando Soldaten mit einer Schar Pferde zurück (eine *posta*), um so die Kommunikation mit der Hauptstadt aufrechtzuerhalten. Da die *Beagle* beabsichtigte, in Bahía Blanca anzulegen, beschloss ich, über Land dorthin zu reisen, und schließlich erweiterte ich meinen Plan dahin gehend, den ganzen Weg bis nach Buenos Ayres über die Postas zu reisen.

11. August – Mr. Harris, ein Engländer, der in Patagones lebt, ein Führer und fünf Gauchos, die in Geschäften zur Armee unterwegs waren, das waren meine Begleiter auf der Reise. Der Colorado ist, wie ich schon sagte, nahezu achtzig Meilen entfernt, und da wir langsam reisten, waren wir zweieinhalb Tage unterwegs. Das ganze Erscheinungsbild des Landes verdient kaum einen besseren Namen als den der Wüste. Wasser findet sich nur in zwei kleinen Brunnen; es gilt als frisch, doch selbst zu dieser Jahreszeit, während der Regenzeit, war es recht brackig. Im Sommer muss es eine quälende Reise sein, denn schon jetzt war es trostlos genug. Das Tal des Rio Negro, so breit es auch ist, wurde lediglich aus der Sandsteinebene ausgewaschen, denn unmittelbar oberhalb des Ufers, an dem die Stadt liegt, beginnt flaches Land, welches lediglich von wenigen unbedeutenden Tälern und Niederungen durchbrochen ist.

Kurz nachdem wir die erste Quelle passiert hatten, kamen wir in Sichtweite eines berühmten Baumes, welchen die Indianer als den Altar von Walleechu verehren. Er steht auf einem hohen Punkt der Ebene und ist somit eine weithin sichtbare Landmarke. Sobald ein Indianerstamm seiner ansichtig wird, bekunden sie ihre Verehrung durch lautes Schreien. Der Baum selbst ist niedrig, sehr verästelt und dornig: Unmittelbar über der Wurzel hat er einen Durchmesser von ungefähr drei Fuß. Er steht allein ohne jeden Nachbarn und war denn auch der erste Baum, den wir sahen; danach begegneten wir einigen weiteren derselben Art, doch waren sie keineswegs verbreitet. Da es Winter war, trug der Baum keine Blätter, dafür jedoch zahllose Fäden, an denen die verschiedenen Opfergaben wie Zigarren, Brot, Fleisch, Kleidungsstücke usw. aufgehängt waren. Alle Indianer jedes Alters und Geschlechts bringen ihr Opfer dar; sie glauben, dass ihre Pferde dann nicht müde und sie selbst wohlhabend werden. Der Gaucho, der mir das erzählt hat, sagte mir, zur Friedenszeit habe er diese Szene mit eigenen Augen gesehen, und er habe, wie auch andere, immer gewartet, bis die Indianer fortgezogen seien, um Walleechu sodann die Gaben zu stehlen.

Am nächsten Tag blieb das Land ähnlich wie oben beschrieben. Es ist von wenigen Vögeln oder überhaupt Tieren bewohnt. Gelegentlich sieht man einen Hirsch oder ein Guanaco (wildes Lama); der verbreitetste Vierfüßer hingegen ist das Aguti *(Cavia patagonica)*. Dieses Tier entspricht hier unserem Hasen. Allerdings unterscheidet es sich von dieser Gattung in vielen wesentlichen Punkten, beispielsweise hat es hinten nur drei Zehen. Auch ist es beinahe doppelt so groß; sein Gewicht beträgt zwischen 20 und 25 Pfund. Das Aguti ist ein wahrer Freund der Wüste; es ist in dieser Landschaft recht üblich, zwei oder drei schnell in geraden Linien hintereinander her über diese wilden Ebenen hoppeln zu sehen. Sie

Gauchos aus Tucuman (Einheimische der Region Pampas), Emeric E. Vidal, 19. Jahrhundert

finden sich im Norden bis zur Sierra Tapalguen (37° 30' S), wo die Ebene recht unvermittelt grüner und feuchter wird, und ihre Südgrenze liegt zwischen Port Desire und St. Julian, wo es keinen Wechsel der Landesnatur gibt. Es ist eine eigentümliche Tatsache, dass einem das Aguti heute zwar nicht so weit südlich wie Port St. Julian begegnet, Kapitän Wood jedoch auf seiner Reise 1670 erwähnt, es komme dort recht zahlreich vor. Welche Ursache kann in einem weiten, unbewohnten und selten besuchten Land die Verbreitung eines solchen Tieres verändert haben? Auch aus der Zahl derer, die Kapitän Wood an einem einzigen Tag bei Port Desire schoss, geht hervor, dass sie dort erheblich verbreiteter gewesen sein müssen als heute.

Am nächsten Vormittag, als wir uns dem Colorado näherten, änderte sich die Anmutung des Landes; wir gelangten schon bald an eine mit Rasen bedeckte Ebene, welche mit ihren Blumen, dem hohen Klee und den kleinen Eulen den Pampas ähnelte. Auch gelangten wir an einem trüben Sumpf von erheblichen Ausmaßen vorbei, der sommers austrocknet und von verschiedenen Salzen überkrustet wird, weswegen er Salitral genannt wird. Er war mit niedrigen Sukkulenten von einer Art bedeckt, wie sie auch am Meeresufer wachsen. Der Colorado ist an dem Durchgang, wo wir ihn durchquerten, nur ungefähr sechzig Yard breit; im Allgemeinen dürfte er nahezu die doppelte Breite haben. Sein Verlauf ist sehr gewunden; er ist mit Weidenbäumen und Schilffeldern gekennzeichnet: In direkter Linie soll die Entfernung bis zur Mündung neun Wegstunden betragen, auf dem Wasser dagegen fünfundzwanzig.

Das Lager General Rosas' war nahe am Fluss. Es bestand aus einem Viereck, das aus Wagen, Artillerie, Strohhütten usw. gebildet war. Die Soldaten waren fast allesamt Kavallerie; und ich möchte meinen, eine solch schurkische, banditenartige Armee ward nie zuvor zusammengestellt. Die Männer waren überwiegend gemischtrassig, zwischen Neger, Indianer und Spanier. Ich weiß nicht, warum, aber Männer solchen Ursprungs haben selten einen guten Gesichtsausdruck. Ich meldete mich beim Sekretär, um meinen Pass vorzuzeigen. Er begann, mich in einer höchst würdevollen und rätselhaften Art und Weise ins Kreuzverhör zu nehmen. Zu meinem Glück besaß ich ein Empfehlungsschreiben von der Regierung von Buenos Ayres[4] an den Kommandanten von Patagones. Dies wurde zu General Rosas gebracht, der mir einen sehr verbindlichen Bescheid schickte; der Sekretär kehrte mit einem breiten Lächeln und voller Huld zurück. Wir schlugen unser Quartier in dem *rancho*, also der Hütte, eines seltsamen alten Spaniers auf, der unter Napoleon auf dem Feldzug gegen Russland gedient hatte.

Wir blieben zwei Tage am Colorado; ich hatte wenig zu tun, denn das umliegende Land war ein Sumpf, welcher sommers (Dezember), wenn der Schnee in den Kordilleren schmilzt, vom Fluss überschwemmt wird. Mein hauptsächlicher Zeitvertreib bestand darin, die Indianerfamilien zu beobachten, wie sie in dem rancho, wo wir wohnten, kleine Gegenstände kauften. Angeblich hatte General Rosas rund sechshundert indianische Verbündete. Die Männer waren eine hochgewachsene, stattliche Rasse, doch war hinterher gut zu beobachten, wie der gleiche Gesichtsausdruck beim feuerländischen Wilden durch Kälte, Krieg, Nahrungsmangel und weniger Zivilisation hässlich wurde. Manche Autoren haben diese Indianer bei der Definition der Hauptrassen der Menschheit in zwei Klassen aufgeteilt; das aber ist gewiss unrichtig. Unter den jungen Frauen oder *chinas* verdienten es manche, sogar schön genannt zu werden. Es obliegt den Frauen, die Pferde zu be- und entladen und die Zelte für die

Juan Manuel de Rosas (1793-1877), Diktator, der zur Zeit, als Darwin das Land bereiste, Argentinien regierte

Nacht aufzustellen, kurzum, wie die Frauen aller Wilden, nützliche Sklaven zu sein. Die Männer kämpfen, jagen, kümmern sich um die Pferde und machen das Reitzeug. Mehrere der Männer und Frauen hatten das Gesicht rot bemalt, doch nie sah ich die horizontalen Streifen, welche unter den Feuerländern so gebräuchlich sind. Ihr Stolz besteht vornehmlich darin, alles aus Silber hergestellt zu haben; ich habe einen Cacique gesehen, dessen Sporen, Steigbügel, Messergriff und Zaumzeug aus diesem Metall gefertigt waren; Kopfstück und Zügel, beides aus Draht, waren nicht dicker als eine Peitschenschnur; und der Anblick eines feurigen Rosses, das unter dem Kommando einer so leichten Kette herumschwenkte, verlieh der Reitkunst eine bemerkenswerte Eleganz.

General Rosas äußerte den Wunsch, mich zu sprechen, worüber ich hernach sehr froh war. Er ist ein Mann von außergewöhnlichem Wesen und besitzt im Land einen äußerst beherrschenden Einfluss, welchen er wahrscheinlich zu dessen Wohl und Aufstieg verwenden wird.[5] Er soll vierundsiebzig Quadratmeilen Land besitzen und über ungefähr dreihunderttausend Stück Vieh verfügen. Seine Ländereien werden hervorragend verwaltet und tragen weit mehr Mais als die anderer. Erstmals erlangte er Berühmtheit durch seine Gesetze für seine eigenen *estancias* und dadurch, dass er mehrere hundert Männer disziplinierte, sodass er den Angriffen der Indianer mit Erfolg widerstand.

General Rosas ist auch ein vollkommener Reiter – eine Fertigkeit von nicht geringer Bedeutung in einem Land, in dem eine versammelte Armee ihren General durch die folgende Prüfung wählte: Eine Herde ungezähmter Pferde wurde in einen Corral getrieben und sodann durch ein Tor herausgelassen, über welchem ein Querbalken war: Es wurde vereinbart, wer sich von dem Balken auf eins dieser wilden Tiere, während diese hinausjagten, niederfallen lassen könne und in der Lage sei, es ohne Sattel und Zaumzeug nicht nur zu reiten, sondern auch durch das Tor des Corrals wieder hineinzulenken, der solle ihr General sein. Derjenige, der dies bewerkstelligte, wurde dann entsprechend gewählt und war dieser Armee zweifellos ein guter General. Diese außerordentliche Leistung hatte auch Rosas vollbracht.

Dadurch und indem er sich der Kleidung und den Sitten der Gauchos anpasste, erlangte er grenzenlose Beliebtheit im Land und folglich despotische Macht. Ein englischer Kaufmann versicherte mir, ein Mann, der einen anderen ermordet hatte, habe auf die Frage nach seinem Motiv geantwortet: «Er hat sich abfällig über General Rosas geäußert, also habe ich ihn getötet.» Am Ende der Woche war der Mörder wieder frei. Dies war zweifellos das Werk der Partei des Generals und nicht des Generals selbst.

Meine Unterredung verging ohne ein Lächeln, und ich erhielt einen Pass und eine Verfügung für die regierungseigenen Postpferde, und diese gab er mir aufs Zuvorkommendste und Bereitwilligste.

Nachdem wir ungefähr fünfundzwanzig Meilen geritten waren, gelangten wir an einen breiten Gürtel aus Sanddünen, der sich, so weit das Auge reicht, nach Osten und Westen erstreckt. Da die Sandhügel auf Ton ruhen, können sich kleine Wassertümpel sammeln, die in diesem trockenen Land einen unschätzbaren Vorrat an Süßwasser bereithalten. Nach der Durchquerung dieser Sandfläche langten wir gegen Abend an einer der Poststationen an, und da in einiger Entfernung frische Pferde grasten, beschlossen wir, dort die Nacht zu verbringen.

Das Haus lag am Fuß einer Hügelkette, die zwischen ein- und zweihundert Fuß hoch war – in diesem Land eine große Besonderheit. Diese Posta wurde von einem Negerleutnant kommandiert, der in Afrika geboren war: Zu seinen Gunsten sei gesagt, dass es zwischen dem Colorado und Buenos Ayres keinen *rancho* gab, der auch nur annähernd in solch reinlichem Zustand war wie seiner. Er hatte ein kleines Zimmer für Fremde und einen kleinen Corral für die Pferde, alles aus Stöcken und Schilf gefertigt; auch hatte er zur Verteidigung, sollte er von Indianern angegriffen werden, um sein Haus einen Graben gezogen. Dieser wäre indes von geringem Nutzen gewesen, wenn die Indianer gekommen wären; sein größter Trost schien jedoch in der Vorstellung zu ruhen, sein Leben teuer zu verkaufen. Kurze Zeit zuvor war des Nachts ein Trupp Indianer vorbeigezogen; hätten sie von der Posta Kenntnis gehabt, so wären unser schwarzer Freund und seine vier Soldaten gewiss erschlagen worden. Nirgendwo begegnete ich einem aufmerksameren und gefälligeren Mann als diesem Neger; desto schmerzlicher war es daher, dass er sich nicht zu uns zum Essen setzen wollte.

Am Morgen schickten wir sehr zeitig nach unseren Pferden und machten uns zu einem weiteren belebenden Galopp auf. Einige Meilen hinter dem Fort stießen wir auf einen Mann, der uns sagte, eine große Kanone sei abgefeuert worden, ein Zeichen, dass Indianer in der Nähe sind. Sogleich verließen wir die Straße und folgten dem Rand der Marsch, welche bei Verfolgung die beste Fluchtmöglichkeit bietet. Wir waren froh, in den Mauern zu sein, wo wir dann merkten, dass die ganze Aufregung umsonst war, denn die Indianer erwiesen sich als freundlich und wollten sich General Rosas anschließen.

Bahía Blanca verdient kaum den Namen eines Dorfs. Einige wenige Häuser und die Baracken für die Truppen sind von einem tiefen Graben und einer verstärkten Mauer umschlossen. Die Ansiedlung besteht erst seit kurzem (seit 1828), und ihr Wachstum war von Schwierigkeiten begleitet gewesen. Die Regierung von Buenos Ayres besetzte sie zu Unrecht mit Gewalt, statt dem weisen Beispiel der spanischen

OBEN: Festnahme eines Gefangenen in Argentinien
GEGENÜBER: Die Salzseen Salinas Grandes, Argentinien

~ AUS ~

VERLAUF DER ZWEITEN EXPEDITION 1831–1836

VON ROBERT FITZ ROY

Am 24. gingen wir vor den Thermalquellen in Port Belgrano vor Anker.

Am nächsten Tag machte sich Leutnant Sulivan mit einer Gruppe auf den Weg, um das fernste Ende der schmalen Bucht zu erkunden, während die anderen wie üblich mit den verschiedenen Pflichten beschäftigt waren, die, neben denen der Vermessung, an Bord eines Schiffes stets auszuführen sind.

Mr. Darwin war in Argentinien, und als er von unserer Ankunft hörte, ritt er zu den Heilquellen. Er hatte am Colorado General Rosas getroffen, der ihn sehr freundlich aufnahm, und genoss ungetrübt sein Umherstreifen an Land. Der alte Bürgermeister hatte keine Angst mehr vor einem «naturalista».

Vizekönige zu folgen, welche das Land nahe der älteren Siedlung am Rio Negro von den Indianern erwarben. Daher die Notwendigkeit der Befestigung, daher die wenigen Häuser und das wenige kultivierte Land außerhalb der Mauern; nicht einmal das Vieh ist sicher vor den Angriffen der Indianer von jenseits der Grenzen der Ebene, worauf das Fort steht.

Da jener Teil des Hafens, wo die *Beagle* Anker werfen wollte, fünfundzwanzig Meilen entfernt war, erhielt ich vom Kommandanten einen Führer samt Pferden, der mich hinbrachte, damit ich sehen konnte, ob sie schon angekommen war. Bald schon ließen wir die grüne Grasebene, die sich den Lauf eines kleinen Bachs entlang erstreckte, hinter uns und gelangten auf eine breite, flache Einöde, die aus Sand, Salzmarschen oder auch nur bloßem Schlamm bestand. Teilweise war sie von niedrigem Gebüsch überzogen, an anderen Stellen mit jenen Sukkulenten, die nur dort gedeihen, wo reichlich Salz vorhanden ist. So schlecht das Land auch war, trafen wir doch zahlreiche Strauße, Hirsche, Agutis und Gürteltiere an.

Wir sahen, dass die *Beagle* nicht eingetroffen war, und machten uns folglich wieder auf den Rückweg, doch da die Pferde rasch ermüdeten, mussten wir auf der Ebene biwakieren. Am Morgen hatten wir ein Gürteltier gefangen, das, wenngleich ein hervorragendes Mahl, wenn man es in seiner Schale röstet, für zwei hungrige Männer kein sehr kräftiges Frühstück und Abendessen abgab. Dort, wo wir für die Nacht abstiegen, war der Boden mit einer Kruste aus schwefelsaurem Natrium überzogen und enthielt daher natürlich kein Wasser. Doch viele der kleineren Nager können selbst hier existieren, und während der halben Nacht ließ das Tucutuco sein eigenartiges Grunzen unter meinem Kopf vernehmen.

Ich habe mehrfach erwähnt, dass die Oberfläche des Bodens mit Salz verkrustet war. Dieses Phänomen unterscheidet sich stark von jenem der Salinas und ist außergewöhnlicher. In vielen Teilen Südamerikas, wo das Klima gemäßigt trocken ist, treten diese Inkrustationen auf; nirgendwo aber habe ich sie so reich vorhanden gesehen wie bei Bahía Blanca. Das Salz hier wie auch in anderen Teilen Patagoniens besteht im Wesentlichen aus schwefelsaurem Natrium mit etwas gewöhnlichem Salz. Solange der Boden in diesen Salitrales (wie die Spanier sie fälschlicherweise nennen, indem sie die Substanz mit Salpeter verwechseln) weitgehend feucht ist, ist lediglich eine weite Fläche zu sehen, bestehend aus schwarzer, schlammiger Erde, die hier und da Büschel von Sukkulenten trägt. Die Salitrales treten entweder auf ebenen Landstrichen auf, die sich nur wenige Fuß über den Meeresspiegel erheben, oder auf alluvialem Land, das die Flüsse säumt. M. Parchappe[7] fand heraus, dass die Salzinkrustationen auf den Ebenen in einer Entfernung von einigen Meilen vom Meer hauptsächlich aus schwefelsaurem Natrium bei lediglich sieben Prozent gewöhnlichen Salzes bestehen, wohingegen der Anteil des gewöhnlichen Salzes sich näher der Küste auf 37 Teile pro Hundert erhöht.

Sodann ritten wir in Ruhe und Frieden weiter bis zu einem niedrigen Punkt namens Punta Alta, von wo aus wir nahezu den gesamten großen Hafen von Bahía Blanca überblicken konnten.

Wir verbrachten die Nacht in Punta Alta, und ich widmete mich der Suche nach fossilen Knochen, denn dieser Ort war eine ideale Katakombe für Monstren ausgestorbener Rassen. Der Abend war vollkommen ruhig und klar; die extreme Eintönigkeit des Blicks machte ihn selbst inmitten der Schlickbänke und Möwen, der Sandhügel und einsamen Geier interessant. Als wir am nächsten Morgen zurückritten, kamen wir an der ganz frischen Spur eines Puma vorbei, doch unsere Suche blieb ohne Erfolg. Auch ein paar Zorillos, also Stinktiere, sahen wir – übelriechende Tiere, die hier keineswegs selten sind. In seinem allgemeinen Äußeren gleicht der Zorillo einem Iltis, ist aber deutlich größer und im Verhältnis viel dicker. Drängt man einen Hund zum Angriff, so wird sein Mütchen gleich von einigen Tropfen des stinkenden Öls gekühlt, das heftige Übelkeit und Nasenlaufen auslöst. Was einmal davon verdorben wird, ist auf immer unbrauchbar. Azara sagt, der Geruch könne noch in einer Entfernung von einer Wegstunde wahrgenommen werden; mehr als einmal haben wir bei der Einfahrt in den Hafen von Monte Video, wenn ablandiger Wind herrschte, den Gestank an Bord der Beagle wahrgenommen. Fest steht, dass jedes Tier dem Zorillo sehr bereitwillig Platz macht.

Lithographie aus dem Jahr 1824 vom Anden-Skunk, der im Pampas-Biom Südamerikas heimisch ist

Der Rio de la Plata von oben

5. Kapitel

BAHÍA BLANCA

Bahía Blanca – Geologie – zahlreiche riesige ausgestorbene Vierfüßer – jüngste Ausrottung – Lebensdauer von Arten – große Tiere benötigen keine üppige Vegetation – Südafrika – sibirische Fossilien – zwei Exemplare des Straußen – Lebensweise des Töpfervogels – Gürteltiere – Giftschlange, Kröte, Eidechse – Überwinterung von Tieren – Lebensweise der Seefeder – Indianerkriege und Massaker – Pfeilspitze, archäologisches Relikt

Die *Beagle* traf am 24. August [1833] hier ein und fuhr eine Woche später zum Plata ab. Mit Kapitän Fitz Roys Einwilligung blieb ich zurück, um über Land nach Buenos Ayres zu reisen. Ich werde hier einige Beobachtungen einfügen, die während dieses Aufenthalts und bei einer früheren Gelegenheit gemacht wurden, als die *Beagle* mit der Vermessung des Hafens beschäftigt war.

Die Ebene in einer Entfernung von wenigen Meilen von der Küste gehört zu der großen Pampasformation, welche teils aus rötlichem Ton und teils aus einem stark kalkhaltigen Mergel besteht. Näher der Küste sind einige Ebenen, die sich aus den Trümmern der oberen Ebene wie auch aus dem Schlick, Kies und Sand gebildet haben, die während der langsamen Erhebung des Landes vom Meer aufgeworfen wurden; Beweise für diese Erhebung haben wir in den hochgehobenen neuzeitlichen Muschelschichten und den rund geschliffenen Bimssteinkieseln, die übers ganze Land verstreut sind. Bei Punta Alta haben wir einen Abschnitt einer jener später ausgebildeten kleinen Ebenen, der aufgrund der Anzahl und der außerordentlichen Merkmale von Überresten gigantischer Landtiere, die

darin eingebettet sind, äußerst interessant ist. Diese sind von Professor Owen in der *Zoology of the Voyage of the Beagle* ausführlich beschrieben und im College of Surgeons untergebracht worden. Ich werde hier nur eine grobe Skizze ihrer Beschaffenheit geben.

Zunächst Teile dreier Schädel und anderer Knochen des Megatheriums, dessen gewaltige Ausmaße von seinem Namen ausgedrückt werden. Zweitens das Megalonyx, ein großes verwandtes Tier. Drittens das Skelidotherium, ebenfalls ein verwandtes Tier, wovon ich ein nahezu vollständiges Skelett erhielt. Es muss so groß wie ein Rhinozeros gewesen sein: Wegen der Struktur seines Schädels kommt es Mr. Owen zufolge dem Ameisenbären vom Kap am nächsten, in anderer Hinsicht nähert es sich hingegen dem Gürteltier an. Viertens das *Mylodon darwinii*, eine eng verwandte Gattung von etwas geringerer Größe. Fünftens ein weiterer gigantischer zahnloser Vierfüßer. Sechstens ein großes Tier mit einer knöchernen Haut in Segmenten, ganz ähnlich der des Gürteltiers. Siebtens eine ausgestorbene Pferdeart, auf die ich noch zurückkommen muss. Achtens der Zahn eines Dickhäuters, wahrscheinlich der gleiche wie das Macrauchenia, ein gewaltiges Tier mit einem langen Hals wie ein Kamel, auf das ich noch zurückkomme. Schließlich das Toxodon, vielleicht eines der seltsamsten Tiere, die jemals entdeckt wurden: An Größe kam es einem Elefanten oder Megatherium gleich, die Struktur seiner Zähne hingegen beweist unwiderlegbar, wie Mr. Owen anführt, dass es eng mit den Nagern verwandt war, jener Ordnung, zu der heute die

OBEN LINKS: Lithographie eines *Megatherium*-Skeletts, das um 1796 in Paraguay entdeckt wurde
LINKS: Rekonstruktion eines Riesenfaultiers *(Megatherium)* im Naturhistorischen Museum London

meisten der kleinsten Vierfüßer gehören; in vielen Einzelheiten ist es mit den Pachydermata verwandt: Der Stellung von Augen, Ohren und Nüstern nach zu urteilen, lebte es wahrscheinlich im Wasser wie der Dugong oder Manati, mit dem es ebenfalls verwandt ist. Wie wunderbar diese verschiedenen Ordnungen, heutigentags so klar getrennt, an etlichen Punkten im Aufbau des Toxo dons verschmelzen!

Die Überreste dieser neun großen Vierfüßer sowie viele Einzelknochen wurden dort am Strand auf einer Fläche von ungefähr 200 Yard im Quadrat eingebettet gefunden. Es ist bemerkenswert, dass so viele verschiedene Arten beieinander vorgefunden wurden, was beweist, wie zahlreich an Arten die alten Bewohner dieses Landes gewesen sein müssen. In einer Entfernung von ungefähr dreißig Meilen von P. Alta fand ich in einem Steilhang aus roter Erde mehrere Knochenfragmente, einige von beachtlicher Größe. Darunter auch die Zähne eines Nagers, der an Größe jenen des Capybara, dessen Lebensweise ja beschrieben wurde, gleichkam und ihnen stark ähnelte; daher war er vermutlich ebenfalls ein Meerestier. Auch fand ich einen Teil des Schädels eines Ctenomys, einer Art, die sich vom Tucutuco unterscheidet, aber eine große Ähnlichkeit aufweist. Die rote Erde enthält ähnlich jener der Pampas, worin diese Überreste eingebettet waren, Professor Ehrenberg zufolge acht Süßwasser-Infusorien und eines aus dem Salzwasser, weswegen sie wahrscheinlich die Ablagerung aus einer Flussmündung war.

Die Überreste bei Punta Alta waren in geschichtetem Kies und rötlichem Schlamm genau von einer Art eingebettet, wie das Meer ihn heute an einer seichten Bank anspülen würde. Dabei waren auch noch dreiundzwanzig Muschelarten, wovon dreizehn jüngeren Ursprungs und weitere vier sehr eng mit jüngeren Formen verwandt waren; ob die übrigen ausgestorben oder einfach nur unbekannt sind, muss offen bleiben, da an dieser Küste nur wenige Muschelsammlungen angelegt worden sind. Da die Arten jüngeren Datums indes in nahezu denselben proportionalen Zahlen wie jene eingebettet waren, die heute in dieser Bucht leben, kann wohl kaum ein Zweifel bestehen, dass diese Ansammlung einer sehr späten tertiären Periode angehört. Dadurch, dass die Knochen des Scelidotherium, sogar einschließlich der Kniescheibe, in ihrer richtigen jeweiligen Position eingegraben waren, wie auch dadurch, dass der Knochenpanzer des großen

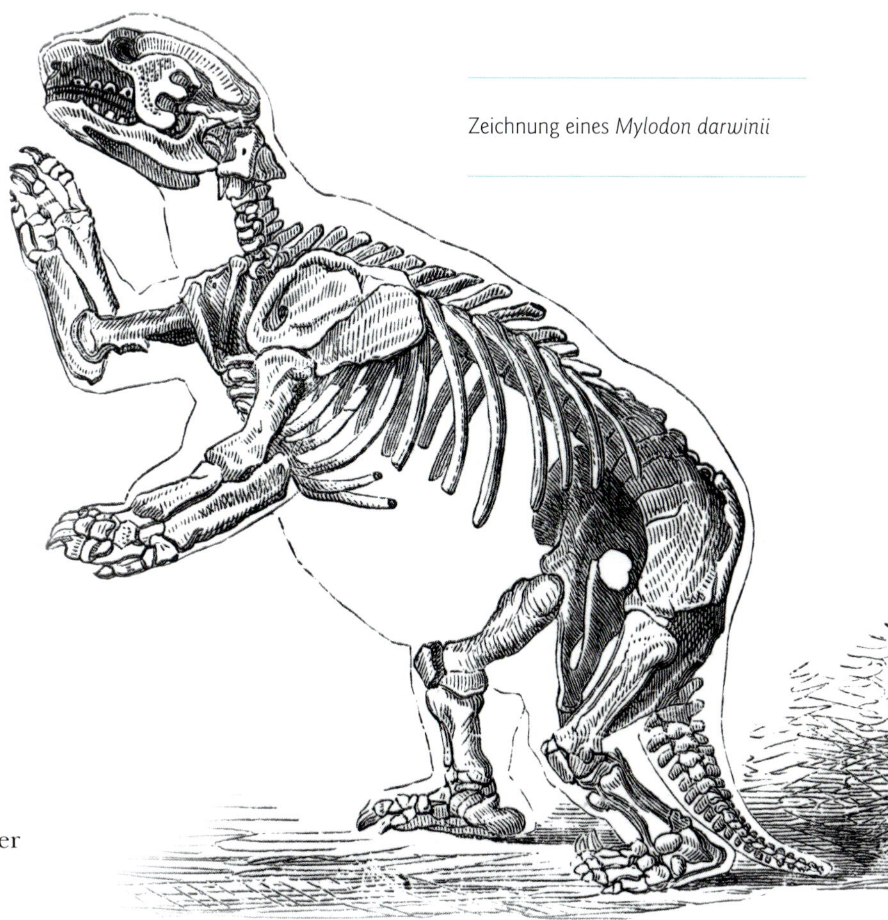

Zeichnung eines *Mylodon darwinii*

gürteltierähnlichen Tiers ebenso wie die Knochen eines seiner Beine so gut erhalten waren, können wir sicher sein, dass diese Überreste frisch und durch Sehnen verbunden waren, als sie zusammen mit den Muscheln in dem Kies abgelagert wurden. Somit haben wir einen schönen Beweis, dass die oben aufgeführten riesigen Vierfüßer, die sich von jenen der Gegenwart stärker unterscheiden als die ältesten tertiären Vierfüßer Europas, zu einer Zeit lebten, als das Meer von den meisten seiner heutigen Bewohner bevölkert war; und wir haben das bemerkenswerte Gesetz bestätigt, welches insbesondere Mr. Lyell so häufig hervorhob, dass die «Lebensdauer der Arten bei den Säugetieren im Großen und Ganzen jener der Testacea unterlegen ist».[1]

Die gewaltige Größe der Knochen der megatheroiden Tiere, darunter Megatherium, Scelidotherium und Mylodon, ist wahrhaft wunderbar. Die Lebensgewohnheiten dieser Tiere waren den Naturforschern ein völliges Rätsel, bis Professor Owen[2] das Problem unlängst mit beachtlichem Scharfsinn löste. Die Zähne deuten mit ihrem einfachen Aufbau darauf hin, dass diese megatheroiden Tiere von pflanzlicher Nahrung lebten, wahrscheinlich von Blättern und kleinen Zweigen von Bäumen; ihre schwerfällige Gestalt und die großen, kräftigen, geschwungenen Klauen scheinen so wenig für eine Fortbewegung geeignet, dass bedeutende Naturforscher tatsächlich glaubten, sie lebten wie die Faultiere, mit denen sie eng verwandt sind, indem sie mit dem Rücken nach unten auf Bäumen kletterten und sich von den Blättern ernährten. Es war ein kühner, um nicht zu sagen widersinniger Gedanke, sich selbst antediluvische Bäume vorzustellen, deren Äste stark genug gewesen wären, um Tiere von der Größe eines Elefanten zu tragen. Professor Owen glaubt, und das ist weit wahrscheinlicher, dass sie, statt auf Bäume zu klettern, die Äste zu sich herabzogen und die kleineren an der Wurzel ausrissen und so die Blätter fraßen. Die kolossale Breite und Schwere ihres Hinterteils, kaum vorstellbar, wenn man es nicht gesehen hat, erfüllen bei dieser Betrachtungsweise einen nahe liegenden Dienst, statt eine Behinderung zu sein: Ihre vermeintliche Schwerfälligkeit verschwindet. Den großen Schwanz und die riesigen Hinterfüße gleich einem Dreifuß fest auf die Erde gestemmt, konnten sie die volle Kraft ihrer äußerst mächtigen Arme und großen Klauen frei ausüben. Wahrhaftig, starke Wurzeln muss der Baum gehabt haben, der einer solchen Gewalt widerstand! Zudem war das Mylodon mit einer langen, dehnbaren Zunge ähnlich jener der Giraffe ausgestattet, welche, vermöge einer jener schönen Einrichtungen der Natur, mittels ihres langen Halses ihre Blattnahrung erreicht.

Die Schichten einschließlich der obigen fossilen Überreste liegen nur fünfzehn bis zwanzig Fuß über dem mittleren Hochwasser; daher war die Erhebung des Landes gering (außer es hat eine eingeschlossene Periode der Absenkung gegeben, worauf wir keinen Hinweis haben), seit die großen Vierfüßer die umliegenden Ebenen bewanderten, und die äußeren Merkmale des Landes dürften damals den heutigen sehr ähnlich gewesen sein. Was, mag man naturgemäß fragen, war das Gepräge der Vegetation zu jener Zeit; war das Land ebenso kärglich unfruchtbar wie heute?

Dass große Tiere einer üppigen Vegetation bedürfen, ist eine allgemeine Annahme, die von einem Werk zum anderen weitergereicht worden ist; ich zögere indes nicht zu sagen, dass sie vollkommen falsch ist und dass sie die Schlussfolgerungen von Geologen bei manchen Fragen von großer Bedeutung für die Frühgeschichte der Welt verfälscht hat. Das Vorurteil hat sich wahrscheinlich von Indien und den indischen Inseln hergeleitet, wo sich in jedermanns Vorstellung Massen von Elefanten, stattliche Wälder und undurchdringlicher Dschungel verknüpft haben. Befragen wir hingegen einen Reisebericht über den Süden Afrikas, so werden wir nahezu auf jeder Seite Hinweise entweder auf das Wüstengepräge des Landes oder die Vielzahl großer Tiere finden, die es bewohnen. Dasselbe wird klar ersichtlich durch die zahlreichen Stiche, welche von verschiedenen Teilen des Landesinnern veröffentlicht worden sind. Als die *Beagle* in Kapstadt war, unternahm ich eine mehrere Tage währende Exkursion ins Land hinein, welche immerhin genügte, mir das, was ich gelesen hatte, noch tiefer begreiflich zu machen.

Es ist schwierig, eine genaue Vorstellung eines Maßes vergleichbarer Fruchtbarkeit zu vermitteln, doch lässt sich mit Sicherheit sagen, dass die Menge Vegetation, die zu einem bestimmten Zeitpunkt[3] in Großbritannien wächst, diejenige auf einer gleichen Fläche im Landesinnern Südafrikas vielleicht um das Zehnfache übertrifft. Wenn wir den Blick nun auf die Tiere lenken, die auf diesen weiten Ebenen leben, so werden wir ihre Zahl außerordentlich groß und ihre Masse gewaltig finden. Dazu müssen wir den Elefanten zählen, drei Rhinozerosarten und, Dr.Smith zufolge, wahrscheinlich zwei weitere, dazu das Flusspferd, die Giraffe, den Kaffernbüffel – groß wie ein ausgewachsener Bulle – und die Elenantilope, nur wenig kleiner, zwei Zebras und das Quagga zwei Gnus sowie mehrere Antilopen, die sogar noch größer als letztgenannte Tiere sind. Man kann davon ausgehen, dass die Arten zwar zahlreich, ihre jeweiligen Mitglieder jedoch wenige sind. Durch die Freundlichkeit Dr. Smiths vermag ich zu zeigen, dass der Fall ganz anders liegt. Er teilte mir mit, dass er auf einer Breite von 24° S auf einem Tagesmarsch mit den Ochsenkarren, ohne sonderlich weit nach beiden Richtungen zu schweifen, zwischen hundert und hundertfünfzig Rhinozerosse sah, die drei Arten angehörten; an demselben Tag sah er mehrere Giraffenherden, die sich auf nahezu hundert beliefen, und auch Elefanten seien, selbst wenn keiner gesichtet wurde, in dieser Gegend anzutreffen. In der Nacht davor tötete seine Gesellschaft in einer Entfernung von wenig mehr als einem einstündigen Marsch von ihrem Lagerplatz an einer Stelle acht Flusspferde und sah noch zahlreiche weitere. Im selben Fluss seien auch Krokodile gewesen. Natürlich war es etwas ganz Außergewöhnliches, so viele große Tiere so dicht gedrängt zu sehen, das aber beweist

Der Prinz of Wales posiert neben einem Elefanten im indischen Terei, um 1875

~ AUS ~
DIE ENTSTEHUNG DER ARTEN

VON CHARLES DARWIN

Wie anziehend ist es, ein mit verschiedenen Pflanzen bedecktes Stückchen Land zu betrachten, mit singenden Vögeln in den Büschen, mit zahlreichen Insekten, die durch die Luft schwirren, mit Würmern, die über den feuchten Erdboden kriechen, und sich dabei zu überlegen, dass alle diese so kunstvoll gebauten, so sehr verschiedenen und doch so verzwickt voneinander abhängigen Geschöpfe durch Gesetze erzeugt worden sind, die noch rings um uns wirken. Diese Gesetze, im weitesten Sinne genommen, heißen: Wachstum mit Fortpflanzung; Vererbung (die an sich schon in der Fortpflanzung enthalten ist); Veränderlichkeit infolge indirekter und direkter Einflüsse der Lebensbedingungen und des Gebrauchs oder Nichtgebrauchs; so rasche Vermehrung, dass sie zum Kampf ums Dasein führt und infolgedessen auch zur natürlichen Zuchtwahl, die ihrerseits wieder die Divergenz der Charaktere und das Aussterben der minder verbesserten Formen veranlasst. Aus dem Kampf der Natur, aus Hunger und Tod geht also das Höchste hervor, das wir uns vorstellen können: die Erzeugung höherer Wesen. Es ist etwas Erhabenes an der Auffassung, dass dem Keim allen Lebens nur wenige oder gar nur eine einzige Form eingehaucht wurde und dass [...] aus einem so schlichten Anfang eine unendliche Zahl der schönsten und wunderbarsten Formen entstand und noch weiter entsteht.

hinlänglich, dass es sie in großer Zahl geben muss. Dr. Smith beschreibt das an jenem Tage durchfahrene Land als «dünn mit Gras und ungefähr vier Fuß hohem Buschwerk und noch dünner mit Mimosenbäumen bedeckt». Die Karren konnten unbehindert in nahezu gerader Richtung fahren.

Abgesehen von diesen großen Tieren hat jeder, der im Mindesten mit der Naturgeschichte des Kaps vertraut ist, von den Antilopenherden gelesen, die nur noch mit den Schwärmen von Zugvögeln verglichen werden können. Allein schon die Zahlen von Löwe, Panther und Hyäne sowie die Massen von Raubvögeln zeugen klar von dem Reichtum an kleineren Vierfüßern: An einem Abend wurden sieben Löwen gezählt, die gleichzeitig um Dr. Smiths Lager strichen. Allerdings kann kein Zweifel bestehen, dass unsere Vorstellungen hinsichtlich der Nahrungsmenge, die für das Überleben großer Vierfüßer notwendig ist, weit übertrieben sind: Man sollte sich in Erinnerung rufen, dass das Kamel, ein Tier von nicht geringer Masse, schon immer als das Sinnbild der Wüste gegolten hat.

Der Glaube, dass die Vegetation dort, wo es große Vierfüßer gibt, zwangsläufig auch üppig sein muss, ist umso bemerkenswerter, als das Gegenteil keineswegs wahr ist. Mr. Burchell bemerkte mir gegenüber, dass ihn, als er nach Brasilien kam, nichts stärker beeindruckte als die Pracht der südamerikanischen Vegetation im Gegensatz zu jener Südafrikas, dazu das Fehlen aller großen Vierfüßer. In seinen *Travels*[4] schreibt er, dass der Vergleich des jeweiligen Gewichts (gäbe es genügend Angaben) einer gleichen Anzahl der größten Pflanzen fressenden Vierfüßer eines jeden Landes sehr eigenartig wäre. Nähmen wir auf der einen Seite Elefant,[5] Flusspferd, Giraffe, Kaffernbüffel, Elenantilope, gewiss drei, wahrscheinlich sogar fünf Arten des Rhinozeros, und auf der amerikanischen Seite zwei Tapire, Guanaco, drei Hirsche, Vicuna, Peccari und Capybara (nach denen wir noch einen der Affen nehmen müssen, damit wir auf die Zahl kommen), und würden diese beiden Gruppen dann gegeneinander stellen, ist es nicht leicht, sich Reihen auszudenken, die in einem krasseren Größenverhältnis stehen. Nach den oben genannten Fakten kommen wir zwangsläufig zu dem Schluss, dass es bei den Säugetieren in den Ländern, die sie bewohnen, entgegen aller früheren Wahrscheinlichkeit[6] keine enge Verbindung zwischen der *Masse* der Arten und der *Menge* der Vegetation gibt.

Jagd mit Bolas, Lithographie von 1914

Was die Anzahl großer Vierfüßer angeht, so gibt es gewiss keinen Teil des Erdballs, der einem Vergleich mit dem südlichen Afrika standhält. Nach den unterschiedlichen Erklärungen, die geäußert worden sind, kann das extreme Wüstengepräge jener Region nicht Gegenstand der Diskussion sein. Im europäischen Teil der Welt müssen wir auf die tertiären Epochen zurückblicken, um Bedingungen für die Säugetiere anzutreffen, wie sie jetzt am Kap der Guten Hoffnung herrschen. Diese tertiären Epochen, die wir gern als erstaunlich reich an großen Tieren betrachten, weil wir an bestimmten Stellen die Überreste vieler Zeitalter angesammelt sehen, hatten kaum mehr großer Vierfüßer aufzuweisen als das südliche Afrika von heute. Wenn wir über die Beschaffenheit der Vegetation während jener Epochen spekulieren, müssen wir bestehende Analogien doch wenigstens so weit in Betracht ziehen, dass wir eine üppige Vegetation nicht als absolut notwendig voraussetzen, wenn wir einen Zustand antreffen, der sich so grundlegend von dem am Kap der Guten Hoffnung unterscheidet.

Wir wissen,[7] dass die extremen Regionen Nordamerikas, viele Grade jenseits der Grenze, wo der Boden bis in eine Tiefe von einigen Fuß ewig gefroren ist, mit Wäldern aus großen und hohen Bäumen bedeckt sind. Ebenso haben wir in Sibirien Wälder aus Birken, Fichten, Espen und Lärchen, die auf einer Breite (64°) wachsen,[8] wo die mittlere Lufttemperatur unter dem Gefrierpunkt liegt und die Erde so durch und durch gefroren ist, dass der darin eingebettete Kadaver eines Tieres vollkommen konserviert ist. Bei all dem müssen wir es als erwiesen ansehen, dass die großen Vierfüßer der späteren tertiären Epochen, *allein* hinsichtlich der *Menge* der Vegetation, in den meisten Teilen Nordeuropas und Asiens dort, wo ihre Überreste heute

OBEN: Der Nandu *(Rhea americana)*, ausgewachsener Vogel mit Jungen
GEGENÜBER: Der kleinere Darwin-Nandu *(Rhea darwinii)*

gefunden werden, auch hätten leben können. Ich spreche hier nicht von der *Art* der Vegetation, die für sie lebensnotwendig ist, denn da es Hinweise auf physische Veränderungen gibt und die Tiere ausgestorben sind, dürfen wir annehmen, dass sich die Pflanzenarten ebenfalls verändert haben.

Ich möchte nun die Lebensweise einiger der interessanteren Vögel schildern, die auf den wilden Ebenen Nordpatagoniens heimisch sind, dabei zuerst die des größten oder südamerikanischen Straußen. Die allgemeine Lebensweise des Straußen ist jedermann vertraut. Sie leben von pflanzlichen Substanzen wie Wurzeln und Gras, doch in Bahía Blanca habe ich wiederholt gesehen, wie drei oder vier sich bei Niedrigwasser auf den ausgedehnten Schlickbänken, die dann trocken gefallen sind, niedergelassen haben, um, wie die Gauchos sagen, kleine Fische zu fressen. Obwohl der Strauß eine so scheue, misstrauische und einzelgängerische Art und einen so flinken Gang hat, wird er doch von den mit den *bolas* bewaffneten Indianern oder Gauchos mit Leichtigkeit gefangen.

Die Bewohner des Landes unterscheiden den Hahn von der Henne sehr schnell, selbst aus einiger Entfernung. Ersterer ist größer, hat eine dunklere Färbung,[9] und einen größeren Kopf. Als wir im September und Oktober in Bahía Blanca waren, fanden sich die Eier in außerordentlicher Zahl im ganzen Land. Entweder liegen sie einzeln verstreut umher, dann werden sie nicht ausgebrütet, und diese nennen die Spanier *huachos*, oder sie sind versammelt in einer kleinen Kuhle, welche das Nest bildet. Von den vier Nestern, die ich sah, enthielten drei jeweils zweiundzwanzig Eier, das vierte siebenundzwanzig. An einem Tag bei einer Jagd zu Pferde wurden vierundsechzig Eier gefunden; vierundvierzig davon lagen in zwei Nestern, die übrigen zwanzig waren verstreute *huachos*. Die Gauchos versichern einmütig, und es besteht kein Grund, ihre Aussage zu bezweifeln, dass allein der männliche Vogel das Ei ausbrütet und die Jungen danach noch einige Zeit begleitet. Der Hahn liegt, wenn er im Nest ist, sehr dicht darauf; einmal bin ich beinahe über einen geritten. Es heißt, dann seien sie gelegentlich wild und gar gefährlich und dass sie schon einen Reiter angegriffen und versucht hätten, nach ihm zu treten und ihn anzuspringen. Ich habe schon die große Zahl von *huachos*, also verlassenen Eiern, erwähnt; an einem Jagdtag wurden zwanzig in diesem Zustand gefunden. Es erscheint seltsam, dass so viele vergeudet werden sollten. Erwächst dies nicht aus der Schwierigkeit der Weibchen, sich mit mehreren anderen zusammenzutun und einen Hahn zu finden, der das Amt des Brütens übernimmt? Es liegt auf der Hand, dass es zunächst eine gewisse Verbindung zwischen wenigstens zwei Weibchen geben muss, sonst würden die Eier über die weite Ebene verteilt bleiben, und zwar in Abständen, die viel zu groß wären, um es dem Männchen zu gestatten, sie in einem Nest zu versammeln: Manche Autoren waren der Ansicht, die verstreuten Eier seien als Nahrung für die Jungvögel abgelegt worden. Das kann in Amerika wohl kaum der Fall sein, weil die *huachos* zwar häufig faul und verdorben, im Allgemeinen aber doch unversehrt vorgefunden werden.

Als ich am Rio Negro in Nordpatagonien war, hörte ich die Gauchos wiederholt von einem sehr seltenen Vogel erzählen, den sie Avestruz petise nannten. Sie beschrieben ihn als seltener als den gemeinen Strauß (welcher dort sehr verbreitet ist), doch mit einer sehr großen allgemeinen Ähnlichkeit. Sie sagten, er sei dunkel gefärbt

RECHTS: Zwerghöhenläufer *(Thinocorus rumicivorus)*
GEGENÜBER: Töpfervogel *(Furnarius rufus)*

und gesprenkelt und dass seine Beine kürzer seien und das Gefieder tiefer reiche als beim gemeinen Straußen. Er lasse sich mit den *bolas* leichter einfangen als die andere Art. Die wenigen Einwohner, die beide Arten gesehen hatten, bestätigten, sie aus großer Entfernung unterscheiden zu können. Die Eier der kleinen Art schienen jedoch bekannter, und mit Überraschung wurde angemerkt, dass sie nur sehr wenig kleiner als jene des Rhea seien, aber von etwas anderer Form und hellblau getönt. Diese Art ist auf den Ebenen, die an den Rio Negro grenzen, äußerst selten; eineinhalb Grad weiter südlich jedoch sind sie einigermaßen verbreitet. Als Mr. Martens in Port Desire in Patagonien war (48° S), schoss er einen Straußen; ich betrachtete ihn und vergaß in dem Augenblick auf eine höchst unerklärliche Weise das ganze Thema der Petises und dachte, es sei kein ausgewachsener Vogel von der gewöhnlichen Sorte. Noch bevor meine Erinnerung zurückkehrte, war er gebraten und verzehrt. Glücklicherweise waren Kopf, Hals, Flügel und viele der größeren Federn sowie ein Großteil der Haut aufbewahrt worden; daraus wurde ein nahezu vollkommenes Exemplar zusammengesetzt, das nun im Museum der Zoologischen Gesellschaft ausgestellt ist. Mr. Gould hat mir bei der Beschreibung dieser neuen Art die Ehre erwiesen, sie nach meinem Namen zu benennen.

Schlussfolgernd darf ich anmerken, dass der *Struthio rhea* das Land am La Plata bis etwas südlich des Rio Negro auf 41° S bewohnt und der *Struthio darwinii* im südlichen Patagonien an seine Stelle tritt, wobei das Land um den Rio Negro herum neutrale Zone ist. M. A. d'Orbigny[10] unternahm, als er am Rio Negro war, große Anstrengungen, sich einen solchen Vogel zu beschaffen, doch nie wollte es ihm glücken. Dobrizhoffer[11] hatte schon vor langer Zeit Kenntnis davon, dass es dort zwei Arten des Straußen gab; er sagt: «Überdies muss man wissen, dass die Emus an Größe und Lebensweise in unterschiedlichen Landesteilen differieren; jene nahe der Magellanstraße sind kleiner und schöner, denn ihre weißen Federn sind an der Spitze schwarz, und ihre schwarzen enden in gleicher Weise weiß.»

Ein ganz eigentümlicher kleiner Vogel ist hier heimisch, *Tinochorus rumicivorus*. In seiner Lebensweise und dem allgemeinen Äußeren besitzt er beinahe zu gleichen Teilen Merkmale der Wachtel und der Schnepfe, so verschieden diese auch sind. Man trifft den Tinochorus im gesamten südlichen Südamerika überall da an, wo es unfruchtbare Ebenen oder offenes trockenes Weideland gibt. Er hält sich in Paaren oder kleinen Schwärmen an den trostlosesten Orten auf, wo kaum ein anderes Lebewesen existieren kann. Er entstaubt sich auf Straßen und an sandigen Stellen und hält sich immer an den gleichen Orten auf, wo man ihm Tag um

Tag begegnen kann: Wie Rebhühner fliegen sie im Schwarm auf. Die Jäger von der *Beagle* nannten ihn einmütig die kurzschnablige Schnepfe. Mit dieser Gattung oder vielmehr der Familie der Watvögel ist er, wie sein Skelett zeigt, tatsächlich verwandt.

Der Tinochorus ist auch eng mit einigen weiteren südamerikanischen Vögeln verwandt. Zwei Arten der Gattung *Attagis* sind in nahezu jeder Hinsicht in ihrer Lebensweise Schneehühner; eine lebt in Feuerland oberhalb der Waldgrenze, die andere unmittelbar unterhalb der Schneegrenze in den Kordilleren Zentralchiles. Ein Vogel einer anderen nahe verwandten Gattung, *Chionis alba*, bewohnt die arktischen Regionen; er ernährt sich von Seetang und Muscheln auf den Tidenfelsen. Obwohl er keine Schwimmfüße besitzt, trifft man ihn aus einer unerklärlichen Gewohnheit häufig weit draußen auf See an. Diese kleine Vogelfamilie gehört zu denjenigen, die vermöge ihrer vielfältigen Beziehungen zu anderen Familien den systematischen Naturforscher gegenwärtig zwar nur vor Schwierigkeiten stellen, letztlich aber dazu beitragen können, den großen Plan zu enthüllen, den Gegenwart und alle vergangenen Zeiten gemein haben und nach dem organisierte Lebewesen erschaffen worden sind.

Die Gattung *Furnarius* umfasst mehrere Arten, allesamt kleine Vögel, die auf dem Boden leben und offenes, trockenes Landbewohnen. Ihrem Aufbau nach lassen sie sich mit keiner europäischen Form vergleichen. Die Ornithologen zählen sie im Allgemeinen zu den Baumläufern, obwohl sie dieser Familie in jeder Hinsicht entgegengesetzt sind. Die bekannteste Art ist der gemeine Töpfervogel vom La Plata, der *casara* oder Hausbauer, wie ihn die Spanier nennen. Sein Nest, woher er seinen Namen hat, baut er an den exponiertesten Stellen wie auf der Spitze eines Pfahles, eines nackten Felsens oder eines Kaktus.

Eine weitere und kleinere Art des *Furnarius* *(F. cunicularius)* ähnelt dem Töpfervogel in der allgemeinen rötlichen Färbung seines Federkleids, in seinem schrillen, wiederholten Schrei und der eigentümlichen Angewohnheit, ruckartig zu rennen. Wegen seiner Affinität nennen die Spanier ihn *casarita* (also kleiner Hausbauer), wiewohl sein Nestbau völlig anders ist. Der Casarita baut sein Nest am Boden eines schmalen, zylindrischen Lochs, das sich nahezu sechs Fuß unter der Erde in horizontaler Richtung erstrecken soll. Einige der Landleute sagten mir, als Jungen hätten sie versucht, das Nest auszugraben, seien jedoch kaum einmal bis ans Ende des Ganges vorgedrungen.

Ich habe schon nahezu alle Säugetiere erwähnt, die in diesem Lande heimisch sind. Von den Gürteltieren sind drei Arten vertreten, nämlich das *Dasypus minutus* oder *pichy*, das *D.villosus* oder *peludo* und das *apar*. Ersteres lebt bis zu zehn Grad weiter südlich als alle anderen: Eine vierte Art, das *mulita*, kommt nicht ganz südlich bis Bahía Blanca. Die vier Arten haben eine ganz ähnliche Lebensweise; das *peludo* ist indes ein Nachttier, wohingegen die anderen am Tage über die offenen Ebenen streifen, sich von Käfern, Larven, Wurzeln und sogar kleinen Schlangen ernähren. Das *apar*, gemeinhin *mataco* genannt, zeichnet sich dadurch aus, dass es nur drei bewegliche Gürtel hat; die übrigen in dem schachbrettartigen Panzer sind nahezu unbiegsam. Es verfügt über die Fähigkeit, sich zu einer vollkommenen Kugel einzurollen, ganz wie eine Art der englischen Assel. In diesem Zustand ist es sicher vor dem Angriff von Hunden, denn da der Hund es nicht ganz ins Maul zu nehmen vermag, versucht er, es in die Seite zu beißen, worauf die Kugel wegrutscht. Der glatte, harte Panzer des *mataco* bietet eine bessere Verteidigung als die scharfen Stacheln des Igels. Das *pichy* bevorzugt sehr trockene Erde; die Sanddünen nahe der Küste, wo es monatelang kein Wasser findet, ist sein liebster Aufenthaltsort: Häufig versucht es, der Aufmerksamkeit zu entrinnen, indem es sich dicht an den Boden schmiegt.

An Reptilien gibt es hier viele Arten: Eine Schlange (eine *Trigonocephalus* oder *Cophias*) dürfte, nach der Größe des Giftkanals in ihren Fängen zu urteilen, sehr tödlich sein. Cuvier macht sie, im Gegensatz zu einigen anderen Naturforschern, zu einer Untergattung der Klapperschlange und stellt sie zwischen diese und die Viper.[12]

Unter den froschartigen Reptilien entdeckte ich nur eine kleine Kröte *(Phryniscus nigricans)*, die ganz außerordentlich gefärbt war. Wenn wir uns vorstellen, dass sie zunächst in die schwärzeste Tinte getaucht wurde und dann, wenn sie getrocknet war, über ein frisch mit dem leuchtendsten Scharlachrot gestrichenes Brett krabbeln durfte, damit die Fußsohlen und Teile des Bauchs gefärbt werden, erhalten wir einen guten Eindruck von ihrem Aussehen. Statt, wie andere Kröten, in ihrer Lebensweise ein Nachttier zu sein und in feuchten, dunklen Nischen zu leben, krabbelt sie während der Tageshitze über die trockenen Sandhügel und ariden Ebenen, wo kein Tropfen Wasser zu finden ist. Für ihre Feuchtigkeit ist sie zwangsläufig auf den Tau angewiesen, und dieser wird wahrscheinlich von der Haut absorbiert, denn wie man weiß, verfügen diese Reptilien über eine große kutane Absorptionskraft.

An Eidechsen gab es viele Arten, doch nur eine (Proctotretus multimaculatus) fiel wegen ihrer Lebensweise auf. Sie lebt auf dem nackten Sand nahe der Meeresküste und lässt sich mit ihrer gefleckten Färbung, den braunen, weiß, gelblichrot und schmutzigblau gesprenkelten Schuppen kaum von dem sie umgebenden Boden unterscheiden.

Das Pichi *(Zaedyus pichiy)* oder Zwerggürteltier

Wird sie erschreckt, versucht sie, unentdeckt zu bleiben, indem sie sich mit ausgestreckten Beinen, niedergedrücktem Leib und geschlossenen Augen tot stellt: Wird sie weiter belästigt, gräbt sie sich mit hoher Geschwindigkeit in den lockeren Sand. Diese Eidechse kann wegen ihres abgeflachten Körpers und den kurzen Beinen nicht schnell laufen.

Es ist allseits bekannt, dass der Winterschlaf, genauer gesagt, der Sommerschlaf von Tieren in den Tropen nicht von der Temperatur bestimmt wird, sondern von der Dürrezeit. Bei Rio de Janeiro entdeckte ich zu meiner anfänglichen Überraschung, dass einige kleine Senken wenige Tage, nachdem sie mit Wasser gefüllt waren, von zahlreichen ausgewachsenen Muscheln und Käfern bevölkert waren, die geschlafen haben mussten. Humboldt hat von der eigenartigen Begebenheit berichtet, bei der über einer Stelle, wo ein junges Krokodil im gehärteten Schlamm begraben lag, eine Hütte errichtet worden war. Er setzte hinzu: «Die Indianer finden oftmals gewaltige Boas, welche sie uji oder Wasserschlangen nennen, in demselben lethargischen Zustand vor.

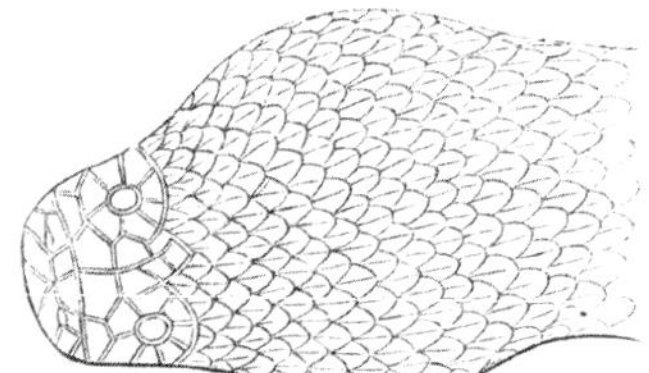
2273.—Head of Cerberus.

2272.—Karoo Bokadam.

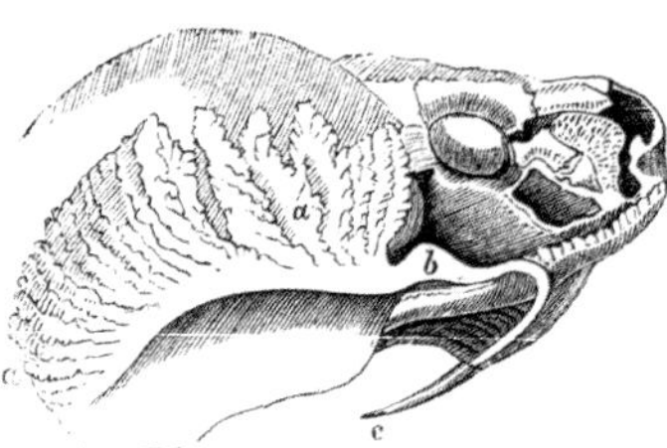

2275.—Tooth and Poison-Gland of Trigonocephalus.

2278.—Head of Viper.

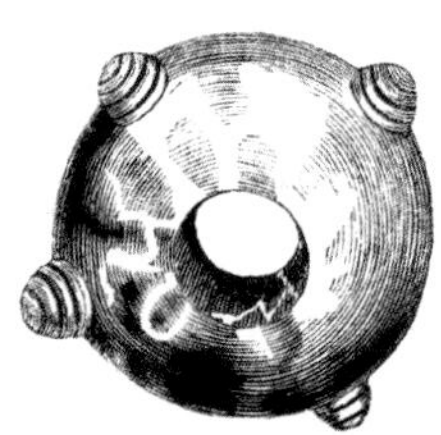
2279.—Adder-Stones.

2281.—Unadorned Viper.

2277.—Viper and Young.

2274.—Skull of Rattlesnake.

2276.—Viper.

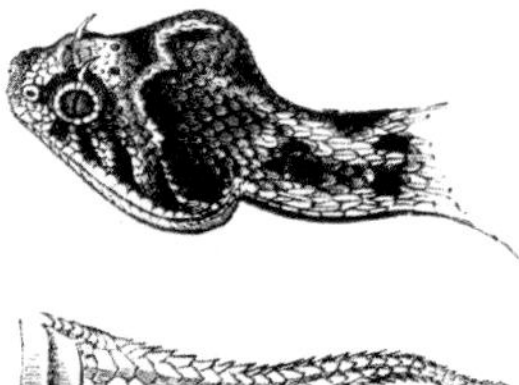
2283.—Head and Tail of Cerastes.

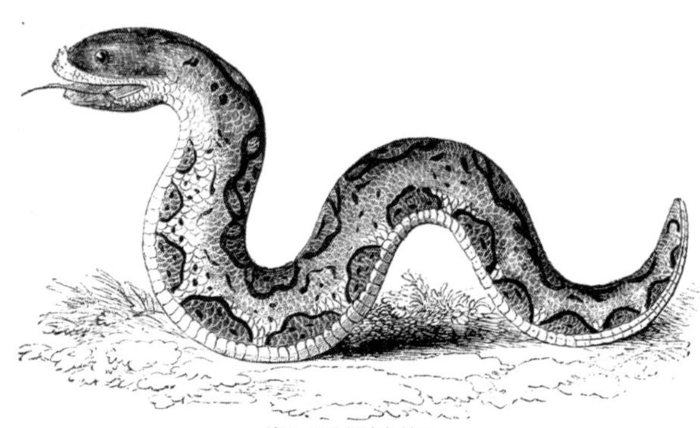
2280.—"El Effah:" Viper.

2282.—South African Cerastes

OBEN: Irreguläre Truppen in den Pampas
GEGENÜBER: Seite aus *The Pictorial Museum of Animated Nature* (um 1850) mit Schlangen, u.a. *Trigonocephalus*

Um sie wiederzubeleben, müssen sie gereizt oder mit Wasser benetzt werden.»

Ich möchte nur noch ein weiteres Tier erwähnen, einen Zoophyten (ich glaube, *Virgularia patagonica*), eine Art Seefeder. Er besteht aus einem dünnen, geraden, fleischigen Stamm und hat an jeder Seite wechselständige Reihen von Polypen und darum herum eine elastische steinerne Achse, deren Länge von acht Zoll bis zwei Fuß variiert. Der Stamm ist am einen Ende abgestumpft, das andere hingegen läuft in einen wurmförmigen, fleischigen Anhang aus. Die steinerne Achse, die dem Stamm Stärke gibt, kann an dieser Extremität in ein bloßes Gefäß verfolgt werden, das mit einer körnigen Substanz gefüllt ist. Bei Niedrigwasser sind Hunderte dieser Zoophyten zu sehen, wie sie, gleich Stoppeln, die abgestumpften Enden nach oben, einige Zoll über die Oberfläche des schlickigen Sandes hervorstehen. Wurden sie berührt oder gezogen, wichen sie mit jäher Kraft zurück, sodass sie beinahe oder ganz verschwanden. Von diesen Polypen muss es bei einem großen Exemplar viele Tausende geben, dennoch sehen wir, dass sie in einer Bewegung handeln: Auch sie haben eine Mittelachse, die mit einem obskuren Kreislaufsystem verbunden ist, und die Eier entstehen in einem Organ, das vom jeweiligen Individuum abgetrennt ist.[13] Da wird man wohl fragen dürfen: Was ist ein Individuum? Es ist immer interessant, die Grundlage der merkwürdigen Geschichten alter Seefahrer zu entdecken, und ich habe keinen Zweifel, dass die Lebensweise dieser Virgularia einen solchen Fall erklären. Kapitän Lancaster berichtet von seiner Reise[14] im Jahre 1601, er habe auf dem Meeresstrand der Insel Sombrero in Ostindien «einen kleinen Zweig gefunden, welcher wie ein junger Baum wuchs, und wenn man sich anschickt, ihn herauszuziehen, schrumpft er auf den Boden hinab und versinkt, wenn man ihn nicht sehr fest hält. Wird er herausgezogen, erweist sich seine Wurzel als großer Wurm, und in dem Maße, wie der Baum an Größe zunimmt, verkleinert sich der Wurm; und sobald der Wurm gänzlich in einen Baum verwandelt ist, wurzelt er in der Erde und wird also groß. Diese Verwandlung ist eines der größten Wunder, welche ich auf allen meinen Reisen sah: Denn wenn dieser Baum, wenn noch jung, herausgezogen wird und Blätter und Borke abgestreift werden, wird er, wenn er trocknet, zu einem harten Stein, ganz wie eine weiße Koralle: Solchermaßen wird dieser Wurm zweimal in einen anderen Naturzustand umgewandelt. Davon sammelten wir viele, welche wir dann nach Hause brachten.»

Während meines Aufenthalts in Bahía Blanca, als ich auf die *Beagle* wartete, war der Ort durch Gerüchte von Kriegen und Siegen zwischen Rosas Truppen und den wilden Indianern in beständiger Aufruhr. An einem Tag traf die Meldung ein, eine kleine Abteilung, welche eine der Postas auf der Linie nach Buenos Ayres bildete, sei samt und sonders ermordet aufgefunden worden. Am darauf folgenden Tage trafen dreihundert Mann unter dem Befehl des Kommandanten Miranda vom Colorado ein. Ein Großteil dieser Männer waren Indianer (*mansos*, also zahm), die dem Stamm des Cacique Bernantio angehörten. Sie verbrachten hier die Nacht, und es war unmöglich, sich etwas Wilderes und Wüsteres als die Szenerie ihres Biwaks vorzustellen.

Am Morgen brachen sie zum Schauplatz des Mordes auf mit dem Auftrag, dem *rastro*, also der Spur zu folgen, selbst wenn sie sie nach Chile führen sollte. Später hörten wir, dass die wilden Indianer in die großen Pampas entkommen seien und die Spur aus irgendeinem Grunde verloren worden sei. Auch hörten wir, dass Miranda vom westlichen Ende der Sierra Ventana in direkter Linie auf die Insel Cholechel vorrücke, die siebzig Wegstunden den Rio Negro aufwärts lag. Das ist eine Entfernung von zwei- bis dreihundert Meilen durch ein völlig unbekanntes Land. Welche Truppen sonst auf der Welt sind so unabhängig? Die Sonne als Führerin, Stutenfleisch als Nahrung, das Sattelzeug als Bett – solange es ein wenig Wasser gibt, würden diese Männer bis ans Ende der Welt vordringen.

Südamerikanische Indianer, Nicolas Crevaux, 19. Jahrhundert

General Rosas' Plan ist es, alle Versprengten zu töten und die Übrigen, nachdem er sie alle an einer Stelle zusammengetrieben hätte, im Sommer mit Unterstützung der Chilenos als Ganzes anzugreifen. Diese Operation soll drei Jahre hintereinander wiederholt werden. Ich könnte mir denken, der Sommer wird deshalb als die Zeit des Hauptangriffs gewählt, weil die Ebenen dann ohne Wasser sind und die Indianer nur in bestimmte Richtungen ziehen können. Die Flucht der Indianer in die Gegend südlich des Rio Negro, wo sie in einem solch großen Land sicher wären, wird durch einen Vertrag mit den Tehuelches verhindert – wonach Rosas ihnen so und so viel dafür bezahlt, dass sie jeden Indianer, der südlich des Flusses gelangt, abschlachten, sie aber, sollten sie dies nicht tun, selbst ausge rottet würden. Der Krieg geht hauptsächlich gegen die Indianer nahe den Kordilleren, denn viele der Stämme auf dieser Ostseite kämpfen unter Rosas. Da der General indes, wie Chesterfield, denkt, seine Freunde könnten in Zukunft zu Feinden werden, stellt er sie stets in die vordersten Reihen, damit ihre Zahl dezimiert werde. Seit wir Südamerika verlassen haben, haben wir gehört, dass dieser Ausrottungskrieg ein völliger Fehlschlag war.

Unter den Mädchen, die in jenem Gefecht gefangen genommen wurden, befanden sich zwei sehr hübsche spanische, die in jungen Jahren von den Indianern entführt worden waren und nun lediglich die indianische Sprache beherrschten. Ihren Erzählungen zufolge müssen sie aus Salta gekommen sein, eine Entfernung in gerader Linie von nahezu eintausend Meilen. Das vermittelt einem eine gute Vorstellung von dem gewaltigen Territorium, das die Indianer durchstreifen. Doch so groß es auch ist, ich glaube nicht, dass es in einem weiteren halben Jahrhundert noch einen wilden Indianer nördlich des Rio Negro geben wird. Der Krieg ist zu blutig, als dass er andauern könnte; die Christen töten jeden Indianer, und die Indianer machen dasselbe mit den Christen. Es ist betrüblich zu verfolgen, wie die Indianer vor den spanischen Eindringlingen zurückgewichen sind. Schirdel[15] sagt, als Buenos Ayres 1535 gegründet wurde, habe es Dörfer mit zwei- und dreitausend Einwohnern gegeben. Noch zu Falconers Zeiten (1750) machten die Indianer Streifzüge bis nach Luxan, Areco und Arrecife, nun aber sind sie bis hinter den Salado zurückgedrängt. Nicht nur wurden ganze Stämme ausge rottet, auch wurden die verbliebenen Indianer immer barbarischer: Statt in großen Dörfern zu leben und die Kunst des Fischfangs wie auch der Jagd zu betreiben, ziehen sie ohne Zuhause oder feste Beschäftigung über die offenen Ebenen.

Eines Tages sah ich einen Soldaten Feuer aus einem Stück Feuerstein schlagen, welches ich sogleich als ehemaligen Teil einer Pfeilspitze erkannte. Er erzählte mir, es sei nahe der Insel Cholechel gefunden worden und dass man sie dort häufig antreffe. Es war zwischen zwei und drei Zoll lang und somit doppelt so groß wie jene, die heute in Feuerland gebraucht werden: Es bestand aus undurchsichtigem cremefarbenem Feuerstein, doch Spitze und Widerhaken waren bewusst abgebrochen worden. Man weiß sehr wohl, dass Pampasindianer heute keinen Pfeil und Bogen mehr benutzen. Ich glaube, ein kleiner Stamm in Banda Oriental muss davon ausgenommen werden; dieser aber ist von den Pampasindianern weit entfernt und grenzt dicht an jene Stämme, die den Wald bewohnen und zu Fuß unterwegs sind. Es scheint daher, dass diese Pfeilspitzen alte[16] Relikte der Indianer sind, aus der Zeit vor dem großen Wandel der Lebensweise als Folge der Ausbreitung des Pferdes in Südamerika.

Darwin erkundet die Küste Südamerikas, unten in der Bucht die *Beagle*

Buenos Aires um 1820

6. Kapitel

VON BAHÍA BLANCA NACH BUENOS AYRES

Aufbruch nach Buenos Ayres – Rio Sauce – Sierra Ventana – dritte Posta – Pferde treiben – Bolas – Rebhühner und Füchse – Merkmale des Landes – langbeiniger Regenpfeifer – Terutero – Hagelsturm – natürliche Einhegungen in der Sierra Tapalguen – Pumafleisch – Fleischkost – Guardia del Monte – Auswirkungen von Rind auf Vegetation – Artischocke – Buenos Ayres – Corral, in dem Rinder geschlachtet werden

8. September [1833] – Ich nahm einen Gaucho in Dienst, damit er mich auf meinem Ritt nach Buenos Ayres begleitete, was einigermaßen schwierig war, da der Vater eines Mannes Angst hatte, ihn ziehen zu lassen, und ein anderer, der willig schien, wurde mir als so furchtsam beschrieben, dass ich Angst hatte, ihn mitzunehmen, denn man sagte mir, sähe er auch nur in der Ferne einen Strauß, so würde er ihn für einen Indianer halten und wie der Wind davongehen. Die Entfernung nach Buenos Ayres beträgt ungefähr vierhundert Meilen, und fast die ganze Strecke führt durch unbewohntes Gebiet. Wir brachen frühmorgens auf; nachdem wir einige hundert Fuß aus dem mit grünem Rasen bedeckten Becken, in dem Bahía Blanca liegt, aufgestiegen waren, gelangten wir auf eine weite, trostlose Ebene. Sie besteht aus einem bröckeligen ton- und kalkhaltigen Stein, der aufgrund des trockenen Klimas lediglich verstreute Büschel welken Grases trägt, ohne dass auch nur ein Busch oder Baum die monotone Einförmigkeit durchbräche. Das Wetter war

gut, die Luft jedoch auffallend diesig; ich dachte, die Erscheinung kündige einen Sturm an, doch die Gauchos sagten, das komme daher, dass die Ebene in einer großen Entfernung im Innern in Flammen stehe. Nach einem langen Galopp, in dessen Verlauf wir zweimal die Pferde wechselten, erreichten wir den Rio Sauce: ein tiefer, schneller, kleiner Fluss, nicht über fünfundzwanzig Fuß breit. An seinem Ufer steht die zweite Posta auf dem Weg nach Buenos Ayres; ein wenig oberhalb davon ist eine Furt für Pferde, wo das Wasser den Pferden nicht bis an den Bauch reicht; von dort aus ist er auf seinem ganzen Lauf zum Meer nicht mehr passierbar und bildet daher eine nützliche Barriere gegen die Indianer.

Da es früher Nachmittag war, als wir ankamen, nahmen wir uns frische Pferde und einen Soldaten als Führer und brachen zur Sierra de la Ventana auf. Dieser Berg ist vom Ankerplatz bei Bahía Blanca aus zu sehen; Kapitän Fitz Roy berechnet seine Höhe auf 3340 Fuß – was hier auf der Ostseite des Kontinents sehr beachtlich ist. Mir ist nicht bekannt, dass ein Fremder vor meinem Besuch diesen Berg bestiegen hat; tatsächlich wussten auch nur sehr wenige Soldaten in Bahía Blanca etwas darüber. Auch hörten wir von Kohlelagern, von Gold und Silber, von Höhlen und von Wäldern, was alles meine Neugier entfachte, nur um sie wieder zu enttäuschen. Die Entfernung von der Posta betrug ungefähr sechs Wegstunden über eine flache Ebene vom selben Gepräge wie zuvor. Der Ritt war indes interessant, da der Berg nach und nach seine wahre Gestalt offenbarte. Als wir den Fuß der Hauptkette erreichten, hatten wir große Schwierigkeiten, Wasser zu finden, und wir dachten, wir müssten die Nacht ohne welches verbringen. Endlich entdeckten wir ein wenig, indem wir uns den Berg genauer besahen, denn schon in einer Entfernung von wenigen

Sierra de la Ventana, Argentinien

hundert Yard versickerten die Bäche unter bröckelndem Kalkstein und losem Geröll und wurden gänzlich davon verdeckt. Ich glaube, nirgendwo hat die Natur einen einsameren, trostloseren Haufen Steine aufgetürmt – er trägt den Namen *Hurtado*, also abgetrennt, vollkommen zu Recht. Der Berg ist steil, äußerst schroff und zerklüftet und so gänzlich bar jedes Baumes, selbst Busches, dass wir uns nicht einmal einen Spieß machen konnten, um unser Fleisch über das Feuer aus Distelstängeln[1] zu legen. Das seltsame Aussehen dieses Berges kontrastiert mit der meerartigen Ebene, die nicht nur an seine steilen Wände grenzt, sondern auch die parallelen Ketten trennt.

Am Morgen [9. September] meinte der Führer, ich solle den nächstgelegenen Kamm ersteigen, welcher mich, wie er meinte, zu den vier Spitzen führen werde, die den Gipfel krönen. Einen solch zerklüfteten Berg zu ersteigen war sehr ermüdend; die Hänge waren so ausgezackt, dass das, was in fünf Minuten gewonnen wurde, oftmals in den folgenden verloren war. Als ich endlich den Kamm erreichte, war meine Enttäuschung riesengroß, denn vor mir lag ein steil abfallendes Tal, das so tief wie die Ebene war und die Kette diagonal zweiteilte und mich von den vier Spitzen abschnitt. Dieses Tal ist sehr eng, aber flachsohlig, und bildet für die Indianer einen schönen Pferdepass, da es die Ebenen an der Nord- und Südseite der Bergkette verbindet. Nachdem ich hinabgestiegen war und es durchquerte, sah ich zwei Pferde grasen. Sogleich versteckte ich mich in dem hohen Gras und erkundete die Umgebung; da ich aber keine Anzeichen von Indianern sehen konnte, machte ich mich vorsichtig an meinen zweiten Anstieg. Es war schon spät am Tage, und auch dieser Teil des Berges war, wie der andere, steil und zerklüftet. Gegen zwei Uhr war ich auf der Spitze des zweiten Gipfels, was mir jedoch größte Schwierigkeiten bereitete; alle zwanzig Yard bekam ich Krämpfe in beiden Oberschenkeln, sodass ich fürchtete, nicht wieder hinabsteigen zu können. Auch war es notwendig, auf einem anderen Wege zurückzukehren, da es außer Frage stand, den Sattelrücken zu überqueren. Ich sah mich daher gezwungen, auf die beiden höheren Spitzen zu verzichten. Sie waren nur wenig höher, und jeder geologische Zweck war erfüllt, sodass der Versuch das Risiko einer weiteren Anstrengung nicht wert war.

Im Ganzen war ich von dem Aufstieg enttäuscht. Selbst der Blick war nichts sagend – eine Ebene wie das Meer, jedoch ohne seine schöne Farbe und ohne definierte Kontur. Die Szenerie indes war neuartig, und ein wenig Gefahr verlieh ihr Würze wie Salz dem Fleisch.

10. September – Nachdem wir am Vormittag tüchtig mit dem Sturm dahingejagt waren, erreichten wir um die Tagesmitte die Posta Sauce. Unterwegs sahen wir eine Vielzahl von Hirschen und nahe am Berg ein Guanaco. Wir verbrachten die Nacht in der

Maté-Gefäße und Bambilla

~ AUS ~

ANALOGIEN ORGANISIERTER LEBEWESEN

VON JOHN SHUTE DUNCAN

Den Reitkünsten in der Türkei und Persien jedoch, und vielleicht im ganzen zivilisierten und halbzivilisierten Asien, kommt in Europa nichts gleich. Auch das Geschick der Gauchos in Brasilien beim Zähmen von Wildpferden wie Reiten bei der Jagd und dem Fangen wilder Rinder ist einzigartig, und die Leistung der Pferde ist dabei fast genauso wundervoll wie die der Männer.

Posta, wo sich die Unterhaltung wie üblich um die Indianer drehte. Die Sierra Ventana war einst ein bedeutender Zufluchtsort, und noch drei oder vier Jahre zuvor gab es dort häufig Kämpfe. Mein Führer war dabei gewesen, als viele Indianer getötet wurden: Die Frauen entrannen auf die Kammhöhe und kämpften äußerst verzweifelt mit großen Steinen, wodurch sich viele von ihnen retteten.

11. September – Ritten weiter zur dritten Posta in Begleitung des Leutnants, der sie befehligte. Die Entfernung wird mit fünfzehn Wegstunden angegeben, doch das ist nur eine Schätzung und meistens übertrieben. Die Straße ging uninteressant über eine trockene Grasebene; zu unserer Linken gab es in größerer oder geringerer Entfernung einige niedrige Hügel, deren einen Ausläufer wir kurz vor der Posta überquerten. Vor unserer Ankunft dort begegneten wir einer großen Herde aus Rindern und Pferden, die von fünfzehn Soldaten bewacht wurde, allerdings sagte man uns, viele seien verloren gegangen. Es ist sehr schwierig, Tiere über die Ebene zu treiben, denn wenn sich in der Nacht ein Puma oder auch nur ein Fuchs nähert, kann nichts die Pferde daran hindern, sich in alle Richtungen zu zerstreuen, und ein Sturm hätte dieselbe Wirkung.

Bald danach erkannten wir an einer Staubwolke, dass sich uns ein Trupp Berittener näherte; noch als sie in großer Entfernung waren, wussten meine Führer wegen der langen Haare, die ihnen über den Rücken flossen, dass es Indianer waren. Sie erwiesen sich als eine Gruppe aus Bernantios freundlichem Stamm, unterwegs zu einer Salina, um Salz zu holen. Die Indianer essen viel Salz; ihre Kinder lecken es wie Zucker. Diese Gewohnheit unterscheidet sich stark von jener der spanischen Gauchos, die zwar das gleiche Leben führen, aber kaum welches essen: Mungo Park[2] zufolge haben gerade Menschen, die sich von pflanzlicher Kost ernähren, ein unbezähmbares Verlangen nach Salz.

12. und 13. September – Ich blieb zwei Tage in dieser Posta, wo ich auf einen Trupp Soldaten

wartete, der, wie General Rosas mir freundlicherweise mitteilen ließ, in Kürze nach Buenos Ayres reisen werde; auch riet er mir, die Möglichkeit dieser Eskorte zu nutzen. Am Morgen ritten wir zu ein paar Bergen in der Umgebung, um das Land zu betrachten und die Geologie zu untersuchen.

Am Morgen gingen wir alle auf die Jagd, und obgleich uns wenig Erfolg beschieden war, gab es doch einige belebende Hetzjagden. Bald nach dem Aufbruch trennte sich die Gesellschaft und richtete ihr Vorgehen so ein, dass man sich zu einer bestimmten Tageszeit (diese zu erraten zeigten sie großes Können) aus den verschiedenen Punkten des Kompasses auf einem ebenen Flecken Erde traf und dadurch die wilden Tiere zusammentrieb.

Die Ebenen wimmeln von drei Rebhuhnarten[3], wovon zwei so groß wie Fasanenhühner sind. Ihr Jäger, ein kleiner, hübscher Fuchs, war ebenfalls ungewöhnlich zahlreich; im Laufe eines Tages konnten wir nicht weniger als vierzig oder fünfzig sehen. Im Allgemeinen waren sie in der Nähe ihres Baus, einen aber töteten die Hunde. Als wir zur Posta zurückkehrten, waren zwei aus der Gesellschaft, die für sich gejagt hatten, schon wieder da. Sie hatten einen Puma erlegt und ein Straußennest mit siebenundzwanzig Eiern darin gefunden. Ein jedes davon soll an Gewicht elf Hühnereiern gleichkommen, sodass wir von diesem einen Nest so viel Nahrung hatten, wie 297 Hühnereier uns geliefert hätten.

15. September – Erhoben uns sehr früh am Morgen und gelangten wenig später zu der Posta, wo die Indianer die fünf Soldaten ermordet hatten. Der Offizier hatte achtzehn *chuzo*-Wunden am Körper. Um die Mitte des Tages erreichten wir nach scharfem Galopp die fünfte Posta: Aufgrund von Schwierigkeiten, uns Pferde zu beschaffen, verbrachten wir die Nacht dort. Da dieser Ort der exponierteste der ganzen Reihe war, waren hier einundzwanzig Soldaten stationiert; bei Sonnenuntergang kehrten sie von der Jagd zurück, wovon sie sieben Hirsche, drei Straußen und viele Gürteltiere und Rebhühner mitbrachten. Wenn man durchs Land reitet, ist es üblich, die Ebene in Brand zu stecken; daher war der Horizont nachts, wie auch jetzt, an mehreren Stellen von leuchtenden Bränden erhellt. Das geschieht teils, um umherstreifende Indianer zu verwirren, vor allem aber, um das Weideland zu verbessern. Auf den Grasebenen, die nicht von den größeren Vierfüßern durchstreift werden, ist es anscheinend nötig, die überflüssige Vegetation mit Feuer zu entfernen, damit der Wuchs des neuen Jahres brauchbar wird.

Die Art des Regenpfeifers, die aussieht, als wäre sie auf Stelzen gestellt *(Himantopus nigricollis)*, ist hier in Scharen von beträchtlicher Größe verbreitet. Zu Unrecht wird sie der Anmutlosigkeit geziehen; wenn der Vogel in seichtem Wasser umherwatet, seinem Lieblingsort, ist sein Gang keineswegs plump. Diese Vögel stoßen im Flug ein Geräusch aus, das den Lauten eines Rudels kleiner Hunde in vollem Laufe ver-

Ei vom Huhn (links) und vom Töpfervogel (rechts)

~ AUS ~

VERLAUF DER ZWEITEN EXPEDITION 1831–1836

VON ROBERT FITZ ROY

Bahia ist seit der Loslösung von Portugal im Niedergang begriffen: unstete schwache Regierungen, die zu sehr mit Parteienstreit beschäftigt waren, um sich um eine wirkliche Besserung ihres Landes zu bemühen, haben es schlecht geführt. Revolutionen und Aufstände der Negerbevölkerung, die den Handel zum Stillstand brachten, haben das reiche und schöne Land wiederholt heimgesucht und bedrohen es weiterhin. Wäre der Besitz sicher und würde die Industrie gefördert, könnte der Handel Bahias wohl sehr ausgedehnt sein, vor allem mit Zucker und Baumwolle, doch wer will schon viel Kapital auf einem so unsicheren Fundament wie dort investieren?

Das ungeheure Ausmaß und Anwachsen der Sklavenbevölkerung ist ein lange vorausgesehenes Übel und nun stark zu spüren. So menschlich die Brasilianer im Allgemeinen ihre Sklaven behandeln, so kann doch niemand davon ausgehen, dass irgendeine Wohltat die Gefühle dieser Menschen tilgen kann. Bislang standen Bündnissen und einer allgemeinen Revolte der Neger Unwissenheit, gegenseitiges Misstrauen sowie die Tatsache entgegen, dass diese aus verschiedenen Ländern stammen und unterschiedliche Sprachen sprechen und sich oftmals so feindlich gesinnt sind, dass dies den Hass auf die Weißen überwiegt, selbst wenn es unmittelbar zu ihrem Vorteil wäre.

Der Sklavenhandel hat bei den Brasilianern einige seiner traurigen Folgen gezeitigt, indem er sie durch größte Trägheit und reine Sinnenfreude verdorben hat. Doch es steht bis dahin nicht erlebtes Leid bevor, ausgelöst von den wachsenden Mengen an Feinden, die mit jedem Jahr in den Territorien Brasiliens mehr Verwirrung und Angst verursachen.

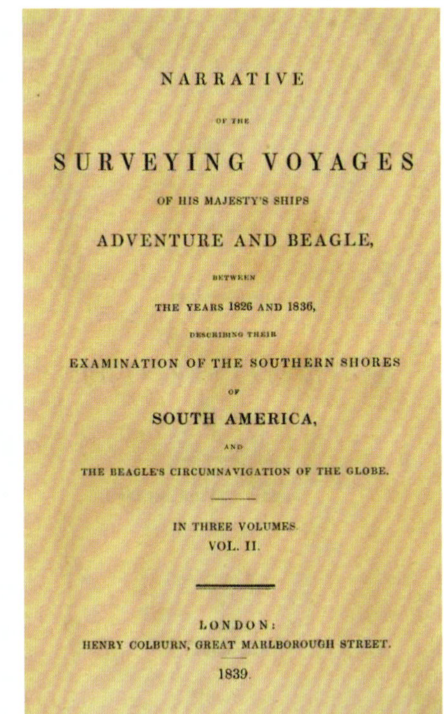

NARRATIVE

OF THE

SURVEYING VOYAGES

OF HIS MAJESTY'S SHIPS

ADVENTURE AND BEAGLE,

BETWEEN

THE YEARS 1826 AND 1836,

DESCRIBING THEIR

EXAMINATION OF THE SOUTHERN SHORES

OF

SOUTH AMERICA,

AND

THE BEAGLE'S CIRCUMNAVIGATION OF THE GLOBE.

IN THREE VOLUMES.

VOL. II.

LONDON:

HENRY COLBURN, GREAT MARLBOROUGH STREET.

1839.

Kapitän Fitz Roys Bericht über die Fahrt der *Beagle*, der erstmals 1839 erschien

blüffend gleicht: Nachts aufgewacht, war ich mehr als einmal erstaunt über dieses ferne Geräusch. Der Terutero *(Vanellus cayanus)* ist ein weiterer Vogel, der häufig die Stille der Nacht durchbricht. In Erscheinung und Lebensweise ähnelt er in vieler Hinsicht unserem Kiebitz, jedoch sind seine Flügel mit scharfen Spornen wie jene an den Beinen des gemeinen Hahns bewehrt. So wie unser Kiebitz seinen Namen nach dem Klang seiner Stimme erhalten hat, gilt dies auch für den Terutero. Reitet man über die Grasebenen, wird man beständig von diesem Vogel verfolgt, der anscheinend die Menschheit hasst und es gewiss verdient, wegen seiner nicht enden wollenden, unwandelbaren, rauen Schreie seinerseits gehasst zu werden. Die Eier dieses Vogels wurden als große Delikatesse geschätzt.

16. September – Zur siebten Posta am Fuße der Sierra Tapalguen. Das Land war vollkommen eben mit rauem Gras und weicher, torfiger Erde. Die Hütte hier war auffallend ordentlich; Pfosten und Sparren bestanden aus ungefähr einem Dutzend trockener Distelstängel, die mit Fellriemen zusammengebunden waren, und vermöge dieser stützenden, gewissermaßen ionischen Säulen waren Dach und Seiten mit Schilf gedeckt. Man berichtete uns hier von einer Sache, die ich nicht geglaubt hätte, hätte ich nicht teilweise einen sichtbaren Beweis davon erhalten, dass nämlich in der vorangegangenen Nacht Hagelkörner, groß wie kleine Äpfel und äußerst hart, mit solcher Gewalt niedergegangen seien, dass die überwiegende Zahl der wilden Tiere erschlagen worden sei. Einer der Männer hatte schon dreizehn Hirsche *(Cervus campestris)* entdeckt, die tot darniederlagen, ich sah ihre frischen Felle; ein anderer aus der Gruppe brachte wenige Minuten nach meinem Eintreffen weitere sieben. Nun weiß ich wohl, dass ein Mann ohne Hund kaum sieben Hirsche binnen einer Woche hätte erlegen können. Die Männer glaubten, sie hätten ungefähr fünfzehn tote Straußen gesehen (wovon wir einen halben zum Mahle aßen), und sie sagten, weitere liefen offenkundig mit einem blinden Auge umher. Zahlreiche kleinere Vögel wie Enten, Habichte und Rebhühner waren tot. Eines der Letzteren sah ich mit einem schwarzen Mal auf dem Rücken, so als sei es von einem Pflasterstein getroffen worden. Ein Zaun aus Distelstängeln um die Hütte herum war nahezu eingefallen, und mein Informant erhielt, als er den Kopf hinausstreckte, um nachzusehen, was los sei, eine schwere Wunde und trug nun einen Verband. Das Unwetter soll von begrenztem Ausmaß gewesen sein: Wir jedenfalls sahen von unserem Biwak in der Nacht davor eine dichte Wolke und Blitzschlag in dieser Richtung. Es ist unglaublich, wie so kräftige Tiere wie Hirsche dadurch getötet worden sein sollen, doch habe ich nach den Beweisen, die ich angeführt habe, keinerlei Zweifel, dass die Geschichte irgend übertrieben ist. Allerdings bin ich froh, dass ihre Glaubwürdigkeit von dem Jesuiten Dobrizhoffer[4] gestützt wird, der, als er von einem Land viel weiter nördlich sprach, sagte, Hagel von enormer Größe sei niedergegangen und habe eine Vielzahl von Tieren getötet: Daher nannten die Indianer den Ort *Lalegraicavalca*, was «die kleinen weißen Dinger» bedeutet.

Nachdem wir unser Mahl aus zerhageltem Fleisch beendet hatten, durchquerten wir die Sierra Tapalguen, eine niedrige Hügelkette, wenige hundert Fuß hoch, die am Kap Corrientes beginnt. Der Fels in dieser Gegend ist pures Quarz; weiter östlich ist er anscheinend aus Granit. Die Hügel haben eine auffallende Form; sie bestehen aus flachen Stellen Tafelland und sind von niedrigen senkrechten Hängen umgeben, ähnlich den Auslegern einer Sedimentablagerung. Einer, der den Namen Corral

Ein Stelzenläufer *(Himantopus)*, den Darwin als Regenpfeifer beschrieb

trägt, soll zwei oder drei Meilen im Durchmesser sein und von senkrechten, zwischen dreißig und vierzig Fuß hohen Steilhängen umringt sein, außer an einer Stelle, wo der Eingang liegt. Falconer[5] liefert einen merkwürdigen Bericht, wie Indianer Herden von Wildpferden hineingetrieben hätten und sie dann dort, indem sie den Eingang bewachten, sicher festhielten. Ich habe noch von keinem weiteren Beispiel von Tafelland mit einer Quarzformation gehört, das wie bei dem Hügel, den ich untersuchte, weder Schieferung noch Stratifikation aufwies. Wir erreichten die Posta am Rio Tapalguen erst nach Einbruch der Dunkelheit.

17. September – Wir folgten dem Lauf des Rio Tapalguen durch sehr fruchtbares Land zur neunten Posta. Tapalguen selbst oder die Stadt Tapalguen, wenn man es so nennen will, besteht aus einer vollkommen ebenen Fläche und ist, so weit das Auge reicht, mit den Toldos, also den backofenförmigen Hütten der Indianer, gesprenkelt. Dort wohnten die Familien der freundlichen Indianer, die auf Rosas' Seite kämpften. Wie trafen und überholten viele junge Indianerinnen, die zu zweit oder dritt auf einem Pferd ritten; sie waren, wie auch viele der jungen Männer, auffallend hübsch – mit ihrer schönen, frischen Gesichtsfarbe sahen sie aus wie das blühende Leben. Außer den Toldos gab es noch drei *ranchos*; einen bewohnte der Kommandant, die beiden anderen Spanier mit kleinen Läden.

Dort konnten wir Schiffszwieback kaufen. Mehrere Tage hatte ich nun schon nichts als Fleisch gegessen: Diese neue Kost war mir keineswegs unlieb, aber mir war, als hätte ich sie nur mit langer Übung vertragen können. Der Gaucho hingegen rührt auf den Pampas Monate hintereinander nichts als Fleisch an. Doch wie ich beobachtet habe, essen sie eine große Menge Fett, was weniger tierartig ist, und besonders ungern essen sie trockenes Fleisch wie das des Aguti. Auch Dr. Richardson[6] hat bemerkt, «dass, wenn Menschen sich lange Zeit nur von mageren tierischen Speisen ernährt haben, das Verlangen nach Fett so unstillbar wird, dass sie eine große Menge ungemischtes oder gar öliges Fett verzehren können, ohne dass ihnen übel wird»; das erscheint mir als physiologisch sehr eigenartig.

18. September – An dem Tag ritten wir sehr lange. An der zwölften Posta, die sieben Wegstunden südlich des Rio Salado liegt, erreichten wir die erste *estancia* mit Rindern und weißen Frauen. Danach mussten wir viele Meilen weit durch ein Land reiten, das mit Wasser bis über die Knie unserer Pferde überflutet war. Indem wir die Steigbügel kreuzten und im Arabersitz ritten, die Beine hochgebeugt, vermochten wir einigermaßen trocken zu bleiben. Es war beinahe dunkel, als wir am Salado eintrafen; der Fluss war tief und ungefähr vierzig Yard breit, sommers hingegen fällt das Bett nahezu trocken, und das wenige verbleibende Wasser wird fast so salzig wie das des Meeres. Wir schliefen auf einer der großen *estancias* General Rosas'. Sie war befestigt und von solchen Ausmaßen, dass ich sie, als wir im Dunkeln ankamen, für eine befestigte Stadt hielt. Am Morgen sahen wir gewaltige Herden Vieh; der General hatte hier vierundsiebzig Wegstunden Land. Früher waren auf diesem Gut nahezu dreihundert Menschen beschäftigt, und sie trotzten allen Angriffen der Indianer.

19. September – Ritten an der Guardia del Monte vorbei. Es ist dies eine hübsche, verstreut liegende Stadt mit vielen Gärten voller Pfirsich- und Quittenbäume. Die Ebene hier sah so aus wie jene um Buenos Ayres herum; das Gras war kurz und leuchtend grün, darauf Klee- und Distelfelder und Bizcacha-Löcher. Sehr auffällig war der markante Wechsel im Erscheinungsbild des Landes, nachdem wir den Salado durchquert hatten. Von einem groben Weideland gelangten wir auf einen Teppich schönen, satten Grüns. Dies schrieb ich anfangs einem Wechsel in der Beschaffenheit des Erdreichs zu, doch die Bewohner versicherten mir, dieser Umstand verdanke sich hier wie auch in der Banda Oriental, wo ein großer Unterschied zwischen dem Land um Monte Video und den dünn besiedelten Savannen Colonias besteht, dem Dung und dem Grasen des Viehs. Genau dasselbe ist auf den Prärien[7] Nordamerikas zu beobachten, wo grobes, zwischen fünf und sechs Fuß hohes Gras sich, wenn es von Vieh abgeweidet wird, in gemeines Weideland verwandelt. Ich bin nicht genügend Botaniker, um sagen zu können, ob der Wechsel hier sich der Einführung einer neuen Art, dem veränderten Wachstum derselben oder einem Unterschied ihrer proportionalen Zahl verdankt. Azara hat diesen Wechsel ebenfalls mit Verblüffung beobachtet: Auch er ist erstaunt darüber, wie sich Pflanzen, die nicht in der Umgebung auftreten, sogleich an den Rändern eines Pfads zeigen, der zu einer neu errichteten Hütte führt. An anderer Stelle schreibt er: «… ces chevaux (sauvages) ont la manie de préférer les chemins, et le bord des routes pour déposer leurs excréments, dont on trouve des monceaux dans ces endroits.»[8] Erklärt das nicht teilweise diesen Umstand? Wir haben damit Linien reich gedüngten Landes, die als Kommunikationswege über weite Gebiete hinweg dienen.

Nahe der Guardia finden wir die Südgrenze zweier europäischer Pflanzen, die nun außerordentlich weit verbreitet sind. Der Fenchel bedeckt die Grabenböschungen in der Umgebung von Buenos Ayres, Monte Video und anderen Städten in großer Fülle. Die Kardone indes *(Cynara cardunculus)*[9] tritt in einem weit größeren Gebiet auf: In diesen Breiten trifft man sie beiderseits der Kordilleren auf dem ganzen Kontinent an. Ich sah sie an abgelegenen Stellen in Chile, Entre Rios und der Banda Oriental. Wie ich schon sagte, habe ich die Kardone südlich des Salado nirgendwo gesehen; dennoch ist es wahrscheinlich, dass sie entsprechend der Besiedelung des Landes ihre Grenzen ausweiten wird. Anders liegt der Fall bei der Riesendistel der Pampas (mit verschiedenartigen Blättern), denn die habe ich im Tal des Sauce angetroffen. Gemäß der Prinzipien, die Mr. Lyell so gut festgelegt hat, haben seit dem Jahre 1535, als der erste Kolonist mit zweiundsiebzig Pferden am La Plata landete, wenige Länder einen auffallenderen Wandel durchlaufen. Die unzähligen Herden Pferde, Rinder und Schafe haben nicht nur das gesamte Bild der Vegetation verändert, sondern auch Guanaco, Hirsch und Strauß nahezu vollständig vertrieben. Auch zahllose weitere Veränderungen müssen stattgefunden haben: In manchen Gegenden tritt möglicherweise das Wildschwein an die Stelle des Pekari; das Geheul ganzer Rudel wilder Hunde könnte an den bewaldeten Ufern der einsameren Wasserläufe zu hören sein, und die gemeine Katze, zu einem großen und wilden Tier gewandelt, bewohnt die Felsenberge. Wie M. d'Orbigny bemerkt hat, muss die Zunahme des Aasgeiers seit der Einführung der Haustiere unendlich groß gewesen sein, und wir haben Grund zu der Annahme, dass er sich weiter nach Süden ausgebreitet hat. Zweifellos sind neben Kardone und Fenchel noch viele weitere Pflanzen heimisch geworden; so sind die Inseln nahe der Einmündung des Parana dicht mit Pfirsich- und Orangenbäumen bestanden; sie sind Samen entsprungen, die das Wasser des Flusses dorthin getragen hat.

Nachtlager, Buenos Ayres

20. September – Wir erreichten Buenos Ayres um die Tagesmitte. Die Vororte der Stadt wirkten recht hübsch mit ihren Agavenhecken und Olivenwäldchen und den Weiden, die alle gerade ihre frischen grünen Blätter austrieben. Ich ritt zum Hause Mr. Lambs, eines englischen Kaufmanns, dem ich wegen seiner Gastfreundschaft während meines Aufenthalts zu großem Dank verpflichtet war.

Die Stadt Buenos Ayres ist groß[10] und, wie ich sagen würde, eine der regelmäßigsten der Welt. Jede Straße liegt im rechten Winkel zu derjenigen, die sie kreuzt, und die parallelen verlaufen im selben Abstand; die Häuser sind in massige Blöcke gleichen Ausmaßes zusammengefasst, welche *quad-*

ras heißen. Andererseits sind die Häuser selbst hohle Blöcke; alle Zimmer gehen auf einen hübschen kleinen Innenhof. Im Allgemeinen sind sie nur ein Stockwerk hoch und haben ein flaches Dach, das mit Sitzgelegenheiten versehen ist und von ihren Bewohnern sommers häufig aufgesucht wird. Im Zentrum der Stadt ist die Plaza, wo sich öffentliche Ämter, Festung, Kathedrale usw. befinden. Vor der Revolution hatten dort auch die alten Vizekönige ihre Paläste. Die allgemeine Ansammlung der Gebäude ist von beträchtlicher architektonischer Schönheit, obgleich sich keines als Einzelnes dieser rühmen kann.

Der große Corral, wo die Tiere für die Schlachtung bereitgehalten werden, ist eines der Schauspiele, dessen Besichtigung am lohnendsten ist. Die Kraft des Pferdes ist im Vergleich mit der des Ochsen ganz erstaunlich: Ein Mann zu Pferde kann seinen *lazo* um die Hörner eines Tieres schleudern und es ziehen, wohin er will. Jedoch ist dies kein Kampf mit gleich verteilter Kraft; der Sattelgurt des Pferdes steht gegen den ausgestreckten Hals des Ochsen. In ähnlicher Weise kann ein Mann das wildeste Pferd halten, wenn es mit dem *lazo* unmittelbar hinter den Ohren gefangen worden ist. Ist der Ochse zu der Stelle gezerrt, wo er geschlachtet werden soll, schneidet ihm der *matador* mit äußerster Vorsicht die Achillessehnen durch. Dann erschallt das Todesbrüllen, ein Lärm, der die heftige Agonie stärker ausdrückt als alles, das ich kenne: Ich habe ihn häufig aus großer Entfernung vernommen und stets gewusst, dass der Kampf sich da dem Ende näherte. Der ganze Anblick ist scheußlich und abstoßend: Der Boden besteht beinahe aus Knochen; und Pferde und Reiter sind mit Blut durchtränkt.

UNTEN: Das Fort von Buenos Aires, Regierungssitz des Gouverneurs, 1818

Stich von Buenos Aires im 19. Jahrhundert

7. Kapitel

VON BUENOS AYRES NACH SANTA FÉ

Exkursion nach Santa Fé – Distelfelder – Lebensweise der Viscacha – kleine Eule – Salzflüsse – flache Ebenen – Mastodon – Santa Fé – Wandel der Landschaft – Geologie – Zahn von ausgestorbenem Pferd – Beziehung von fossilen und neuen Vierfüßern in Nord- und Südamerika – Auswirkungen großer Dürre – Parana – Lebensweise des Jaguars – Scherenschnabel – Eisvogel, Papagei und Scherenschwanz – Revolution – Buenos Ayres – Zustand der Regierung

27. September [1833] – Am Abend machte ich mich zu einer Exkursion nach Santa Fé auf, was nahezu dreihundert englische Meilen von Buenos Ayres entfernt am Ufer des Parana liegt. Die Straßen in der Umgebung der Stadt waren nach dem Regenwetter außerordentlich schlecht. Ich hätte es nie für möglich gehalten, dass ein Ochsenkarren dort entlanggeschlichen wäre, jedenfalls erreichten sie kaum eine Meile in der Stunde, und dabei ging stets ein Mann voraus, um die beste Linie für die Unternehmung zu erkunden.

28. September – Wir gelangten durch die kleine Stadt Luxan, wo es eine Holzbrücke über den Fluss gibt – eine ganz ungewöhnliche Annehmlichkeit in diesem Land. Auch durch Areco kamen wir. Die Ebenen erschienen flach, waren es tatsächlich aber gar nicht, denn an verschiedenen Stellen war der Horizont fern. Die *estancias* liegen hier weit auseinander, denn es gibt wenig gutes Weideland, was daran liegt, dass das Land entweder von den Feldern eines scharfen Klees oder von großen Disteln überzogen ist. Letztere, aus Sir F.

Heads lebhafter Beschreibung wohlbekannt, waren zu dieser Jahreszeit zu zwei Dritteln gewachsen; an manchen Stellen waren sie so hoch wie der Pferderücken, an anderen hingegen noch nicht aufgeschossen, und die Erde war kahl und staubig, wie auf einer Chaussee. Die Büschel trugen das leuchtendste Grün, und sie gaben ein angenehmes Miniatur-Abbild gefurchten Waldlands ab. Wenn die Disteln ausgewachsen sind, sind die großen Felder undurchdringlich mit Ausnahme einiger weniger Pfade, die dann verschlungen wie in einem Labyrinth sind.

Die Viscacha[1] bildet, wie man weiß, ein auffallendes Merkmal der Zoologie der Pampas. Man trifft sie im Süden bis zum Rio Negro auf 41° S an, nicht jedoch darüber hinaus. Anders als das Aguti vermag sie auf den kiesigen und unfruchtbaren Ebenen Patagoniens nicht zu leben; sie bevorzugt einen Ton- oder Sandboden, der eine andere und reichere Vegetation hervorbringt. Bei Mendoza, am Fuße der Kordilleren, findet sie sich in enger Nachbarschaft mit der verwandten alpinen Art. Die Gauchos versichern, dass sie von Wurzeln lebt, was aufgrund der großen Kraft ihrer Nagezähne und der Beschaffenheit der Orte, an denen sie sich aufhält, wahrscheinlich ist. Des Abends kommen die Viscachas zuhauf heraus und sitzen still am Eingang ihres Baus auf dem Hinterteil. Dann sind sie sehr zahm, und ein Mensch, der auf seinem Pferd vorbeireitet, scheint nur einen Gegenstand für ihre tiefsinnige Kontemplation zu bilden.

Die Viscacha hat eine ganz auffallende Gewohnheit; sie schleift jeden harten Gegenstand zum Eingang ihres Baus: Um jede Gruppe Löcher herum sind viele Viehknochen, Steine, Distelstängel, feste Erdklumpen, trockener Dung usw. zu unregelmäßigen Haufen aufgeschichtet, die sich oftmals auf den Inhalt einer Schubkarre belaufen. Ein Herr hat mir glaubhaft versichert, er habe, als er im Dunkeln geritten sei, seine Uhr verloren; am Morgen sei er zurückgekehrt und habe die Umgebung eines jeden Viscacha-Lochs an der Straße abgesucht, worauf er sie, wie erwartet, schnell gefunden habe. Diese Gewohnheit, alles aufzuheben, was im Umkreis seiner Behausung liegt, muss große Mühen bereiten. Zu welchem Zweck das geschieht, vermag ich selbst im Entferntesten nicht zu vermuten: Zur Verteidigung kann es nicht sein, weil das Gerümpel hauptsächlich oberhalb der Öffnung des Baus abgelegt wird, welcher mit sehr geringer

Ochsenkarren in Buenos Aires

Neigung in die Erde geht. Zweifellos muss es einen geben; die Landbewohner indes kennen ihn nicht.

Die Kanincheneule *(Athene cunicularia)*, die schon so häufig erwähnt worden ist, bewohnt auf den Ebenen um Buenos Ayres ausschließlich die Löcher der Viscacha; in der Banda Oriental hingegen ist sie ihr eigener Baumeister. Tagsüber, besonders aber abends, kann man diese Vögel in allen Richtungen häufig paarweise auf dem Hügel bei ihrem Bau stehen sehen. Bei einer Störung ziehen sie sich entweder in das Loch zurück oder stoßen einen schrillen, rauen Schrei aus und ziehen mit einem wunderlich wellenförmigen Flug ein Stückchen weiter, wo sie sich dann umdrehen und ihren Verfolger unverwandt ansehen. Gelegentlich kann man sie des Abends rufen hören. Im Magen von zweien, die ich öffnete, fand ich Reste von Mäusen, und einmal sah ich, wie eine kleine Schlange getötet und fortgetragen wurde. Schlangen sollen bei Tage ihre wichtigste Beute sein. Zur Veranschaulichung, welch unterschiedliche Nahrung Eulen zu sich nehmen, darf ich noch erwähnen, dass auf den Inseln des Chonos-Archipels Exemplare einer Art getötet wurden, die den Magen voller ansehnlicher Krabben hatten. In Indien[2] gibt es eine Fische fressende Eulengattung, die ebenfalls Krabben fängt.

Am Abend überquerten wir den Rio Arrecife auf einem einfachen Floß, welches aus zusammengeschnürten Fässern bestand, und schliefen in der Posthalterei auf der anderen Seite. An dem Tag bezahlte ich Pferdemiete für einunddreißig Wegstunden, und obwohl die Sonne glühend heiß brannte, war ich nur wenig ermüdet.

29. und 30. September – Wir ritten weiter über Ebenen vom selben Gepräge. In San Nicholas sah ich erstmals den stattlichen Fluss Parana. Am Fuße des Plateaus, auf dem die Stadt steht, lagen etliche große Fahrzeuge vor Anker. Bevor wir in Rosario anlangten, überquerten wie den Saladillo, einen Fluss mit schönem, klar fließenden Wasser, aber zum Trinken zu salzig. Rosario ist eine große Stadt, die auf einer völlig flachen Ebene gebaut ist, welche ein ungefähr sechzig Fuß über dem Parana gelegenes Plateau bildet. Der Fluss ist hier sehr breit und weist viele Inseln auf, die, ebenso wie das jenseitige Ufer, niedrig und bewaldet sind. Der Blick gliche dem auf einen großen See, wären nicht die länglich geformten Inselchen, welche allein schon eine Vorstellung von fließendem Wasser vermitteln. Die Steilhänge sind der pittoreskeste Teil; an manchen Stellen sind

Eine Biscacha oder Flachland-Viscacha

sie absolut senkrecht und von roter Farbe, dann sind sie wieder eine einzige zerklüftete Masse und mit Kakteen und Mimosenbäumen bestanden.

Über viele Wegstunden nördlich und südlich von San Nicolas und Rosario ist das Land vollkommen flach. Kaum etwas, was Reisende über seine extreme Flachheit geschrieben haben, kann als übertrieben gelten. Dennoch vermochte ich nie einen Ort zu finden, wo man, indem man sich langsam drehte, Gegenstände in manchen Richtungen nicht weiter entfernt sah als in anderen; das ist ein manifester Beweis für Ungleichheiten der Ebene.

1. Oktober – Wir brachen bei Mondschein auf und erreichten bei Sonnenaufgang den Rio Tercero. Der Fluss wird auch der Saladillo genannt, und diesen Namen verdient er wohl, denn das Wasser ist brackig. Ich blieb den größeren Teil des Tages dort und suchte nach fossilen Knochen. Neben dem vollständigen Zahn eines Toxodons und zahlreichen verstreuten Wetzsteinen fand ich dicht beieinander zwei gewaltige Skelette, die aus dem senkrechten Hang des Parana scharf hervorstanden. Allerdings waren sie so stark zerfallen, dass ich lediglich kleine Fragmente eines der großen Backenzähne mitnehmen konnte; diese genügen jedoch als Beweis, dass die Überreste zu einem Mastodon gehörten, wahrscheinlich zu derselben Art wie jene, die einstmals die Kordilleren im oberen Peru in so großer Zahl bewohnt haben dürften.

2. Oktober – Wir gelangten durch Corunda, welches ob der Üppigkeit seiner Gärten eines der hübschesten Dörfer war, die ich sah. Von dort bis Santa Fé ist die Straße nicht sehr sicher. Die Westseite des Parana nach Norden hin ist nicht mehr bewohnt, weswegen die Indianer zuweilen so weit herabkommen und Reisenden auflauern.

Am Morgen trafen wir in Santa Fé ein. Mit Überraschung beobachtete ich, welch großen Klimawechsel ein Unterschied von nur drei Grad zwischen hier und Buenos Ayres bewirkte. Das zeigte sich an Kleidung und Gesichtsfarbe der Männer – an der gesteigerten Größe der Ombu-Bäume – an der Zahl neuer Kakteen und anderer Pflanzen – und insbesondere an den Vögeln. Binnen einer Stunde gewahrte ich ein halbes Dutzend Vögel, die ich in Buenos Ayres nicht gesehen hatte. Angesichts dessen, dass es zwischen den beiden Orten keine natürliche Grenze gibt und das Land nahezu gleich ist, war der Unterschied weit größer, als ich erwartet hätte.

3. und 4. Oktober – An diesen beiden Tagen fesselten mich Kopfschmerzen ans Bett. Die gutmütige alte Frau, die mich versorgte, bat mich, etliche alte Arzneien zu versuchen.

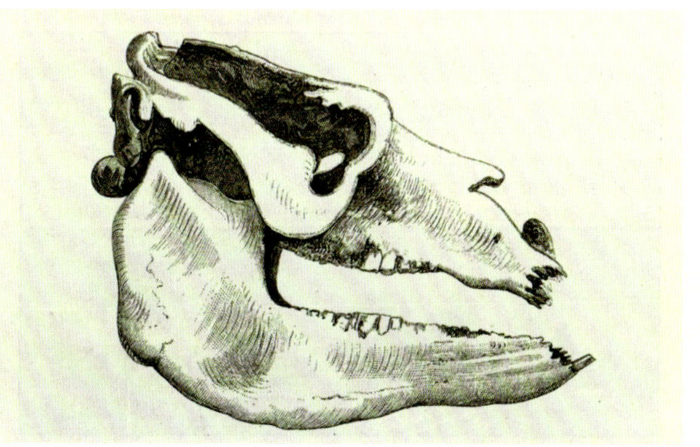

GEGENÜBER: Kanincheneule (*Athene cunicularia*)
OBEN RECHTS: Fossiler Zahn eines Pferdes aus Bahia Blanca
UNTEN RECHTS: *Toxodon platensis* (gefunden am Saladillo)

~ AUS ~

VERLAUF DER ZWEITEN EXPEDITION 1831–1836

VON ROBERT FITZ ROY

Unsere Männer fingen Unmengen – ich könnte sagen, Schwärme von Fischen, wann immer wir zur richtigen Zeit die Netze auswarfen (bei Einsetzen der Flut); und da sie den Naturforschern meist unbekannt waren, fertigte Mr. Earle sorgfältige Zeichnungen von ihnen an und konservierte Mr. Darwin viele in Spiritus. Wir beschafften uns eine große Menge gutes Süßwasser an Brunnen nahe der Bucht und kleines Brennholz in der Nähe. Das Klima ist in höchstem Maße erfreulich und gesund, trotz der ausgedehnten Sandbänke, die halb mit Wasser bedeckt sind, und so weitläufig morastiger Ufer. Vielleicht reinigen die Tiden, bei denen das Wasser mit zwei bis drei Knoten in der Stunde strömt und um acht bis zwölf Fuß steigt, die Luft. Da die ganze Bucht voll Salzwasser ist, könnte für derartige Wirkungen, wie man sie in der Nähe von Süßwasser erwartet, kein Grund bestehen.

Santa Fé ist eine stille Kleinstadt, sauber und ordentlich gehalten. Der Gouverneur, Lopez, war zur Zeit der Revolution gemeiner Soldat, ist aber nun seit siebzehn Jahren an der Macht. Diese Stabilität des Regierung liegt an seinem tyrannischen Gebaren, denn Tyrannei scheint für diese Länder noch immer besser geeignet als eine republikanische Staatsform. Die Lieblingsbeschäftigung des Gouverneurs ist Indianer jagen: Kurz davor metzelte er achtundvierzig nieder und verkaufte die Kinder zum Preis von £ 3 oder £ 4 das Stück.

5. Oktober – Wir überquerten den Parana nach Santa Fé Bajada, einer Stadt am gegenüberliegenden Ufer. Die Überfahrt dauerte einige Stunden, da der Fluss hier aus einem Labyrinth kleiner Läufe bestand, die durch niedrige, bewaldete Inseln getrennt waren. Ich hatte ein Empfehlungsschreiben für einen alten katalonischen Spanier, der mich mit ganz ungewöhnlicher Gastfreundschaft behandelte. Bajada ist die Hauptstadt von Entre Rios. 1825 zählte die Stadt 6000 Einwohner und die Provinz 30 000; aber so wenig Einwohner es auch sind, hat doch keine Provinz mehr unter blutigen und verzweifelten Revolutionen gelitten. Man ist hier stolz auf Repräsentanten, Minister, ein stehendes Heer und Gouverneure: Es nimmt also nicht wunder, dass sie ihre Revolutionen haben.

Ich wurde hier fünf Tage aufgehalten und verwandte die Zeit darauf, die Geologie der Umgebung zu untersuchen, die sehr interessant war. Am Fuß des Steilufers sehen wir Schichten, die Haifischzähne und Seemuscheln ausgestorbener Arten enthalten, von dort in einen gehärteten Mergel übergehen und weiter in die rote lehmige Erde der Pampas mit ihren kalkigen Konkretionen und den Knochen landlebender Vierfüßer. Dieser vertikale Schnitt erzählt uns eindeutig von einer großen Bucht mit reinem Salzwasser, die allmählich versumpft ist und schließlich in das Bett einer schlammigen Flussmündung verwandelt wurde, in welche treibende Kadaver gespült wurden.

In der Pampasablagerung bei Bajada fand ich den Knochenpanzer eines riesigen gürteltierähnlichen Tiers, dessen Inneres, nachdem die Erde entfernt war, einem großen Kessel glich; ebenfalls fand ich Zähne von Toxodon und Mastodon und einen Pferdezahn in demselben fleckigen und verrotteten Zustand. Dieser letztere Zahn interessierte mich sehr,[3] und ich ermittelte mit der peinlichsten Sorgfalt, dass er zeitgleich mit den anderen Resten eingebettet war, denn da wusste ich noch nicht, dass bei den Fossilien von Bahía Blanca ein Pferdezahn in der Grundmasse verborgen war; auch war da noch nicht mit Sicherheit bekannt, dass die Reste von Pferden in Nordamerika verbreitet sind. Unlängst hat Mr. Lyell einen Pferdezahn aus den Vereinigten Staaten mitgebracht, wobei besonders interessant ist, dass Professor Owen in keiner Art, weder fossil noch heute lebend, jene leichte, aber eigentümliche Krümmung fand, die ihn charakterisierte, bis ihm einfiel, ihn mit dem Exemplar zu vergleichen, das ich hier gefunden hatte: Er hat dieses amerikanische Pferd *Equus curvidens* genannt. Sicher ist es in der Geschichte der Säugetiere ein erstaunliches Faktum, dass in Südamerika ein heimisches Pferd gelebt haben und wieder verschwunden sein soll, um in späteren Zeitaltern ihre Nachfolger in den zahllosen Herden zu finden, die von den wenigen Tieren abstammten, die von den spanischen Kolonisten mitgebracht wurden!

Ein argentinischer Gaucho, 1868

Dass in Südamerika ein fossiles Pferd, ein Mastodon, möglicherweise auch ein Elefant[4] und ein gehörnter Wiederkäuer, von den Herren Lund und Clausen in den Höhlen Brasiliens entdeckt, existiert haben, sind hinsichtlich der geographischen Verbreitung von Tieren interessante Fakten. Wenn wir Amerika heute nicht am Isthmus von

~ AUS ~

DIE ENTSTEHUNG DER ARTEN

VON CHARLES DARWIN

Bei der Bestimmung der Durchschnittszahl einer Art spielt auch das Klima eine wichtige Rolle, und ich glaube, dass die periodische Wiederkehr äußerst trockener oder kalter Jahreszeiten das wirksamste aller Hemmnisse ist. Der Winter 1854/55 hat auf meinem Grundbesitz etwa vier Fünftel aller Vögel vernichtet, ein furchtbares Resultat, wenn man bedenkt, dass bei den Menschen eine durch Epidemien hervorgerufene Sterblichkeit von zehn Prozent schon außergewöhnlich groß ist. Auf den ersten Blick scheint der Einfluss des Klimas mit dem Kampf ums Dasein gar nichts zu tun zu haben; insofern aber das Klima auf die Verminderung der Nahrung wirkt, ruft es den heftigsten Kampf zwischen den Individuen hervor, die von derselben Nahrung leben. Und wenn das Klima unmittelbar wirkt, z. B. durch sehr strenge Kälte, so werden die schwächlichen Individuen am meisten leiden.

Panama, sondern am südlichen Ende Mexikos[5] auf 20° N teilen, wo das große Tafelland ein Hindernis für die Wanderung der Arten darstellt, indem es das Klima beeinflusst und mit Ausnahme einiger Täler und eines Streifens Tiefland entlang der Küste eine breite Barriere bildet, so haben wir die zwei zoologischen Gebiete Nord- und Südamerika, die in starkem Gegensatz zueinander stehen. Allein einige wenige Arten haben die Grenze überwunden und können als Wanderer aus dem Süden angesehen werden, so Puma, Opossum, Kinkaju (Wickelbär) und Pekari. Südamerika zeichnet sich dadurch aus, dass es viele besondere Nager aufweist, eine Familie Affen, das Lama, das Pekari, ferner Tapir, Opossum und insbesondere mehrere Gattungen Edentata, deren Ordnung Faultier, Ameisenbär und Gürteltier einschließt. Nordamerika dagegen ist (einmal abgesehen von wenigen wandernden Arten) durch zahlreiche besondere Nager und durch vier Gattungen (Ochse, Schaf, Ziege und Antilope) gehörnter Wiederkäuer gekennzeichnet, von deren großer Untergruppe Südamerika, soweit bekannt, keine einzige Art aufweist. Früher, aber noch in der Periode, als die meisten der heute existierenden Muscheln schon lebten, besaß Nordamerika neben den gehörnten Wiederkäuern noch Elefant, Mastodon, Pferd und drei Gattungen Edentata, und zwar Megatherium, Megalonyx und Mylodon. In nahezu derselben Periode (wie von den Muscheln bei Bahía Blanca bewiesen) besaß Südamerika, wie soeben gesehen, Mastodon, Pferd, gehörnte Wiederkäuer und dieselben drei Gattungen (wie auch noch mehrere andere) Edentata. Der Geologe, zutiefst beeindruckt von den Schwankungen des Bodens, welche die Erdkruste in jüngeren Perioden betroffen haben, wird sich nicht scheuen, über die jüngste

Erhebung der mexikanischen Hochebene oder, noch wahrscheinlicher, über das jüngste Absinken des Landes im westindischen Archipel als Ursache der gegenwärtigen zoologischen Trennung von Nord- und Südamerika zu spekulieren. Die südamerikanische Ausprägung der westindischen Säugetiere[6] scheint darauf zu verweisen, dass dieser Archipel einmal mit dem südamerikanischen Kontinent vereint und danach ein Gebiet der Absenkung war.

Als Amerika, zumal Nordamerika, noch seine Elefanten, Mastodonten, Pferde und gehörnten Wiederkäuer hatte, war es in seiner zoologischen Ausprägung weit enger mit den gemäßigten Teilen Europas und Asiens verwandt als heute. Da die Reste dieser Gattungen auf beiden Seiten der Beringstraße[7] und auf den Ebenen Sibiriens zu finden sind, liegt es nahe, die Nordwestseite Nordamerikas als den ehemaligen Verbindungspunkt zwischen der Alten und der so genannten Neuen Welt zu betrachten. Und da so viele Arten, lebende wie ausgestorbene, derselben Gattungen die Alte Welt bewohnen und bewohnt haben, erscheint es als äußerst wahrscheinlich, dass die Elefanten, Mastodonten, Pferde und gehörnten Wiederkäuer Nordamerikas über das Land bei der Beringstraße, das seitdem abgesunken ist, von Sibirien nach Nordamerika eingewandert sind und von dort über das Land, das seitdem in Westindien abgesunken ist, nach Südamerika, wo sie sich eine Zeit lang mit den Formen vermischten, die für diesen südlichen Kontinent charakteristisch sind, und danach ausstarben.

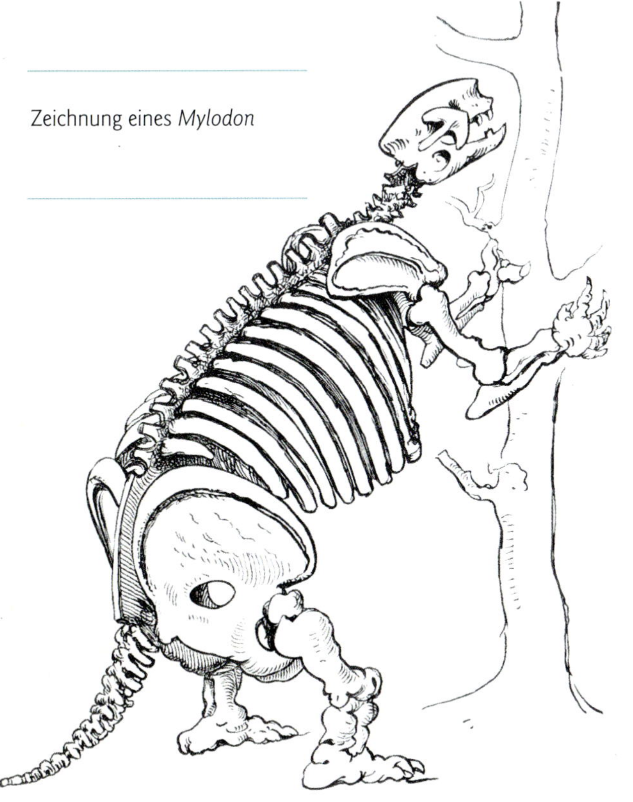

Zeichnung eines *Mylodon*

Bei meiner Reise durchs Land erhielt ich mehrere lebhafte Beschreibungen der Auswirkungen der letzten großen Dürre, und deren Darstellung könnte ein Licht auf die Fälle werfen, bei denen eine Vielzahl von Tieren aller Arten zusammen eingelagert wurden. Die Zeit zwischen den Jahren 1827 und 1830 wird *gran seco* genannt, die große Dürre. In dieser Zeit fiel so wenig Regen, dass die Vegetation noch bis hin zu den Disteln einging; die Bäche trockneten aus, und das ganze Land nahm das Aussehen einer staubigen Chaussee an. Besonders schlimm war es im nördlichen Teil der Provinz Buenos Ayres und dem Südteil von Santa Fé. Vögel, wilde Tiere, Rinder und Pferde verendeten in sehr großer Zahl mangels Nahrung und Wasser. Ein Mann erzählte mir, die Hirsche[8] seien in seinen Hof zum Brunnen gekommen, den er habe graben müssen, um seine Familie mit Wasser zu versorgen, und dass Rebhühner kaum die Kraft hatten, wegzufliegen, wenn sie verfolgt wurden. Die niedrigste Schätzung des Verlustes an Vieh allein in der Provinz Buenos Ayres belief sich auf eine Million Stück. Ein Grundbesitzer in San Pedro hatte vor diesen Jahren 20 000 Rinder; an deren Ende war ihm keines mehr geblieben. San Pedro liegt inmitten

~ AUS ~

DIE ENTSTEHUNG DER ARTEN

VON CHARLES DARWIN

Als ich mich als Naturforscher an Bord der Beagle befand, war ich aufs Höchste überrascht durch gewisse Merkwürdigkeiten in der Verbreitung der Tiere und Pflanzen Südamerikas sowie durch die geologischen Beziehungen der gegenwärtigen Bewohner dieses Erdteils zu den früheren. Diese Tatsachen schienen mir Licht zu werfen auf die Entstehung der Arten, das Geheimnis aller Geheimnisse, wie einer unserer größten Philosophen sie nannte. Nach meiner Heimkehr (1837) wurde mir klar, dass sich vielleicht durch Sammeln und Vergleichen aller damit zusammenhängenden Tatsachen etwas zur Lösung der Frage tun ließe. Erst nach fünfjähriger Vorarbeit wagte ich aber, näher darauf einzugehen und kurze Notizen niederzuschreiben. Diese erweiterte ich 1844 zu einer Skizze meiner Schlussfolgerungen. Von dieser Zeit an habe ich den Gegenstand eifrig verfolgt. Ich führe die Einzelheiten nur an, um zu zeigen, dass ich nicht übereilt zu einem Urteil gelangt bin.

Mein Werk ist jetzt beinahe vollendet, aber da ich zur Fertigstellung immerhin noch ein paar Jahre brauche und meine Gesundheit nichts weniger als kräftig ist, so drängt man mich zur Veröffentlichung dieses Auszuges. Ich habe dazu umso mehr Veranlassung, als Wallace, der jetzt die Naturgeschichte des Malaiischen Archipels studiert, zu fast denselben allgemeinen Schlüssen über die Entwicklung der Arten gelangte. Im Jahre 1858 sandte er mir eine Abhandlung darüber zu mit dem Ersuchen, ich möge sie Charles Lyell geben; dieser sandte sie der Linnean Society, die sie im dritten Band ihrer Zeitschrift veröffentlichte. Lyell und Hooker, die beide meine Arbeit kannten, erachteten es für angezeigt, dass ich einen kurzen Auszug aus meiner Schrift zugleich mit Wallaces vortrefflichem Aufsatz veröffentlichte.

Joseph Dalton Hooker (1817-1911), englischer Botaniker

des besten Landes und hat schon heute wieder Tiere im Überfluss; doch während des letzten Teils des *gran seco* wurden lebende Rinder zum Verzehr der Einwohner mit dem Schiff gebracht.

Auf die Dürre von 1827 – 32 folgte eine sehr regenreiche Zeit, die große Überschwemmungen auslöste. Daher ist es fast sicher, dass Tausende Skelette von den Ablagerungen schon des folgenden Jahres begraben wurden. Was würde wohl ein Geologe sagen, wenn er eine solch gewaltige Ansammlung von Knochen von allen möglichen Tieren und aus allen Zeiten, die derart in einer dicken Erdmasse begraben liegen, in Augenschein nähme? Würde er sie nicht einer Flut zuschreiben, die über das Land gegangen ist, statt dem normalen Lauf der Dinge?[9]

12. Oktober – Ich hatte beabsichtigt, meine Exkursion noch weiter auszudehnen, da ich mich jedoch nicht ganz wohl fühlte, sah ich mich veranlasst, mit einer Balandra, also einem einmastigen Fahrzeug von ungefähr hundert Tonnen, was nach Buenos Ayres fuhr, zurückzukehren. Da das Wetter nicht sehr gut war, machten wir schon früh am Tag am Ast eines Baumes auf einer der Inseln fest. Der Parana ist voller Inseln, die einem beständigen Kreislauf von Zerfall und Erneuerung ausgesetzt sind. In der Erinnerung des Kapitäns waren mehrere große verschwunden und andere wiederum entstanden und von Vegetation geschützt. Sie bestehen aus Schlicksand ohne auch nur den kleinsten Kiesel und waren da ungefähr vier Fuß über dem Wasserspiegel; während des periodischen Hochwassers sind sie jedoch überflutet. Sie alle zeigen ein gemeinsames Bild; zahlreiche Weiden und einige wenige andere Bäume werden von einer großen Vielfalt von Kriechpflanzen zusammengehalten, wodurch sich ein dichter Dschungel bildet. Diese Dickichte gewähren Capybara und Jaguar Zuflucht. Die Furcht vor letzterem Tier machte alle Lust zunichte, durch den Wald zu streifen. An jenem Abend war ich noch keine hundert Yard vorangekommen, als ich unzweifelhafte Anzeichen dafür sah, dass hier eben noch ein Tiger war, sodass ich umkehren musste.

Ihre gewöhnliche Beute ist das Capybara, sodass es allgemein heißt, wo das Capybara zahlreich ist, droht vom Jaguar geringe Gefahr. Falconer erklärt, an der Südseite der Plata-Mündung gebe es viele Jaguare, die sich dort hauptsächlich von Fisch ernährten; diese Aussage habe ich wiederholt gehört. Am Parana haben sie viele Holzfäller getötet und sind sogar nachts auf Schiffe gekommen. In Bajada lebt heute ein Mann, der, als er im Dunkeln von unten kam, an Deck gepackt wurde; er entrann jedoch mit dem Verlust des Gebrauchs eines Arms. Am gefährlichsten sind diese Tiere, wenn die Flut sie von den Inseln vertreibt.

Aufgrund des schlechten Wetters blieben wir zwei Tage an unserem Liegeplatz. Unsere einzige Zerstreuung bestand darin, Fische fürs Abendessen zu fangen: Es gab mehrere Arten, die allesamt ein gutes Mahl abgaben. Ein Fisch, *annado* genannt (ein *Silurus*), fällt wegen des rauen, knirschenden Geräuschs auf, das er macht, wenn er mit Haken und Schnur gefangen wird; es ist auch deutlich zu vernehmen, wenn der Fisch noch im Wasser ist. Auch verfügt er über die Fähigkeit, einen Gegenstand wie Ruderblatt oder Angelleine mit dem kräftigen Stachel von Bauch- wie Rückenflosse festzuhalten. Am Abend war das Wetter recht tropisch; das Thermometer stand bei 26°C. Zahllose Leuchtkäfer schwebten umher, und die Moskitos waren sehr lästig. Ich streckte nur fünf Minuten die Hand aus, und bald war sie schwarz davon; es waren wohl nicht weniger als fünfzig, die alle eifrig saugten.

15. Oktober – Wir lichteten den Anker und passierten Punta Gorda, wo sich eine Kolonie friedlicher Indianer aus der Provinz Missiones befindet. Wir segelten schnell auf der Strömung hinab, doch noch vor Sonnenuntergang drehten wir aus einer törichten Furcht vor schlechtem Wetter in einem schmalen Arm des Flusses bei. Ich nahm das Boot und ruderte ein Stück den Bach hinauf. Dort sah ich einen ganz ungewöhnlichen Vogel mit Namen Scherenschnabel *(Rhynchops nigra)*. Er hat kurze Beine, Schwimmfüße, extrem lange, zugespitzte Flügel und ungefähr die Größe einer Seeschwalbe. Der Schnabel ist seitlich abgeflacht, das heißt, in einer Ebene im rechten Winkel zu jenem des Löffelreihers oder der Ente. Er ist flach und elastisch wie ein elfenbeinerner Brieföffner, und der untere Teil ist, anders als bei jedem anderen Vogel, eineinhalb Zoll länger als der obere. Auf einem See bei Maldonado, in dem das Wasser nahezu vollkommen versickert war und der folglich von Fischbrut nur so wimmelte, sah ich etliche dieser Vögel, zumeist in kleinen Schwärmen, dicht über der Oberfläche rasch hin und her fliegen. Sie hielten den Schnabel weit geöffnet, wobei der untere Teil halb im Wasser steckte. Wie sie so übers Wasser strichen, pflügten sie es dabei: Das Wasser war ganz glatt, und der Anblick eines Schwarms, in dem jeder Vogel sein schmales Kielwasser auf der spiegelgleichen Oberfläche hinterließ, war ein ganz wundersames Schauspiel.

In Monte Video hatte ich beobachtet, dass manche große Schwärme den Tag über auf den Schlickbänken am Kopf der Hafenmole verweilten, so wie sie es auf den Grasebenen am Parana hielten, und jeden Abend flogen sie aufs Meer hinaus. Aufgrund dessen vermute ich, dass der Rhynchops im Allgemeinen bei Nacht fischt, wenn viele der niederen Tiere in größter Zahl an die Oberfläche kommen. M. Lesson schreibt, er habe gesehen, wie diese Vögel Muscheln der Mactrae öffneten, die in den Sandbänken an der Küste Chiles vergraben waren: Wegen ihres schwachen Schnabels, dessen unterer Teil so weit vorragt, und wegen ihrer kurzen Beine und langen Flügel ist es sehr unwahrscheinlich, dass das bei ihnen eine gängige Gewohnheit ist.

Auf unserer Fahrt den Parana hinab beobachtete ich nur drei weitere Vögel, deren Lebensweise einer Erwähnung wert ist. Einer ist ein kleiner Eisvogel *(Ceryle americana)*; er hat einen längeren Schwanz als die europäische Art und sitzt daher nicht in einer so steifen und aufrechten Position. Auch ist sein Flug, statt direkt und schnell wie der eines Pfeils, schwach und wellenförmig wie bei den weichschnabligen Vögeln. Er stößt einen leisen Laut aus, wie wenn zwei kleine Steine gegeneinander geschlagen werden. Ein kleiner grüner Papagei *(Conurus murinus)* mit grauer Brust scheint als Bauplatz die hohen Bäume auf den Inseln jedem anderen Ort vorzuziehen. Etliche Nester sind so dicht beieinander gebaut, dass sie eine große Stielmasse bilden. Diese Papageien leben stets in Schwärmen und richten auf den Maisfeldern großen Schaden an. Man sagte mir, bei Colonia seien im Lauf eines Jahres 2500 getötet worden. Ein Vogel mit einem gegabelten Schwanz, der in zwei langen Federn ausläuft *(Tyrannus savana)*, von den Spaniern Scherenschwanz genannt, ist bei Buenos Ayres sehr verbreitet: Gemeinhin sitzt er auf einem Zweig des ombu-Baumes in der Nähe eines Hauses, unternimmt von dort kurze Flüge, um Insekten zu jagen, und kehrt dann zur selben Stelle zurück. In der Luft zeigt er in Flugweise und generellem Erscheinungsbild eine karikierende Ähnlichkeit mit

GEGENÜBER: Südamerikanischer Jaguar

der gemeinen Schwalbe. Er besitzt die Fähigkeit zu sehr kurzen Wendungen in der Luft, wobei er den Schwanz öffnet und schließt, manchmal in horizontaler oder seitlicher, manchmal auch in vertikaler Richtung, ganz wie eine Schere.

16. Oktober – Einige Wegstunden unterhalb von Rosario wird das Westufer von senkrechten Kliffs eingefasst, die sich in langer Linie bis unterhalb von San Nicolas ziehen; daher ähnelt es mehr einer Meeresküste als der eines Süßwasserflusses. Es ist dem Erscheinungsbild des Parana sehr abträglich, dass das Wasser, wegen der weichen Beschaffenheit seiner Ufer, sehr trübe ist. Der Uruguay, der durch granitisches Land fließt, ist viel klarer, und wo die beiden Flussbetten sich am oberen Ende des Plata vereinen, kann man die Wasser aus großer Entfernung an ihrer schwarzen und roten Farbe unterscheiden.

20. Oktober – Als wir an der Mündung des Parana angelangt waren, ging ich, da mir sehr daran gelegen war, nach Buenos Ayres zu kommen, in Las Conchas an Land, um dorthin zu reiten. Am Landungsplatz stellte ich zu meiner großen Überraschung fest, dass ich in gewissem Maße Gefangener war. Eine heftige Revolution war ausgebrochen, und über alle Häfen war ein Embargo verhängt. Zu meinem Fahrzeug konnte ich nicht zurück, und über Land in die Stadt zu gelangen kam nicht in Betracht. Nach einer langen Unterredung mit dem Kommandanten erhielt ich die Erlaubnis, am nächsten Tag General Rolor aufzusuchen, der eine Abteilung Rebellen diesseits der Hauptstadt befehligte. Am Morgen ritt ich zu dem Lager. Der General, die Offiziere und die Soldaten erschienen mir allesamt als ausgemachte Schurken und waren es wohl auch. Der General war noch am Abend, bevor er die Stadt verließ, aus freien Stücken zum Gouverneur gegangen und hatte, die Hand auf dem Herzen, sein Ehrenwort gegeben, wenigstens er werde treu bis zum Letzten sein. Der General sagte mir, die Stadt sei in einem Zustand strenger Blockade, und das Einzige, was er tun könne, sei, mir einen Geleitbrief für den Oberbefehlshaber der Rebellen in Quilmes mitzugeben. Wir mussten daher einen großen Umweg um die Stadt nehmen, und nur unter großen Schwierigkeiten beschafften wir uns Pferde. Meine Aufnahme im Lager war recht höflich, doch beschied man mir, man könne mir unmöglich gestatten, die Stadt zu betreten. Daran lag mir allerdings sehr viel, da ich die Abreise der *Beagle* vom Rio Plata früher erwartete, als sie stattfand. Nachdem ich jedoch General Rosas' zuvorkommende Freundlichkeit mir gegenüber am Colorado erwähnt hatte, hätte nicht einmal Zauberei die Sache schneller ändern können als dieses Gespräch. Sogleich sagte man mir, zwar könnten sie mir keinen Geleitbrief geben, doch wenn ich meinen Führer und die Pferde zurückließe, könnte ich ihre Posten passieren. Das nahm ich nur allzu gern an, worauf mir ein Offizier mitgegeben wurde, der dafür sorgen sollte, dass man mich nicht an der Brücke aufhielt. Die Straße war eine Wegstunde lang völlig verlassen. Ich begegnete einem Trupp Soldaten, die sich damit zufrieden gaben, ernst auf einen alten Passierschein zu blicken, und endlich war ich nicht wenig erfreut, mich wieder in der Stadt zu finden.

Diese Revolution wurde kaum von einem Vorwand von Missständen gestützt, doch in einem Staat, der im Laufe von neun Monaten (von Februar bis Oktober 1820) fünfzehn Regierungswechsel erlebt hatte – wobei jeder Gouverneur verfassungsgemäß auf drei Jahre gewählt war –, wäre es sehr unvernünftig, nach Vorwänden zu fragen. In diesem Fall verließ eine Gruppe Männer, siebzig an der Zahl – welche sich als Anhänger Rosas' über Gouverneur

Juan Manuel de Rosas, argentinischer Diktator

Balcarce empörten – die Stadt, worauf das ganze Land mit dem Namen Rosas' auf den Lippen zu den Waffen griff. Die Stadt wurde daher abgesperrt, weder Vorräte noch Rinder oder Pferde durften hinein, ferner gab es nur wenige Scharmützel, und täglich wurden einige Männer getötet. Die äußere Partei wusste sehr wohl, dass sie, wenn sie die Versorgung mit Fleisch abschnitt, gewiss den Sieg erringen würde. General Rosas konnte von der Erhebung nichts gewusst haben, doch schien sie mit den Plänen seiner Partei wohl in Einklang zu stehen. Ein Jahr davor war er zum Gouverneur gewählt worden, er aber lehnte ab, außer die Sala übertrüge ihm außerordentliche Machtbefugnisse. Dies wurde ihm verweigert, und seither hat seine Partei gezeigt, dass kein anderer Gouverneur im Amt bleiben kann. Die Kampfhandlungen wurden auf beiden Seiten eingestandenermaßen so lange hinausgezögert, bis es möglich war, von Rosas zu hören. Einige Tage, nachdem ich Buenos Ayres verlassen hatte, traf eine Meldung ein, wonach der General den Friedensbruch missbillige, er indes finde, dass die äußere Partei das Recht auf ihrer Seite habe. Durch die bloße Kenntnisnahme dessen flohen der Gouverneur, etliche Minister und ein Teil des Militärs in einer Zahl von einigen hundert aus der Stadt. Die Rebellen zogen ein, wählten einen neuen Gouverneur und wurden für ihre Dienste in einer Zahl von 5500 Mann bezahlt. Nach diesem Verfahren war klar, dass Rosas letztlich Diktator werden würde: Gegen den Begriff König haben die Menschen in dieser wie auch in anderen Republiken eine besondere Abneigung. Seit wir Südamerika verlassen haben, haben wir gehört, dass Rosas gewählt worden ist, ausgestattet mit einer Macht und einer Amtszeit, die den verfassungsmäßigen Prinzipien der Republik vollkommen entgegengesetzt sind.

Monte Video, Uruguay, wo die *Beagle* im November 1833 eintraf

8. Kapitel

BANDA ORIENTAL UND PATAGONIEN

Exkursion nach Colonia del Sacramiento – Wert einer Estancia – Rinder, wie gezählt – ungewöhnliche Zucht Ochsen – perforierte Kiesel – Hütenhunde – Pferde zugeritten, Gauchos zu Pferde – Wesen der Bewohner – Rio Plata – Schwärme von Schmetterlingen – Spinnen als Aeronauten – Phosphoreszieren des Meeres – Port Desire – Guanako – Port St. Julian – Geologie Patagoniens – Fossil eines gigantischen Tieres – Organisationstypen konstant – Wandel in der Zoologie Amerikas – Gründe für das Aussterben

Nachdem ich beinahe zwei Wochen in der Stadt aufgehalten worden war, freute ich mich, an Bord eines Paketboots, das nach Monte Video auslief, fliehen zu können. Eine Stadt im Blockadezustand ist sicher stets ein unangenehmer Aufenthaltsort; in diesem Falle bestand überdies noch eine ständige Furcht vor Räubern im Innern. Die Posten waren die schlimmsten, denn aufgrund ihres Amtes und weil sie Waffen führten, raubten sie mit einem Maß an Autorität, wie andere es nicht nachmachen könnten.

Unsere Überfahrt war sehr lange und beschwerlich. Auf der Karte sieht der Plata wie eine stattliche Flussmündung aus; in Wahrheit aber ist er eine armselige Angelegenheit. Eine riesige Weite trüben Wassers, die weder Erhabenheit noch Schönheit besitzt. Zu einer Zeit am Tage waren die zwei Küsten, die beide äußerst flach sind, von Deck aus so gerade zu erkennen. Nach meiner Ankunft in Monte Video fand ich heraus, dass die *Beagle* in der

~ AUS ~

VERLAUF DER ZWEITEN EXPEDITION 1831–1836

VON ROBERT FITZ ROY

Argentinische Rinder

Die meisten sind sich des Umfangs bewusst, in welchem die Rinderfarmen der «Banda Oriental» und der «Republica Argentina» betrieben wurden. Doch die Bürgerkriege, die auf die solide Herrschaft Spaniens folgten, haben viele der größten Güter ruiniert, bei denen eine Person ein- bis zweihunderttausend Rinder besaß – wo die jährliche Steigerung rund dreißig Prozent betrug – und wo die Tiere, allgemein gesagt, nur wegen ihrer Häute geschlachtet wurden. Wie hoch muss die natürliche Fruchtbarkeit eines Landes sein, das ohne das geringste Zutun des Menschen derart ungeheure Mengen an Vieh, neben den enormen Herden von Pferden und Schafen, ernähren kann und, abgesehen von den wenigen Städten, fast keine Bewohner zu haben scheint.

nächsten Zeit nicht auslaufen werde, also traf ich Vorkehrungen für eine kurze Exkursion in diesen Teil der Banda Oriental. Alles, was ich über das Land um Maldonado sagte, trifft auch auf Monte Video zu, doch ist das Land mit der einen Ausnahme des Grünen Berges, 450 Fuß hoch, von dem die Stadt ihren Namen hat, noch weit ebener. Sehr wenig von der wogenden Grasebene ist umzäunt; nahe der Stadt sind jedoch ein paar Heckendämme, die mit Agaven, Kakteen und Fenchel bestanden sind.

14. November [1833] – Wir verließen Monte Video am Nachmittag. Ich beabsichtigte, nach Colonia del Sacramiento zu reisen, das am Nordufer des Plata gegenüber von Buenos Ayres liegt, und von dort aus, dem Uruguay aufwärts folgend, zu dem Dorf Mercedes am Rio Negro (einer der zahlreichen Flüsse dieses Namens in Südamerika), von wo ich auf direktem Wege nach Monte Video zurückkehren wollte. Wir schliefen im Hause meines Führers in Canelones. Am Morgen standen wir früh

auf in der Hoffnung, eine ordentliche Strecke zu reiten, doch es war ein vergebliches Unterfangen, denn alle Flüsse waren überflutet. Wir überquerten die Flüsse Canelones, St. Lucia und San José mit dem Boot und verloren daher viel Zeit. Auf einer früheren Exkursion hatte ich den Lucia nahe seiner Mündung überquert und mit Überraschung beobachtet, wie leicht unsere Pferde, obgleich nicht gewohnt zu schwimmen, eine Breite von wenigstens sechshundert Yard zurücklegten.

Am folgenden Tag schliefen und wohnten wir in der Post von Cufre. Am Abend traf der Postbote oder Briefträger ein. Da der Rio Rozario überflutet war, hatte er einen Tag Verspätung. Doch das war ohne weitere Bedeutung, denn obwohl er durch einige der wichtigsten Städte der Banda Oriental gekommen war, bestand sein Gepäck aus ganzen zwei Briefen! Der Blick vom Haus war angenehm; eine wogende grüne Fläche, und in der Ferne blinkte der Plata. Ich erinnere mich, dass ich sie damals für ungewöhnlich flach hielt; nun aber, nachdem ich über die Pampas galoppiert war, bin ich nur überrascht darüber, was mich verleitet haben konnte, sie flach genannt zu haben. Das Land ist eine Abfolge von Wellen, an sich vielleicht nicht wirklich groß, aber verglichen mit den Ebenen Santa Fés wahrhaftige Berge. Aufgrund dieser Ungleichheiten gibt es eine Fülle kleiner Flüsschen, und das Gras ist grün und üppig.

18. November – Ritt mit meinem Gastgeber zu dessen *estancia* am Arroyo de San Juan. Am Abend unternahmen wir einen Ritt über das Gut: Es umfasste zweieinhalb Wegstunden im Quadrat und lag in einem so genannten *rincon,* das heißt, eine Seite lag dem Plata zu, die beiden anderen waren von unpassierbaren Bächen geschützt. Es gab einen hervorragenden Hafen für kleine Fahrzeuge und mehr als reichlich kleine Gehölze, die als Brennstoffvorrat für Buenos Ayres von Bedeutung sind. Ich war neugierig darauf, was eine so vollkommene *estancia* wert sei. An Vieh gab es 3000, und selbst noch das Drei- oder Vierfache dessen könne gut versorgt werden; an Stuten 800, dazu 150 zugerittene Pferde und 600 Schafe. Es gab reichlich Wasser und Kalkstein, ein rohes Haus, hervorragende Corrals und einen Pfirsichgarten. Für das alles hatte man ihm £ 2000 geboten,

Argentinische Landschaft

und er hatte lediglich £ 500 zusätzlich gefordert und würde es womöglich für weniger verkaufen. Die größte Plage bei einer *estancia* ist, die Rinder zweimal wöchentlich zu einer zentralen Stelle zu treiben, um sie zahm zu machen und zu zählen.

Zweimal begegnete ich in dieser Provinz Ochsen von sehr eigenartiger Züchtung namens *nata* oder *niata.* Äußerlich scheinen sie im nahezu gleichen Verhältnis zu anderen Rindern zu stehen wie Bulldogge oder Mops zu andern Hunden. Ihre Stirn ist sehr kurz und breit, wobei das Nasenende hoch- und die Oberlippe weit zurückgezogen ist, der Unterkiefer über den oberen hinausragt und einen entsprechenden Aufwärtsschwung hat, weswegen die Zähne ständig entblößt sind. Die Nüstern liegen weit oben und sind weit geöffnet, die Augen wölben sich nach außen. Beim Gehen halten sie den Kopf, der auf einem kurzen Hals sitzt, gesenkt, und die Hinterbeine sind, verglichen mit den vorderen, um einiges länger als gewöhnlich. Die bloßen Zähne, der kurze Kopf und die aufgeworfenen Nüstern verleihen ihnen den lächerlichsten Ausdruck überheblichen Trotzes, den man sich nur vorstellen kann.

Seit meiner Rückkehr habe ich mir vermöge der Freundlichkeit meines Freundes Kapitän Sulivan einen Skelettschädel beschafft, der jetzt im College of Surgeons lieg.[1]

19. November – Am Abend ritten wir weiter auf der Straße Richtung Mercedes am Rio Negro. Nachts baten wir auf einer *estancia*, an der wir gerade anlangten, um Erlaubnis, dort zu schlafen. Es war ein sehr großes Gut, zehn Wegstunden im Quadrat, und der Besitzer ist einer der größten Grundbesitzer im ganzen Land. Sein Neffe war mit der Leitung betraut, und bei ihm war ein Hauptmann der Armee, der unlängst aus Buenos Ayres geflüchtet war. In Anbetracht ihres Standes war ihre Unterhaltung recht amüsant. Sie äußerten, wie es üblich war, grenzenloses Erstaunen darüber, dass die Erde rund sei, und konnten kaum glauben, dass ein

Ein *niata*-Ochsenschädel (links) im Vergleich zu dem eines normalen Rinds (rechts)

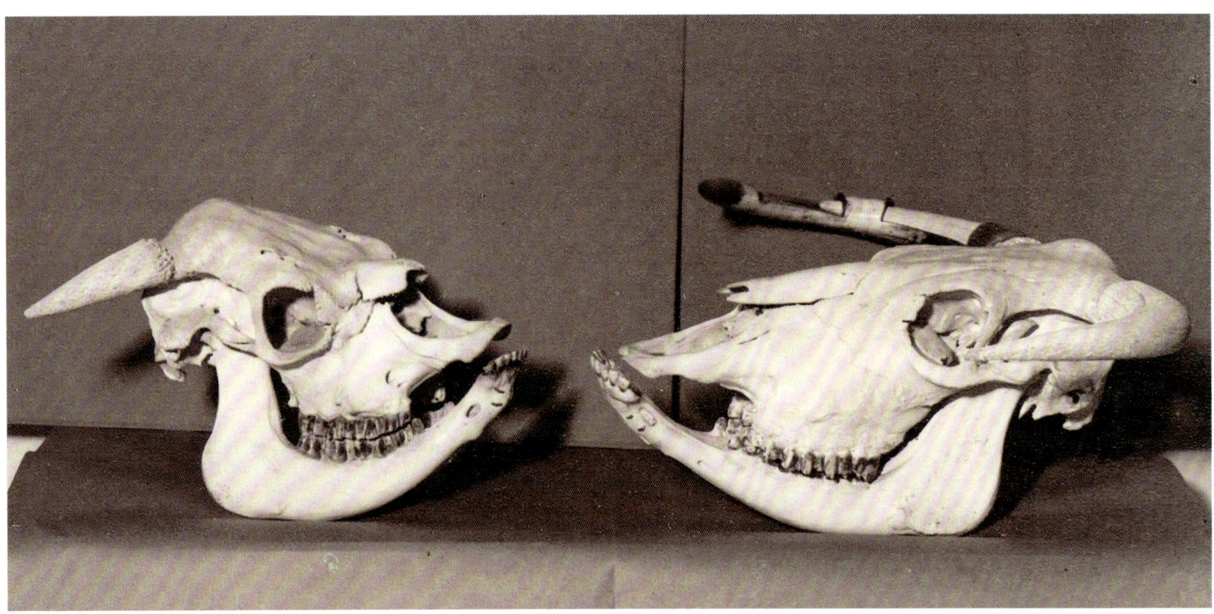

Loch, wäre es tief genug, an der anderen Seite wieder herauskäme. Sie waren begierig, den Preis und Zustand von Pferden und Rindern in England zu erfahren. Als sie hörten, dass wir unsere Tiere nicht mit dem *lazo* einfingen, riefen sie aus: «Ah, dann verwenden Sie ausschließlich die *bolas.*» Die Vorstellung von einem eingefriedeten Land war ihnen völlig neu. Endlich sagte der Hauptmann, er habe mir eine Frage zu stellen, für deren wahrheitsgemäße Beantwortung er mir sehr verbunden wäre. Ich erzitterte bei dem Gedanken, wie tiefgründig und wissenschaftlich sie wohl sein würde; sie lautete: «Ob die Damen von Buenos Ayres nicht die hübschesten auf der Welt seien.» Ich versetzte ganz wie ein Abtrünniger: «Auf eine bezaubernde Weise.» Er fügte hinzu: «Eine weitere Frage habe ich: Tragen Damen in anderen Teilen der Welt auch so große Kämme?» Ich versicherte ihm feierlich, dass dem nicht so sei. Sie waren aufs äußerste erfreut. Der Hauptmann rief aus: «Sieh an!, ein Mann, der die halbe Welt gesehen hat, sagt, dass dem so ist; das haben wir uns immer gedacht, aber nun wissen wir es.» Mein hervorragendes Urteilsvermögen bei Kämmen und Schönheit verschaffte mir eine höchst gastfreundliche Aufnahme; der Hauptmann zwang mich, sein Bett zu nehmen, er selbst wollte auf dem *recado* schlafen.

Große Haarkämme der Damen, Banda Oriental

22. November – Auf einer *estancia* am Berquelo angekommen, die einem sehr gastfreundlichen Engländer gehört, für den ich von meinem Freund Mr. Lumb ein Empfehlungsschreiben hatte. Ich blieb drei Tage.

Während meines Aufenthalts auf der *estancia* sah und hörte ich viel Amüsantes über die Hirtenhunde dieses Landes.[2] Wenn man ausreitet, begegnet man häufig etliche Meilen entfernt von jedem Haus oder Menschen einer großen Schafherde, die von einem oder zwei Hunden bewacht wird. Ich habe mich oft gefragt, wie sich eine so enge Freundschaft begründet hat. Die Erziehungsmethode besteht darin, dass der Welpe schon sehr früh von der Hündin getrennt und an seine künftigen Gefährten gewöhnt wird. Drei bis vier Mal täglich wird ein Mutterschaf beigebracht, damit der Kleine bei ihr saugen kann, und im Schafstall wird ein Wollenest für ihn bereitet; niemals bekommt er Umgang mit anderen Hunden oder den Kindern der Familie. Zudem wird der Welpe in der Regel kastriert, sodass er, wenn er ausgewachsen ist, kaum noch Gefühle mit den anderen seiner Art gemein hat. Nach dieser Erziehung hat er nicht mehr den Wunsch, die Herde zu verlassen, und so wie ein anderer Hund seinen Herrn, den Menschen, verteidigen wird, tut er dies mit den Schafen. Es ist amüsant zu beobachten, wie der

Hund, wenn man sich einer Herde nähert, sogleich bellend herankommt und die Schafe sich alle in seinem Rücken sammeln wie um den ältesten Bock.

Die Gauchos sind weithin als perfekte Reiter bekannt. Die Vorstellung, abgeworfen zu werden, das Pferd tun zu lassen, was es will, kommt ihnen gar nicht in den Sinn. Für sie ist ein guter Reiter derjenige, der ein ungezähmtes Füllen beherrschen kann, oder der, wenn sein Pferd stürzt, auf den Füßen landet oder andere solche Großtaten vollführen kann. Ich habe von einem gehört, der wettete, er könne sein Pferd zwanzig Mal niederwerfen und neunzehn davon selbst nicht stürzen. Ich erinnere mich, einen Gaucho auf einem sehr störrischen Pferd gesehen zu haben, welches sich drei Mal so heftig aufbäumte, dass es mit großer Wucht hintüber stürzte. Der Mann schätzte mit ungewöhnlicher Kühle den richtigen Augenblick ab, um herunterzurutschen, keinen Moment davor oder danach, und als sich das Pferd wieder aufrichtete, sprang er ihm auf den Rücken, worauf sie dann in Galopp fielen. Es hat den Anschein, als biete der Gaucho niemals Muskelkraft auf. Einmal, als wir in großem Tempo dahingaloppierten, beobachtete ich einen guten Reiter und dachte bei mir: «Wenn das Pferd nun scheut, du kommst mir da auf deinem Sattel so unbekümmert vor, musst du doch herabfallen.» In dem Moment

Südamerikanische Gauchos sind als perfekte Reiter beim Hüten von Rindern oder Schafen hüten bekannt

sprang ein Straußenhahn direkt vor der Nase des Pferdes aus seinem Nest: Das junge Fohlen machte gleich einem Hirsch einen Satz zur Seite, der Mann hingegen fuhr, wie sein Pferd, lediglich zusammen.

26. November – Ich machte mich zur Rückreise nach Monte Video auf direktem Wege auf. Da ich von Riesenknochen bei einem benachbarten Bauernhaus am Sarandis gehört hatte, ritt ich in Begleitung meines Gastgebers dorthin und erwarb gegen den Wert von achtzehn Pence den Kopf des Toxodons.[3] Als er entdeckt wurde, war er noch vollkommen unversehrt, doch Jungen schlugen mit Steinen einige Zähne aus und stellten dann den Kopf als Ziel auf, um danach zu werfen. Durch einen äußerst glücklichen Umstand fand ich einen vollkommen erhaltenen Zahn, welcher genau in eine Höhlung in dem Schädel passte, allein vergraben im Ufer des Rio Tercero in einer Entfernung von ungefähr 180 Meilen von dort. Ebenfalls fand ich dort große Teile des Panzers eines gigantischen gürteltierähnlichen Tiers sowie einen Teil des Kopfes eines Mylodons. Die Knochen dieses Kopfes sind so frisch, dass sie, Mr. T. Reeks' Analyse zufolge, sieben Prozent tierische Substanz enthalten, und wenn man sie in eine Spirituslampe legt, brennen sie mit kleiner Flamme. Die Zahl der Überreste, die in der großen Mündungsablagerung vergraben sind, welche die Pampas bildet und den Granit der Banda Oriental bedeckt, muss außerordentlich hoch sein. Ich glaube, eine gerade Linie, in jeder beliebigen Richtung durch die Pampas gezogen, würde durch etliche Skelette oder Knochen schneiden. Neben jenen, welche ich auf meinen kurzen Exkursionen gefunden habe, hörte ich von vielen anderen, und der Ursprung von Namen wie «der Strom des Tieres», «der Berg des Riesen» liegt auf der Hand. Dann wiederum hörte ich von der wundersamen Kraft bestimmter Flüsse, kleine in große Knochen zu verwandeln, oder, wie manche behaupteten, die Knochen wuchsen von selbst. Soweit mir bekannt, ist nicht eines dieser Tiere, wie früher vermutet, in den Marschen oder schlickigen Flussbetten des heutigen Landes verendet, vielmehr wurden ihre Knochen von den Strömen bloßgelegt, welche die unter Wasser liegenden Ablagerungen aufschnitten, in denen sie ursprünglich vergraben lagen. Wir dürfen also folgern, dass das gesamte Gebiet der Pampas ein gewaltiges Grab jener ausgestorbenen gigantischen Vierfüßer darstellt.

Am 28. erreichten wir, nachdem wir zweieinhalb Tage unterwegs gewesen waren, um die Mitte des Tages Monte Video. Das Land war den ganzen Weg von sehr einförmigem Gepräge gewesen, wobei einige Gegenden doch deutlich felsiger und hügeliger als am Plata waren. Nicht weit von Monte Video gelangten wir durch das Dorf Las Pietras, so benannt nach einigen großen, gerundeten Syenitmassen. Es gab ein recht hübsches Bild ab. In diesem Land sollten ein paar Feigenbäume um eine Häusergruppe und eine Örtlichkeit, die sich hundert Fuß über das allgemeine Niveau erhebt, stets malerisch genannt werden.

Im Laufe des letzten Jahres hatte ich Gelegenheit, ein wenig vom Wesen der Bewohner dieser Provinzen kennen zu lernen. Die Gauchos oder Landleute sind denen, die in der Stadt leben, bei weitem überlegen. Der Gaucho ist immerzu aufs äußerste zuvorkommend, höflich und gastfreundlich. Mir ist kein einziges Beispiel von Grobheit oder Ungastlichkeit begegnet. Er ist bescheiden, respektiert sich selbst und sein Land, ist gleichzeitig aber ein lebhafter, kühner Bursche. Andererseits werden viele Raubüberfälle begangen, und es fließt viel Blut: Die Angewohnheit, immerzu ein Messer mitzuführen, ist die Hauptursache des Letzteren. Es ist beklagenswert, wie viel Leben in banalen Streitigkeiten verloren geht.

Bei Kämpfen versucht jede Seite, das Gesicht seines Gegners zu zeichnen, indem er ihm Nase oder Augen aufschlitzt, was häufig von tiefen und grausigen Narben bezeugt wird. Räubereien sind eine natürliche Folge von verbreitetem Glücksspiel, starkem Trinken und äußerster Faulheit. In Mercedes fragte ich zwei Männer, warum sie nicht arbeiteten. Einer sagte ernst, die Tage seien zu lang, der andere, er sei zu arm. Die Zahl der Pferde und der Überfluss an Nahrung sind die Zerstörung allen Fleißes. Zudem gibt es so viele Fastentage, und außerdem kann nichts gelingen, wenn es nicht bei zunehmendem Mond begonnen wurde, sodass allein durch diese beiden Ursachen der halbe Monat verloren ist.

Polizei und Justiz sind völlig unfähig. Begeht ein Mann, der arm ist, einen Mord und wird er gefasst, so wird er eingesperrt und vielleicht sogar erschossen; ist er hingegen reich und hat Freunde, so kann er sich darauf verlassen, dass keine schwerwiegenden Konsequenzen folgen. Es ist eigenartig, dass die ehrbarsten Bewohner des Landes einem Mörder ausnahmslos zur Flucht verhelfen; sie scheinen zu glauben, der Einzelne sündige gegen die Regierung und nicht gegen das Volk. Ein Reisender hat über seine Feuerwaffen hinaus keinen Schutz, und die beständige Gewohnheit, sie zu tragen, ist das wesentliche Hemmnis für häufigere Raubüberfälle.

Das Wesen der höheren und gebildeteren Schichten, die in den Städten wohnen, hat, vielleicht in geringerem Maße, etwas von den guten Seiten der Gauchos, ist aber bedauerlicherweise von vielen Lastern befleckt, wovon jener frei ist. Sinnlichkeit, Verspottung aller Religion und die krasseste Korruption sind keineswegs ungewöhnlich. Nahezu jeder Staatsbeamte kann bestochen werden. Der Vorsteher des Postamts verkaufte gefälschte Freistempel der Regierung. Gouverneur und Minister taten

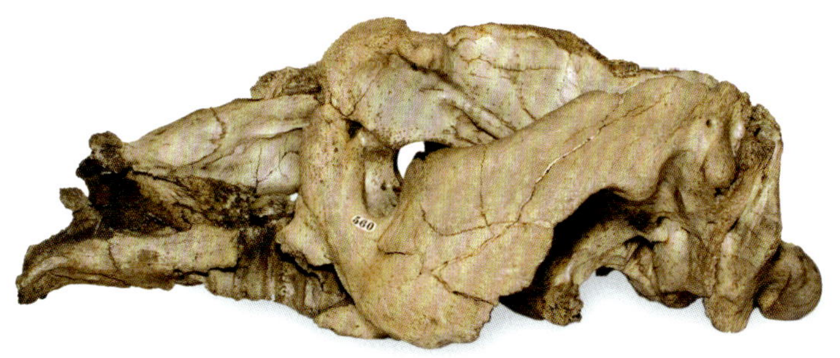

Exemplar eines *Toxodon platensis*, das Darwin in der Nähe von Monte Video sammelte

sich offen zusammen, um den Staat auszuplündern. Gerechtigkeit wurde, wo Gold ins Spiel kam, kaum je erwartet. Bei einer so grundlegenden Prinzipienlosigkeit vieler führender Männer und einem Land voller schlecht bezahlter, aufrührerischer Offiziere hoffen die Menschen noch immer, dass eine demokratische Regierungsform gelingen kann!

Tritt man zum ersten Mal in die Gesellschaft dieses Landes ein, fallen einem zwei oder drei Merkmale als besonders kennzeichnend auf. Das höfliche und würdevolle Benehmen, das jede Schicht des Lebens erfüllt, der hervorragende Geschmack der Frauen in der Kleidung und die Gleichheit zwischen allen Schichten.

6. Dezember – Die *Beagle* verließ den Rio Plata, um niemals wieder seine trüben Wasser zu befahren. Wir nahmen Kurs auf Port Desire an der Küste Patagoniens. Bevor ich fortfahre, möchte ich hier einige Beobachtungen zusammenfassen, die ich auf See gemacht habe.

Mehrmals, wenn das Schiff einige Meilen vor der Mündung des Plata war, und auch andere Male vor der Küste Nordpatagoniens waren wir von Insekten umgeben. Eines Abends, als wir ungefähr zehn Meilen vor der Bucht von San Blas lagen, waren

~ AUS ~

VERLAUF DER ZWEITEN EXPEDITION 1831–1836

VON ROBERT FITZ ROY

Wir liefen Port Desire (23. Dez.) an, und nach einem fröhlichen Weihnachtstag† und der Erkundung der tiefen Bucht bis ans Ende ließen wir die *Adventure* für Änderungen an Masten und Takelage zurück, während die *Beagle* die Küste zwischen Sea Bear Bay und Port St. Julian vermessen sollte.

Die Gruppe, die die Bucht hochfuhr, war sehr erstaunt über die Wildheit und Höhe‡ der steilen Felshänge, die sie beidseits des, wie es schien, Betts eines früheren Flüsschens sahen; sie kamen aber mit dem Beiboot nicht weiter als ich 1829. Dies hatte ich vorausgesehen, und deshalb führte Mr. Chaffers, der die Gruppe befehligte, eine kleine Jolle mit sich, mit der er weiterfuhr, als der Schlamm das Beiboot zum Halten zwang. Nach zwei weiteren Meilen änderte sich auf einmal das Gepräge; anstatt wilder Schluchten und schroffer Berge aus Porphyr waren niedrige Sandbänke zu sehen, bedeckt am Wasser mit Binsen und tiefer drinnen mit üppigem Grasland. Es war beinahe Hochwasser, als die Jolle die Stelle erreichte und in einen Süßwasserfluss hineinfuhr, der ungefähr einhundert Yard breit, aber so flach war, dass das Wasser in der Mitte nur drei Fuß tief war. Der Fluss verengte sich immer weiter, bis er an der Stelle, wo Mr. Chaffers anhielt, um die Höhen der Sonne zu messen, nur noch vierzig Yard breit war. Dort war das Wasser beim Höchststand der Tide nur noch drei Fuß tief über dem Kiesboden, doch wegen des flachen, etwa eine Dreiviertelmeile weiten Gebiets zwischen dem Fluss und dem Fuße der nächsten Berge bestand Grund zu der Annahme, dass bei Überschwemmungen das ganze Tal unter Wasser stehen würde. Von einem benachbarten, vierhundert Fuß hohen Berg ließ sich der Fluss mehrere Meilen weiter verfolgen, sodass unsere Gruppe etwa acht Meilen weit blickte, wo das Wasser recht frisch war. Der Fluss wand sich durch einen unregelmäßigen Bruch oder ein von Hängen umschlossenes Tal nach Westen in die Berge. Das einzige Lebewesen, das zu sehen war, war ein lahmes Pferd, das am Fluss graste.

† Am 25. unterhielten sich beide Mannschaften nach dem Mittag mit Ringkämpfen, Rennen, Weitspringen und diversen Spielen.
‡ Ungefähr dreihundert Fuß.

Ein heutiger Gaucho auf einer *estancia* oder kleinen Farm

wir inmitten einer riesigen Menge Schmetterlinge, Scharen oder Schwärme unendlicher Myriaden, so weit das Auge reichte. Selbst mithilfe eines Teleskops vermochte man unmöglich einen von Schmetterlingen freien Raum zu sehen. Die Seeleute riefen: «Es schneit Schmetterlinge», und so wirkte es tatsächlich auch. Es waren mehr als eine Art, der überwiegende Teil gehörte indes zu einer, die der gemeinen englischen *Colias edusa* sehr ähnlich, allerdings nicht identisch mit ihr war. Begleitet wurden die Schmetterlinge von einigen Nachtfaltern und Hautflüglern, und auch ein schöner Käfer *(Calosoma)* flog an Bord. Es gibt noch weitere Fälle, dass dieser Käfer weit draußen auf See gefangen wurde, was desto bemerkenswerter ist, als die überwiegende Zahl der Carabidae nur selten oder nie fliegen. Der Tag war schön und ruhig gewesen, und der davor ebenso, der Wind war leicht und wechselnd. Daher können wir nicht annehmen, dass die Insekten vom Land hergeweht worden waren, vielmehr müssen wir folgern, dass die Insekten freiwillig flogen. Die großen Scharen *Colias* scheinen zunächst einen Fall gleich jenen zu liefern, die von der Wanderung eines anderen Schmetterlings belegt sind, *Vanessa cardui*;[4] doch dass auch noch andere Insekten da waren, macht den Fall einzigartig und noch weniger begreifbar. Vor Sonnenuntergang kam von Nord eine kräftige Brise auf, die für Zehntausende von Schmetterlingen und anderen Insekten den Tod bedeutet haben muss.

Als die *Beagle* in der Mündung des Plata lag, war die Takelage mehrmals mit dem Gespinst der Netzspinne überzogen. An einem Tag (1. November 1832) widmete ich diesem Thema besondere Aufmerksamkeit. Das Wetter war schön und klar gewesen, und am Morgen war die Luft erfüllt von Schlieren des flockigen Netzes wie an einem Herbsttag in England. Das Schiff befand sich sechzig Meilen entfernt vom Land in einer steten, aber leichten Brise. An den Netzen hingen unzählige kleine Spinnen, ungefähr ein Zehntel Zoll lang und von dunkelroter Farbe. Es müssen auf dem Schiff wohl einige Tausend gewesen sein. Die kleine Spinne saß, wenn sie mit der Takelage in Berührung kam, stets auf einem einzelnen Faden und nicht auf der Flockenmasse. Diese scheint nur durch die Verwicklung der einzelnen Fäden zu entstehen. Die Spinnen gehörten alle einer Art an, dabei beiden Geschlechtern, und hatten auch Junge. Letztere unterschieden sich durch ihre kleinere Größe und dunklere Farbe. Ich werde diese Spinne hier nicht beschreiben, sondern lediglich sagen, dass sie mir keiner von Latreilles Gattungen anzugehören scheint. Kaum war der kleine Luftschiffer an Bord gekommen, wurde er auch schon sehr aktiv, lief umher, ließ sich zuweilen fallen und stieg am selben

Faden wieder hoch; manchmal wob er auch in den Ecken zwischen den Tauen geschäftig ein kleines und sehr unregelmäßiges Netz. Die Spinne konnte mit Leichtigkeit auf der Wasseroberfläche laufen. Wurde sie gestört, hob sie in einer Habachtstellung die vorderen Beine hoch. Während ich einige beobachtete, die an einem einzelnen Faden hingen, fiel mir mehrmals auf, dass der leiseste Windhauch sie in horizontaler Linie außer Sichtweite trug.

Der Umstand, dass Spinnen derselben Art, aber verschiedenen Geschlechts und Alters mehrmals in einer Entfernung von vielen Wegstunden vom Land entfernt in ungeheurer Zahl an den Fäden hängend angetroffen wurden, macht es wahrscheinlich, dass

EINSATZ: Schmetterlinge am Ufer des Uruguay
UNTEN: Käfer mit Hörnern *(Heterogomphus mniszechi)*

die Gewohnheit, durch die Luft zu segeln, eine dieses Tribus ist, so wie die des Tauchens eine der *Argyroneta*. Wir dürfen also Latreilles Mutmaßung zurückweisen, dass die Netzspinne ihren Ursprung gleichermaßen den Jungen mehrerer Spinnengattungen verdankt, auch wenn, wie wir gesehen haben, die Jungen anderer Spinnen über die Fähigkeit verfügen, Luftreisen zu unternehmen.[5]

In tiefen Gewässern fern vom Land ist die Zahl von Lebewesen äußerst klein: Südlich der Breite von 35° habe ich außer einigen Melonenquallen und manchen Arten winziger Entomostraca gar nichts zu fangen vermocht. In seichterem Wasser, in einer Entfernung von wenigen Meilen von der Küste, sind dagegen sehr viele Arten von Crustacea und einige andere Tiere verbreitet, aber nur bei Nacht. Zwischen 56° S und 57° S südlich von Kap Hoorn wurde das Netz mehrmals im Heck ausgelegt, doch förderte es mit Ausnahme einiger von zwei äußerst winzigen Arten von *Entomostraca* nichts zutage. Dabei sind in diesem Teil des Ozeans Wal und Seehund, Sturmvogel und Albatros äußerst verbreitet. Mir ist immer ein Rätsel gewesen, wovon der Albatros, der weit von der Küste entfernt lebt, sich wohl ernährt; vermutlich vermag er, wie der Kondor, lange zu fasten, und ein ordentliches Mahl vom Kadaver eines fauligen Wals hält lange vor.

Als wir ein wenig südlich des Plata in einer sehr dunklen Nacht segelten, bot uns das Meer ein wundersames und äußerst schönes Schauspiel. Ein frischer Wind wehte, und jeder Teil der Wasserfläche, den man am Tage als Schaum sieht, glühte nun in einem fahlen Licht. Das Fahrzeug trieb am Bug zwei Wogen flüssigen Phosphors vor sich her, und im Kielwasser folgte ihm ein milchiger Schweif. So weit das Auge reichte, leuchtete die Krone einer jeden Welle hell, und der Himmel überm Horizont war von dem reflektierten Schein dieser lebhaften Flammen nicht ganz so stockdunkel wie überm Himmelsgewölbe.

Indem wir weiter gen Süden fahren, phosphorisiert das Meer nur selten, und vor Kap Hoorn habe ich es, soweit ich mich erinnere, nur einmal so gesehen, und dann leuchtete es keineswegs hell. Dies steht wahrscheinlich in engem Zusammenhang mit der Spärlichkeit organischer Lebewesen in diesem Teil des Ozeans. Nach Ehrenbergs sorgfältiger Arbeit über das Phosphoreszieren des Meeres[6] ist es beinahe überflüssig, dass ich zu dem Thema noch etwas bemerke. Allerdings darf ich hinzufügen, dass die gleichen zerfaserten und unregelmäßigen Partikel der gallertartigen Masse, die Ehrenberg beschreibt, in der südlichen wie auch nördlichen Hemisphäre die gemeinsame Ursache dieses Phänomens zu sein scheinen. Wenn die Wellen leuchtend grüne Funken versprühen, so verdankt sich dies meiner Ansicht nach winzigen Crustacea. Es kann jedoch kein Zweifel bestehen, dass sehr viele andere Meerestiere im lebenden Zustand ebenfalls phosphoreszieren.

23. Dezember – Wir liefen in Port Desire ein, das auf 47° S an der Küste Patagoniens liegt. Das Flüsschen verläuft bei unregelmäßiger Breite ungefähr zwanzig Meilen landeinwärts. Die *Beagle* ankerte einige Meilen hinter der Mündung vor den Ruinen einer alten spanischen Ansiedlung.

Noch am selben Abend ging ich an Land. Der erste Landgang in einem neuen Land ist stets interessant, zumal wenn, wie in diesem Fall, der gesamte Anblick ein auffälliges und individuelles Gepräge hat. In einer Höhe von zwei- bis dreihundert Fuß erstreckt sich über einer Porphyrmasse eine weite Ebene, die für Patagonien wahrhaft charakteristisch ist. Der Boden ist ganz flach und besteht aus einem Gemisch aus wohlgerundeten Kieseln und weißlicher Erde. Hie und da sprießen Büschel eines braunen,

Fliegender Fisch mit rosa Flügeln

drahtigen Grases und, noch seltener, ein paar Dornbüsche. Das Wetter ist trocken und angenehm, und der schöne blaue Himmel ist nur selten bedeckt. Steht man mitten auf einer dieser öden Ebenen und schaut ins Innere, so wird der Blick zumeist vom Steilabbruch einer weiteren, deutlich höheren, aber ebenso flachen und trostlosen Ebene begrenzt; in jeder anderen Richtung hebt sich der Horizont kaum von der zitternden Luftspiegelung ab, welche wohl von der erhitzten Erde aufsteigt.

In einem solchen Land war das Schicksal der spanischen Ansiedlung rasch besiegelt; die Trockenheit des Klimas während des größeren Teils des Jahres und die gelegentlichen feindlichen Angriffe der umherziehenden Indianer bewog die Kolonisten, ihre halb fertigen Häuser aufzugeben. Der Stil jedoch, in welchem sie begonnen wurden, zeigt die kräftige und großzügige Hand des Spaniens der alten Zeit. Das Ergebnis aller Versuche, diese Seite Amerikas südlich von 41° S zu kolonisieren, ist kläglich. Port Famine drückt mit seinem Namen die anhaltenden und äußersten Leiden mehrerer hundert elender Menschen aus, von denen nur einer überlebte, um von ihrem Unglück zu berichten. In St. Joseph's Bay an der Küste Patagoniens wurde eine kleine Ansiedlung gegründet, doch an einem Sonntag griffen die Indianer an und massakrierten die ganze Gruppe bis auf zwei Männer, die sie viele Jahre als Gefangene hielten. Am Rio Negro sprach ich mit einem dieser Männer, der nun ein hohes Alter erreicht hat.

Die Zoologie Patagoniens ist so begrenzt wie seine Flora.[7] Auf den ariden Ebenen kann man ein paar schwarze Käfer (Heteromera) langsam umherkrabbeln sehen, und gelegentlich huschte eine Eidechse vorbei. An Vögeln haben wir drei Caracaras gesehen, in den Tälern einige wenige Finken und Insektenfresser. Der Ibis (*Theristicus melanops* – eine Art, die in Zentralafrika heimisch sein soll) ist in den

OBEN: Patagonier begrüßen Oberbefehlshaber Byron, Stich von 1784
EINSATZ: Angehobene Strände Patagoniens

ödesten Teilen nicht ungewöhnlich; in seinem Magen fand ich Heuschrecken, Zikaden, kleine Eidechsen und selbst Skorpione.[8] Zu einer Zeit im Jahr halten sich diese Vögel in Scharen auf, zu anderen in Paaren; ihr Ruf ist sehr laut und eigentümlich, wie das Wiehern des Guanako.

Das Guanako oder wilde Lama ist der charakteristische Vierfüßer der Ebenen Patagoniens; es ist der südamerikanische Vertreter des Kamels des Ostens. In freier Natur ist es ein elegantes Tier mit langem schmalem Hals und guten Beinen. Es ist in den gesamten gemäßigten Zonen des Kontinents, im Süden bis zu den Inseln bei Kap Hoorn weit verbreitet. Im Allgemeinen lebt es in kleinen Herden von je einem halben Dutzend bis dreißig Stück; am Ufer des St.Cruz sahen wir aber einer Herde, die wenigstens fünfhundert umfasst haben dürfte.

Auf den Bergen von Feuerland habe ich mehr als einmal gesehen, wie ein Guanako, wenn man sich ihm näherte, nicht nur wieherte und schrie, sondern auch in der lächerlichsten Art und Weise umherstolzierte und sprang, offenbar als trotzige Herausforderung. Diese Tiere sind sehr leicht zu zähmen, und ich habe in Nordpatagonien einige bei einem Haus gesehen, ohne dass sie in Gefangenschaft gewesen wären. In diesem Zustand sind sie sehr kühn und attackieren gern einen Menschen, indem sie ihn von hinten mit beiden Beinen stoßen. Es wird behauptet, der Grund für diese Attacken sei Eifersucht wegen ihrer Weibchen. Die wilden Guanakos hingegen haben keinen Begriff von Verteidigung, selbst ein einziger Hund kann eines dieser großen Tiere stellen, bis der Jäger herangekommen ist. In ihrer Lebensweise sind sie in mancher Hinsicht wie Schafe in der Herde. Wenn sie also Männer aus verschiedenen Richtungen zu Pferde nahen sehen, werden sie schnell verwirrt und wissen nicht, wohin sie laufen sollen. Dies erleichtert die indianische Jagdmethode sehr, denn so werden sie rasch zu einem zentralen Punkt getrieben und eingekreist.

Die Guanakos gehen gern ins Wasser; mehrmals sah man sie bei Port Valdes von einer Insel zur anderen schwimmen. Byron sagt, auf seiner Reise habe er sie Salzwasser saufen sehen. Auch einige unserer Offiziere sahen, wie eine Herde anscheinend die salzige Flüssigkeit aus einer Salina bei Kap Blanco trank. Ich könnte mir denken, dass sie in verschiedenen Teilen des Landes, wenn sie kein Salzwasser saufen, überhaupt nicht saufen. Mitten am Tag wälzen sie sich häufig in untertassenförmigen Kuhlen im Staub. Die Männchen kämpfen miteinander; einmal kamen zwei dicht an mir vorbei, wobei sie schrien und versuchten, einander zu beißen, und mehrere geschossene wiesen tiefe Wunden im Fell auf. Die Guanakos haben eine auffallende Gewohnheit, die mir völlig unerklärlich ist, nämlich dass sie ihren Dung mehrere Tage hintereinander auf demselben bezeichneten Haufen fallen lassen. Ich sah einen dieser Haufen, der acht Fuß im Durchmesser betrug und aus einer ordentlichen Menge bestand. M.A. d'Orbigny zufolge ist diese Gewohnheit allen Arten der Gattung gemein; für die peruanischen Indianer, die den Dung als Brennstoff nehmen, ist sie sehr nützlich, da ihnen so die Mühe erspart bleibt, ihn zu sammeln.

Einmal wurde die Jolle unter Mr. Chaffers' Kommando mit Vorräten für drei Tage ausgesandt, um den oberen Teil des Hafens zu vermessen. Am Morgen suchten wir nach einigen Wasserplätzen, die auf einer alten spanischen Karte verzeichnet waren. Wir fanden eine kleine Bucht, an deren Ende ein kleiner Bach (der erste, den wir gesehen hatten) aus brackigem Wasser rieselte. Hier zwang uns die Tide, mehrere Stunden zu warten; in der Zwischenzeit wanderte ich einige Meilen ins Innere. Die Ebene bestand wie üblich aus Kies, vermischt mit Erde, die ihrem Aussehen nach Kalk ähnelte, in der Beschaffenheit jedoch ganz anders war. Aufgrund der Weichheit dieser Stoffe waren darin viele Wasserfurchen eingegraben. Kein Baum war zu sehen, und mit Ausnahme des Guanako, das gleich einem aufmerksamen Posten auf dem Hügel stand, auch kaum ein Tier oder Vogel. Alles war Stille und Trostlosigkeit. Dennoch wecken diese Szenen, wenn

Das Guanaco oder wilde Lama

man sie durchreitet, ohne auch nur einen heiteren Gegenstand darin, ein schwer erklärbares, aber starkes, lebhaftes Behagen. Man fragte sich, wie viele Zeitalter die Ebene schon so gewesen und wie viele noch so zu verharren sie verurteilt war.

Keins kann erwidern – alles scheint ewig nun.
Die Wildnis spricht in rätselhafter Zunge,
Die schlimmen Zweifel lehrt.[9]

Am zweiten Tag unserer Rückkehr zum Ankerplatz machten sich eine Gruppe Offiziere und ich auf, um ein altes Indianergrab zu durchstöbern, das ich auf dem Gipfel eines benachbarten Berges entdeckt hatte. Zwei gewaltige Steine, wovon jeder wohl wenigstens zwei Tonnen wog, waren vor ein ungefähr sechs Fuß hohes Felsgesims gerollt worden. Auf dem Boden des Grabes lag auf hartem Fels eine ungefähr einen Fuß dicke Schicht Erde, die von der Ebene heraufgeschafft worden sein musste. Darauf war eine Pflasterung aus flachen Steinen gelegt, auf die wiederum andere gehäuft waren, sodass sie den Raum zwischen dem Gesims und den zwei großen Steinblöcken füllten. Zur Vervollständigung des Grabes hatten die Indianer es verstanden, von dem Gesims ein großes Stück abzutrennen und es über den Haufen zu werfen, sodass es auf den beiden Blöcken ruhte. Wir unterhöhlten das Grab an beiden Seiten, konnten jedoch keine Überreste oder auch nur Knochen finden. Letztere waren wahrscheinlich schon vor langer Zeit verrottet (dann musste das Grab extrem alt gewesen sein), denn an einer anderen Stelle fand ich kleinere Haufen, unter welchen noch einige wenige bröckelnde Fragmente als einem Menschen zugehörig erkannt werden konnten. Falconer sagt, dass ein Indianer dort, wo er stirbt, auch begraben wird, dass seine Gebeine jedoch später sorgfältig aufgesammelt und, wie groß die Entfernung auch sein mag, zur Meeresküste getragen und dort beigesetzt werden. Dieser Brauch könnte so erklärt werden, dass diese Indianer vor Einführung des Pferdes nahezu das gleiche Leben wie die Feuerländer heute führten und somit auch in Nähe des Meeres gelebt haben müssen. Die herrschende Meinung, man solle da liegen, wo die Ahnen gelegen haben, veranlasst heute die umherstreifenden Indianer, den weniger verderblichen Teil ihrer Toten zu ihrer alten Begräbnisstätte an der Küste zu bringen.

9. Januar 1834 – Noch vor Einbruch der Dunkelheit ankerte die *Beagle* in dem schönen, weiträumigen Hafen von Port St. Julian, ungefähr einhundertzehn Meilen südlich von Port Desire. Hier blieben wir acht Tage. Das Land ist ganz ähnlich dem bei Port Desire, vielleicht aber noch unfruchtbarer. Einmal begleitete eine Gruppe Kapitän Fitz Roy auf einem langen Gang um den ganzen Hafen herum. Wir waren elf Stunden ohne einen Tropfen Wasser, und einige aus der Gruppe waren recht erschöpft. Vom Gipfel eines Berges (danach passend Thirsty Hill benannt) wurde ein schöner See erspäht, und zwei aus der Gruppe brachen, nachdem ein Zeichen verabredet war, ob er Süßwasser enthielt, dorthin auf. Wie groß war unsere Enttäuschung, eine schneeweiße Fläche Salz anzutreffen, das zu großen Würfeln kristallisiert war! Wir schrieben unseren großen Durst der Trockenheit der Luft zu, doch was immer die Ursache war, wir waren über die Maßen froh, als wir spätabends zu den Booten zurückkamen. Obwohl wir auf dem ganzen Weg keinen einzigen Tropfen Wasser gefunden hatten, musste es doch welches geben, denn durch einen merkwürdigen Zufall entdeckte ich auf der Oberfläche des Salzwassers nahe dem oberen Ende der Bucht eine noch nicht ganz tote *Colymbetes*, die in einem nicht allzu weit entfernten Teich gelebt haben musste. Drei weitere Insekten (ein *Cincindela*, ähnlich der *hybrida*, eine *Cymindis* und eine *Harpalus*, die alle-

samt auf Schlammbänken leben, die immer wieder vom Meer überspült werden) und noch eine tote, die auf der Ebene gefunden wurde, vervollständigen die Liste der Käfer. Eine recht große Fliege *(Tabanus)* war äußerst zahlreich und quälte uns mit ihren schmerzhaften Stichen. Die gemeine Viehbremse, die auf den schattigen Wegen Englands so lästig ist, gehört zur selben Gattung. Wir stehen hier vor dem Rätsel, das im Falle der Moskitos so häufig auftritt – vom Blut welcher Tiere nähren sich diese Insekten in der Regel? Das Guanako ist fast der einzige warmblütige Vierfüßer, und verglichen mit der Masse der Fliegen ist es in ganz unbedeutender Zahl vertreten.

Die Geologie Patagoniens ist interessant. Anders als in Europa, wo die Tertiärformationen sich in Buchten angesammelt haben, finden wir hier auf Hunderten von Meilen Küste eine große Ablagerung, darunter zahlreiche Muscheln aus dem Tertiär, die offenbar alle ausgestorben sind. Die verbreitetste Muschel ist eine schwere, riesige Auster, die zuweilen sogar einen Durchmesser von einem Fuß aufweist. Diese Schichten sind von anderen aus einem eigenartigen weichen, weißen Stein bedeckt, darunter viel Gips; er ähnelt dem Kalk, hat aber eigentlich eher die Beschaffenheit von Bimsstein. Er ist deswegen so bemerkenswert, weil er sich zu mindestens einem Zehntel seiner Masse aus Infusorien zusammensetzt: Professor Ehrenberg hat schon dreißig ozeanische Formen darin bestimmt. Diese Schicht erstreckt sich 500 Meilen die Küste entlang, wahrscheinlich noch auf einer weit größeren Entfernung. Bei Port St. Julian ist sie über 800 Fuß stark! Diese weißen Schichten sind überall von einer Geröllmasse bedeckt, die wahrscheinlich eines der größten Kiesfelder der Welt bildet. In jedem Fall erstreckt sie sich ungefähr vom Rio Colorado auf 600 bis 700 Seemeilen nach

Skelett in den Ruinen von Cayasta, St. Fe, Argentinien

Süden; vom Santa Cruz (ein Fluss, etwas südlich von St. Julian) reicht sie bis zum Fuße der Kordilleren. Auf halbem Wege flussaufwärts ist sie über 200 Fuß stark, wahrscheinlich erstreckt sie sich überall bis zu dieser großen Gebirgskette, woher die wohlgerundeten Porphyrkiesel stammen; ihre durchschnittliche Breite dürfen wir auf 200 Meilen und ihre durchschnittliche Stärke auf 50 Fuß schätzen.

Alles auf diesem Kontinent ist in großem Maßstab geschehen: Das Land vom Rio Plata bis Feuerland, eine Strecke von 1200 Meilen, ist in der Periode der heute existierenden Seemuscheln als Ganzes angehoben worden (und in Patagonien auf eine Höhe von 300 bis 400 Fuß). Die alten, verwitterten Muscheln, die an der Oberfläche der angehobenen Ebene geblieben sind, haben sich teilweise noch immer ihre Farbe bewahrt. Die Aufwärtsbewegung wurde von wenigstens acht langen Ruheperioden unterbrochen, in welchen sich das Meer weit ins Land hineingefressen hat und dabei in aufeinander folgenden Ebenen die langen Linien der Felswände oder Steilabbrüche schuf, welche die verschiedenen Ebenen trennen, indem sie wie Stufen hintereinander aufsteigen. Hebebewegung und das Hineinfressen des Meeres während der Ruheperioden verlaufen gleichförmig über lange Küstenstreifen hinweg, denn zu meinem Erstaunen fand ich heraus, dass die stufenartigen Ebenen an weit voneinander entfernten Punkten auf nahezu entsprechender Höhe liegen. Die niedrigste Ebene ist 90 Fuß hoch, die höchste, die ich nahe der Küste erklomm, 950 Fuß, und von dieser sind nur Reste in Gestalt flacher, kiesbedeckter Hügel übrig. Die obere Ebene am Santa Cruz verläuft schräg bis auf eine Höhe von 3000 Fuß am Fuße der Kordilleren. Ich sagte, Patagonien sei während der Periode der existierenden Seemuscheln um 300 bis 400 Fuß angehoben worden; ich darf hinzufügen, dass in der Periode, als Eisberge über die obere Ebene am Santa Cruz Felsbrocken transportierten, die Erhebung wenigstens 1500 Fuß betrug. Auch gab es in Patagonien nicht nur Aufwärtsbewegungen: Die ausgestorbenen Tertiärmuscheln von Port St. Julian und Santa Cruz können Professor E. Forbes zufolge nicht in einer größeren Wassertiefe als 40 bis 250 Fuß gelebt haben, dennoch sind sie heute von im Meer abgelagerten Schichten von 800 bis 1000 Fuß Stärke bedeckt: Daher muss der Meeresboden, auf dem diese Muscheln einst lebten, mehrere hundert Fuß abgesunken sein, um die Ansammlung der darüberliegenden Schichten zu ermöglichen. Was für eine Geschichte der geologischen Veränderungen die einfach gebaute Küste Patagoniens enthüllt!

Basaltschlucht, Rio Negro

Bei Port St.Julian[10] fand ich auf der 90-Fuß-Ebene in rotem Schlick, der das Geröll bedeckte, das halbe Skelett eines *Macrauchenia patachonica*, ein bemerkenswerter Vierfüßer, der die volle Größe

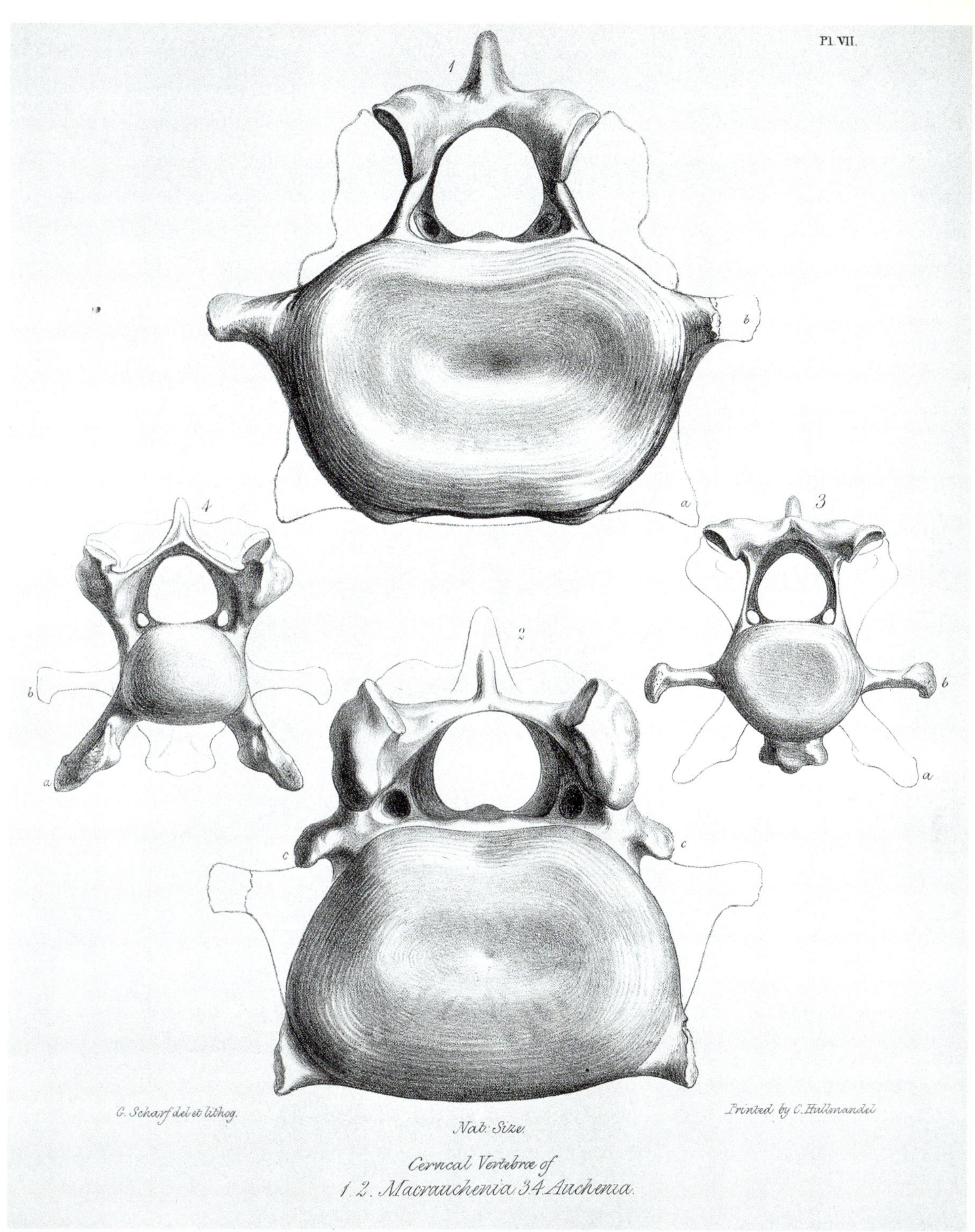

Illustration der Halswirbel eines *Macrauchenia patachonica* (1 und 2) und des *Auchenia llama* (3 und 4)

eines Kamels hatte. Er gehört zur selben Abteilung der Pachydermata wie Rhinozeros, Tapir und Palaeotherium, im Knochenaufbau des langen Halses weist es hingegen eine deutliche Verbindung zum Kamel oder vielmehr zu Guanako und Lama auf. Jüngsten Funden von Seemuscheln auf zwei der höheren stufenförmigen Ebenen zufolge, welche gebildet und erhöht worden sein mussten, bevor der Schlick abgelagert wurde, in dem das Macrauchenia begraben war, steht fest, dass dieser eigenartige Vierfüßer lange Zeit nach der Besiedelung des Meeres durch seine heutigen Muscheln lebte. Zunächst war ich äußerst überrascht, dass ein so großer Vierfüßer noch so lange auf 49° 15' S auf diesen elenden Kiesebenen mit ihrer verkümmerten Vegetation überdauern konnte, doch das Verhältnis von Macrauchenia zu Guanako, dem heutigen Bewohner der unfruchtbarsten Teile, erklärt dieses Problem teilweise.

Die wenn auch entfernte Verwandtschaft zwischen Macrauchenia und Guanako, zwischen Toxodon und Capybara – die engere Verwandtschaft zwischen den zahlreichen ausgestorbenen Edentata und den lebenden Faultieren, Ameisenfressern und Gürteltieren, die heute so überaus typisch für die südamerikanische Zoologie sind – und die noch engere Verwandtschaft zwischen den fossilen und den lebenden Arten *Ctenomys* und *Hydrochaerns* sind höchst interessante Fakten. Diese Verwandtschaft zeigt sich ganz wunderbar – so wunderbar wie zwischen den fossilen und ausgestorbenen Beuteltieren Australiens – in der großartigen Sammlung, die unlängst von den Herren. Lund und Clausen aus den Höhlen Brasiliens nach Europa gebracht worden ist. In dieser Sammlung finden sich ausgestorbene Arten aller zweiunddreißig Gattungen der Landvierfüßer mit Ausnahme von vieren, welche heute die Gebiete bewohnen, in denen die Höhlen sind, und die ausgestorbenen Arten sind viel zahlreicher als die heute lebenden; es gibt fossile Ameisenfresser, Gürteltiere, Tapire, Pekaris, Guanakos, Opossums, viele südamerikanische Nager und Affen sowie weitere Tiere. Diese wunderbare Verwandtschaft auf demselben Kontinent zwischen den toten und den lebenden wird künftig zweifellos mehr Licht auf die Verbreitung organischer Lebewesen unserer Erde wie auch ihr Verschwinden werfen als jede andere Kategorie von Tatsachen.

Was also hat so viele Arten und ganze Gattungen ausgelöscht? Zunächst möchte man gleich unwillkürlich an eine große Katastrophe denken, doch um damit Tiere in solchem Ausmaß zu vernichten, große wie kleine, im südlichen Patagonien, in Brasilien, in den Kordilleren Perus, in Nordamerika bis zur Beringstraße, müssten wir das Gesamtgefüge des Erdballs erschüttern. Zudem führt eine Untersuchung der Geologie von La Plata und Patagonien zu der Annahme, dass alle Merkmale des Landes sich aus langsamen und allmählichen Veränderungen ergeben haben. Das Gepräge der Fossilien Europas, Asiens, Australiens sowie Nord- und Südamerikas legt nahe, dass jene Bedingungen, welche das Leben der *größeren* Vierfüßer begünstigen, seit einiger Zeit auf der ganzen Welt gleich verbreitet waren: Was diese Bedingungen waren, hat bis heute niemand auch nur gemutmaßt. Ein Temperaturwechsel, welcher um ungefähr dieselbe Zeit die Bewohner tropischer, gemäßigter und arktischer Breiten auf beiden Seiten des Erdballs auslöschte, kann es kaum gewesen sein. In Nordamerika, wie wir mit Bestimmtheit von Mr. Lyell wissen, lebten die großen Vierfüßer noch nach der Periode, als Felsbrocken in Breiten geschoben wurden, in die Eisberge heute niemals gelangen:

GEGENÜBER: Illustration eines *Macrauchenia*-Paars auf einem Berg

Aus überzeugenden, aber indirekten Gründen können wir davon ausgehen, dass das Macrauchenia auf der südlichen Hemisphäre ebenfalls noch lange nach der Periode lebte, in welcher die Felsbrocken vom Eis transportiert wurden. Hat der Mensch, wie behauptet wurde, nach seinem ersten Einfall in Südamerika das schwerfällige Megatherium und die anderen Edentata ausgerottet? Im Falle der Ausrottung des kleinen Tucutuco von Bahía Blanca und der zahlreichen fossilen Mäuse und anderer kleiner Vierfüßer in Brasilien müssen wir uns wenigstens noch eine andere Ursache ansehen. Niemand wird annehmen, dass eine Dürre, selbst eine weit härtere als jene, welche in den Provinzen von La Plata zu solchen Verlusten führten, jedes einzelne Tier aus jeder Art von Südpatagonien bis zur Beringstraße auslöschen konnte. Was sollen wir über das Aussterben des Pferdes sagen? Hat es jenen Ebenen, auf denen sich seither Tausende und Abertausende der Abkömmlinge jenes Bestands ausbreiteten, den die Spanier mitbrachten, an Gras gemangelt? Haben die später eingeführten Arten die Nahrung der großen früheren Rassen gefressen? Können wir glauben, dass das Capybara dem Toxodon die Nahrung genommen hat, das Guanako dem Macrauchenia, die heute existierenden Edentata ihren zahlreichen riesenhaften Prototypen? Gewiss ist kein Faktum in der langen Geschichte der Welt so verblüffend wie das weitreichende und wiederholte Aussterben ihrer Bewohner.

Gleichwohl wird dieser Gegenstand, unter einem anderen Blickwinkel betrachtet, weniger verwirrend erscheinen. Wir bedenken nicht ständig, wie ungeheuer wenig wir über die Existenzbedingungen eines jeden Tieres wissen; ebenso wenig gemahnen wir uns immerzu daran, dass ein Hemmnis dauernd die allzu rasche Zunahme eines jeden organisierten Wesens verhindert, das im Naturzustand belassen ist. Der Nahrungsvorrat bleibt im Durchschnitt konstant; die Neigung eines jedes Tiers hingegen, sich durch Fortpflanzung zu vermehren, ist geometrisch, und ihre überraschenden Auswirkungen sind nirgendwo verblüffender zutage getreten als im Falle der europäischen Tiere, die während der vergangenen Jahrhunderte in Amerika verwilderten. Jedes Tier im Naturzustand pflanzt sich regelmäßig fort, hingegen ist bei einer lange schon heimischen Art ein *starkes* Anwachsen ihrer Zahl offenkundig unmöglich und muss mit bestimmten Mitteln begrenzt werden. Gleichwohl vermögen wir bei einer Art nur selten mit Gewissheit zu sagen, zu welchem Lebensabschnitt oder welcher Jahreszeit oder ob nur in weiten Abständen das Hemmnis einsetzt oder auch, worin dieses Hemmnis genau besteht. Wahrscheinlich rührt dies daher, dass wir so wenig überrascht darüber sind, dass eine von zwei Arten, die nach ihrer Lebensweise eng verwandt sind, in einem Gebiet selten und die andere sehr verbreitet ist, oder auch, dass die eine in einem Gebiet sehr verbreitet ist und eine andere, die im Aufbau der Natur denselben Platz einnimmt, in einem angrenzenden Gebiet, das sich in seinen Bedingungen sehr wenig davon unterscheidet. Auf die Frage, wie das sein könne, antwortet man sogleich, dies werde durch einen winzigen Unterschied bei Klima, Nahrung oder der Anzahl der Feinde bestimmt: Doch wie selten, wenn überhaupt jemals, können wir die genaue Ursache und Wirkungsweise des Hemmnisses bezeichnen! Daher werden wir zu der Folgerung gedrängt, dass Ursachen, die von uns in keiner Weise einzuschätzen sind, bestimmen, ob eine Art reichlich oder spärlich vorhanden ist.

In den Fällen, bei denen wir das Aussterben einer Art entweder ganz oder in einem begrenzten Gebiet auf den Menschen zurückführen können, wissen wir,

Der Megalonyx, ausgestorbene Gattung der Riesenfaultiere aus der Familie der Megalonychidae

dass sie immer weniger wird und schließlich nicht mehr existiert: Es wäre schwierig, eine angemessene Unterscheidung[11] zwischen einer durch den Menschen oder durch die Zunahme ihrer natürlichen Feinde ausgelöschte Art zu treffen. Die Indizien, dass Seltenheit dem Aussterben vorangeht, sind, wie von mehreren fähigen Beobachtern bemerkt, auffallender in den Tertiärschichten; häufig wurde entdeckt, dass eine Muschel, die in einer Tertiärschicht sehr verbreitet ist, heute äußerst selten ist und sogar schon lange als ausgestorben galt. Wenn daher, was wahrscheinlich erscheint, die Arten erst selten werden und dann aussterben – wenn die allzu rasche Zunahme einer jeden Spezies, selbst der begünstigsten, nach und nach gehemmt wird, wie wir anerkennen müssen, wobei allerdings schwer zu sagen ist, wie und wann – und wenn wir ohne die geringste Überraschung, wenn auch außerstande, den genauen Grund anzugeben, sehen, dass in einem Gebiet eine Art reichlich vorhanden und eine eng verwandte Art selten ist – warum sollten wir dann so überrascht darüber sein, dass die Seltenheit einen Schritt weiter zum Aussterben führt? Einzuräumen, dass die Arten generell selten werden, bevor sie aussterben – nicht von der relativen Seltenheit einer Art im Vergleich mit einer anderen überrascht zu sein und dennoch ein außerordentliches Agens heranzuziehen und sich aufs Höchste zu verwundern, wenn eine Art aufhört zu existieren, erscheint mir weitgehend dasselbe wie zuzugeben, dass Krankheit bei einem Individuum die Vorläuferin seines Todes sei – über die Krankheit nicht überrascht zu sein –, sich aber, wenn der Kranke stirbt, zu verwundern und zu glauben, dass er durch Gewalteinwirkung gestorben ist.

Blick vom Mount Longdon, östliche Falklandinsel

9. Kapitel

SANTA CRUZ, PATAGONIEN UND DIE FALKLANDINSELN

Santa Cruz – Expedition flussaufwärts – Indianer – gewaltige Basaltlavaströme – vom Fluss nicht transportierte Fragmente – Auskolkung des Tales – Kondor, Lebensweise des – Kordilleren – erratische Blöcke von gewaltiger Größe – indianische Relikte – Rückkehr zum Schiff – Falklandinseln – wilde Pferde, Rinder, Kaninchen – wolfartiger Fuchs – Feuer aus Knochen – Methode, wilde Rinder zu jagen – Geologie – Steinströme – Schauplätze von Gewalt – Pinguin – Gänse – Eier von Doridae – zusammengesetzte Tiere

13. April 1834 – Die *Beagle* ankerte in der Mündung des Santa Cruz. Der Fluss liegt ungefähr sechzig Meilen südlich von Port St. Julian. Auf seiner letzten Reise fuhr Kapitän Stokes ihn dreißig Meilen hinauf, sah sich dann aber aus Mangel an Proviant genötigt umzukehren. Mit Ausnahme dessen, was damals entdeckt wurde, war über diesen großen Fluss kaum etwas bekannt. Kapitän Fitz Roy beschloss nun, seinem Lauf zu folgen, soweit die Zeit es gestattete. Am 18. liefen drei Walboote aus, an Bord Proviant für drei Wochen; die Gruppe bestand aus

~ AUS ~
VERLAUF DER ZWEITEN EXPEDITION 1831–1836

VON ROBERT FITZ ROY

Eine Untersuchung oder eher teilweise Erkundung des Flusses Santa Cruz war seit langem erwogen worden. Bei der letzten Fahrt der *Beagle* war Kapitän Stokes das reißende Gewässer so weit hinaufgefahren, wie es mit einem schweren Boot möglich war; doch sein Bericht vergrößerte unsere Neugier nur, und ich beschloss, seinem Beispiel zu folgen.

Drei leichte Boote wurden hergerichtet: Sie wurden mit so viel Proviant, wie gefahrlos machbar war, beladen, und es wurde eine Gruppe von Offizieren und Männern ausgewählt. Lt. Sulivan, der die Verantwortung für das Schiff übernehmen musste, konnte nicht mitgehen; genauso Mr. Stewart oder Mr. King, die ihren Pflichten an Bord nachkommen mussten; aber Mr. Darwin, Mr. Chaffers, Mr. Stokes, Mr. Bynoe, Mr. Mellersh, Mr. Martens und achtzehn Matrosen und Soldaten sollten mich begleiten.

Frühmorgens am 18. verließen wir die *Beagle* und segelten mit günstigem Wind und bei Hochwasser die Meeresbucht hoch, in die der Fluss mündet. Dieser breite und trübe Meeresarm nimmt einen Sturzbach auf, der, sieben Stunden lang, durch eine schmale Öffnung in den Ozean strömt und von der Flut fünf von zwölf Stunden lang zurückgetrieben wird. Zu beiden Seiten der Bucht wie des Flusses befinden sich ausgedehnte Ebenen arider Wüste: Diese Ebenen liegen jedoch nicht auf gleicher Höhe; denn am Nordufer ragt das Land nur wenig über den Pegel des Hochwassers der Springtide; während an der Südseite des Flusses hohe senkrechte Kliffe einen auffallenden Kontrast bilden. Aber

fünfundzwanzig Seelen – eine Streitmacht, die wohl genügt hätte, einen Haufen Indianer abzuschrecken. Bei starker Flut und einem schönen Tag kamen wir gut voran, tranken bald von dem Süßwasser und waren am Abend schon beinahe oberhalb des Tidebereichs.

19. April – Gegen eine so starke Strömung zu rudern oder zu segeln war natürlich völlig unmöglich: Folglich wurden die drei Boote Bug an Heck gebunden, in jedem zwei Matrosen belassen, und die Übrigen kamen an Land, um zu schleppen. Da die allgemeinen Vorkehrungen, die Kapitän Fitz Roy traf, die Arbeit aller sehr erleichterten und da alle Mann ihren Teil dazu beitrugen, will ich das System beschreiben. Unsere Gruppe, die alle einschloss, wurde in zwei Schichten aufgeteilt, die jeweils abwechselnd eineinhalb Stunden an der Schleppleine zogen. Die

nach dem Erklimmen dieser Höhen durch eine der Schluchten, die sie durchschneiden, findet man eine vollkommen ebene Fläche, die in jeder Hinsicht jener am Nordufer gleicht. Am Horizont ist eine weitere «Steppe» oder parallele Ebene zu erkennen, die aus der Ferne wie eine Kette gleich hoher Berge wirkt.

Bis auf die Porphyrgebiete erschienen mir die ganze Ostküste Patagoniens und das Wenige, das ich vom Landesinneren gesehen habe, wie eine Abfolge horizontaler Ketten von Ebenen unterschiedlicher Höhe, die hie und da von Schluchten und Wasserläufen durchschnitten wurden. Es gibt gewiss vielerorts Berge, die, wenn man auf See vorüberfährt oder sie aus der Ferne sieht, konisch oder jedenfalls spitz aussehen. Doch selbst diese sind lediglich sozusagen der Sattel schmaler horizontaler Terrassen, nur eben höher als die Umgebung.

Die Kliffe am Südufer des Flusses sind weißlich und ähneln jenen an der Außenküste, die, wie Sir John Narborough sagte, der Küste von Kent gleichen. Ihre Konturen sind, aus der Ferne betrachtet, ziemlich waagrecht. Ein bräunliches Gelb ist die vorherrschende Farbe, mal heller oder dunkler, je nachdem ob die Sonne scheint oder verdunkelt wird. Hie und da, an Senken und Schluchten, sieht man ein paar niedrige Büsche. Doch auf der weiten trostlosen unfruchtbaren Ödnis ist nicht ein Baum – nicht einmal ein einsamer Ombu* – zu entdecken. Ab und an eine Herde der stets wachsamen Guanacos, die wegen der näher kommenden Menschen erschrecken, wiehern, stampfen und die Köpfe schütteln; ein paar Strauße, die am fernen Horizont entlangschreiten, und hie und da fliegt ein einsamer Kondor in den Himmel hoch; das ist das Einzige, das ins Auge fällt. Gewiss, bei genauerem Hinsehen stößt man auf welke Sträucher und eine Art gelbes Kraut; und beim Laufen zeigen einem Dornen und Stacheln schmerzhaft, dass die Ebene nicht wirklich eine Wüste ist: Doch ich bin recht sicher, dass der Eindruck auf das Gemüt jener hoffnungsloser Unfruchtbarkeit ist. Ist es nicht bemerkenswert, dass vom Wasser geglätteter Kies und diluviale Ablagerungen den größten Teil ausmachen? In welch riesigem Ausmaß und von welch langer Dauer müssen diese Wasser geströmt sein, die in den Wüsten Patagoniens die Steine abschliffen?

** Eine Art Holunder, die hie und da in Patagonien und den Pampas wächst.*

Offiziere eines jeden Bootes lebten mit ihrer Mannschaft, aßen das gleiche Essen und schliefen im selben Zelt, sodass ein jedes Boot von den anderen gänzlich unabhängig war. Nach Sonnenuntergang wurde die erste ebene Stelle, wo auch Büsche wuchsen, als Nachtlager ausgewählt.

20. April – Wir passierten die Inseln und machten uns an die Arbeit. Unser normaler Tagesmarsch brachte uns, obwohl er recht hart war, durchschnittlich nur zehn Meilen Luftlinie und im Ganzen vielleicht fünfzehn oder zwanzig voran. Jenseits der Stelle, an der wir die letzte Nacht verbrachten, ist das Land vollkommen *terra incognita*, denn hier war Kapitän Stokes umgekehrt. In der Ferne sahen wir einen großen Rauch und entdeckten ein Pferdeskelett, wir wussten also, dass Indianer in der Gegend waren. Am folgenden Morgen

Der Santa Cruz, Argentinien

(21.) wurden auf der Erde Spuren von etlichen Pferden und Abdrücke entdeckt, die von den gezogenen *chuzos*, also den langen Speeren, hinterlassen worden waren. Die allgemeine Ansicht war, dass die Indianer uns in der Nacht ausgekundschaftet hatten. Kurz darauf gelangten wir an eine Stelle, wo frische Fußspuren von Männern, Kindern und Pferden darauf hinwiesen, dass die Gruppe den Fluss überquert hatte.

22. April – Doch so arm Patagonien in mancher Hinsicht ist, weist es vielleicht einen größeren Bestand an kleinen Nagern[1] auf als jedes andere Land auf der Welt. Mehrere Mäusearten sind äußerlich von großen, dünnen Ohren und einem sehr feinen Fell gekennzeichnet. Diese kleinen Tiere schwärmen im Dickicht der Täler umher, wo sie monatelang außer dem Tau keinen Tropfen Wasser bekommen. Sie scheinen alle Kannibalen zu sein, denn kaum war eine Maus in eine meiner Fallen geraten, wurde sie sogleich von anderen gefressen. Ein kleiner, zartgliedriger Fuchs, der ebenfalls weit verbreitet ist, bestreitet wahrscheinlich seine gesamte Nahrung mit diesen kleinen Tieren. Auch das Guanako ist hier heimisch; Herden mit fünfzig oder hundert Tieren waren üblich, und wie ich schon schrieb, sahen wir eine, die wenigstens fünfhundert umfasst haben dürfte. Diesen Tieren folgt der Puma

und macht Jagd auf sie, im Schlepptau den Kondor und andere Aasvögel. Die Spuren des Puma waren fast überall am Flussufer zu sehen, und die Überreste mehrerer Guanakos mit verdrehtem Hals und gebrochenen Knochen zeigten an, wie sie den Tod gefunden hatten.

26. April – An diesem Tag stießen wir auf eine merkliche Veränderung im geologischen Aufbau der Ebene. Von unserem Aufbruch an hatte ich das Geröll im Fluss sehr sorgfältig untersucht, und während der ersten beiden Tage waren mir einige wenige kleine Kiesel eines sehr blasigen Basalts aufgefallen. Diese nahmen allmählich an Zahl und Größe zu, keiner jedoch war so groß wie ein Männerschädel. Heute Morgen dagegen wurden Kiesel desselben Gesteins, aber dichter, plötzlich sehr häufig, und im Verlauf einer halben Stunde sahen wir in einer Entfernung von fünf oder sechs Meilen den kantigen Rand einer großen Basaltterrasse. Als wir ihren Fuß erreichten, sahen wir, dass der Fluss zwischen den herabgefallenen Blöcken sprudelte. Auf den folgenden achtundzwanzig Meilen war der Flusslauf von diesen Basaltmassen behindert. Jenseits davon waren gewaltige Trümmer Urgestein, die von der Geschiebeformation in der Umgebung stammten, ebenso zahlreich vorhanden. Keines der Trümmer von nennenswerter Größe war weiter als drei oder vier Meilen unterhalb ihres Ausgangsorts den Fluss hinabgespült worden: Angesichts der außerordentlichen Geschwindigkeit der großen Wassermassen des Santa Cruz und dessen, dass an keiner Stelle ruhige Abschnitte auftreten, ist dies ein äußerst verblüffendes Beispiel dafür, wie wenig Flüsse in der Lage sind, auch nur mäßig große Bruchstücke zu transportieren.

Der Basalt ist nur Lava, welcher unter Meerwasser geflossen ist; die Eruptionen hingegen dürften größten Ausmaßes gewesen sein. An der Stelle, wo wir als Erstes auf diese Formation stießen, betrug ihre Stärke 120 Fuß; indem sie dem Flusslauf aufwärts folgte, hob sich die Fläche unmerklich an, und die Masse wurde stärker, bis sie bei vierzig Meilen oberhalb des ersten Rastorts 320 Fuß stark war.

Patagonisches Guanaco

Wie stark sie nahe den Kordilleren sein mag, vermag ich nicht zu ermessen, doch erreicht die Terrasse dort eine Höhe von ungefähr dreitausend Fuß überm Meeresspiegel: Daher müssen wir ihren Ursprung bei den Bergen dieser großen Kette suchen, und eines solchen Ursprungs sind Ströme würdig, die über den sanft geneigten Meeresgrund auf einer Entfernung von hundert Meilen geflossen sind. Der erste Blick auf die Basalthänge auf der anderen Seite des Tales zeigte, dass die Schichten einstmals vereint waren. Welche Kraft hat also eine feste Masse sehr harten Gesteins mit einer durchschnittlichen Stärke von nahezu dreihundert Fuß und einer Breite, die von deutlich unter zwei Meilen bis zu vier variierte, über ein ganzes Land hinweggeschafft? Der Fluss könnte, obgleich er zu geringe Kraft hat, um selbst unbeträchtliche Fragmente zu transportieren, im Laufe der Zeit durch allmähliche Erosion doch eine Wirkung ausüben, deren Tragweite schwierig abzuschätzen ist. In diesem Falle jedoch können, unabhängig von der Geringfügigkeit einer solchen Einwirkung, gute Gründe für die Annahme vorgebracht werden, dass dieses Tal früher einmal von einem Meeresarm ausgefüllt war. Hätte ich genügend Raum, so könnte ich beweisen, dass Südamerika hier einstmals von einer Meeresstraße durchtrennt war, welche, ähnlich der Magellanstraße, den Atlantischen und den Pazifischen Ozean verband. Dennoch bleibt die Frage bestehen, wie wurde dieser dichte Basalt entfernt? Früher hätten Geologen die heftige Wirkung einer gewaltigen Mure ins Spiel gebracht; hier jedoch wäre eine solche Annahme vollkommen unzulässig, weil die gleichen stufenartigen Ebenen, auf denen sich heute noch lebende Seemuscheln finden und welche bis an die lange Küstenlinie Patagoniens gehen, zu beiden Seiten des Tales des Santa Cruz aufsteigen. Keine mögliche Einwirkung einer Flut hätte das Land so formen können, sei's im Tal oder an der offenen Küste, und durch die Bildung solch stufiger Ebenen oder Terrassen wurde dann das Tal ausgehöhlt. Obwohl wir wissen, dass es Gezeitenströme gibt, die in der Enge der Magellanstraße mit einer Geschwindigkeit von acht Knoten fließen, müssen wir doch gestehen, dass uns beinahe schwindelig wird, wenn wir die Zahl der Jahre bedenken, welche die Gezeiten Jahrhundert um Jahrhundert, ohne Unterstützung durch eine starke Brandung, gebraucht haben dürf-

Basaltkliffe in Patagonien

ten, um ein so gewaltiges Gebiet massiger Basaltlava von solcher Stärke zu zerfressen. Gleichwohl müssen wir annehmen, dass die vom Wasser unterhöhlten Schichten dieser alten Meerenge zu riesigen Trümmern zerbrochen und diese, als sie verstreut am Strand lagen, erst zu kleineren Blöcken, dann zu Kieseln und endlich zu kaum mehr fassbarem Schlamm zerkleinert wurden, welchen die Gezeiten weit in den östlichen oder westlichen Ozean hinausgetragen haben.

27. April – Heute habe ich einen Kondor geschossen. Er maß von einer Flügelspitze zur anderen achteinhalb Fuß, von Schnabel zu Schwanz vier. Es ist bekannt, dass dieser Vogel eine große geographische Verbreitung hat, da er an der Westküste Südamerikas von der Magellanstraße die Kordilleren entlang bis auf 8° nördlich des Äquators angetroffen wird. Der Steilhang nahe der Mündung des Rio Negro ist seine Nordgrenze an der patagonischen Küste, wohin sie von der großen zentralen Linie ihres Wohnraums in den Anden ungefähr vierhundert Meilen weit gewandert sind. Weiter südlich, zwischen den jähen Steilwänden an der Spitze von Port Desire, ist der Kondor nicht selten, allerdings suchen nur wenige Versprengte gelegentlich die Meeresküste auf. Häufiger besucht wird von diesen Vögeln eine Klifflinie nahe der Mündung des Santa Cruz, und ungefähr achtzig Meilen flussaufwärts, wo die Talseiten von steilen Basaltwänden gebildet werden, treten sie wieder auf. Demnach benötigt der Kondor offenbar steil abfallende Kliffs. In Chile durchstreifen sie im überwiegenden Teil des Jahres das tiefer gelegene Land nahe der Pazifikküste, und nachts schlafen mehrere von ihnen zusammen auf einem Baum; im Frühsommer hingegen ziehen sie sich in die unzugänglichsten Teile der inneren Kordilleren zurück, um dort in Frieden zu brüten.

Hinsichtlich ihrer Fortpflanzung sagten mir Landleute in Chile, der Kondor baue keinerlei Nest, lege aber in den Monaten November und Dezember zwei große weiße Eier auf einem nackten Felsvorsprung ab. Es heißt, die jungen Kondore könnten ein volles Jahr nicht fliegen, und noch lange, nachdem sie es beherrschten, schliefen sie nachts und jagten am Tage mit ihren Eltern. Die alten Vögel leben im Allgemeinen als Paar, doch fand ich unter den Basaltwänden im Hinterland des Santa Cruz eine Stelle, wo sie zu Dutzenden verkehren müssen. Als ich unvermittelt an die Kante des Steilhangs trat, war es ein großartiges Schauspiel zu beobachten, wie zwischen zwanzig und dreißig dieser großen Vögel schwerfällig von ihrem Ruheplatz abflogen und in majestätischen Kreisen davonsegelten. Der Menge des Dungs auf diesen Felsen nach zu urteilen, müssen sie diese Wand lange schon zum Schlafen und Brüten genutzt haben. Wenn sie sich unten auf den Ebenen mit Aas vollgefressen haben, ziehen sie sich auf diese ihre Lieblingsfelsen zurück, um ihr Mahl zu verdauen. Demnach muss der Kondor wie auch der Gallinazo bis zu einem gewissen Grad als geselliger Vogel angesehen werden. In diesem Landstrich leben sie ausschließlich von den Guanakos, die eines natürlichen Todes gestorben oder, was häufiger vorkommt, von einem Puma getötet worden sind. Nach dem, was ich in Patagonien gesehen habe, glaube ich, dass sie ihre täglichen Ausflüge für gewöhnlich nicht auf größere Entfernung von ihrem üblichen Schlafplatz ausdehnen.

Man kann die Kondore häufig in großer Höhe sehen, wie sie in den anmutigsten Kreisen über einem bestimmten Punkt aufsteigen. Manchmal tun sie dies gewiss nur zum Vergnügen, manchmal beobachten sie aber auch, wie der chilenische Landsmann einem erzählt, ein verendendes Tier oder den Puma,

Andenkondor (*Vultur gryphus*)

wie er seine Beute verzehrt. Die Chilenen töten und fangen sie in großer Zahl. Dabei geht man nach zwei Methoden vor; die eine ist, ein Aas in ein Gehege aus Stöcken mit einer Öffnung auf ebener Erde zu legen und, wenn die Kondore sich satt gefressen haben, zu Pferde zum Eingang zu galoppieren und sie so einzusperren: Denn wenn der Vogel keinen Platz zum Laufen hat, kann er seinem Körper nicht genügend Schwung geben, um sich von der Erde zu erheben. Die zweite Methode ist, die Bäume zu bezeichnen, auf denen sie, oftmals bis zu fünfen oder sechsen, zusammen schlafen, und dann nachts hinaufzuklettern und sie mit einer Schlinge zu fangen. Sie haben einen solch tiefen Schlaf, wie ich selbst schon gesehen habe, dass dies keine schwierige Aufgabe ist. In Valparaíso habe ich gesehen, wie ein lebender Kondor für sechs Pence verkauft wurde, der übliche Preis beträgt jedoch acht oder zehn Shilling. Einen hat man gebracht, der war mit einem Strick zusammengebunden und stark verletzt, doch kaum war die Schnur, womit sein Schnabel gesichert war, durchtrennt, machte er sich, obgleich Leute darum standen, gierig über ein Stück Aas her. In einem Garten in derselben Stadt wurden zwischen zwanzig und dreißig lebendig gehalten. Sie wurden nur einmal die Woche gefüttert, aber sie erschienen mir bei recht guter Gesundheit.[2] Die chilenischen Landsleute behaupten, der Kondor lebe zwischen fünf und sechs Wochen ohne Nahrung und behalte noch seine Kraft. Ich kann nicht bestätigen, ob das wahr ist, doch es ist ein grausames Experiment, das sehr wahrscheinlich durchgeführt worden ist.

Die Beweise für oder wider den feinen Geruchssinn von Aasgeiern sind eigentümlich ausgeglichen. Professor Owen hat demonstriert, dass die Geruchsnerven des Truthahngeiers *(Cathartes aura)* hoch entwickelt sind, und an dem Abend, als Mr. Owens Aufsatz vor der Zoologischen Gesellschaft vorgetragen wurde, erwähnte ein Herr, er habe auf den Westindischen Inseln zweimal beobachtet, wie sich Caracaras auf dem Dach eines Hauses versammelten, in dem ein Leichnam übel roch, weil er nicht beerdigt worden war: In diesem Fall konnte die Kenntnis schwerlich durch Augenschein erlangt worden sein. Andererseits hat Mr. Bachman, neben Audubons Experimenten und jenem einen von mir, in den Vereinigten Staaten mittels vieler verschiedener Verfahren zu zeigen versucht, dass weder der Truthahngeier (die Art, die Professor Owen sezierte) noch der Gallinazo ihre Nahrung über den Geruch finden. Er bedeckte Teile stark riechender Gedärme mit einem dünnen Leintuch und streute Fleischstückchen darauf; diese fraßen die Aasgeier auf und blieben dann ruhig stehen, obwohl ihre Schnäbel ein Achtel Zoll von der faulenden Masse entfernt waren, ohne sie zu entdecken. Das Leintuch wurde ein wenig eingerissen, worauf die Gedärme sogleich entdeckt wurden; sodann wurde das Leintuch durch ein frisches Stück ersetzt und erneut Fleisch darauf gestreut, und wieder wurde es von den Geiern verzehrt, ohne dass sie die verborgene Masse wahrnahmen, auf der sie herumtrampelten. Diese Fakten sind neben der Unterschrift Mr. Bachmans von jenen weiterer sechs Herren beglaubigt.[3]

29. April – Von einem Hochland aus begrüßten wir freudig die weißen Gipfel der Kordilleren, wie sie hin und wieder durch ihre düstere Wolkenhülle lugten. Während der folgenden Tage kamen wir weiterhin langsam voran, denn der

EINSATZ: Kondor (*Sarcoramphus gryphus*)
OBEN: Königsgeier-Paar (*Sarcoramphus papa*)

Flusslauf erwies sich als sehr gewunden und übersät mit gewaltigen Trümmern aus verschiedenartigem altem Schiefergestein und Granit. Die Ebene, die an das Tal grenzte, hatte hier eine Höhe von ungefähr 1100 Fuß über dem Fluss erreicht, und ihr Gepräge war stark verändert. Die wohlgerundeten Porphyrkiesel waren mit zahlreichen riesigen kantigen Fragmenten aus Basalt und Urgestein vermischt. Der erste dieser erratischen Blöcke, den ich sah, war siebenundsechzig Meilen vom nächsten Berg entfernt; ein weiterer, den ich vermaß, betrug fünf Yard im Quadrat und ragte fünf Fuß über den Kies hinaus. Seine Kanten waren so scharf und er selbst so groß, dass ich ihn zunächst für einen Fels *in situ* hielt und nach meinem Kompass griff, um die Richtung seiner Schieferung zu bestimmen. Die Ebene hier war nicht ganz so flach wie weiter zur Küste hin, dennoch verriet sie keinerlei Anzeichen größerer Gewalteinwirkung. Unter diesen Umständen ist es, glaube ich, ganz unmöglich, die Beförderung dieser gigantischen Gesteinsmassen so viele Meilen von ihrem Ursprung entfernt mit einer anderen Theorie als jener der treibenden Eisberge zu erklären.

4. Mai – Kapitän Fitz Roy entschied, die Boote nicht weiter zu schleppen. Der Fluss nahm einen gewundenen Verlauf und war sehr reißend, und das Aussehen der Landschaft bot keine Versuchung, weiterzuziehen. Überall trafen wir auf die gleichen Erzeugnisse und die gleiche trübselige Landschaft. Wir waren nun einhundertvierzig Meilen vom Atlantik entfernt und ungefähr sechzig vom nächsten Arm des Pazifiks. Das Tal dehnte sich in diesem oberen Teil zu einem weiten Becken, das im Norden und Süden von den Basaltterrassen eingefasst war und vor einer langen Kette der schneebedeckten Kordilleren endete. Doch betrachteten wir die großartigen Berge mit Bedauern, da wir uns ihre Natur und Erzeugnisse vorstellen mussten, statt, wie wir gehofft hatten, auf ihren Gipfeln zu stehen. Abgesehen von dem unnützen Zeitverlust, den uns ein Versuch, dem Fluss weiter aufwärts zu folgen, eingetragen hätte, waren wir schon seit einigen Tagen auf halber Brotration.

5. Mai – Vor Sonnenaufgang begannen wir unsere Talfahrt. Mit hoher Geschwindigkeit schossen wir den Fluss hinab, zumeist mit zehn Knoten. An diesem einen Tag bewältigten wir eine Strecke, deren Anstieg uns fünfeinhalb Tage harter Arbeit gekostet hatte. Am 8. erreichten wir nach unserer einundzwanzig Tage währenden Expedition die Beagle. Alle, mich ausgenommen, hatten Anlass zur Unzufriedenheit, mir aber hatte der Anstieg ein äußerst interessantes Profil der großen Tertiärformation Patagoniens gewährt.

Am 1. März 1833 und dann wieder am 16. März 1834 ankerte die *Beagle* im Berkeley Sound an der östlichen Falklandinsel. Dieser Archipel liegt auf nahezu derselben Breite wie die Einmündung der Magellanstraße; er bedeckt eine Fläche von einhundertzwanzig auf sechzig geographische Meilen und ist wenig mehr als halb so groß wie Irland. Nachdem der Besitz dieser elenden Inseln von Frankreich, Spanien und England beansprucht worden war, blieben sie unbewohnt. Daraufhin verkaufte die Regierung von Buenos Ayres sie an eine Privatperson, nutzte sie aber gleichzeitig, wie das alte Spanien es getan hatte, als Strafkolonie. England machte sein Recht geltend und nahm sie in Besitz. Der Engländer, in dessen Obhut die Fahne zurückblieb, wurde daraufhin ermordet. Als Nächster wurde ein britischer Offizier ohne Unterstützung durch jedwede Macht hingeschickt, und als wir hinkamen, trafen wir ihn als Oberhaupt einer Einwohnerschaft an, wovon über die Hälfte entflohene Rebellen und Mörder waren.

~ AUS ~

VERLAUF DER ZWEITEN EXPEDITION 1831–1836

VON ROBERT FITZ ROY

Im Erscheinungsbild der Falklandinseln gibt es sehr wenig Bemerkenswertes oder Reizvolles. Beim größeren Teil des Archipels sind die unfruchtbaren Hügel, die zum tief gelegenen und unebenen Talboden hin abfallen, oder felsigen von der Brandung umspülten Ufer die einzigen Objekte, die ins Auge stechen. Auf West-Falkland, und einigen Inselchen nahebei, stehen hohe steile Kliffe, die an einigen Stellen im Westen dem Meer ausgesetzt sind; doch andere Ecken und vor allem die südlichen Teile von Ost-Falkland liegen so tief, dass sie vom fünf Meilen entfernten Deck eines Schiffs nicht zu sehen sind. Die durchschnittliche Höhe der westlichen Insel ist größer als die der östlichen, obgleich die höchsten Gipfel auf Letzterer zu sein scheinen, wo sie sich bis auf etwa dreizehnhundert Fuß erheben.

Rund um die Falklands, insbesondere zum südöstlichen und nordwestlichen Ende hin, gibt es zahlreiche Inselchen und Felsen, die wegen ihrer Nähe zu den Ufern, wo die Tiden hoch und die Winde genauso heftig wie plötzlich sind, überaus gefährlich sind; noch mehr vor allem am Nordwestende der Gruppe; und da Seeleute Informationen über diese Dinge brauchen, bevor sie in einen Hafen einfahren, werde ich vor allem anderen über die Tiden, Winde und das Klima berichten.

Das Theater ist der Szenen wert, die darin gespielt werden. Das gewellte Land mit seinem trostlosen und erbärmlichen Aussehen ist überall von Torfboden und hartem Gras bedeckt, alles in einem monotonen Braun. Hier und da durchbricht eine Spitze oder ein Grat grauen Quarzsteins die weiche Oberfläche. Jedermann hat vom Klima dieser Regionen gehört; es lässt sich mit jenem vergleichen, das man in einer Höhe zwischen ein- und zweitausend Fuß auf den Bergen von Nordwales hat, dabei jedoch weniger Sonnenschein und weniger Frost, aber mehr Wind und Regen.[4]

Berkeley Sound, östliche Falklandinsel

16. Mai – Ich möchte nun eine kurze Exkursion schildern, die ich durch einen Teil dieser Insel unternahm. Am Morgen brach ich mit sechs Pferden und zwei Gauchos auf: Letztere waren für diesen Zweck bestens geeignet und es gewohnt, sich selbst zu verpflegen. Das Wetter war sehr stürmisch und kalt, dazu kam schwerer Hagel. Dennoch kamen wir recht gut voran, doch abgesehen von der Geologie konnte nichts uninteressanter sein als unser Tagesritt. Das Land besteht einförmig aus demselben welligen Moorland; der Boden ist mit hellbraunem welkem Gras und einigen sehr kleinen Büschen bedeckt, und alles sprießt aus nachgiebigem Torfboden. Hier und da kann man in den Tälern eine kleine Schar Wildgänse sehen, und überall war die Erde so weich, dass die Schnepfen Nahrung fanden. Abgesehen von diesen beiden Vögeln gab es kaum andere. Eine große Hügelkette, aus Quarzstein bestehend, erhebt sich auf annähernd 2000 Fuß; ihre zerklüfteten, kahlen Kämme erschwerten uns ihre Überquerung. An der Südseite kamen wir in bestes Land für wilde Rinder, allerdings begegneten sie uns nur in geringer Zahl, da ihnen in der Zeit davor sehr zugesetzt worden war.

Kelpgans-Paar *(Chloephaga hybrida)*, Magellanstraße

Am Abend stießen wir auf eine kleine Herde. Einer meiner Begleiter, mit Namen St. Jago, hatte schon bald eine fette Kuh ausgesondert; er warf die *bolas*, die wohl ihre Beine trafen, sich aber nicht verschlangen. Er ließ seinen Hut an die Stelle fallen, wo er die Kugeln zurückließ, wickelte in vollem Galopp seinen *lazo* ab, holte die Kuh nach sehr scharfem Ritt wieder ein und erwischte sie an den Hörnern. Es war bewundernswert anzusehen, mit welcher Flinkheit St. Jago um das Tier herumsprang, bis er es letztlich schaffte, an der Hauptsehne des Hinterbeins den entscheidenden Schnitt zu setzen, wonach er das Messer ohne größere Schwierigkeiten ins obere Ende des Rückenmarks stieß, worauf die Kuh wie vom Blitz getroffen umfiel. Er schnitt so viele Fleischstücke samt der Haut, aber ohne Knochen heraus, wie sie für unsere Expedition genügten. Sodann ritten wir zu unserem Schlafplatz und verzehrten als Abendmahl *carne con cuero*, also mit der Haut geröstetes Fleisch. Es ist gewöhnlichem Fleisch ebenso überlegen wie Wildbret Hammel. Ein großes, kreisförmiges Stück aus dem Rücken wird auf der Glut mit dem Fell nach unten und in der Form einer Untertasse geröstet, sodass vom Bratensaft nichts verloren geht. Hätte ein würdiger Ratsherr an jenem Abend mit uns gespeist, so wäre *carne con cuero* zweifellos bald in London berühmt geworden.

In der Nacht regnete es, und der folgende Tag (17.) war sehr stürmisch, und es gab viel Hagel und Schnee. Wir ritten über die Insel bis zu der Landenge, welche den Rincon del Toro (die große Halbinsel am südwestlichen Ende) mit der übrigen Insel vereint.

Auf unserem ganzen Ritt sahen wir nur eine Horde Wildpferde. Diese Tiere waren, ebenso wie die Rinder, 1764 von den Franzosen eingebürgert worden, und seitdem haben sich beide stark vermehrt. Eigenartig ist, dass die Pferde nie den Ostteil der Insel verlassen haben, obwohl keine natürliche Grenze sie daran hindert umherzustreifen, und jener Teil der Insel nicht verlockender als alles andere ist. Die Gauchos, die ich danach befragte, bestätigten mir dies zwar, waren aber außerstande, es zu erklären, außer mit einer starken Bindung, welche Pferde an einen Ort haben, den sie gewöhnt sind. Angesichts dessen, dass die Insel nicht dicht besetzt erscheint und dass es keine Raubtiere gibt, war mir besonders daran gelegen zu erfahren, was ihre ursprünglich rasche Vermehrung gehemmt hat. Dass sich auf einer begrenzten Insel früher oder später ein Hemmnis einstellt, ist unausweichlich, doch warum wurde die Zunahme der Pferde früher als die der Rinder gehemmt? Kapitän Sulivan hat sich mit dieser meiner Anfrage sehr viel Mühe gemacht. Die hier beschäftigten Gauchos schreiben es hauptsächlich den Hengsten zu, die unablässig von Ort zu Ort ziehen und die Stuten zwingen, sie zu begleiten, gleich, ob die jungen Fohlen folgen können oder nicht. Die vorherrschenden Farben sind rötlich braun und eisengrau. Alle hier geborenen Pferde, die wilden wie die zahmen, sind von recht kleinem Wuchs, wenn auch allgemein in gutem Zustand, und sie haben so viel Kraft verloren, dass sie nicht geeignet sind, wilde Rinder mit dem *lazo* einzufangen, weswegen es nötig ist, unter großen Kosten frische Pferde vom Plata einzuführen. Irgendwann in der Zukunft wird die südliche Hemisphäre wahrscheinlich ihre Rasse Falkland-Ponys haben, so wie die nördliche ihre Shetland-Rasse hat.

Die Rinder haben, wie schon angemerkt, statt wie die Pferde degeneriert zu sein, offenbar an Größe gewonnen, auch sind sie viel zahlreicher als diese. Kapitän Sulivan teilte mir mit, dass sie

Gaucho und Rinderherde in Sichtweite des Vulkans Lanin, Patagonien

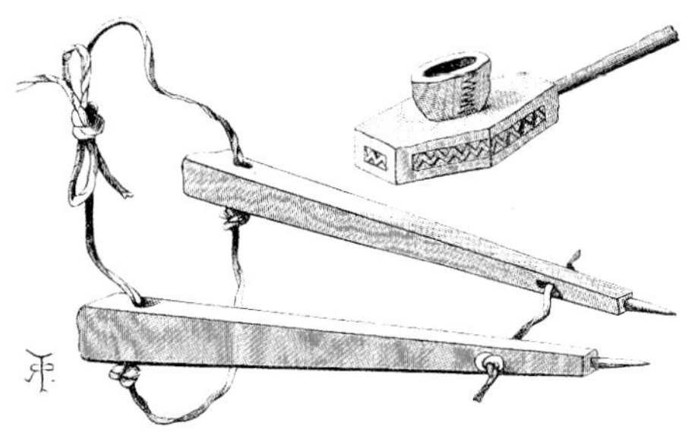

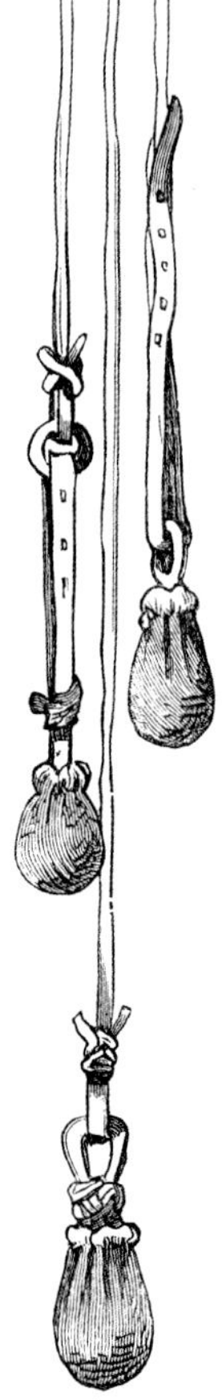

OBEN: Patagonische Sporen und Pfeife
LINKS: Patagonische *bolas*

in der allgemeinen Form des Körpers wie auch der ihrer Hörner weit weniger variieren als englische Rinder.

Ein weiteres Tier, das eingebürgert wurde, ist das Kaninchen, und auch es hat sich so gut entwickelt, dass es in weiten Teilen der Insel stark verbreitet ist. Doch ähnlich wie die Pferde beschränkt es sich nur auf bestimmte Gebiete: Die mittlere Hügelkette haben sie nicht überwunden, und nicht einmal bis zu deren Fuß hätten sie sich ausgebreitet, wenn nicht, wie die Gauchos mir berichteten, kleine Kolonien dorthin getragen worden wären. Ich hätte nicht vermutet, dass diese Tiere, deren Ursprung Nordafrika ist, in einem so feuchten Klima, das so wenig Sonne erhält, dass selbst Weizen nur gelegentlich reift, existieren könnten. Zudem hatten sich die ersten Paare gegen schon vorhandene Feinde, den Fuchs und einige größere Falken, behaupten müssen. Die französischen Naturforscher haben die schwarze Varietät als gesonderte Art angesehen und sie *Lepus magellanicus* genannt.[5] Sie glaubten, Magellan habe diese Art gemeint, als er von einem Tier an der Magellanstraße mit Namen *conejos* sprach, doch er meinte ein kleines Meerschweinchen, das bis zum heutigen Tage von den Spaniern so genannt wird. Die Gauchos lachten über die Vorstellung, die schwarze Art unterscheide sich von der grauen, und sagten, sie habe ihren Lebensraum auf keinen Fall weiter als die graue Art erweitert, dass die beiden nie getrennt angetroffen würden und dass sie sich gern gemeinsam fortpflanzten und gescheckte Nachkommen hervorbrächten. Von Letzteren besitze ich nun ein Exemplar, und es ist am Kopf anders als in der spezifischen französischen Beschreibung gezeichnet. Dies zeigt, wie vorsichtig Naturforscher darin sein sollten, eine Art zu bestimmen, denn selbst Cuvier glaubte, als er den Schädel eines dieser Kaninchen betrachtete, es sei wahrscheinlich eine eigene!

Der einzige auf der Insel heimische Vierfüßer[6] ist ein großer wolfartiger Fuchs *(Canis antarcticus)*, der auf Ost- wie West-Falkland vorkommt. Ich zweifle nicht daran, dass er eine eigene Art und auf diesen Archipel beschränkt ist, denn viele Robbenfänger, Gauchos und Indianer, welche diese Inseln besucht haben, versichern allesamt, ein solches Tier gebe es nirgendwo in Südamerika. Molina glaubte aufgrund einer Ähnlichkeit der Lebensweise, er sei mit seinem *culpeu* identisch[7] aber ich habe beide gesehen, und sie sind völlig verschieden. Diese Wölfe sind nach Byrons Schilderung wegen ihrer Zahmheit und Neugierde, welche die Seeleute, die vor ihnen ins Wasser rannten, mit Wildheit verwechselten, gut bekannt. Bis zum heutigen Tage ist ihr Benehmen

GEGENÜBER: Patagonischer Hase *(Dolichotis patagonum)*

gleich geblieben. Man hat beobachtet, wie sie in ein Zelt gelaufen sind und einem schlafenden Seemann sogar ein Stück Fleisch unterm Kopf hervorgezogen haben. Die Gauchos haben sie auch häufig am Abend getötet, indem sie ihnen mit einer Hand ein Stück Fleisch hinhielten und in der anderen ein Messer bereit hatten, um gleich zuzustechen. Soweit mir bekannt ist, gibt es nirgendwo auf der Welt ein weiteres Beispiel einer so kleinen zerklüfteten Landmasse, fern von jedem Kontinent, die einen so großen, ganz eigenen heimischen Vierfüßer aufweist. Ihre Zahl hat rapide abgenommen; schon sind sie von jener Hälfte der Insel verschwunden, die östlich der Landenge zwischen St. Salvador Bay und Berkeley Sound liegt. Binnen sehr weniger Jahre, wenn diese Inseln regelrecht besiedelt sind, wird dieser Fuchs aller Wahrscheinlichkeit nach genau wie der Dodo als ein Tier eingestuft werden, das vom Angesicht der Erde verschwunden ist.

19. Mai – Jeden Morgen war ich, da ich eine Zeit lang nicht geritten war, sehr steif. Zu meiner Überraschung sagten die Gauchos, die von Kindesbeinen an praktisch auf Pferden lebten, dass auch sie stets unter ähnlichen Umständen litten. St. Jago erzählte mir, nachdem er einmal drei Monate wegen einer Krankheit darniedergelegen habe, sei er auf die Jagd nach wilden Rindern gegangen, wonach seine Schenkel zwei Tage lang so steif gewesen seien, dass er im Bett habe liegen müssen. Das zeigt, dass die Gauchos, auch wenn es nicht den Anschein hat, beim Reiten doch erhebliche Muskelanstrengungen aufbringen müssen. Wilde Rinder zu jagen muss in einem Land, das wegen des sumpfigen Bodens so schwierig zu bereiten ist, sehr harte Arbeit sein. Die Gauchos sagen, sie ritten oftmals mit voller Geschwindigkeit über einen Boden, der bei langsamerem Tempo unpassierbar wäre, ganz so, wie ein Mensch über dünnes Eis mit Schlittschuhen laufen kann. Auf der Jagd versucht die Gesellschaft, sich der Herde so weit wie möglich zu nähern, ohne entdeckt zu werden. Ein jeder trägt vier oder fünf Paar *bolas*; diese schleudert er nacheinander auf so viele Rinder wie möglich, welche, nachdem sie gefangen sind, einige Tage so belassen werden, bis sie vom Hunger und Kämpfen etwas erschöpft sind. Dann werden sie freigelassen und zu einer Herde aus zahmen Tieren getrieben, die zu diesem Zweck dorthin gebracht wurden. Da sie von der vorherigen Behandlung zu ängstlich geworden sind, um die Herde zu verlassen, kann man sie, falls ihre Kraft ausreicht, leicht zur Siedlung treiben.

Die geologische Struktur dieser Inseln ist in nahezu jeder Hinsicht einfach. Das Tiefland besteht aus Tonschiefer und Sandstein, der Fossilien enthält, welche eng verwandt, aber nicht identisch sind mit jenen, die in den Silurformationen Europas angetroffen werden; die Berge sind aus weißem granuliertem Quarzgestein gebildet. Letztere Schichten sind häufig vollkommen symmetrisch gewölbt, und das Aussehen einiger der Gesteins-

Falklandwolf (*Canis antarcticus*, inzwischen *Dusicyon australis*)

massen ist folglich ganz eigentümlich. Pernety[8] hat mehrere Seiten der Beschreibung eines Ruinenhügels gewidmet, dessen sukzessive Schichten er zu Recht mit den Rängen eines Amphitheaters verglich. Das Quarzgestein dürfte ganz teigig gewesen sein, als es solch beachtlichen Beugungen ausgesetzt war, ohne dabei zu Trümmern zerschmettert zu werden. Da der Quarz unmerklich in Sandstein übergeht, ist es wahrscheinlich, dass Ersterer seinen Ursprung dem Umstand verdankt, dass der Sandstein auf eine Temperatur erhitzt wurde, bei der er viskos wurde, und bei der Abkühlung kristallisierte. Während er noch in weichem Zustand war, muss er durch die darüberliegenden Lager gestoßen worden sein.

In vielen Teilen der Insel sind die Talsohlen in außerordentlichem Maße von Myriaden großer loser, spitzer Trümmer aus Quarzgestein übersät, die «Steinströme» bilden. Diese werden von jedem Reisenden seit der Zeit Pernetys mit Überraschung erwähnt. Die Blöcke sind nicht vom Wasser geglättet, ihre Spitzen nur gering abgestumpft; ihre Größe variiert von ein, zwei Fuß bis zu zehn im Durchmesser oder gar bis zum Zwanzigfachen dessen. Die Breite dieser Steinflächen variiert von einigen hundert Fuß bis zu einer Meile, doch der Torfboden dringt täglich an den Rändern vor und bildet sogar Inselchen, wo einige Trümmer zufällig dicht beieinander liegen. In einem Tal südlich des Berkeley Sound, welches einige aus unserer Gruppe das «große Tal der Trümmer» nannten, musste ein ununterbrochenes, eine halbe Meile breites Band überquert werden, indem man von einem spitzen Stein zum nächsten sprang. Die Trümmer waren so groß, dass ich, als ein Regenschauer mich überraschte, sogleich unter einem Schutz fand.

Da die Trümmer in den Tälern weder gerundet noch die Spalten dazwischen mit Sand gefüllt sind, müssen wir folgern, dass die Periode der Gewalteinwirkung kam, nachdem das Land schon über das Meer hinaus angehoben worden war. Daher scheinen die Trümmer vom oberen Ende des Tales gewandert zu sein; tatsächlich aber ist es wahrscheinlicher, dass sie von den nächsten Hängen herabgeschleudert und seitdem durch eine Rüttelbewegung von überwältigender Kraft[9] zu einer fortlaufenden Fläche eingeebnet wurden. Wenn man es bei dem

Gypsy Cove, Falklandinseln

Erdbeben[10], das 1835 Concepción in Chile vernichtete, erstaunlich fand, dass kleine Brocken einige Zoll vom Erdboden hochgeschleudert wurden, was müssen wir dann zu einer Bewegung sagen, die bewirkte, dass Trümmer von mehreren Tonnen Gewicht sich ganz wie Sand auf einem Rüttelbrett fortbewegten und ihr Niveau fanden? In den Kordilleren der Anden habe ich deutliche Anzeichen dafür gesehen, dass riesige Berge gleich einer dünnen Kruste in Stücke gebrochen und die Schichten auf ihre vertikalen Kanten geworfen wurden; nie jedoch hat mir eine Szene wie jene «Steinströme» die Vorstellung einer Erschütterung, deren Entsprechung wir in historischen Aufzeichnungen vergeblich suchen würden, so nachhaltig vor Augen geführt. Wahrscheinlich aber wird der Fortschritt des Wissens eines Tages eine einfache Erklärung dieses Phänomens liefern, wie er es schon bei dem so lange für unerklärlich erachteten Transport der erratischen Blöcke getan hat, die über die Ebenen Europas verstreut sind.

Zur Zoologie dieser Inseln habe ich wenig zu bemerken. Den Aasgeier oder Polyborus habe ich schon beschrieben. Des Weiteren gibt es noch Falken, Eulen und einige kleine Landvögel. Besonders zahlreich sind die Wasservögel, und den Berichten der alten Navigatoren zufolge müssen sie früher noch verbreiteter gewesen sein. Einmal beobachtete ich einen Kormoran, wie er mit einem Fisch spielte, den er gefangen hatte. Acht Mal hintereinander ließ er seine Beute fahren und tauchte ihr dann hinterher, und obgleich das Wasser tief war, brachte er ihn jedes Mal wieder an die Oberfläche. In den Zoologischen Gärten habe ich gesehen, wie der Otter in gleicher Weise mit einem Fisch verfuhr, ganz wie eine Katze mit einer Maus: Ich weiß von keinem anderen Beispiel, wo Mutter Natur so mutwillig grausam erscheint. Ein anderes Mal stellte ich mich zwischen einen Pinguin *(Aptenodytes demersa)* und das Wasser und amüsierte mich sehr über sein Verhalten. Er war ein tapferer Vogel, und bis er das Meer erreichte, kämpfte er regelrecht und trieb mich zurück. Nichts weniger als kräftige Schläge hätten ihn aufgehalten: Jeden Zoll, den er gewann, verteidigte er standhaft, indem er sich aufrecht und entschlossen vor mich hin stellte. Derart angegangen, rollte er in sehr possierlicher Weise unablässig den Kopf hin und her, so als liege das klare Sehvermögen nur im vorderen und basalen Teil des Auges. Dieser Vogel wird gemeinhin Eselspinguin genannt, weil er, wenn an Land, die Angewohnheit hat, den Kopf zurückzuwerfen und ein lautes, eigenartiges Geräusch auszustoßen, das dem Schrei des Esels sehr ähnelt; ist er jedoch im Meer und ungestört, ist der Ton sehr tief und ernst und wird häufig in der Nacht vernommen. Beim Tauchen benutzt er seine kleinen Flügel als Flossen, an Land wiederum als Vorderbeine. Wenn er, wie man sagen könnte, auf allen Vieren durch die Grasbüschel oder über einen Grashang läuft, ist er so überaus schnell, dass man ihn leicht für einen Vierfüßer halten könnte. Im Meer, beim Fischen, kommt er zum Zwecke des Luftholens mit solcher Schnellkraft an die Oberfläche und taucht so unvermittelt wieder ab, dass jeder, der ihn zum ersten Mal sieht, bestimmt meint, ein Fisch sei zum Zeitvertreib gesprungen.

Zwei Gänsearten kommen auf den Falklandinseln vor. Die Hochland-Art *(Anas magellanica)* ist auf der ganzen Insel verbreitet und tritt in Paaren oder ganzen Gruppen auf. Sie wandern nicht, sondern nisten auf den kleinen vorgelagerten Inseln. Angeblich geschieht dies aus Furcht vor den Füchsen; und vielleicht erklärt sich auch damit, dass diese Vögel am Tage zwar sehr zahm, in der Abenddämmerung indes scheu und wild sind. Sie leben ausschließlich

Brillenpinguine

von pflanzlicher Nahrung. Die Felsgans, so genannt, weil sie ausschließlich am Meeresstrand lebt *(Anas antarctica)*, ist hier wie auch an der Westküste Amerikas nördlich bis Chile verbreitet. In den tiefen und abgelegenen Meerengen von Feuerland ist der schneeweiße Gänserich, stets begleitet von seinem dunkleren Gespons, beide dicht beieinander auf einer fernen Felsenspitze stehend, ein vertrautes Merkmal der Landschaft.

Sehr verbreitet auf diesen Inseln ist eine große tölpelhafte Ente oder Gans *(Anas brachyptera)*, die zuweilen 20 Pfund wiegt. Diese Vögel wurden in früherer Zeit wegen ihrer außergewöhnlichen Art, spritzend auf dem Wasser zu paddeln, Rennpferde genannt; heute tragen sie den weit passenderen Namen Dampfer. Ihre Flügel sind zu klein und schwach, um ein Fliegen zu gestatten, doch kommen sie mit ihrer Hilfe, indem sie teils schwimmen und teils mit den Flügeln auf die Wasseroberfläche schlagen, sehr schnell voran.

In Feuerland wie auch auf den Falklandinseln machte ich viele Beobachtungen der niederen Meerestiere,[11] doch sie sind von geringem allgemeinem Interesse. Ich möchte nur eine Klasse von Fakten erwähnen, die zu bestimmten Zoophyten in der höher organisierten Unterabteilung jener Klasse gehört. Mehrere Gattungen (*Flustra, Eschara, Cellaria, Crisia* und andere) haben allesamt eigentümliche bewegliche Organe an ihren Zellen (wie jene von *Flustra avicularia*, die in den europäischen Gewässern vorkommt). Das Organ ähnelt in der überwiegenden Zahl der Fälle stark einem Geierkopf, doch der Unterkiefer lässt sich viel weiter als bei einem tatsächlichen Vogelschnabel öffnen. Der Kopf selbst verfügt aufgrund des kurzen Halses über ein beträchtliches Bewegungsvermögen. Bei einem Zoophyten war der Kopf selbst fest, der Unterkiefer jedoch frei, bei einem anderen war er

Dampfschiffente (*Anas brachyptera* oder *Tachyeres brachypterus*)

durch eine dreieckige Haube mit einer wunderbar eingepassten Falltür ersetzt, die offenbar dem Unterkiefer entsprach. Bei der überwiegenden Anzahl der Arten war eine jede Zelle mit einem Kopf versehen, bei anderen wiederum hatte jede Zelle zwei.

Die jungen Zellen am Ende der Zweige dieser Korallenalgen enthalten ganz unreife Polypen, die Geierköpfe hingegen, die daran angebracht sind, sind zwar klein, aber in jeder Hinsicht vollkommen. Wurde der Polyp mit einer Nadel von einer der Zellen entfernt, schienen diese Organe nicht im Mindesten davon berührt. Wurde einer der geierartigen Köpfe von einer Zelle abgeschnitten, bewahrte sich der Unterkiefer seine Fähigkeit, sich zu öffnen und zu schließen. Der vielleicht eigentümlichste Teil ihres Aufbaus ist der, dass, wenn es an einem Zweig mehr als zwei Zellenreihen gab, die mittleren Zellen mit Fortsätzen versehen waren, die nur ein Viertel der Größe der äußeren besaßen. Ihre Bewegungen variierten entsprechend der Art, bei manchen jedoch sah ich nicht die geringste Bewegung, wohingegen andere, allgemein mit weit geöffnetem Unterkiefer, mit einer Geschwindigkeit von jeweils ungefähr fünf Sekunden hin und her oszillierten; andere bewegten sich rasch und sprunghaft. Berührte man sie mit einer Nadel, packte der Schnabel die Spitze zumeist so fest, dass der ganze Zweig erschüttert werden konnte.

Ich möchte ein weiteres Beispiel für gleichförmige Bewegung geben, allerdings von völlig anderer Art, nämlich das eines Zoophyten, der nahe mit den *Clytia* verwandt und daher sehr einfach aufgebaut ist. Ich hatte ein großes Büschel davon in einem Becken mit Salzwasser, und wenn es dunkel war, merkte ich, dass das Ganze jedes Mal, wenn ich irgendwo an einem Zweig rieb, stark in grünem Licht phosphoreszierte; ich glaube nicht, jemals etwas gesehen zu haben, das dies schöner tat. Das Bemerkenswerte daran war indes, dass die Lichtblitze stets die Zweige entlang von der Basis bis zur Spitze verliefen. Die Untersuchung dieser zusammengesetzten Tiere war für mich immer sehr interessant. Was kann bemerkenswerter sein als zu beobachten, wie ein pflanzenartiger Körper ein Ei hervorbringt, das umherschwimmen und sich den richtigen Platz aussuchen kann, an dem es sich festsetzt, das sodann Zweige treibt, ein jeder mit unzähligen separaten Tieren besetzt, die oftmals komplex aufgebaut sind? Zudem besitzen die Zweige, wie wir gerade gesehen haben, Organe, die sich unabhängig von den Polypen bewegen können. So überraschend die Verbindung separater Individuen in einem gemeinsamen Strunk stets erscheint, zeigt doch jeder Baum das gleiche Faktum, denn Knospen müssen als individuelle Pflanzen betrachtet werden. Dabei ist es jedoch natürlich, einen Polypen, der mit Mund, Gedärmen und anderen Organen ausgestattet ist, als getrenntes Individuum anzusehen, wohingegen die Individualität einer Blattknospe nicht so leicht

OBEN: Karte der Falklandinseln aus dem 18. Jahrhundert
UNTEN: Verschiedene niedere Meerestiere, u. a. Polypen und Flustra, 1895

erkannt wird, weswegen die Verbindung separater Individuen zu einem gemeinsamen Körper bei einer Korallenalge verblüffender ist als bei einem Baum. Unser Verständnis von einem zusammengesetzten Tier, bei dem die Individualität eines jeden in mancher Hinsicht nicht abgeschlossen ist, kann Unterstützung finden, wenn man über die Erzeugung zweier getrennter Geschöpfe nachdenkt, indem man eines mit dem Messer in zwei Teile schneidet oder bei dem die Natur selbst die Teilung vornimmt. Wir können die Polypen bei einem Zoophyten oder die Knospen an einem Baum als Fälle betrachten, bei denen die Teilung des Individuums nicht vollständig durchgeführt worden ist. Gewiss erscheinen die von Knospen hervorgebrachten Individuen bei Bäumen und, analog gefolgert, bei den Korallenalgen als enger miteinander verbunden als Eier oder Samen mit ihren Eltern. Es erscheint nun weitgehend nachgewiesen, dass von Knospen erzeugte Pflanzen alle eine gemeinsame Lebensdauer besitzen, und jedermann ist bekannt, was für eigentümliche und zahlreiche Besonderheiten, welche durch Samenvermehrung nie oder nur zufällig wieder erscheinen, durch Knospen, Schichten und Pfropfreiser mit Sicherheit übertragen werden.

Die *Beagle* in der Murray-Meerenge, Feuerland

10. Kapitel

FEUERLAND

Feuerland, erste Ankunft – Bahía Buen Suceso – eine Schilderung der Feuerländer an Bord – Gespräch mit den Wilden – Landschaft der Wälder – Kap Hoorn – Wigwam-Bucht – elende Lage der Wilden – Hungersnöte – Kannibalen – Muttermord – religiöse Empfindungen – großer Sturm – Beagle-Kanal – Ponsonby-Sund – Wigwams bauen und die Feuerländer ansiedeln – Gabelung des Beagle-Kanal – Gletscher – Rückkehr zum Schiff – zweiter Besuch der Ansiedlung mit dem Schiff – Gleichheit der Stellung bei den Eingeborenen

17. Dezember 1832 – Nachdem ich nun mit Patagonien und den Falklandinseln zu Ende bin, möchte ich unsere erste Ankunft in Feuerland beschreiben. Ein wenig nach Mittag umschifften wir Kap St. Diego und fuhren in die berühmte Straße von La Maire ein. Am Nachmittag ankerten wir in der Bahía Buen Suceso. Bei unserer Einfahrt wurden wir in einer Art und Weise begrüßt, die den Bewohnern dieses wilden Landes ziemte. Eine Gruppe Feuerländer, teilweise verborgen von dem wüsten Wald, hockten auf einer öden Spitze, die übers Meer hinausragte, und als wir vorüberglitten, sprangen sie auf, schwenkten ihre abgerissenen Umhänge und stießen ein lautes, volltönendes Gebrüll aus. Die Wilden folgten dem Schiff, und kurz vor Einbruch der Dunkelheit sahen wir ihr Feuer und hörten erneut das wilde Geschrei. Ihr Hafen besteht aus einem schönen Stück Wasser, das halb von niederen, gerundeten Bergen aus Tonschiefer umgeben ist, welche bis ans Wasser hin von einem einzigen dichten, düsteren Wald bedeckt sind. Ein Blick auf die Landschaft genügte,

~ AUS ~

VERLAUF DER ZWEITEN EXPEDITION 1831–1836

VON ROBERT FITZ ROY

Als ich die *Beagle* sicher verankert und Anweisungen für jene, die an Bord bleiben sollten, gegeben hatte, fuhr ich mit vier Booten (einer Jolle und drei Walbooten) los, die Matthews und die Feuerländer trugen sowie den ganzen Stapel an nützlichen Dingen, die man ihnen in England gegeben hatte.* Da auf der Jolle ein Deck für die schwere Fracht errichtet worden war, wurde sie bei ungünstigem Wind von den anderen geschleppt. Matthews zeigte weder Zaudern noch Widerwillen; im Gegenteil, er war begierig, den Versuch zu beginnen, auf den er sich so lange gefreut hatte. Die Messrs. Darwin, Bynoe, Hamond, Stewart und Johnson sowie vierundzwanzig Matrosen und Soldaten bildeten den Rest der Gruppe.

Ich hatte vor, rund um den Nordostteil der Navarin-Insel, am östlichen Arm des Beagle-Kanals entlang und durch die Murray-Meerenge zu der Stelle zu fahren, die Jemmy sein Land nannte; dort die Feuerländer mit Matthews abzusetzen – und sie eine Weile dort zu lassen, während ich meinen Weg nach Westen fortsetzte, um die westlichen Arme des Kanals und einen Teil des Whaleboat Sound zu erkunden; und bei der Rückkehr von dort zu entscheiden, ob Matthews für längere Zeit bei den Eingeborenen bleiben oder mit mir zur *Beagle* zurückfahren sollte.

* *Bei weitem der größere Teil ihres Besitzes, darunter Matthews' Sachen, wurde von Mr. Coates, Secretary der Church Missionary Society, gesandt.*

um mir zu zeigen, wie sehr sie sich von allem unterschied, was ich je erblickt hatte. Nachts blies ein Sturm, und von den Bergen fegten schwere Böen an uns vorüber. Auf See wäre es schlimm gewesen, und wir dürfen es, ebenso wie andere, die Bucht des Guten Erfolges nennen.

Am Morgen sandte der Kapitän eine Gruppe aus, um Kontakt mit den Feuerländern aufzunehmen. Als wir auf Rufweite heran waren, trat einer der vier Eingeborenen vor, um uns zu empfangen, und hub in dem Wunsch, uns dahin zu leiten, wo wir landen sollten, ganz heftig zu schreien an. Als wir am Ufer waren, wirkte die Gruppe recht bestürzt, redete und gestikulierte jedoch mit großer Schnelligkeit weiter. Es war ausnahmslos das merkwürdigste und interessanteste Schauspiel, dessen ich je ansichtig wurde: Ich hätte nicht geglaubt, wie groß der Unterschied zwischen dem wildem und dem zivilisierten

A WOMAN of the Island of TERRA DEL FUEGO.

Feuerländerin, gemalt von Alexander Buchan nach einer Beschreibung von Kapitän James Cooks erster Fahrt (1768-1771)

Menschen ist: Er ist größer als zwischen wildem und domestiziertem Tier insofern, als beim Menschen ein größeres Vermögen zur Besserung vorhanden ist. Der Hauptwortführer war alt und anscheinend das Oberhaupt der Familie; die drei anderen waren kräftige junge Männer, ungefähr sechs Fuß groß. Frauen und Kinder hatte man fortgeschickt. Diese Feuerländer unterscheiden sich erheblich von den verkümmerten, elenden Teufeln weiter westlich, und sie scheinen eng verwandt mit den berühmten Patagoniern an der Magellanstraße. Ihr einziges Kleidungsstück besteht aus einem aus Guanakofell gefertigten Umhang mit der Wolle nach außen; diesen tragen sie einfach über die Schultern geworfen, wobei ihre Gestalt ebenso häufig entblößt wie bedeckt ist. Ihre Haut ist von schmutzigkupferroter Farbe.

Ihre Haltung war unterwürfig und ihr Gesichtsausdruck misstrauisch, überrascht und verschreckt. Nachdem wir ihnen etwas scharlachrotes Tuch überreicht hatten, das sie sich sogleich um den Hals banden, wurden sie gute Freunde. Das zeigte sich dadurch, dass der alte Mann uns auf die Brust tätschelte und dabei eine Art schnalzendes Geräusch machte, wie man es tut, wenn man Hühner füttert. Ich ging neben dem Alten, und dabei wurde diese Freundschaftsbekundung mehrmals wiederholt; sie wurde mit drei festen Schlägen besiegelt, die mir gleichzeitig auf Brust und Rücken verabreicht wurden. Sodann entblößte er seinen Busen, damit ich das Kompliment zurückgäbe, was geschah, worauf er hoch erfreut schien. Die Sprache dieser Leute verdient es nach unseren Vorstellungen kaum, artikuliert genannt zu werden. Kapitän Cook hat sie mit einem sich räuspernden Mann verglichen, gewiss aber hat dies noch kein Europäer mit so vielen heiseren, gutturalen und klackenden Lauten getan.

Als von unserer Gruppe ein Lied angestimmt wurde, glaubte ich, die Feuerländer fielen gleich um vor Verblüffung. Ebenso überrascht betrachteten sie unseren Tanz, doch einer der jungen Männer hatte, als er aufgefordert wurde, gegen einen kleinen Walzer nichts einzuwenden. Offenkundig wenig an Europäer gewöhnt, kannten und fürchteten sie doch unsere Feuerwaffen; nichts konnte sie dazu bewegen, eine Flinte in die Hand zu nehmen. Sie bettelten um Messer, wobei sie sie mit dem spanischen Wort *cuchilla* benannten. Was sie wollten, erklärten sie auch dadurch, dass sie vorgaben, ein Stück Speck im Mund zu haben, und dann so taten, als schnitten sie es durch, statt es zu zerreißen.

Bis jetzt habe ich noch nicht die Feuerländer erwähnt, die wir an Bord hatten. Auf der früheren Fahrt von *Adventure* und *Beagle* von 1826 bis 1830

OBEN: Jemmy Button, einer der Feuerländer, die Fitz Roys Expedition 1734 «adoptierte»
UNTEN: Jemmy Button in englischer Kleidung

nahm Kapitän Fitz Roy eine Gruppe Eingeborener als Geiseln für den Verlust eines Bootes, das zur großen Gefährdung einer mit Vermessungen beschäftigten Gruppe gestohlen worden war, und einige dieser Eingeborenen, darunter auch ein Kind, welches er für einen Perlenknopf gekauft hatte, nahm er mit nach England in dem Vorsatz, sie auf eigene Kosten zu erziehen und in der Religion zu unterweisen. Diese Eingeborenen in ihrem eigenen Land anzusiedeln war ein Hauptanlass für Kapitän Fitz Roy, die gegenwärtige Fahrt zu unternehmen, und noch bevor die Admiralität den Beschluss gefasst hatte, diese Expedition zu entsenden, war Kapitän Fitz Roy so großzügig gewesen, ein Fahrzeug zu chartern, auf dem er sie selbst zurückgebracht hätte. Die Eingeborenen waren in Begleitung eines Missionars, R. Matthews, über den wie auch über die Eingeborenen Kapitän Fitz Roy einen umfassenden und hervorragenden Bericht verfasst hat. Es waren zwei Männer, wovon einer dann in England an den Pocken starb, ein Junge und ein kleines Mädchen mitgenommen worden, sodass wir nun York Minster, Jemmy Button (dessen Name seinen Kaufpreis beinhaltet) und Fuegia Basket an Bord hatten. York Minster war ein ausgewachsener, kleiner, dicker, kräftiger Mann; sein Wesen war zurückhaltend, wortkarg, mürrisch und, wenn erregt, hitzig und leidenschaftlich; seine Zuneigung war weitgehend einigen Freunden an Bord vorbehalten; sein Intellekt gut. Jemmy Button war der Liebling aller, aber ebenfalls leidenschaftlich; sein Gesichtsausdruck zeigte sogleich sein freundliches Gemüt. Er war fröhlich, lachte oft und war bemerkenswert mitfühlend mit allen, die Schmerzen litten: War das Meer rau, so war ich gern ein wenig seekrank, und dann kam er zu mir und sagte mit klagender Stimme: «Armer, armer Kerl!», doch nach seinem Leben auf dem Wasser war die Vorstellung eines seekranken

Mannes zu lächerlich, und oftmals musste er sich abwenden, um ein Lächeln oder Lachen zu verbergen, und dann wiederholte er sein «Armer, armer Kerl!» Er war patriotisch gesinnt, und er rühmte gern seinen Stamm und sein Land, wo es, wie er wahrheitsgemäß sagte, «viele Bäume» gebe, und beschimpfte alle anderen Stämme: Hartnäckig erklärte er, in seinem Land gebe es keinen Teufel. Jemmy war klein, dick und fett, aber eitel, was sein Äußeres betraf; stets trug er Handschuhe, hatte die Haare ordentlich geschnitten und geriet in Verzweiflung, wenn seine fein polierten Schuhe schmutzig wurden. Gern bewunderte er sich im Spiegel, was ein kleiner Indianerjunge mit lustigem Gesicht vom Rio Negro, den wir einige Monate an Bord hatten, bald merkte und ihn dann aufzog: Jemmy, der immer eifersüchtig auf die Aufmerksamkeit war, die diesem kleinen Jungen erwiesen wurde, gefiel das überhaupt nicht, und er sagte immer mit einem verächtlichen Drehen des Kopfes: «Zu viel Unfug.» Dennoch erscheint es mir, wenn ich an seine vielen guten Eigenschaften denke, ganz wunderbar, dass er derselben Rasse angehörte und zweifellos dasselbe Wesen hatte wie die elenden, erniedrigten Wilden, denen wir hier zuerst begegnet waren. Fuegia Basket schließlich war ein hübsches, bescheidenes, zurückhaltendes junges Mädchen mit einem recht angenehmen, manchmal jedoch grämlichen Ausdruck und sehr schnell darin, alles zu lernen, besonders Sprachen. Dies bewies sie, indem sie etwas Portugiesisch und Spanisch aufschnappte, als sie in Rio de Janeiro und Monte Video nur für kurze Zeit an Land gelassen worden war, und mit ihren Kenntnissen des Englischen. York Minster war auf jede Aufmerksamkeit, die ihr erwiesen wurde, sehr neidisch, denn es war klar, dass er entschlossen war, sie zu heiraten, sobald sie wieder festen Boden unter den Füßen hatten.

Obgleich alle drei recht ordentlich Englisch sprachen und auch verstanden, war es doch ungemein schwierig, viele Informationen, die Lebensweise ihrer Landsleute betreffend, von ihnen zu erhalten; dies war teilweise ihrer offenkundigen Schwierigkeit geschuldet, die einfachste Alternative zu verstehen. Jeder, der sehr kleine Kinder gewohnt ist, weiß, wie selten man eine Antwort selbst auf eine so einfache Frage erhält, ob etwas schwarz oder weiß ist; die Vorstellung von Schwarz oder Weiß scheint abwechselnd ihre Gedanken zu beherrschen. So war es auch bei diesen Feuerländern, weswegen es im Allgemeinen auch unmöglich war, durch Nachfragen herauszubekommen, ob man etwas, was sie behauptet hatten, auch richtig verstanden hatte. Ihr Sehvermögen war bemerkenswert scharf: Es ist weithin bekannt, dass Seeleute durch lange Übung einen entfernten Gegenstand besser als eine Landratte erkennen können, doch York und Jemmy waren jedem Seemann an Bord weit überlegen; mehrmals haben sie erklärt, was ein entfernter Gegenstand gewesen ist, und obgleich alle es bezweifelten, behielten sie Recht, als es durch ein Fernrohr überprüft wurde. Dieser Fähigkeit waren sie sich durchaus bewusst, und wenn Jemmy einen Streit mit dem wachhabenden Offizier hatte, sagte er: «Ich seh Schiff, ich nicht sag.»

Am folgenden Tag versuchte ich, ein Stück ins Land vorzudringen. Feuerland kann als gebirgiges Land beschrieben werden, das teils unter Wasser liegt, sodass tiefe Meeresarme und Buchten die Flächen einnehmen, wo Täler sein sollten. Die Berghänge sind von der Wasserkante an aufwärts mit einem einzigen großen Wald bedeckt. Die Bäume reichen bis auf eine Höhe von 1000 bis 1500 Fuß, danach folgt ein Torfstreifen mit winzigen alpinen Pflanzen, diesem wiederum die Grenze ewigen Schnees,

welche, Kapitän King zufolge, in der Magellanstraße auf 3000 bis 4000 Fuß herabgeht. Im ganzen Land ist selbst ein Ar ebene Fläche nur selten anzutreffen. Ich erinnere mich an gerade ein kleines flaches Stück bei Port Famine und ein weiteres von weit größerem Ausmaß bei der Goeree Road. An beiden Orten wie auch überall sonst ist der Boden mit einer dicken Schicht sumpfigen Torfs bedeckt. Selbst im Wald ist der Boden von einer Masse langsam faulender Pflanzenstoffe verborgen, welche, da sie mit Wasser vollgesogen ist, beim Gehen nachgibt.

21. Dezember – Die *Beagle* fuhr ab: Und am darauf folgenden Tag näherten wir uns, in ungewöhnlichem Maße von einem guten Ostwind begünstigt, den Barnevelts, und nachdem wir Deceit mit seinen Felsengipfeln passiert hatten, umschifften wir gegen drei Uhr das wetterumtoste Kap Hoorn. Der Abend war ruhig und hell, und wir genossen einen schönen Blick auf die umliegenden Inseln. Kap Hoorn jedoch forderte seinen Tribut und schickte uns noch vor der Nacht einen Sturm ins Gesicht. Wir lagen nach See zu und am zweiten Tag wieder landwärts, als wir luvseits voraus das berüchtigte Vorgebirge in seiner wahren Gestalt sahen – in Nebel gehüllt, die matten Konturen von einem Sturm aus Wind und Wasser umgeben. Große schwarze Wolken rollten über den Himmel, und Regengüsse, dazu Hagel, jagten mit solch extremer Wucht an uns vorbei, dass der Kapitän sich entschloss, in die Wigwam-Bucht fahren. Dies ist ein traulicher kleiner Hafen, nicht weit von Kap Hoorn, und hier ankerten wir am Heiligen Abend in ruhigem Wasser. Das Einzige, das uns an einen Sturm draußen erinnerte, war hin und wieder ein Stoß von den Bergen, wovon das Schiff an seinen Ankern zerrte.

25. Dezember – Nahe der Bucht erhebt sich ein spitzer Berg namens Kater's Peak bis auf eine Höhe

OBEN: Kap Hoorn, Chile
GEGENÜBER: Ushuaia, Feuerland, im Süden begrenzt vom Beagle-Kanal

von 1700 Fuß. Die umliegenden Inseln bestehen alle aus konischen Massen Grünstein, zuweilen gesellen sich weniger regelmäßige Berge aus gebranntem und verändertem Tonschiefer hinzu. Dieser Teil Feuerlands könnte als die höchste Spitze der schon erwähnten versunkenen Bergkette betrachtet werden. Die Bucht trägt ihren Namen Wigwam nach einigen der feuerländischen Ansiedlungen, doch mit gleicher Berechtigung könnte jede Bucht in der Umgebung so genannt sein. Die Bewohner, die hauptsächlich von Schalentieren leben, müssen unablässig ihren Wohnsitz verändern, aber immer wieder kehren sie zu den gleichen Orten zurück, wie aus den Haufen alter Schalen hervorgeht, welche sich oftmals auf viele Tonnen Gewicht belaufen dürften. Diese Haufen lassen sich schon von weitem an der hellgrünen Farbe bestimmter Pflanzen erkennen, die stets darauf wachsen. Darunter können der wilde Sellerie und das Löffelkraut aufgezählt werden, zwei sehr nützliche Pflanzen, deren Verwendung von den Eingeborenen noch nicht entdeckt worden ist.

Der feuerländische Wigwam ähnelt in Größe und Ausmaßen einem Heuschober. Er besteht

Kap Hoorn, Chile

lediglich aus ein paar abgebrochenen Stöcken, die in die Erde gesteckt und an einer Seite sehr unvollkommen mit einigen wenigen Grasbüscheln und Binsen abgedeckt sind. Das Ganze kann nicht die Arbeit einer Stunde sein und wird nur einige Tage lang benutzt. Bei den Goeree Roads sah ich eine Stelle, wo einer dieser nackten Männer geschlafen hatte, sie war nicht größer als der Abdruck eines Hasen. Der Mann lebte offensichtlich allein, und York Minster sagte, er sei ein «sehr schlechter Mensch» und dass er wahrscheinlich etwas gestohlen habe. An der Westküste hingegen sind die Wigwams deutlich besser, denn sie sind mit Robbenfellen bedeckt. Das schlechte Wetter hielt uns hier mehrere Tage fest. Das Klima ist gewiss erbärmlich: Die Sommersonnenwende war nun vorüber, doch jeden Tag fiel Schnee auf die Berge, und in den Tälern gab es Regen, begleitet von Graupeln. Das Thermometer stand im Allgemeinen bei 7°, fiel nachts aber auf 3° oder 5°. Wegen des feuchten und aufgewühlten Zustands der Luft, die von keinem Sonnenstrahl aufgeheitert war, empfand man das Klima als noch schlimmer, als es tatsächlich war.

Als wir einmal bei Wollaston Island an Land gingen, fuhren wir längsseits eines Kanus mit sechs Feuerländern darin. Es waren die erbärmlichsten und elendigsten Wesen, die ich jemals erblickt hatte. An der Ostküste tragen die Eingeborenen, wie wir gesehen haben, Guanako-Umhänge, an der Westküste besitzen sie Robbenfelle. Bei diesen zentralen Stämmen haben die Männer im Allgemeinen Otterhäute oder einen kleinen Fetzen so groß wie ein Taschentuch, was kaum ausreicht, um den Rücken bis zu den Lenden hinab zu bedecken. Es wird mit Schnüren über der Brust befestigt und je nachdem, wie der Wind weht, von einer Seite zur anderen geschoben. Die Feuerländer in dem Kanu waren jedoch ganz nackt, und selbst eine erwachsene Frau war völlig unbekleidet. Es regnete stark, und das Süßwasser wie auch die Gischt rannen ihr den Körper hinab. In einem anderen, nicht weit entfernten Hafen kam eine Frau, die gerade ihr Neugeborenes säugte, ans Fahrzeug und blieb dort aus reiner Neugier, während der Schneeregen ihr auf den nackten Busen und dem Säugling auf die nackte Haut fiel und dort schmolz! Diese armen Teufel waren im Wachstum verkümmert, ihre hässlichen Gesichter mit weißer Farbe beschmiert, die Haut verdreckt und schmierig, die Haare verfilzt, die Stimme misstönend und die Gebärden gewalttätig. Angesichts solcher Männer vermag man sich kaum einzureden, dass dies Mitmenschen und Bewohner ein und derselben Welt sind. Es ist ein verbreiteter Gegenstand der Vermutung, welche Freude am Leben manche der niederen Tiere genießen können: Um wie viel berechtigter kann dieselbe Frage hinsichtlich dieser Barbaren gestellt werden! Nachts schlafen fünf oder sechs Menschen, nackt und kaum vor Wind und Regen dieses stürmischen Klimas geschützt, auf der nassen Erde, eingerollt wie Tiere. Bei jedem Niedrigwasser, winters wie sommers, Nacht wie Tag, müssen sie aufstehen, um Schalentiere von den Felsen zu pflücken, und die Frauen tauchen entweder, um Seeigel zu sammeln, oder sitzen geduldig im Kanu und fischen mit einer Haarschnur mit Köder, aber ohne Haken daran, kleine Fische heraus. Wird ein Seehund erlegt oder ein verwesender Wal entdeckt, so ist dies ein Fest, und dies klägliche Essen wird durch wenige geschmacklose Beeren und Pilze bereichert.

Oft leiden sie Hunger. Ich hörte Mr. Low, einen Robbenfänger, der mit den Eingeborenen dieses Landes eng vertraut ist, einen wunderlichen Bericht vom Zustand einer Gruppe aus einhundertfünfzig Eingeborenen an der Westküste geben, die sehr dünn und in großer Not waren. Eine Folge von Stürmen hinderte die Frauen daran, Schalentiere auf den Felsen zu sammeln, auch konnten sie nicht in ihren Kanus hinaus, um Seehunde zu fangen. Die verschiedenen Stämme sind, wenn sie Krieg führen, Kannibalen. Aufgrund der übereinstimmenden, aber völlig unabhängigen Aussagen des Jungen, den Mr. Low dabeihatte, und Jemmy Buttons ist es sicherlich wahr, dass sie, wenn der Hunger im Winter übermächtig wird, ihre alten Frauen töten und aufessen, bevor sie ihre Hunde töten; der Junge, von Mr. Low gefragt, warum sie das täten, antwortete: «Hunde fangen Otter, alte Frauen nicht.» Der Junge beschrieb die Art und Weise, wie man sie tötet, indem man sie nämlich über Rauch hält und so erstickt; er ahmte im Scherz ihre Schreie nach und nannte die Teile ihres Körpers, die als besonders schmackhaft gelten. So grausig ein solcher Tod von der Hand der eigenen Freunde und Verwandten sein mag, ist doch die Vorstellung der Angst der alten Frauen, wenn der Hunger zunimmt, noch schmerzvoller. Man sagte uns, sie flüchteten häufig in die Berge, würden aber von den Männern verfolgt und zurück zum Schlachthaus an ihr eigenes Feuer gebracht!

Kapitän Fitz Roy konnte nicht in Erfahrung bringen, ob die Feuerländer einen ausgeprägten Glauben an ein künftiges Leben haben. Manchmal begraben sie ihre Toten in Höhlen, manchmal in den Bergwäldern, aber welche Zeremonien sie vollziehen, wissen wir nicht. Jemmy Button aß keine Landvögel, weil «fressen tote Menschen»; sie sind nicht einmal bereit, von ihren toten Freunden zu sprechen. Wir haben keinen Grund zu der Annahme, dass sie irgendeine Form eines religiösen Kultes pflegen, aber vielleicht ist ja das Brabbeln des alten Mannes, bevor er den fauligen Speck an seine hungernde Gruppe verteilte, etwas Derartiges. Jede Familie, jeder Stamm hat einen Zauberer oder Medizinmann, dessen Aufgabe wir nie so recht ermitteln konnten. Jemmy glaubte an Träume, nicht aber, wie schon gesagt, an den Teufel: Ich meine nicht, dass die Feuerländer sehr viel abergläubischer waren als manche unserer Seeleute, glaubte doch ein alter Steuermannsmaat fest, die Abfolge schwerer Stürme, die wir vor Kap Hoorn hatten, rühre daher, dass wir Feuerländer an Bord hatten. Die größte Annäherung an eine religiöse Empfindung, von der ich hörte, verlautete von York Minster, der, als Mr. Bynoe einige sehr junge Entlein als Musterexemplare schoss, aufs ernsteste erklärte: «Oh, Mr. Bynoe, viel Regen, Schnee, weht viel.» Das war offenbar eine Vergeltungsstrafe für die Verschwendung menschlicher Nahrung. Auch erzählte er ganz wild und aufgeregt, sein Bruder habe einmal, als er zurückkehrte, um tote Vögel aufzusammeln, die er an der Küste zurückgelassen hatte, bemerkt, wie einige Federn vom Wind fortgeblasen wurden. Sein Bruder sagte (York ahmte dessen Art nach): «Was das?», kroch weiter und spähte über das Kliff und sah, wie «wilder Mann» seine Vögel aufhob; er kroch ein Stück näher und schleuderte einen großen Stein und tötete ihn. York erklärte, danach habe lange Zeit ein Sturm getobt, und viel Regen und Schnee seien gefallen. Soweit wir es verstanden, schien er die Elemente selbst als die Rächenden anzusehen: Es liegt hier auf der Hand, wie natürlich die Elemente bei einer Rasse, die in der Kultur ein wenig fortgeschritten ist, personifiziert werden.

Beim Anblick dieser Wilden fragt man sich: Woher sind sie gekommen? Welcher Reiz hätte einen Menschenstamm locken, welcher Wandel ihn zwingen können, die schönen Regionen des Nordens zu verlassen, um die Kordilleren oder das Rückgrat Amerikas hinabzuziehen, um Kanus zu ersinnen und zu bauen, wie sie von den Stämmen Chiles, Perus und Brasiliens nicht genutzt werden, und dann eines der unwirtlichsten Länder auf dem Erdenkreis zu betreten? Auch wenn solche Überlegungen einem gewiss als Erste in den Sinn kommen, dürfen wir doch als sicher annehmen, dass sie teilweise irrig sind. Es besteht kein Grund zu der Annahme, dass die Zahl der Feuerländer abnimmt, weswegen wir vermuten müssen, dass sie ein hinreichendes Glück empfinden, von welcher Art auch immer, sodass das Leben ihnen lohnend erscheint. Die Natur hat den Feuerländer, indem sie die Gewohnheit allmächtig und ihre Wirkungen erblich gemacht hat, an das Klima und die Erzeugnisse seines erbärmlichen Landes angepasst.

Nachdem wir von sehr schlechtem Wetter sechs Tage lang in der Wigwam-Bucht festgehalten worden waren, liefen wir am 30. Dezember aus. Kapitän Fitz Roy wollte nach Westen, um York und Fuegia in ihrem Land abzusetzen. Auf See hatten wir eine beständige Abfolge von Stürmen, und die Strömung lief uns entgegen: Wir trieben bis auf 57° 23' S. Am 11. Januar 1833 gelangten wir, indem wir Segel pressten, bis auf wenige Meilen an den großen zerklüfteten

Berg York Minster heran (so genannt von Kapitän Cook und der Ursprung des Namens des älteren Feuerländers), als eine heftige Bö uns zwang, die Segel zu mindern und uns nach See zu legen. Die Brandung donnerte fürchterlich an die Küste, und die Gischt wurde über ein Kliff getragen, dessen Höhe auf 200 Fuß geschätzt wurde. Am 12. war der Sturm sehr stark, und wir wussten nicht genau, wo wir uns befanden; es war ganz unangenehm, ständig wiederholt zu hören: «Haltet gut Ausschau nach Lee.» Am 13. tobte der Sturm mit höchster Wut, und unser Horizont war eng begrenzt von den Gischtwänden, die der Wind mit sich trug. Das Meer sah bedrohlich aus, wie eine trübe, wallende Ebene mit Flecken hingewehten Schnees: Während das Schiff schwer stampfte, glitt der Albatros mit ausgebreiteten Schwingen gegen den Wind. Um Mittag brach eine schwere See über uns hinweg und füllte eines der Walboote, was dann sofort abgetrennt werden musste. Die arme *Beagle* erzitterte von dem Schock und gehorchte einige Minuten lang nicht ihrem Ruder, doch bald richtete sie sich wieder auf und kam zurück in den Wind. Wäre der ersten See eine weitere gefolgt, so wäre unser Schicksal schnell und auf immer besiegelt gewesen. Wir hatten nun vierundzwanzig Tage vergebens versucht, nach Westen zu kommen; die Männer waren von Müdigkeit erschöpft und hatten viele Tage und Nächte nichts Trockenes mehr auf dem Leib gehabt. Kapitän Fitz Roy gab den Versuch auf, an der Außenküste nach Westen zu gelangen. Am Abend liefen wir hinter dem Falschen Kap Hoorn ein und ließen den Anker in siebenundvierzig Faden fallen; Feuer schoss von der Winsch, als die Kette herumrauschte. Wie köstlich war die stille Nacht, nachdem wir so lange im Getöse der streitenden Elemente gefangen gewesen waren!

Schlechtes Wetter in der Magellanstraße

15. Januar 1833 – Die *Beagle* ankerte in den Goeree Roads. Kapitän Fitz Roy hatte beschlossen, die Feuerländer, ihrem Wunsche gemäß, im Ponsonby-Sund an Land zu setzen, worauf vier Boote ausgerüstet wurden, um sie durch den Beagle-Kanal zu bringen. Dieser Kanal, den Kapitän Fitz Roy auf seiner vorigen Fahrt entdeckt hatte, ist ein ganz auffallendes Merkmal in der Geographie dieses wie überhaupt jedes anderen Landes: Er ließe sich mit dem Tal Loch Ness in Schottland mit seiner Kette von Seen und Fjorden vergleichen. Er ist ungefähr einhundertzwanzig Meilen lang, bei einer durchschnittlichen Breite, die verhältnismäßig gleichbleibend ist, von ungefähr zwei Meilen und den größeren Teil hindurch vollkommen gerade, sodass der Blick, zu beiden Seiten von einer Bergkette begrenzt, in der weiten Ferne zunehmend unscharf wird. Er durchschneidet den südlichen Teil Feuerlands in westöstlicher Richtung, und in seiner Mitte mündet an der Südseite im rechten Winkel eine unregelmäßige Wasserstraße ein, die Ponsonby-Sund genannt worden ist. Dies ist der Wohnort von Jemmy Buttons Stamm und Familie.

19. Januar – Drei Walboote und die Jolle brachen mit achtundzwanzig Mann unter dem Kommando

von Kapitän Fitz Roy auf. Am Nachmittag gelangten wir in die östliche Einfahrt des Kanals und entdeckten wenig später eine geschützte kleine, von umliegenden Inseln verborgene Bucht. Hier schlugen wir die Zelte auf und entzündeten unsere Feuer. Nichts konnte behaglicher aussehen als diese Szene. Das glasige Wasser des kleinen Hafens, dazu die Zweige der Bäume, die über dem felsigen Strand hingen, die Boote vor Anker, die von den gekreuzten Rudern gestützten Zelte und der Rauch, der sich aus dem bewaldeten Tal emporringelte, formten sich zu einem Bild stiller Abgeschiedenheit. Am folgenden Tage (20.) glitten wir ruhig mit unserer kleinen Flotte weiter und gelangten in ein dichter besiedeltes Gebiet. Wenige dieser Eingeborenen, wenn überhaupt welche, dürften einen Weißen zuvor gesehen haben; gewiss konnte nichts ihre Verwunderung übertreffen als die Erscheinung der vier Boote. Auf jeder Spitze wurden Feuer entzündet (daher der Name Tierra del Fuego, Land des Feuers), um unsere Aufmerksamkeit zu wecken, aber auch, um diese Nachricht zu verbreiten. Einige der Männer rannten meilenweit am Ufer entlang.

Zur Abendessenszeit landeten wir inmitten einer Gruppe Feuerländer. Anfangs waren sie uns nicht freundlich gesonnen, denn erst als der Kapitän den anderen Booten voraus heranfuhr, legten sie ihre Schleudern beiseite. Bald jedoch erfreuten wir sie mit unbedeutenden Geschenken, indem wir ihnen beispielsweise rote Bänder um den Kopf schlangen. Sie mochten unseren Schiffszwieback, doch einer der Wilden legte den Finger auf das in Blechdosen konservierte Fleisch, das ich gerade aß, und als es sich weich und kalt anfühlte, bekundete er ebenso viel Abscheu davor, wie ich es vor fauligem Fleisch getan hätte. Jemmy schämte sich seiner Landsleute zutiefst und erklärte, sein Stamm sei ganz anders, womit er jämmerlich Unrecht hatte. So leicht es war, diese Wilden zu erfreuen, so schwierig war es, sie zufrieden zu stellen. Jung und Alt, Männer und Kinder wiederholten unablässig das Wort «Jammerschoner», was «gib mir» bedeutet. Nachdem sie nacheinander auf beinahe jeden Gegenstand gezeigt hatten, selbst auf die Knöpfe unserer Röcke, und ihr Lieblingswort mit jedem nur denkbaren Ausdruck gesagt hatten, gebrauchten sie es nun intransitiv und wiederholten gedankenleer «Jammerschoner». Nachdem sie sehr begierig nach jedem Gegenstand gejammerschonert hatten, zeigten sie mit simpler Schläue auf ihre jungen Frauen oder kleinen Kinder, als wollten sie sagen: «Wenn ihr es schon nicht mir geben wollt, so doch denen da.»

Bewohner von Feuerland

Nachts versuchten wir vergebens, eine unbewohnte Bucht zu finden, und mussten schließlich nicht weit von einer Gruppe Eingeborener biwakieren. Solange sie in geringer Zahl waren, blieben sie ganz harmlos, doch nachdem am Morgen (21.) andere dazustießen, zeigten sie Anzeichen von Feindseligkeit, und wir dachten schon, es werde zu einem Scharmützel kommen. Ein Europäer hat im Umgang mit solchen Wilden, die nicht die geringste Ahnung von der Wirkung von Feuerwaffen haben, mit großen Nachteilen zu kämpfen. Legt er seine Muskete an, erscheint er dem Wilden einem mit Pfeil und Bogen, einem Speer oder auch nur einer Schleuder bewaffneten Manne weit unterlegen.

22. Januar – Nachdem wir gewissermaßen auf neutralem Boden zwischen Jemmys Stamm und den Leuten, die wir gestern sahen, eine unbelästigte Nacht verbracht hatten, fuhren wir heiter weiter. Ich kenne nichts, was die Feindseligkeit zwischen den verschiedenen Stämmen deutlicher zeigt als diese breite Grenze oder neutrale Zone. Obgleich Jemmy die Macht unserer Gruppe wohl kannte, war er anfangs nicht bereit, bei dem feindseligen Stamm nächst seinem eigenen an Land zu gehen. Er erzählte uns häufig, wie die wilden Männer der Oens, «wenn Laub rot», von der Ostküste Feuerlands die Berge überquerten und die Eingeborenen dieses Landstrichs überfielen. Es war höchst eigenartig, ihn zu beobachten, wenn er so redete, und zu sehen, wie seine Augen funkelten und sein ganzes Gesicht einen neuen, wilden Ausdruck annahm. Auf unserer weiteren Fahrt durch den Beagle-Kanal gewann die Landschaft ein merkwürdiges und großartiges Gepräge, doch der Effekt wurde von dem niedrigen Blickpunkt vom Boot aus gemindert und auch dadurch, dass man das Tal entlangblickte und so alle Schönheit der aufeinander folgenden Kämme verloren ging. Die Berge waren hier ungefähr dreitausend Fuß hoch und endeten in scharf gezackten Gipfeln. Sie erhoben sich in einem ungebrochenen Schwung von der Wasserkante und waren bis zu einer Höhe von vierzehn- bis fünfzehnhundert Fuß von dem dunklen Wald bedeckt. Es war ganz eigenartig zu beobachten, wie gerade und wahrhaft horizontal, so weit das Auge reichte, die Linie am Berghang war, an der die Bäume endeten: Sie ähnelte ganz der Hochwassermarke aus Treibholz an einem Meeresstrand.

Nachts schliefen wir nahe der Einmündung des Ponsonby-Sunds in den Beagle-Kanal. Eine kleine Familie Feuerländer, die in der Bucht lebte, war still und arglos und gesellte sich bald zu unserer Gruppe um ein prasselndes Feuer. Wir trugen dicke Kleidung, und obwohl wir dicht am Feuer saßen, war uns keineswegs zu warm; bei diesen nackten Wilden jedoch floss, obgleich sie weiter weg saßen, zu unserer großen Überraschung der Schweiß in Strömen, da sie derart rösteten. Dennoch schienen sie bester Stimmung, und alle stimmten sie in den Chor der Seemannslieder ein, doch die Art, wie sie dabei stets ein wenig hinterherhinkten, war recht lächerlich.

Schon in der Nacht hatte sich die Nachricht verbreitet, und am frühen Morgen (23.) traf dann die frische Gruppe ein, die zu den Tekenika gehörte, also Jemmys Stamm. Einige waren so schnell gerannt, dass sie aus der Nase bluteten und Schaum vor dem Mund hatten, weil sie so schnell redeten, und mit ihren nackten Leibern, die ganz mit Schwarz, Weiß[1] und Rot beschmiert waren, sahen sie aus wie Dämonen, die gekämpft hatten. Sodann fuhren wir (in Begleitung von zwölf Kanus mit jeweils vier bis fünf Leuten darin) durch den Ponsonby-Sund bis zu der Stelle, wo der arme Jemmy seine Mutter und seine Verwandten zu finden hoffte. Er hatte schon gehört, dass sein Vater tot war, doch da er diesbezüglich

Feuerländer in Woollya mit dem Lager von Fitz Roys Expedition im Hintergrund, 1831

einen «Traum im Kopf» gehabt hatte, schien ihn das nicht weiter zu kümmern, und er tröstete sich wiederholt mit der natürlichen Überlegung – «Ich nicht kann ändern». Einzelheiten über den Tod seines Vaters vermochte er nicht in Erfahrung zu bringen, da seine Verwandten nicht darüber sprechen wollten.

Jemmy war nun in einer Gegend, die ihm wohlvertraut war, und lenkte die Boote zu einer recht hübschen Bucht namens Woollya, die von kleinen Inseln umgeben war, wovon jede wie auch jede Spitze ihren korrekten angestammten Namen hatte. Dort trafen wir eine Familie von Jemmys Stamm an, die aber nicht mit ihm verwandt war; wir freundeten uns mit ihnen an, und am Abend schickten sie ein Kanu aus, um Jemmys Mutter und Brüder zu informieren. Die Bucht war von einigen Hektar guten, abschüssigen Landes umgeben und nicht (wie anderswo) von Torf oder Waldbäumen bedeckt. Kapitän Fitz Roys ursprüngliche Absicht war es, wie schon bemerkt, York Minster und Fuegia zu ihrem Stamm an der Westküste zu bringen, doch da sie den Wunsch bekundeten, hier zu bleiben, und die Stelle ausnehmend günstig war, beschloss Kapitän Fitz Roy, die ganze Gruppe hier anzusiedeln, darunter auch Matthews, den Missionar. Fünf Tage wurden damit verbracht, ihnen drei große Wigwams zu bauen, ihre Güter an Land zu bringen, zwei Gärten anzulegen und Saat auszubringen.

Am Morgen nach unserer Ankunft (24.) begannen die Feuerländer herbeizuströmen, und auch Jemmys Mutter und Brüder trafen ein. Jemmy erkannte die Stentorstimme eines seiner Brüder schon aus erstaunlicher Entfernung. Die Begegnung war weniger interessant als zwischen einem Pferd, das aufs Feld gelassen wird, mit seinem alten Gefährten. Es gab keinerlei Bekundung von Zuneigung; sie starrten einander nur eine Weile an, dann ging die Mutter sogleich nach ihrem Kanu sehen. Allerdings erfuhren wir durch York, dass die Mutter wegen des Verlustes Jemmys untröstlich gewesen war und überall nach ihm gesucht hatte in der Hoffnung, er sei vielleicht doch zurückgelassen worden, nachdem man ihn ins Boot gebracht hatte. Die Frauen schenkten Fuegia große Beachtung und waren sehr freundlich zu ihr. Wir hatten schon bemerkt, dass Jemmy seine eigene Sprache fast vergessen hatte. Ich würde sagen, dass es kaum einen zweiten Menschen mit einem so geringen Sprachschatz gab, denn auch sein Englisch war sehr unvollkommen. Es war lachhaft, aber auch mitleiderregend, wie er mit seinem wilden Bruder Englisch redete und ihn dann auf Spanisch fragte *(«no sabe?»)*, ob er ihn nicht verstehe.

Während der folgenden drei Tage, als die Gärten angelegt und die Wigwams gebaut wurden, verlief alles friedlich. Wir schätzten die Zahl der Eingeborenen auf ungefähr einhundertzwanzig. Die Frauen arbeiteten hart, während die Männer den ganzen Tag herumlümmelten und zusahen. Sie baten um alles, was sie sahen, und stahlen, was sie konnten. Sie erfreuten sich an unseren Tänzen und Gesängen, und besonders interessierte es sie, wie wir uns in einem nahe gelegenen Bach wuschen; andere Dinge beachteten sie kaum, nicht einmal unsere Boote. Von allem, was York während seiner Abwesenheit von seinem Land gesehen hatte, schien ihn nichts mehr erstaunt zu haben als ein Strauß bei Maldonado: Atemlos vor Verwunderung kam er zu Mr. Brynoe gerannt, mit dem er unterwegs war – «Oh, Mr.Brynoe, Vogel ganz wie Pferd!» Alles ging so ruhig vonstatten, dass einige Offiziere und ich lange Wanderungen durch die umliegenden Berge und Wälder unternahmen. Plötzlich jedoch, am 27., verschwanden alle Frauen und Kinder. Das machte uns beklommen, da auch weder York noch Jemmy eine Erklärung dafür hatten. Manche meinten, sie seien davon vertrieben worden, dass wir am Abend davor unsere Musketen gereinigt und abgefeuert hätten, andere wiederum, dass es von der Kränkung eines alten Wilden war, der, als man ihm sagte, er solle weiter zurückbleiben, dem Posten kühl ins Gesicht gespuckt hatte und danach durch Gebärden, die er über einem schlafenden Feuerländer ausführte, deutlich, wie es hieß, zum Ausdruck brachte, dass er unseren Mann am liebsten zerstückeln und aufessen würde. Kapitän Fitz Roy hielt es für ratsam, dass wir in einer mehrere Meilen entfernten Bucht schliefen, um so die Möglichkeit eines Zusammenstoßes, der für viele Feuerländer tödlich geendet hätte, zu vermeiden. Matthews entschloss sich mit seiner üblichen ruhigen Standhaftigkeit (bemerkenswert bei einem Manne, der scheinbar über wenig Charakterstärke verfügte), bei den Feuerländern zu bleiben, die keine Besorgnis um sich selbst zeigten, und so ließen wir sie zurück und bis ihre erste schreckliche Nacht verbringen.

Bei unserer Rückkehr am Morgen (28.) trafen wir zu unserer Freude alles ruhig und die Männer beim Fischestechen in ihren Kanus an. Kapitän Fitz Roy entschied, die Jolle und ein Walboot zum Schiff zurückzuschicken und mit den beiden anderen Booten weiterzufahren, eines unter seinem Kommando (worin ihn

Ein Wal vor der Küste Südamerikas

zu begleiten er mir aufs freundlichste gestattete), und eines unter Mr. Hammond, um die westlichen Teile des Beagle-Kanals zu vermessen und danach umzukehren und die Ansiedlung zu besuchen. Der Tag war zu unserer Verblüffung überwältigend heiß, sodass unsere Haut versengt wurde; bei diesem schönen Wetter war der Ausblick in der Mitte des Kanals ganz bemerkenswert. In beiden Richtungen versperrte nichts die Fluchtpunkte dieses langen Kanals zwischen den Bergen. Dass es sich dabei um einen Meeresarm handelte, zeigte sich sehr deutlich an mehreren gewaltigen Walen[2], die in verschiedene Richtungen spritzten. Einmal sah ich zwei dieser Ungeheuer, wahrscheinlich Männchen und Weibchen, keinen Steinwurf entfernt von der Küste, über welche die Buche ihre Äste reckte, langsam hintereinander schwimmen.

29. Januar – Früh am Morgen erreichten wir die Stelle, wo der Beagle-Kanal sich in zwei Arme teilt; wir wählten den nördlichen. Die Landschaft wird hier noch großartiger als zuvor. Die hohen Berge an der Nordseite bilden die Granitachse oder das Rückgrat des Landes und steigen steil auf eine Höhe von drei-

~ AUS ~

VERLAUF DER ZWEITEN EXPEDITION 1831–1836

VON ROBERT FITZROY

Am nächsten Tag (30.) gelangten wir in eine weite Wasserfläche, die ich Darwin Sound nannte – nach meinem Kajütengenossen, der so bereitwillig die lange Fahrt in einem kleinen beladenen Boot auf sich nahm. Begierig, einen Ausgang nach Norden zu finden, fuhr ich die Nordküste des Sound ab, Meile um Meile, und ließ alle Inseln im Süden hinter mir, bis wir in den Whaleboat Sound kamen und ich in der Ferne das Cape Desolation wie auch einige unbedeutendere Punkte erkannte, die mir bei der Suche nach einem verlorenen Boot auf der letzten Fahrt (1830) bekannt geworden waren.

Kap Hoorn, Chile

bis viertausend Fuß an, wobei ein Gipfel über sechstausend liegt. Sie sind von einem breiten Mantel ewigen Schnees bedeckt, und zahlreiche Kaskaden führen ihr Wasser durch die Wälder in den schmalen Kanal darunter. An vielen Stellen reichen prachtvolle Gletscher von den Berghängen bis zum Wasserrand. Etwas Schöneres als das beryllartige Blau dieser Gletscher ist kaum denkbar, zumal, wenn man es mit dem toten Weiß der weiten Schneefläche oben kontrastiert. Die Bruchstücke, die vom Gletscher ins Wasser gefallen waren, trieben davon, und der Kanal mit seinen Eisbergen bot uns auf einer Strecke von einer Meile ein Miniaturabbild des Polarmeers. Während die Boote zur Abendessenszeit an Land geholt wurden, bewunderten wir aus einer Entfernung von einer halben Meile ein senkrecht abfallendes Eiskliff und wünschten, weitere Stücke würden herabfallen. Endlich brach mit donnerndem Getöse eine Masse herab, und sogleich sahen wir den glatten Umriss einer Welle auf uns zuwandern. Die Männer rannten, so schnell sie konnten, zu den Booten, denn die Möglichkeit, dass sie in Stücke zerschmettert wurden, war offensichtlich. Einer der Seeleute bekam gerade noch den Bug zu fassen, als der rollende Brecher es erreichte; er wurde umgeworfen, blieb jedoch unversehrt, und auch die Boote nahmen, obgleich sie drei Mal angehoben und herabgeworfen wurden, keinen Schaden. Das war unser großes Glück, denn wir waren hundert Meilen vom Schiff entfernt und wären ohne Proviant und Feuerwaffen gewesen. Ich hatte schon davor bemerkt, dass einige große Gesteinsbrocken auf dem Strand erst kürzlich dorthin gelangt waren, doch erst als ich die Welle sah, begriff ich den Grund dafür.

6. Februar – Wir langten in Woollya an. Matthews gab einen so schlimmen Bericht vom Verhalten der Feuerländer, dass Kapitän Fitz Roy entschied, ihn wieder mit zur *Beagle* zu nehmen, und schließlich ließ man ihn in Neuseeland zurück, wo sein Bruder Missionar war. Gleich nach unserer Abfahrt hatte ein geradezu systematisches Plündern begonnen; ständig trafen neue Gruppen von Eingeborenen ein: York und Jemmy verloren viele Gegenstände und Matthews fast alles, was er nicht in der Erde versteckt hatte. Jeder Gegenstand schien zerrissen und unter den Eingeborenen verteilt worden zu sein. Matthews schilderte die Wache, die er stets halten musste, als äußerst zermürbend; Nacht und Tag war er von den Eingeborenen umgeben, die ihn zu ermüden suchten, indem sie dicht an seinem Kopf unaufhörlich Lärm machten. Einmal forderte Matthews einen alten Mann auf, seinen Wigwam zu verlassen, worauf dieser sogleich mit einem großen Stein in der Hand zurückkehrte; ein andermal kam eine ganze mit Steinen und Stöcken bewaffnete Gruppe, und einige der jüngeren Männer und Jemmy weinten: Matthews ging ihnen mit Geschenken entgegen. Eine andere Gruppe machte ihm mit Gesten deutlich, dass sie ihn nackt ausziehen und ihm alle Haare aus Gesicht und Körper reißen wolle. Ich glaube, wir kamen gerade rechtzeitig, um ihm das Leben zu retten. Jemmys Verwandte waren so eitel und töricht gewesen, Fremden ihre Beute zu zeigen und wie sie dazu gekommen waren. Es war ganz betrüblich, die drei Feuerländer bei ihren wilden Landsleuten zurückzulassen, doch war es ein großer Trost, dass sie keine Angst um sich hatten. York, ein kräftiger, entschlossener Mann, würde mit seiner Frau Fuegia bestimmt gut zurechtkommen. Der arme Jemmy schaute recht verzweifelt drein und wäre, dessen bin ich mir sicher, gern mit uns zurückgekehrt. Sein eigener Bruder hatte ihm viele Dinge gestohlen, und indem er bemerkte: «Was für Art das», beschimpfte er seine Landsleute, «alles böse Männer, sabe (wissen) nichts!» und, obgleich ich ihn nie hatte fluchen hören: «verdammte Narren». Unsere drei Feuerländer hätten, obgleich sie nur drei Jahre unter zivilisierten Menschen gewesen waren, gewiss gern ihre neue Lebensweise beibehalten, das aber war offensichtlich unmöglich. Ich fürchte, es ist mehr als zweifelhaft, ob ihr Besuch ihnen überhaupt etwas genützt hat.

Am letzten Februartag des folgenden Jahres (1834) ankerte die *Beagle* in einer schönen kleinen Bucht an der östlichen Einfahrt zum Beagle-Kanal. Kapitän Fitz Roy entschloss sich zu dem kühnen und, wie sich herausstellte, erfolgreichen Versuch, gegen

Waffen und Korb aus Feuerland

den Westwind auf derselben Route zu kreuzen, der wir in den Booten zur Ansiedlung Woollya gefolgt waren. Wir sahen nicht viele Eingeborene, bis wir dann in der Nähe des Ponsonby-Sund waren, wo uns zehn bis zwölf Kanus folgten. Die Eingeborenen verstanden den Grund unseres Lavierens überhaupt nicht, und statt uns bei jedem Schlag zu begegnen, mühten sie sich vergebens, uns auf unserem Zickzackkurs zu folgen. Mich belustigte die Erkenntnis, welchen Unterschied der Umstand, dass wir an Kraft deutlich überlegen waren, bei der Betrachtung dieser Wilden ausmachte. Im Boot war mir zunehmend allein schon der Klang ihrer Stimmen zuwider, so viel Ärger hatten sie uns bereitet. Das erste und letzte Wort war immer «Jammerschoner». Wenn wir in eine ruhige kleine Bucht einliefen, uns umsahen und gedachten, eine ruhige Nacht zu verbringen, schrillte das widerwärtige Wort «Jammerschoner» aus einem düsteren Winkel, und dann ringelte sich das kleine Rauchsignal empor, um die Nachricht weit und breit zu verkünden. Fuhren wir irgendwo ab, sagten wir zueinander: «Dem Himmel sei Dank, endlich haben wir diese Wichte hinter uns gelassen!», als erneut ein schwaches Hallo von einer allmächtigen Stimme, aus einer großen Entfernung vernommen, an unser Ohr drang, und deutlich konnten wir wieder «Jammerschoner» ausmachen. Nun jedoch war es desto lustiger, je mehr Feuerländer es waren, und wie lustig es dann war! Beide Seiten lachten, staunten, gafften einander an; wir bedauerten sie, dass sie uns gute Fische und Krabben gegen Lumpen usw. gaben, sie wiederum ergriffen die Gelegenheit, auf Leute zu treffen, die so dumm waren, dass sie solch prachtvolle Ornamente gegen ein gutes Mahl eintauschten. Es war höchst amüsant, das unverhohlen befriedigte Grinsen bei einer jungen Frau zu sehen, deren Gesicht schwarz bemalt war, während sie sich einige Fetzen rotes Tuch mit Binsen um den Kopf schnürte. Ihr Mann, der das in diesem Land sehr gängige Privileg genoss, zwei Ehefrauen zu besitzen, wurde offensichtlich neidisch auf die große Aufmerksamkeit, die seiner jungen Frau erwiesen wurde, und ließ sich nach einer Unterredung mit seinen nackten Schönen von ihnen davonpaddeln.

Am 5. März ankerten wir in der Bucht von Woollya, doch sahen wir dort keine Menschenseele. Das bestürzte uns, denn die Eingeborenen vom Ponsonby-Sund hatten durch Gebärden angezeigt, dass es Kämpfe gegeben hatte, und später erfuhren wir, dass die gefürchteten Oens-Männer eingefallen waren. Bald darauf näherte sich uns ein Kanu, in dem eine Fahne flatterte, und einer der Männer darin wusch sich gerade die Farbe vom Gesicht. Dieser Mann war der arme Jemmy – nun ein dünner, hagerer Wilder mit langem, wirrem Haar und bis auf den Fetzen einer Decke um die Hüften nackt. Wir erkannten ihn erst, als er nahe bei uns war, denn er schämte sich und drehte dem Schiff den Rücken zu. Als wir ihn zurückgelassen hatten, war er rundlich, dick, sauber und gut gekleidet – nie habe ich eine solch vollständige und schlimme Verwandlung gesehen. Sobald er aber mit Kleidung versehen war und die erste Aufregung sich gelegt hatte, sah alles schon wieder besser aus. Er speiste mit Kapitän Fitz Roy, und er aß sein Mahl so reinlich wie zuvor. Er sagte uns, er habe «zu viel» (was genug bedeutete) zu essen, dass ihm nicht kalt sei, dass seine Verwandten gute Menschen seien und dass er nicht zurück nach England wolle: Am Abend entdeckten wir dann die Ursache des großen Wandels von Jemmys Haltung, als nämlich seine junge und hübsche Frau eintraf. Mit seiner üblichen Empfindsamkeit brachte er zweien seiner besten Freunde zwei schöne

~ AUS ~

VERLAUF DER ZWEITEN EXPEDITION 1831–1836

VON ROBERT FITZROY

Bis zum 5. arbeitete die *Beagle* sich am Tage emsig windseitig (westwärts) durch den Kanal, dann ging sie bei Woollya vor Anker. Doch als wir passierten, waren kaum Eingeborene zu sehen; wahrscheinlich waren sie wegen des Schiffs beunruhigt und zeigten sich nicht. Die Wigwams von York, Jemmy und Fuegia waren leer, aber unversehrt. Der Garten war zertrampelt, doch wir zogen einige Rüben und Kartoffeln mäßiger Größe heraus und aßen sie, ein Beweis, dass man sie in der Gegend anbauen kann. Keine Menschenseele war zu sehen; die Wigwams schienen vor Monaten verlassen worden zu sein, und erst ein oder zwei unruhige Stunden, nachdem das Schiff geankert hatte, waren auf offener See drei Kanus zu sehen, die von dem Ort, der jetzt Button Island genannt wird, eilig auf uns zukamen. Durchs Glas sah ich, dass zwei Eingeborene sich die Gesichter wuschen, während der Rest aus Leibeskräften paddelte. Da war ich sicher, dass einige unserer Bekannten dort waren, und erkannte bald Tommy Button, Jemmys Bruder. In dem anderen Kanu war ein Gesicht, das ich kannte, jedoch nicht mit Namen. «Das muss jemand sein, den ich schon gesehen habe», sagte ich. Als sein scharfes Auge mich entdeckte und er abrupt die Hand an den Kopf (wie ein Seemann an seinen Hut) legte, sagte mir das sofort, dass es wirklich Jemmy Button war – allerdings sehr verändert! Ich konnte meine Gefühle kaum zurückhalten, und ich war nicht der Einzige, der von seinem schmutzigen erbarmungswürdigen Aussehen betroffen war. Er war, wie seine Kameraden, nackt bis auf ein Fell um seine Lenden; sein Haar war lang und verfilzt; er war erbärmlich dünn und seine Augen waren vom Rauch entzündet. Wir brachten ihn eilig nach unten, kleideten ihn rasch an, und eine halbe Stunde später saß er mit mir beim Dinner in der Kajüte, benutzte Messer und Gabel richtig und benahm sich so korrekt, als hätte er uns nie verlassen. Er sprach so viel Englisch wie sonst auch und zu unserem Erstaunen streuten seine Kameraden, Frau, Brüder und deren Frauen englische Wörter in ihr Gespräch ein. Jemmy erinnerte sich noch gut an jeden und freute sich sehr, alle zu sehen, vor allem Mr. Bynoe und James Bennett. Ich dachte, er wäre krank, doch er überraschte mich damit, dass es ihm «ehrlich, Sir, nie besser» gegangen*, er nicht einen Tag krank gewesen und glücklich und zufrieden sei und nicht den Wunsch habe, sein Leben zu ändern. Er sagte, er habe «sehr viel Früchte»†, «sehr viel Vögel», «zehn Guanaco in der Schneezeit» und «zu viel Fische». Übrigens hörte ich bald, dass in seinem Kanu ein gutaussehendes‡ Mädchen saß, das seine Frau sei.

* *Ein Lieblingssatz von ihm, früher*
† *Wucherungen auf den Geburtsbäumen sowie Beeren*
‡ *Für eine Feuerländerin*

Otterfelle und dem Kapitän eigenhändig gefertigte Speerspitzen und Pfeile. Er sagte, er habe sich selbst ein Kanu gebaut, und brüstete sich, er könne schon etwas in seiner eigenen Sprache sprechen! Ganz ungewöhnlich ist aber, dass er seinem Stamm anscheinend etwas Englisch beigebracht hat: Ein alter Mann kündigte spontan «Jemmy Buttons Frau» an. Jemmy habe alles Hab und Gut verloren. Er erzählte uns, York Minster habe ein Kanu gebaut und sei mit seiner Frau Fuegia[3] mehrere Monate zuvor auf sein eigenes Land gezogen und habe sich mit einer ausgemachten Schurkerei verabschiedet; er habe Jemmy und seine Mutter überredet mitzukommen und sie dann unterwegs bei Nacht verlassen und dabei ihr gesamtes Eigentum gestohlen.

Jemmy ging zum Schlafen an Land und kehrte am Morgen zurück an Bord, bis das Schiff den Anker lichtete, was seine Frau ängstigte, worauf sie so lange heftig weinte, bis er in sein Kanu stieg. Beladen mit wertvollen Gütern kehrte er zurück. Jede Seele an Bord war von Herzen traurig, ihm zum letzten Mal die Hand zu geben. Heute zweifle ich nicht mehr daran, dass er so glücklich sein wird, vielleicht glücklicher, als wenn er nie sein Land verlassen hätte. Jeder muss aufrichtig hoffen, dass des Kapitäns edle Hoffnung in Erfüllung gehe, er möge für die zahlreichen großzügigen Opfer, die er diesen Feuerländern gebracht hatte, belohnt werden, indem einmal ein schiffbrüchiger Seemann von den Nachfahren Jemmy Buttons und seines Stammes beschützt werde! Als Jemmy das Ufer erreichte, entzündete er ein Signallicht, und der Rauch stieg auf und sagte uns ein letztes und langes Lebewohl, während das Schiff Kurs aufs offene Meer nahm.

Die absolute Gleichheit unter den Einzelnen, welche die feuerländischen Stämme bilden, dürfte ihre Zivilisierung auf lange Zeit verzögern. So wie wir sehen, dass jene Tiere, deren Instinkt sie veranlasst, in einer Gemeinschaft zu leben, einem Anführer gehorchen, so verhält es sich auch bei den Rassen der Menschheit. Ob wir es nun als Ursache oder Folge ansehen, die zivilisierteren haben doch stets die künstlichste Regierung. In Feuerland erscheint es so lange, wie kein Häuptling mit genügend Macht auftritt, um sich erworbene Vorteile wie domestizierte Tiere zu sichern, kaum möglich, dass sich der politische Zustand des Landes bessert. Gegenwärtig wird noch ein Stück Tuch, das man einem schenkt, in Fetzen zerrissen und an alle verteilt, und keiner kann reicher werden als der andere. Andererseits ist es schwer zu begreifen, wie ein Häuptling auftreten soll, bis es nicht einen irgendwie gearteten Besitz gibt, womit er seine Überlegenheit manifestieren und seine Macht mehren kann.

York Minster, ein Feuerländer, der von Teilnehmern der *Beagle*-Expedition «adoptiert» und in europäische Kleidung gesteckt wurde

Landkarte von Feuerland und der Magellanstraße von 1611

11. Kapitel

MAGELLANSTRASSE – KLIMA DER SÜDKÜSTE

Magellanstraße – Port Famine – Besteigung des Tarn – Wälder – essbarer Pilz – Zoologie – großer Seetang – verlassen Feuerland – Klima – Obstbäume und Erzeugnisse der Südküste – Höhe der Schneegrenze in den Kordilleren – Niedergang von Gletschern zum Meer – Eisberge bilden sich – Transport von Felsblöcken – Klima und Erzeugnisse der antarktischen Inseln – Konservierung gefrorener Kadaver – Rekapitulation

Ende Mai 1834 fuhren wir zum zweiten Mal in das östliche Ende der Magellanstraße. Das Land zu beiden Seiten dieses Teils der Straße besteht aus nahezu ebenen Flächen gleich jenen Patagoniens. Kap Negro, unmittelbar hinter der zweiten Enge gelegen, kann als die Stelle angesehen werden, wo das Land die ausgeprägten Merkmale Feuerlands annimmt. In ähnlicher Weise verbindet an der Ostküste, südlich der Straße, eine zerklüftete, parkartige Landschaft diese beiden Länder, die in nahezu jeder Eigenschaft einander entgegengesetzt sind. Es ist wahrhaft überraschend, auf einer Strecke von zwanzig Meilen eine solche Veränderung der Landschaft anzutreffen. Nehmen wir eine noch größere Distanz wie die zwischen Port Famine und Gregory-Bucht, also ungefähr sechzig Meilen, ist der

Unterschied noch erstaunlicher. An ersterem Ort haben wir gerundete, von unzugänglichen Wäldern bewachsene Berge, die von Regen durchtränkt sind, der von einer nicht enden wollenden Abfolge von Stürmen gebracht wird; am Kap Gregory hingegen liegt ein klarer und strahlend blauer Himmel über trockenen und unfruchtbaren Ebenen. Die Luftströmungen[1] scheinen, obgleich schnell, aufgewühlt und von keinen sichtbaren Grenzen eingeschränkt, dennoch, gleich einem Fluss seinem Bett, einem gleichförmig vorgegebenen Kurs zu folgen.

Bei unserem vorigen Besuch (im Januar) hatten wir am Kap Gregory ein Gespräch mit den berühmten so genannten riesigen Patagoniern, die uns einen herzlichen Empfang bereiteten. Wegen ihrer weiten Guanako-Umhänge, ihres langen, wehenden Haares und ihrer allgemeinen Gestalt wirken sie größer, als sie tatsächlich sind: Im Durchschnitt sind sie ungefähr sechs Fuß groß, wobei manche Männer größer und nur wenige kleiner sind; auch die Frauen sind groß. Im Ganzen sind sie gewiss die größte

Die *Beagle* in der Magellanstraße mit dem Mount Sarmiento in der Ferne

~ AUS ~

VERLAUF DER ZWEITEN EXPEDITION 1831–1836

VON ROBERT FITZ ROY

Die Eingeborenen im Osten Patagoniens sind eine hochgewachsene und überaus kräftige Menschenrasse. Ihre Körper sind untersetzt, ihre Gesichter und Züge breit, doch ihre Hände und Füße vergleichsweise klein. Ihre Gliedmaßen sind weder so muskulös noch deren Knochen so mächtig, wie ihre Körpergröße und Stämmigkeit es vermuten lassen würden. Sie sind auch runder und feiner als jene der Weißen. Ihre Farbe ist ein sattes Rötlich-Braun zwischen rostigem Eisen und sauberem Kupfer, eher dunkler als Kupfer, aber doch nicht so wie gutes altes Mahagoni.* Aber jeder Farbton zwischen den soeben erwähnten und dem eines Kupferkessels ist bei Individuen jeden Alters zu sehen. Mit Ausnahme bei Alten oder Kranken bemerkte ich keinen Gelbton: Einige Frauen sind hellhäutiger – von hellem Kupfer –, doch keine von ihnen ist, nach unseren Vorstellungen, hell.

Auf dem Kopf tragen sie nichts als ihr sprödes, strähniges und struppiges schwarzes Haar, das von einem schmalen Stirnband aus geflochtenen oder gedrehten Sehnen gehalten wird. Ein weiter Fellumhang, den sie locker gerafft tragen, reicht von den Schultern bis zu den Knöcheln und verstärkt ihre Stämmigkeit so sehr, dass es nicht überrascht, wenn man sie «gigantisch» nannte. Ich wüsste nicht, dass in letzter Zeit ein Patagonier aufgetaucht wäre, der größer als sechs Fuß und ein paar Inches war; aber ich sehe keinen Grund, Falkners Bericht über die Cacique Cangapol zu bezweifeln, deren Größe gar sieben Fuß und einige Inches betrug.

Zu besonderen Anlässen wird der obere Teil ihres Körpers, von der Taille aufwärts, merkwürdig mit Farbe verziert (oder entstellt), ungeschickt und ohne Muster aufgetragen. An ihren Füßen befinden sich Stiefel aus den Häuten von Pferdebeinen. Hölzerne Sporen, wenn sie keine aus Eisen bekommen, ein Satz Bälle (Bolas) und ein langer spitzer Speer aus Bambus mit Eisenspitze vervollständigen ihre Ausrüstung. Diese Speere trifft man in der Nähe der Straße von Magalhaens selten an, aber die Einheimischen verzichten nicht völlig darauf.

Die Kleidung und Stiefel der Frauen gleichen denen der Männer, dazu tragen sie einen Unterrock aus Häuten, wenn sie sich keinen ausländischen groben Stoff beschaffen können. Sie säubern ihre Haare und teilen sie in zwei Zöpfe, die an den Seiten herunterhängen. Ornamente aus Perlen oder Messing- und Silberstückchen oder Ähnliches wird sehr geschätzt und in Halsketten oder Armbändern getragen, manchmal auch als Ohrringe oder um die Knöchel.

** Die Farbe dieser Eingeborenen ähnelt ganz stark jener von in Devonshire gezüchteten Rindern. Durch das Fenster des Raums, in dem ich sitze, sehe ich einige Ochsen dieser Rasse zwischen den Bäumen eines Waldes laufen, und die partiellen Blicke, die ich auf sie habe, erinnern mich stark an die südamerikanischen Roten.*

Rasse, die wir überhaupt irgendwo sahen. In den Gesichtszügen ähneln sie auffallend den nördlicheren Indianern, die ich bei Rosas sah, doch haben sie ein wilderes und furchterregenderes Aussehen; ihre Gesichter waren stark mit Rot und Schwarz bemalt, und ein Mann war mit Weiß geringelt und gepunktet wie ein Feuerländer. Kapitän Fitz Roy bot ihnen an, beliebige drei an Bord zu nehmen, und alle schienen sie entschlossen, einer der drei zu sein. Es dauerte lange, bis wir das Boot frei bekamen; endlich gingen wir mit unseren drei Riesen an Bord, wo sie mit dem Kapitän speisten und sich ganz wie Herren benahmen und sich mit Messer, Gabel und Löffel bedienten: Nichts wurde so sehr genossen wie Zucker. Dieser Stamm hat so viel Kontakt zu Robben- und Walfängern gehabt, dass die meisten Männer ein wenig Spanisch oder Englisch sprechen, und sie sind halb zivilisiert und im Verhältnis dazu entsittlicht.

Am nächsten Morgen ging eine große Gruppe an Land, um Felle und Straußenfedern einzutauschen; da Feuerwaffen verweigert wurden, war am begehrtesten Tabak, weit mehr als Äxte oder Werkzeug. Die ganze Bevölkerung der Toldos, Männer,

Patagonier, wie sie in Fitz Roys Reisebericht von 1839 und der Ausgabe 1890 der *Fahrt der Beagle* (Einsatz) dargestellt sind

Frauen und Kinder, hatte sich am Ufer aufgestellt. Es war eine amüsante Szenerie, und es war unmöglich, diese so genannten Riesen nicht zu mögen; sie waren so gänzlich gutmütig und arglos: Sie baten uns wiederzukommen. Anscheinend mögen sie es, wenn Europäer bei ihnen leben, und die alte Maria, eine wichtige Frau des Stammes, bat Mr. Low einmal, einen seiner Seeleute bei ihnen zu lassen. Sie verbringen den größeren Teil des Jahres hier, sommers jagen sie hingegen am Fuße der Kordilleren; manchmal streifen sie bis hinauf zum Rio Negro, 750 Meilen nach Norden. Sie sind gut mit Pferden ausgestattet; Mr. Low zufolge hat jeder Mann sechs oder sieben, und alle Frauen und selbst die Kinder haben ihr eigenes Pferd. Zu Zeiten Samientos (1580) hatten diese Indianer Pfeil und Bogen, die sie nun lange nicht mehr gebrauchen; auch Pferde hatten sie damals. Das ist sehr merkwürdig und beweist die außerordentlich schnelle Vermehrung der Pferde in Südamerika. Das erste Pferd kam 1537 in Buenos Ayres an Land, und nachdem die Kolonie eine Zeit lang verlassen war, verwilderte das Pferd.[2] Und 1580, nur dreiundvierzig Jahre später, hören wir von ihnen an der Magellanstraße! Mr. Low teilte mir mit, ein Nachbarstamm von Fußindianern verändere sich gerade zu Pferdindianern, und der Stamm an der Gregory Bay gebe ihnen verbrauchte Pferde und schicke ihnen im Winter einige ihrer fähigsten Männer, um für sie zu jagen.

1. Juni – Wir ankerten in der schönen Bucht von Port Famine. Es war nun Anfang Winter, und nie habe ich etwas Freudloseres gesehen; die düsteren Wälder, vom Schnee gescheckt, waren durch eine nieselige, diesige Luft nur undeutlich zu erkennen.

Als die *Beagle* im Februar hier war, machte ich mich eines Morgens um vier Uhr auf, um den Tarn zu ersteigen, welcher mit seinen 2600 Fuß der höchste Punkt in der unmittelbaren Umgebung ist. Wir fuhren mit dem Boot zum Fuß des Berges (unglücklicherweise aber nicht zum besten Teil) und machten uns dann an den Aufstieg. Der Wald beginnt an der Hochwasserlinie, und während der ersten beiden Stunden ließ ich alle Hoffnung fahren, den Gipfel zu erreichen. Der Wald war so dicht, dass wir unablässig den Kompass befragen mussten, denn jeder Anhaltspunkt war, obgleich wir uns in einem Bergland befanden, vollkommen dem Blick entzogen. In den tiefen Schluchten übertraf das todesgleiche Bild der Trostlosigkeit jede Beschreibung; draußen brauste ein Sturm, in diesen Senken hingegen rührte kein Hauch die Blätter selbst der höchsten Bäume. Endlich gelangten wir zu den verkümmerten Bäumen und erreichten dann rasch den kahlen Grat, der uns zum Gipfel führte. Dort bot sich uns ein Blick, der charakteristisch ist für Feuerland: unregelmäßige Hügelketten, mit Schneefeldern gefleckt, tiefe gelblichgrüne Täler und Meeresarme, die das Land in vielen Richtungen zerschnitten. Der starke Wind war beißend kalt und die Luft ziemlich diesig, sodass wir nicht lange auf dem Gipfel blieben. Unser Abstieg war nicht ganz so mühsam wie der Aufstieg, denn das

Port Famine an der Magellanstraße

Gewicht des Körpers erzwang einen Durchgang, und alles Rutschen und Fallen erfolgte in die richtige Richtung.

Schon erwähnt habe ich das düstere und stumpfe Gepräge der immergrünen Wälder,[3] worin zwei oder drei Baumarten wachsen, welche alle anderen ausschließen. Bei Port Famine habe ich höhere Bäume als irgendwo sonst gesehen. Ich vermaß eine Winterrinde, deren Umfang vier Fuß, sechs Zoll betrug, und etliche Buchen maßen bis zu dreizehn Fuß.

Ein pflanzliches Erzeugnis gibt es, das wegen seiner Bedeutung als Nahrungsmittel der Feuerländer Aufmerksamkeit verdient. Es ist ein kugelförmiger, hellgelber Pilz, der in großer Zahl an den Buchen wächst. Jung ist er elastisch und geschwollen und hat eine glatte Oberfläche, ist er reif, so schrumpft er und wird zäher, und seine ganze Oberfläche bildet tiefe Gruben oder Waben, wie dargestellt auf dem beigefügten Holzschnitt. Dieser Pilz gehört einer neuen und merkwürdigen Gattung an;[4] eine zweite Art fand ich an einer anderen Buchenart in Chile, und Dr. Hooker teilte mir mit, erst kürzlich sei eine dritte Art an einer dritten Buchenart in Van Diemen's Land entdeckt worden. Wie eigentümlich in den verschiedenen Teilen der Welt dies Verhältnis zwischen parasitischem Pilz und dem Baum ist, auf dem er wächst! In Feuerland wird der Pilz in seinem festen und reifen Zustand in großen Mengen von den Frauen und Kindern gesammelt und ungegart gegessen. Er hat einen schleimigen, leicht süßlichen Geschmack und riecht schwach nach Champignon. Mit Ausnahme einiger Beeren, hauptsächlich des Zwerg-Erdbeerbaums, nehmen die Eingeborenen neben dem Pilz keine pflanzliche Nahrung zu sich.

Flora in der Nähe der Magellanstraße

Die Zoologie Feuerlands ist, wie man aufgrund der Natur seines Klimas und seiner Vegetation annehmen konnte, sehr dürftig. An Säugetieren gibt es, neben Walen und Seehunden, eine Fledermaus, eine Art Maus *(Reithrodon chinchilloides)*, zwei echte Mäuse, eine Ctenomys, verwandt oder identisch mit dem Tukotuko, zwei Füchse (*Canis magellanicus* und *C. azarae*), einen Seeotter, das Guanako und einen Hirsch. Die meisten dieser Tiere bewohnen nur die trockeneren östlichen Bereiche des Landes, und den Hirsch hat man nie südlich der Magellanstraße gesehen. Betrachtet man die allgemeine Übereinstimmung der Kliffe aus Sandstein, Schlamm und Kiesel an den gegenüberliegenden Seiten der Straße und auf einigen dazwischenliegenden Inseln, ist man sehr versucht zu glauben, dass das Land einstmals vereint war und es somit solch empfindlichen und hilflosen Tieren wie dem Tukotuko und dem Reithrodon gestattete hinüberzugelangen. Die Entsprechung der Kliffe ist weit entfernt, eine Verbindung zu beweisen, denn solche Kliffe werden im Allgemeinen durch den Durchschnitt schräger Ablagerungen gebildet, welche vor der Anhebung des Landes nahe der damals bestehenden Küsten angesammelt worden waren. Allerdings ist es ein auffallender Zufall, dass von den beiden großen Inseln, die durch den Beagle-Kanal vom Rest Feuerlands abgetrennt sind, die eine Kliffe aufweist, welche sich aus einer Substanz zusammensetzen, die man geschichtetes Alluvium nennen könnte, und die ähnlichen an der gegenüberliegenden Seite des Kanals entsprechen – wohingegen die andere ausschließlich von alten kristallinen Felsen begrenzt ist; auf der Ersteren, Navarin-Insel genannt, sind Fuchs wie auch Guanako vertreten, auf Letzterer hingegen, Hoste-Insel, obgleich in jeder Hinsicht ähnlich und nur von einem wenig mehr als eine halbe Meile breiten Kanal getrennt, tritt, wie Jemmy Button mir versichert hat, keines dieser Tiere auf.

Die düsteren Wälder werden nur von wenigen Vögeln bewohnt; gelegentlich lässt sich der klagende Laut eines weißschopfigen Tyrannen *(Myiobius albiceps)* vernehmen, verborgen nahe dem Wipfel der höchsten Bäume, und seltener noch der laute, seltsame Ruf eines schwarzen Spechts, der eine schöne scharlachrote Haube auf dem Kopf trägt. Ein kleiner, dunkelfarbener Zaunkönig *(Scytalopus magellanicus)* hüpft geduckt zwischen der verschlungenen Masse umgefallener und modernder Baumstämme umher. Der verbreitetste Vogel des Landes ist jedoch der Baumläufer *(Oxyurus tupinien)*. Überall in den Buchenwäldern, weit oben wie tief unten, in den dunkelsten, nassesten und undurchdringlichsten Schluchten trifft man ihn an. In den offeneren Bereichen finden sich drei, vier Finkenarten, eine Drossel, ein Star (oder *Icterus*), zwei *Opetiorhynchi* und mehrere Falken und Eulen.

Magellanspecht *(Campephilus magellanicus)*, Patagonien

Das Fehlen jedweder Art aus der gesamten Klasse der Reptilien ist ein kennzeichnendes Merkmal in der Zoologie dieses Landes wie auch in jener der Falklandinseln. Ich gründe diese Aussage nicht nur auf meine eigenen Beobachtungen, sondern hörte es auch von den spanischen Bewohnern des letzteren Landes und, Feuerland betreffend, von Jemmy Button. Am Ufer des Santa Cruz auf der südlichen Breite von 50° sah ich einen Frosch, und es ist nicht unwahrscheinlich, dass diese Tiere wie auch Eidechsen weiter südlich bis zur Magellanstraße angetroffen werden, wo das Land sich das Gepräge Patagoniens bewahrt; in dem feuchtkalten Bereich Feuerlands findet sich kein einziger.

Käfer treten in sehr geringer Zahl auf; es dauerte lange, bis ich glauben konnte, dass ein Land so groß wie Schottland, das mit pflanzlichen Erzeugnissen überzogen ist und mit einer Vielfalt von Standorten aufwartet, so unproduktiv sein kann. Die wenigen, die ich fand, waren alpine

Arten (Harpalidae und Heteromidae), welche unter Steinen lebten. Die Pflanzen fressenden Chrysomelidae, so eminent prägend für die Tropen, fehlen hier nahezu vollständig;[5] ich sah sehr wenig Fliegen, Schmetterlinge oder Bienen und keine Grillen oder Orthoptera. In den Tümpeln fand ich nur wenige Wasserkäfer und keine Süßwassermuscheln: *Succinea* erscheint zunächst als Ausnahme, hier aber muss sie als Landmuschel bezeichnet werden, da sie auf den feuchten Gräsern fern vom Wasser lebt. Landmuscheln konnten nur in den gleichen alpinen Lagen wie die Käfer entdeckt werden.

Wenden wir uns vom Land zum Meer, so werden wir Letzteres ebenso überreich mit Lebewesen ausgestattet sehen, wie Ersteres arm daran ist. In allen Teilen der Welt ernährt eine felsige und teilweise geschützte Küste in einem beliebigen Raum vielleicht eine größere Anzahl einzelner Tiere als jeder andere Standort. Ein Meereserzeugnis gibt es jedoch, das aufgrund seiner Bedeutung einer eigenen Geschichte würdig ist. Das ist der Kelp oder *Macrocystis pyrifera*. Diese Pflanze wächst auf jedem Felsen von der Niedrigwassermarke bis in große Tiefen, an der Außenküste ebenso wie in den Kanälen.[6] Ich glaube, auf den Fahrten von *Adventure* und *Beagle* sah man keinen Felsen nahe der Oberfläche, der nicht von diesem treibenden Unkraut markiert war. Der gute Dienst, den es dadurch den Fahrzeugen leistet, die nahe diesem stürmischen Land navigieren, liegt auf der Hand, und gewiss hat es manch eines vor Schiffbruch bewahrt. Ich kenne wenige Dinge, die so überraschend sind wie der Anblick dieser Pflanze, die inmitten der großen Brecher des westlichen Ozeans wächst und gedeiht, der keine Steinmasse, und sei sie noch so hart, lange widerstehen kann. Der Stängel ist rund, schleimig und glatt, und sein Durchmesser beträgt selten mehr als einen Zoll. Ein paar zusammengenommen sind stark genug, um das Gewicht der großen losen Steine zu tragen, an denen sie in den Binnenkanälen festwachsen. Dabei waren einige dieser Steine so schwer, dass sie sich, als sie an die Oberfläche gezogen waren, kaum von einem Mann ins Boot hieven ließen. Ich glaube nicht, dass der Stamm irgendeiner anderen Pflanze eine so große Länge wie dreihundertsechzig Fuß erreicht, wie Kapitän Cook angibt. Überdies fand Kapitän Fitz Roy, dass sie aus einer größeren Tiefe als fünfundvierzig Fuß emporwuchs.[7] Die Felder dieses Seetangs geben, selbst wenn sie nicht von großer Breite sind, einen hervorragenden natürlichen Wellenbrecher ab. Es ist recht eigenartig anzusehen, wie schnell die Wellen vom offenen Meer in einem exponierten Hafen, indem sie durch die wuchernden Pflanzen strömen, an Höhe verlieren und in sanfteres Wasser übergehen.

Die Anzahl der Lebewesen aller Ordnungen, deren Existenz aufs engste vom Kelp abhängt, ist wunderbar. Man könnte einen dicken Band verfassen, nur um die Bewohner eines dieser Seetangfelder zu beschreiben. Nahezu alle Blätter außer jenen, die an der Oberfläche treiben, sind so dicht mit Korallentieren überkrustet, dass sie weiß gefärbt sind. Wir finden äußerst zarte Strukturen, manche von einfachen Hydraartigen Polypen bewohnt, andere von organisierteren Formen und

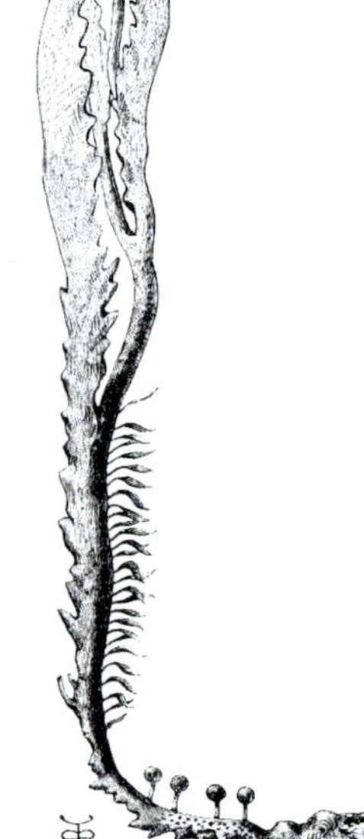

Magellanischer Riesentang *(Macrocystis pyrifera)*

wunderschönen zusammengesetzten Ascidiae. Auch verschiedene patelliforme Muscheln, Trochi, nackte Mollusken und einige zweischalige Muscheln sitzen an den Blättern fest. Zahllose Krustentiere durchschwärmen jeden Teil der Pflanze. Schüttelt man die großen verschlungenen Wurzeln, fallen unzählige kleine Fische, Muscheln, Kopffüßer, Krebse aller Ordnungen, Seeigel, Seesterne, schöne Holuthuriae, Planariae und krabbelnde Nereiden in einer Vielzahl von Formen heraus. Sooft ich mich wieder einem Kelpzweig zuwandte, entdeckte ich stets Tiere von neuen und merkwürdigen Strukturen. Ich kann diese großen Wasserwälder der südlichen Hemisphäre nur mit jenen an Land in den intertropischen Regionen vergleichen. Doch würde in einem Land ein Wald zerstört, glaube ich nicht, dass auch nur annähernd so viele Tierarten zugrunde gehen würden wie hier durch die Zerstörung des Kelp.

8. Juni – Am Morgen lichteten wir den Anker und verließen Port Famine. Kapitän Fitz Roy entschied, die Magellanstraße durch den Magdalen-Kanal zu verlassen, der erst kurz davor entdeckt worden war. Unser Kurs ging genau nach Süden, durch die dunkle Passage, von der ich oben als jener gesprochen habe, die in eine andere und schlimmere Welt zu führen scheint. Der Wind war beständig, die Luft hingegen sehr dicht, sodass wir manch merkwürdige Landschaft verpassten. Die dunklen, zerrissenen Wolken wurden rasch über die Berge hinweggetrieben, von ihrem Gipfel bis fast an den Fuß. Die kurzen Ausblicke, die wir durch die dunkle Masse erhaschten, waren äußerst interessant; gezackte Spitzen, Schneekegel, blaue Gletscher, kräftige Konturen, vor einem fahlen Himmel gezeichnet, waren in unterschiedlichen Entfernungen und Höhen zu sehen. Inmitten einer solchen Landschaft ankerten wir am Kap Turn, nahe dem Mount Sarmiento, der gerade in Wolken verborgen war.

9. Juni – Am Morgen hob sich zu unserer Freude allmählich der Nebelschleier vom Sarmiento

Die Magellanstraße am frühen Morgen

und bot ihn unseren Blicken dar. Dieser Berg, einer der höchsten in Feuerland, hat eine Höhe von 6800 Fuß. Unten ist er auf ungefähr einem Achtel seiner Gesamthöhe von dunklen Wäldern eingehüllt, darüber erstreckt sich ein Schneefeld bis zum Gipfel. Diese gewaltigen Schneemassen, die niemals schmelzen und anscheinend dazu bestimmt sind, so lange zu überdauern, wie die Welt zusammenhält, bieten ein edles, ja erhabenes Schauspiel. Die Kontur des Berges war bewundernswert klar gezeichnet. Mehrere Gletscher stiegen auf gewundenem Kurs von der oberen großen Schneefläche bis zur Meeresküste hinab: Man könnte sie mit großen gefrorenen Niagaras vergleichen, und vielleicht sind diese Katarakte blauen Eises ganz genauso schön wie die bewegten aus Wasser. Mit Einbruch der Nacht erreichten wir den Westteil des Kanals, doch das Wasser war so tief, dass sich kein Ankerplatz finden ließ. Folglich mussten wir in pechschwarzer, vierzehn Stunden langer Nacht in diesem schmalen Meeresarm ab und zu liegen.

Die folgende Erörterung des Klimas am Südende des Kontinents bezüglich seiner Erzeugnisse, der Schneegrenze, des außerordentlich tiefen Abfalls der Gletscher und der Zone ewigen Eises auf den antarktischen Inseln mag jedermann, der an diesen merkwürdigen Themen kein Interesse findet, überspringen, oder er liest lediglich die Zusammenfassung am Ende.

Das ausgeglichene, feuchte und windige Klima Feuerlands reicht bei nur geringer Wärmezunahme viele Grade die Westküste des Kontinents hinauf. Die Wälder haben auf 600 Meilen nördlich von Kap Hoorn ein sehr ähnliches Gepräge. Zum Beweis für das ausgeglichene Klima noch 300 bis 400 Meilen weiter nördlich darf ich erwähnen, dass auf Chiloé (entspricht nach geographischer Breite dem Norden Spaniens) der Pfirsichbaum selten Früchte trägt, wohingegen Erdbeeren und Äpfel vortrefflich reifen. Selbst die Ernte von Gerste und Weizen[8] wird oftmals in die Häuser eingebracht, um sie dort trocknen und reifen zu lassen. In Valdivia (auf derselben Breite wie

Noch eine Ansicht der Magellanstraße

~ AUS ~

VERLAUF DER ZWEITEN REISE 1831–1836

VON ROBERT FITZ ROY

Als wir gute gleiche Höhen, nach einem Zeitintervall, das zur Beurteilung unserer Chronometer reichte,* hatten, segelten wir von Port Famine den Magellankanal hinunter und genossen eine hübsche Landschaft, in welcher der Sarmiento hervorstach, und ankerten in einer weiten Bucht unterhalb von Kap Turn. Am nächsten Tag kreuzten wir luvwärts durch den Cockburn-Kanal und wären abends vor Anker gegangen, hätte sich rechtzeitig eine sichere Stelle geboten, aber da die einzige nahe Bucht bei Anbruch der Dämmerung sehr klein war, zog ich es vor, diese der *Adventure* zu überlassen und mit der *Beagle* unterwegs zu bleiben. Die Nacht war lang und sehr dunkel, die ganze Zeit fiel ein feiner Regen und Böen von Luv waren häufig. Es gab nur ungefähr vier Quadratmeilen, in denen man unbeschadet in der Dunkelheit kreuzen konnte, und vierzehn Stunden lang durchquerten wir das Gebiet in jeder Richtung. Zeitweise mussten wir mit vollen Segeln fahren, um gegen die Leetide anzukommen; aber bei Ebbe mussten wir, wenn wir den kleinen Inseln westlich von uns zu nahe kamen, oft vor dem Wind halten und leewärts fahren. In solch einem Fall ist ein Schiff in Bewegung viel besser zu steuern, als wenn es beigelegt hätte, und sind die Männer viel aufmerksamer, als wenn das Schiff selbst wie im Halbschlaf wirkt, dass ich stets für kurze Wenden unter kontrollierbarem Segel war, um möglichst an einem Ort zu bleiben, statt beizulegen und zu treiben.

* *Die Adventure hatte vier Chronometer.*

Links: Eine Schiffsuhr um 1830

Madrid, 40°) reifen Trauben und Feigen, sind jedoch nicht sehr verbreitet; Oliven reifen selten auch nur teilweise und Orangen gar nicht. Stattliche Bäume vieler Arten mit glatter und kräftig gefärbter Rinde sind überladen von einsamenlappigen Schmarotzerpflanzen; große, elegante Farne sind weit verbreitet, und baumartige Gräser flechten die Bäume in eine einzige verschlungene Masse bis auf eine Höhe von dreißig bis vierzig Fuß über der Erde. Auf 37° S wachsen Palmen, auf 40° ein baumartiges Gras, dem Bambus sehr ähnlich, und eine weitere eng verwandte Art von großer Länge, aber nicht aufrecht, gedeiht sogar noch auf der Breite von 45° S.

Ein ausgeglichenes Klima, das sich offenkundig der, verglichen mit dem Land, großen Wasserfläche verdankt, scheint sich über den größeren Teil der südliche Hemisphäre zu erstrecken; folglich hat die Vegetation ein halbtropisches Gepräge. Auf Van Diemen's Land (45° S) gedeihen Baumfarne aufs üppigste, und ein Stamm, den ich maß, hatte einen Umfang von nicht weniger als sechs Fuß. Forster traf in Neuseeland auf 46° S, wo Orchideenpflanzen parasitisch auf Bäumen wachsen, auf einen baumartigen Farn. Auf den Auckland-Inseln haben Farne, Dr. Dieffenbach zufolge,[9] einen so dicken Stamm und sind so hoch, dass man sie beinahe Baumfarne nennen könnte, und auf diesen Inseln und sogar noch so weit südlich wie 55° S, auf den Macquarie-Inseln, wimmelt es von Papageien.

Da die Höhe des Bereichs des ewigen Schnees offenbar weniger von der durchschnittlichen Jahrestemperatur als vor allem von der extremen Wärme des Sommers bestimmt wird, sollte uns ihr Absinken in der Magellanstraße, wo der Sommer so kühl ist, auf gerade 3500 bis 4000 Fuß über dem Meer nicht überraschen, obwohl wir in Norwegen bis auf eine Breite von 67° bis 70° N reisen müssen, das heißt, 14° näher zum Pol, um ewigen Schnee auf dieser geringen Höhe anzutreffen. Der Höhenunterschied, nämlich über 9000 Fuß, zwischen der Schneegrenze in den Kordilleren hinter Chiloé (deren höchste Gipfel nur 5600 bis 7500 Fuß messen) und in Zentralchile[10] (eine Entfernung von lediglich 9 Breitengraden) ist wahrhaft erstaunlich. Das Land von der Südspitze Chiloés bis nahe bei Concepción (37° S) ist von einem dichten Wald verborgen, der von Feuchtigkeit trieft. Der Himmel ist bewölkt, und wir haben gesehen, wie schlecht die Früchte Südeuropas dort gedeihen. Dagegen ist der Himmel über Zentralchile, ein wenig nördlich von Concepción, im Allgemeinen klar, sieben Sommermonate lang fällt kein Regen, und die Früchte Südeuropas gedeihen hervorragend; selbst Zuckerrohr wird dort angebaut.[11] Zweifellos erfährt die Grenze des ewigen Schnees die obige beachtliche Krümmung von 9000 Fuß, ohnegleichen in anderen Teilen der Welt, unweit der Breite von Concepción, wo das Land nicht mehr von Waldbäumen bedeckt ist, denn in Südamerika zeigen Bäume ein regenreiches Klima, Regen einen bewölkten Himmel und geringe Wärme im Sommer an.

Der Abfall der Gletscher zum Meer dürfte im Wesentlichen von der Niedrigkeit der Grenze des ewigen Schnees an steilen Bergen in Küstennähe abhängen (Voraussetzung ist natürlich ein ordentlicher Schneevorrat in den oberen Regionen). Da die Schneegrenze in Feuerland so niedrig ist, hätten wir erwarten können, dass viele Gletscher das Meer erreichten. Gleichwohl war ich erstaunt, als ich erstmals eine lediglich 3000 bis 4000 Fuß hohe Bergkette auf der Breite von Cumberland sah, wo jedes Tal mit Eisströmen angefüllt war, die bis zur Meeresküste hinabgingen. Nahezu jeder Meeresarm, der zu der inneren, höheren Kette vordringt, nicht nur in

Feuerland, sondern auch an der Küste auf 650 Meilen nach Norden, findet sein Ende an «gewaltigen und erstaunlichen Gletschern», wie einer der Offiziere sie bei der Vermessung beschrieb. Von diesen Eiskliffen fallen häufig große Eismassen herab, und der Aufprall hallt wie die Breitseite eines Kriegsschiffs durch die einsamen Kanäle. Solche Abstürze erzeugen, wie im vorigen Kapitel ausgeführt, große Wellen, die sich an den umliegenden Küsten brechen. Man weiß, dass Erdbeben häufig dazu führen, dass Erdmassen von Meereskliffen fallen: Wie fürchterlich wäre demnach die Wirkung einer starken Erschütterung (und solche geschehen hier)[12] auf einen Körper wie den Gletscher, der schon in Bewegung und von Spalten durchzogen ist! Ich kann mir gut vorstellen, dass das Wasser ziemlich weit aus dem tiefsten Kanal zurückgedrängt und danach, mit überwältigender Macht zurückkehrend, riesige Gesteinsmassen wie Spreu umherwirbeln würde. Im Eyre's Sound, auf der Breite von Paris, gibt es gewaltige Gletscher, und dennoch ist der höchste Berg in der Umgebung nur 6200 Fuß hoch. In diesem Sund wurden einmal gleichzeitig ungefähr fünfzig Eisberge gesichtet, die auswärts trieben, und einer soll *mindestens* 168 Fuß Gesamthöhe betragen haben. Einige davon waren mit beachtlichen Brocken aus Granit und anderem Gestein beladen, das sich von dem Tonschiefer der umliegenden Berge unterschied. Der am weitesten vom Pol entfernte Gletscher, der auf den Fahrten von *Adventure* und *Beagle* vermessen wurde, liegt auf 46° 50' S im Golf von Penas. Er ist 15 Meilen lang und an einer Stelle 7 breit und reicht bis zur Meeresküste hinab. Doch noch einige Meilen nördlich dieses Gletschers, in der Laguna de San Rafael, trafen spanische Missionare[13] auf «viele Eisberge, einige klein, einige groß, andere wiederum von mittlerer Größe», und das am 22. des Monats, der unserem Juni, und auf einer Breite, die jener des Genfer Sees entspricht!

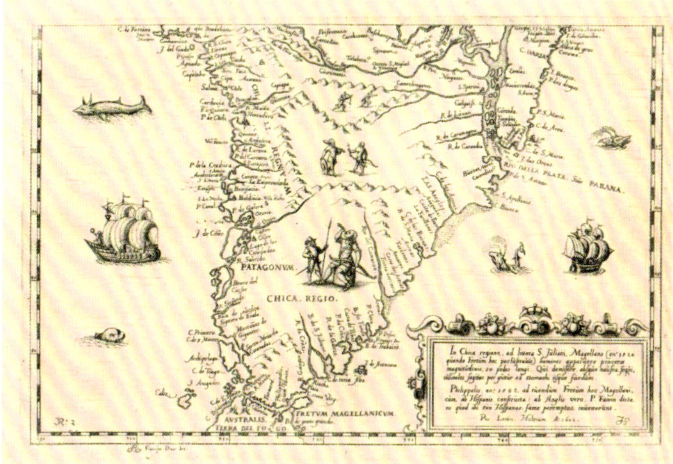

OBEN: Eyre's Sound
UNTEN: Karte von der Südspitze Südamerikas und der Magellanstraße aus dem 17. Jahrhundert

In Feuerland liegen die überwiegende Zahl von Felsbrocken auf den Linien alter Meereskanäle, welche durch die Erhebung des Landes nun in trockene Täler umgewandelt worden sind. Sie sind mit einer großen ungeschichteten Formation aus Schlick und Sand verbunden, die gerundete und eckige Trümmer jeder Größe enthält und ihren Ursprung[14] in dem Meeresboden hat, der wiederholt von gestrandeten Eisbergen und dem darauf transportierten Gestein gepflügt wurde. Wenige Geologen bezweifeln heute, dass diese erratischen Blöcke, die in der Nähe hoher Berge liegen, von den Gletschern selbst vorangestoßen wurden und dass diejenigen fern von Bergen und in unter Wasser liegenden Ablagerungen entweder mit Eisbergen oder in Küsteneis eingefroren dorthin gelangt sind. Die Verbindung des Transports von Blöcken und dem Vorhandensein von Eis jedweder Form zeigt sich schlagend in ihrer geographischen Verbreitung auf der Erde. In Südamerika findet man sie nicht weiter als auf einer Breite von 48°, vom Südpol her gemessen; in Nordamerika ist die Grenze ihres Transports anscheinend 53,5° vom Nordpol; in Europa dagegen nicht mehr als 40° Breite, ebenfalls von dort bemessen. Andererseits hat man sie in den intertropischen Regionen Amerikas, Asiens und Afrikas nicht beobachtet, auch nicht am Kap der Guten Hoffnung oder in Australien.[15]

Über Klima und Erzeugnisse der antarktischen Inseln – Im Lichte der wild wuchernden Vegetation in Feuerland und an der Küste nördlich davon ist die Beschaffenheit der Inseln im Süden und Süd-

Deception Island im Archipel der südlichen Shetlandinseln vor der Küste der Antarktis

westen Amerikas wahrhaft verblüffend. Sandwich Land, auf einer Breite wie der Norden Schottlands, bot sich Cook im wärmsten Monat des Jahres, mit «vielen Faden dicken ewigen Schnees bedeckt»; es scheint dort kaum Vegetation zu geben. Georgia, eine 96 Meilen lange und 10 breite Insel auf der Breite von Yorkshire, «ist auf dem absoluten Höhepunkt der Sommers gewissermaßen ganz von gefrorenem Schnee bedeckt». Sie hat nur Moos, ein paar Büschel Gras und wilden Wiesenknopf aufzuweisen und lediglich einen Landvogel *(Anthus correndera)*, wohingegen Island, das 10° näher am Pol liegt, Mackenzie zufolge fünfzehn Landvögel besitzt. Auf den südlichen Shetlandinseln, auf gleicher Breite wie die Südhälfte Norwegens gelegen, finden sich nur einige Flechten, etwas Moos und Gras, und Leutnant Kendall[16] berichtet, die Bucht, in welcher er vor Anker lag, habe schon zu einem Zeitpunkt begonnen zuzufrieren, der unserem 8. September entspricht. Der Boden besteht dort aus Eis, mit Vulkanasche durchzogen, und in geringer Tiefe unter der Oberfläche muss er dauerhaft gefroren sein, denn Leutnant Kendall entdeckte den Leichnam eines ausländischen Seemannes, der vor langer Zeit bestattet worden war und dessen Fleisch und alle Gesichtszüge vollkommen erhalten waren. Es ist ein außerordentliches Faktum, dass wir auf den beiden großen Kontinenten der nördlichen Hemisphäre (nicht aber in dem zerklüfteten Land Europa dazwischen) die Zone ewig gefrorenen Untergrunds auf niedriger Breite haben, nämlich auf 56° in Nordamerika in einer Tiefe von drei Fuß[17] und auf 62° in Sibirien in einer Tiefe von zwölf bis fünfzehn Fuß – das Ergebnis genau entgegengesetzter Bedingungen zu jenen der südlichen Hemisphäre.

Der Fall der Leiche des Seemanns, die in der vereisten Erde der südlichen Shetlandinseln (62–63° S) vollkommen erhalten war, also auf einer deutlich niedrigeren Breite als jener (64° N), auf der Pallas das gefrorene Rhinozeros in Sibirien entdeckte, ist sehr interessant. Obgleich es, wie ich in einem früheren Kapitel versucht habe darzustellen, ein Irrtum ist anzunehmen, die größeren Vierfüßer bedürften zu ihrer Erhaltung einer üppigen Vegetation, ist es doch bedeutsam, auf den südlichen Shetlandinseln einen gefrorenen Untergrund in einer Entfernung von 360 Meilen der waldbestandenen Inseln bei Kap Hoorn zu finden, wo, was die *Masse* der Vegetation angeht, eine beliebige Zahl von Vierfüßern ernährt werden könnte. Die vollkommene Konservierung der sibirischen Elefanten und Rhinozerosse gehört gewiss zum Wunderbarsten in der Geologie, doch unabhängig von der vermeintlichen Schwierigkeit, sie mit Nahrung aus den angrenzenden Ländern zu versorgen, ist der ganze Fall, wie ich meine, nicht so verwirrend wie allgemein angenommen. Die Ebenen Sibiriens scheinen ebenso wie jene der Pampas im Meer gebildet worden zu sein, in das Flüsse die Kadaver vieler Tiere geschwemmt haben; von deren überwiegender Anzahl ist nur das Skelett erhalten, von anderen aber auch der ganze Körper. Heute weiß man, dass in dem flachen Meer vor der arktischen Küste Amerikas der Boden friert[18] und im Frühling nicht so schnell taut wie die Landoberfläche; überdies könnte der Schlick in größeren Tiefen, wo der Meeresboden nicht friert, einige Fuß unter der oberen Schicht selbst im Sommer unter 0 °C bleiben, wie es beim Erdreich in einer Tiefe von einigen Fuß an Land der Fall ist. In noch größeren Tiefen wäre die Temperatur von Schlick und Wasser wahrscheinlich nicht tief genug, um das Fleisch zu konservieren, weswegen bei Kadavern, die über die flachen Gebiete nahe einer arktischen Küste hinausgetrieben wurden, nur deren Skelett erhalten worden wäre. Im äußersten Norden Sibiriens sind Knochen unendlich

Eisberge in der Antarktis

zahlreich, sodass selbst kleine Inseln nahezu vollständig daraus bestehen sollen;[19] diese Inseln liegen nicht weniger als zehn Breitengrade nördlich der Stelle, wo Pallas das gefrorene Rhinozeros entdeckt hat. Andererseits bliebe ein Kadaver, der von einer Flut in einen flachen Teil des Arktischen Meers gespült wurde, auf unendliche Zeit erhalten, wenn er bald danach hinreichend von Schlick bedeckt worden wäre, um das Vordringen der Wärme des Sommerwassers zu verhindern, und wenn, nachdem der Meeresboden zu Land erhöht wurde, die Decke dick genug wäre, um zu verhindern, dass die Wärme von Sommerluft und Sonne ihn auftaut und verdirbt.

Rekapitulation – Ich will nun die wesentlichen Fakten bezüglich Klima, Eistätigkeit und organischer Erzeugnisse der südlichen Hemisphäre rekapitulieren, wobei ich die Orte in der Phantasie nach Europa transponiere, womit wir so viel mehr vertraut sind. Dann hätten die verbreitetsten Seemuscheln, also drei Arten Oliva, eine Voluta und eine Terebra, bei Lissabon einen tropischen Charakter. In den südlichen Provinzen Frankreichs wäre das Angesicht des Landes von prachtvollen Wäldern verhüllt, diese mit baumartigen Gräsern umwunden und die Bäume mit Schmarotzerpflanzen überladen. Puma und Jaguar würden die Pyrenäen durchstreifen. Auf der Breite des Mont Blanc, aber auf einer Insel weit im Westen, im mittleren Nordamerika, würden im Dickicht der Wälder Baumfarne und parasitische Orchideengewächse gedeihen. Noch so weit im Norden wie das mittlere Dänemark würden Kolibris zarte Blumen umschwirren und Papageien in den immergrünen Wäldern Nahrung finden; dort im Meer hätten wir auch eine Voluta und alle Muscheln von beträchtlicher Größe und kräftigem Wachstum. Gleichwohl wären auf einigen Inseln nur 360 Meilen nördlich von unserem neuen Kap Hoorn in Dänemark ein im Erdreich vergrabener Kadaver (oder wenn ins flache Meer gespült und mit Schlick bedeckt) dauerhaft gefroren konserviert. Versuchte ein kühner Navigator, in den Norden dieser Inseln vorzudringen, würde er inmitten all der gigantischen Eisberge tausend Gefahren begegnen und auf einigen davon große Felsbrocken erblicken, die weit von ihrem Ursprungsort getragen werden. Eine weitere Insel von erheblicher Größe auf der Breite Südschottlands, aber zweimal so weit im Westen, wäre «nahezu vollständig von ewigem Schnee bedeckt», und jede Bucht würde vor Eiskliffen enden, wovon Jahr um Jahr große Massen abgelöst würden: Diese Insel wiese lediglich ein wenig Moos, Gras und Wiesenknopf auf, und ihr einziger Landbewohner wäre ein Pieper. Von unserem neuen Kap Hoorn in Dänemark verliefe eine Gebirgskette, kaum halb so hoch wie die Alpen, in gerader Linie genau nach Süden; an ihrer Westflanke würde jeder Meeresarm oder Fjord in einem «steilen und verblüffenden Gletscher» enden. Diese einsamen Kanäle würden häufig von herabstürzendem Eis erschüttert, und jedes Mal würden starke Wellen ihre Küsten entlangrauschen; zahlreiche Eisberge, manche so groß wie Kathedralen, gelegentlich mit «nicht unbeträchtlichen Felsblöcken beladen», würden an den äußeren Inseln stranden; immer wieder würden heftige Erdstöße reichliche Eismassen in das Wasser darunter schießen. Und schließlich würden Missionare bei dem Versuch, einen langen Meeresarm zu überwinden, sehen, wie die nicht sehr hohen umliegenden Berge so manch großartigen Eisstrom an die Meeresküste hinabschicken, und ihr Vorankommen in ihren Booten würde von zahllosen großen wie kleinen treibenden Eisbergen behindert, und das wäre an unserem 22. Juni geschehen, da, wo sich heute der Genfer See erstreckt.[20]

Valparaíso, Aquarell aus dem 19. Jahrhundert

12. Kapitel

ZENTRALCHILE

Valparaíso – Exkursion zum Fuß der Anden – Struktur des Landes – Besteigung der Glocke von Quillota – zerschmetterte Grünsteinmassen – gewaltige Täler – Bergwerke – Zustand der Bergleute – Santiago – heiße Bäder von Cauquenes – Goldminen – Mahlwerke – perforierte Steine – Lebensweise des Pumas – El Turco und Tapacolo – Kolibris

23. Juli [1834] – Die *Beagle* ankerte spätnachts in der Bucht von Valparaíso, dem wichtigsten Seehafen Chiles. Als der Morgen kam, sah alles herrlich aus. Nach Feuerland erschien das Klima ganz köstlich – die Luft so trocken und der Himmel so klar und blau im leuchtenden Sonnenschein, dass die ganze Natur voller Leben funkelte. Der Blick vom Ankerplatz ist sehr einnehmend. Die Stadt ist dicht am Fuße einer ungefähr 1600 Fuß hohen und recht steilen Hügelkette erbaut. Ihrer Lage nach besteht sie aus einer einzigen langen, gewundenen Straße, die parallel zum Strand verläuft, und wo eine Schlucht herabkommt, sind die Häuser beiderseits davon übereinander getürmt. In die gerundeten Hügel, nur teilweise von einer sehr kargen Vegetation geschützt, sind zahllose kleine Wasserfurchen eingekerbt, die eine eigentümlich rote Erde freilegen. Deswegen und wegen der niederen, weiß getünchten Häuser mit Ziegeldächern erinnerte mich der Blick an St. Cruz auf Teneriffa. In nordöstlicher Richtung eröffnen sich schöne Blicke auf die Anden; dieses Gebirge erscheint jedoch noch prachtvoller, wenn man sie von den umliegenden Hügeln aus betrachtet; dann lässt sich die große Entfernung, in der sie liegen, noch schneller erkennen. Besonders großartig ist der Vulkan Aconcagua. Diese gewaltige,

~ AUS ~

VERLAUF DER ZWEITEN REISE 1831–1836

VON ROBERT FITZ ROY

Da ich vorschlug, die Wintermonate in Valparaíso zu verbringen, schlugen die Messrs. Stokes, King, Usborne und ich selbst, da unsere Arbeit im Sitzen erfolgte und einen Raum erforderte, wie auch mehr Licht und Ruhe, als wir an Bord bekommen würden, unser Quartier am Ufer auf; die anderen an Bord kümmerten sich um die Überholung und Bevorratung unserer Schiffe.

In dieser Zeit musste ich eine bittere Enttäuschung hinnehmen; die Kränkung setzte mir stark zu, und das Bedauern ist noch immer groß. Ich stellte fest, dass ich die *Adventure* nicht viel länger halten konnte: Meine Mittel waren besteuert worden, sodass ich sogar in Schwierigkeiten geriet, und da die Lords Commissioners der Admiralität es nicht für angebracht hielten, mir zu helfen, wurde mir klar, dass all meine Hoffnungen, im Pazifik, neben der vollständigen Vermessung der Küsten Chiles und Perus, viele Inselgruppen erkunden zu können, sich zerschlugen. Ich hatte darum gebeten, zwanzig zusätzliche Seeleute in den Büchern der *Beagle* zu führen, deren Lohn und Proviant dann die Regierung übernommen hätte, und war bereit, alle anderen Ausgaben selbst zu tragen; aber auch dies wurde abgelehnt. Als ich mich dann, nach einem schmerzhaften Kampf, entschieden hatte, entließ ich die Crew der *Adventure*, holte die Offiziere auf die *Beagle* und verkaufte das Schiff.*

** Obgleich ihr Verkauf sehr schlecht abgewickelt wurde, auch weil ich niedergeschlagen und nachlässig war, erbrachte sie doch 7500 Dollar, knapp 1400 Pfund, und fährt jetzt (1838) in gutem Zustand als Handelsschiff an dieser Küste.*

Die *Beagle* an Land gezogen, am Rio Santa Cruz, Patagonien

unregelmäßig konische Masse erhebt sich höher als der Chimborazo; Messungen zufolge, welche die Offiziere der Beagle durchgeführt haben, ist er nicht weniger als 23 000 Fuß hoch. Die Kordilleren, von dieser Stelle aus gesehen, verdanken ihre Schönheit indes überwiegend der Luft, durch welche man sie sieht. Als die Sonne im Pazifik versank, war es eine Pracht zu beobachten, wie klar ihre rauen Konturen sich voneinander abhoben und wie vielgestaltig und zart die Farbabstufungen dennoch waren.

Ich hatte das Glück, dass Mr. Richard Corfield hier lebte, ein alter Schulkamerad und Freund, dem ich für seine Gastfreiheit und Freundlichkeit sehr verbunden war, stellte er mir doch während des Aufenthalts der *Beagle* in Chile eine äußerst angenehme Wohnstätte zur Verfügung. Die unmittelbare Umgebung von Valparaíso ist für den Naturforscher nicht sehr ergiebig. Während des langen Sommers weht der Wind beständig von Süden und ein wenig ablandig, sodass nie Regen fällt; während der drei Wintermonate hingegen ist er genügend reichlich. Die Vegetation ist folglich sehr karg; außer in einigen tiefen Tälern gibt es keine Bäume, und über die nicht ganz so steilen Teile der Berge sind nur etwas Gras und einige wenige niedrige Büsche verstreut. Wenn wir bedenken, dass in einer Entfernung von 350 Meilen nach Süden diese Seite der Anden vollkommen unter einem undurchdringlichen Wald verborgen ist, so ist der Kontrast doch sehr bemerkenswert. Ich unternahm mehrere lange Ausflüge, auf denen ich Objekte der Naturgeschichte sammelte.

14. August – Ich unternahm eine Exkursion zu Pferde, um die Basaltregionen der Anden, die lediglich zu dieser Jahreszeit nicht unter Winterschnee liegen, geologisch zu untersuchen. Unser erster Tagesritt ging nach Norden, die Küste entlang. Nach Einbruch der Dunkelheit erreichten wir die *hacienda* von Quintero, jenes Gut, das einstmals Lord Cochrane gehörte. Ich hatte die Absicht, mir die großen Muschelfelder anzusehen, die einige Yards über dem Meeresspiegel liegen und zu Kalk gebrannt werden. Die Beweise für die Erhebung dieses ganzen Küstenstreifens sind unzweideutig: In einer Höhe von einigen hundert Fuß kommen alt wirkende Muscheln reichlich vor, und auch auf 1300 Fuß fand ich welche. Diese Muscheln liegen entweder lose auf der Erde oder sind in einen rötlich-schwarzen Pflanzenhumus eingebettet. Ich war äußerst überrascht, als ich unterm Mikroskop entdeckte, dass es sich bei diesem Pflanzenhumus tatsächlich um Meerschlick handelt, der voller winziger Partikel organischer Substanzen ist.

Bucht von Valparaíso, Chile

15. August – Wir kehrten zum Quillota-Tal zurück. Die Landschaft war außerordentlich heiter, genau so eine, die ein Dichter idyllisch nennen würde: grüne, offene Rasenflächen, unterbrochen von

kleinen Tälern mit Bächen und über die Berghänge verstreut Häuschen, von Schäfern, wie wir vermuten dürfen. Wir mussten den Kamm von Chilicauquen überqueren. An dessen Fuß gab es zahlreiche immergrüne Waldbäume, doch diese gediehen nur in den Schluchten, wo es fließend Wasser gab. Jeder, der nur das Land um Valparaíso gesehen hat, hätte sich niemals vorgestellt, dass es in Chile so malerische Fleckchen gibt. Sobald wir den Rand der Sierra erreichten, lag uns das Quillota-Tal unmittelbar zu Füßen. Die Aussicht war von bemerkenswerter künstlicher Üppigkeit. Das Tal ist sehr breit und recht flach und daher an allen Stellen leicht zu bewässern. Die kleinen viereckigen Gärten sind voll mit Orangen- und Olivenbäumen und aller Arten von Gemüse. An jeder Seite ragen große, kahle Berge auf, und dieser Kontrast macht den Flickenteppich des Tales desto einnehmender. Wer immer «Valparaíso» das «Tal des Paradieses» nannte, muss wohl an Quillota gedacht haben. Wir ritten zur Hacienda de San Isidro hinüber, die unmittelbar am Fuße des Glockenberges lag.

Chile ist, wie man auf den Karten erkennen kann, ein schmaler Streifen Land zwischen Kordilleren und Pazifik, und dieser Streifen wird selbst wieder von mehreren Gebirgslinien durchzogen, die parallel zu der großen Kette verlaufen. Zwischen diesen äußeren Linien und den eigentlichen Kordilleren erstreckt sich bis weit in den Süden eine Abfolge von ebenen Becken, die oft durch schmale Durchgänge ineinander übergehen; in diesen liegen die wichtigsten Städte wie San Felipe, Santiago, San Fernando. Diese Becken oder Ebenen sind, zusammen mit den querlaufenden flachen Tälern (wie jenes von Quillota), welche sie mit der Küste verbinden, zweifellos die Böden alter Meeresarme und tiefer Buchten, wie sie heute jeden Teil Feuerlands und der Westküste durchschneiden. Mit der Gestalt von Land und Wasser letzteren Landes muss Chile einstmals Ähnlichkeit gehabt haben.

Durch die natürliche Neigung der Ebenen zum Meer hin sind diese sehr leicht zu bewässern und folglich ungemein fruchtbar. Ohne dieses Verfahren würde das Land kaum etwas hervorbringen, denn den ganzen Sommer hindurch ist der Himmel wolkenlos. Die Berge und Hügel sind mit Büschen und niederen Bäumen gesprenkelt, und von diesen abgesehen ist die Vegetation sehr karg. Jeder Grundbesitzer im Tal besitzt einen bestimmten Anteil Bergland, wo sein halb wildes Vieh, das er in beträchtlicher Zahl hat, genügend Weidegras findet. Einmal im Jahr findet ein großes «Rodeo» statt, dann wird alles Vieh hinabgetrieben, gezählt und markiert sowie eine bestimmte Anzahl abgetrennt, um auf den bewässerten Feldern gemästet zu werden. Weizen wird extensiv angebaut, auch eine ordentliche Menge Mais; allerdings ist eine Art Bohne das Hauptnahrungsmittel für den gemeinen Arbeiter. Die Obstgärten tragen Pfirsiche, Feigen und Trauben im Überfluss. Bei all diesen günstigen Umständen müssten die Bewohner des Landes viel wohlhabender sein, als sie es tatsächlich sind.

16. August – Der Verwalter der *hacienda* war so gut, mir einen Führer und frische Pferde mitzugeben, und am Morgen brachen wir auf, um den Campana, also den Glockenberg, zu ersteigen, der 6400 Fuß hoch ist. Die Wege waren sehr schlecht, doch Geologie ebenso wie Szenerie entschädigten reichlich für die Mühen. Am Abend erreichten wir eine Quelle namens Agua del Guanaco, die in großer Höhe liegt. Es muss ein alter Name sein, denn es ist sehr viele Jahre her, seit ein Guanako dort trank.

Nahe der Quelle sattelten wir die Pferde ab und bereiteten uns auf die Nacht vor. Der Abend war schön und die Luft so klar, dass die Masten der in der

Bucht von Valparaíso ankernden Schiffe, obgleich nicht weniger als sechsundzwanzig geographische Meilen entfernt, klar wie kleine schwarze Striche unterschieden werden konnten. Ein Schiff, das die Spitze umfuhr, erschien als leuchtend weißer Fleck.

17. August – Am Morgen kletterten wir die rohe Grünsteinmasse hinauf, welche den Gipfel krönt. Dieses Gestein war, wie so häufig, stark zu riesigen kantigen Trümmern zerschmettert und zerbrochen. Allerdings bemerkte ich einen besonderen Umstand, nämlich dass viele der Flächen jeden Grad von Frische zeigten – manche sahen aus, als seien sie am Tag davor zerbrochen, während auf anderen Flechten sich entweder gerade festgesetzt hatten oder schon lange darauf wuchsen. Ich war so sehr davon überzeugt, dass dies auf die häufigen Erdbeben zurückzuführen sei, dass ich am liebsten immer gleich vor jedem losen Haufen davongelaufen wäre. Da man sich bei so etwas sehr leicht täuschen kann, bezweifelte ich seine Richtigkeit, bis ich den Mount Wellington in Van Diemen's Land erstieg, wo es keine Erdbeben gibt; dessen Gipfel war ähnlich zusammengesetzt und ähnlich zerschmettert, doch alle Blöcke sahen aus, als wären sie vor Tausenden von Jahren in ihre jetzige Position geschleudert worden.

Wir verbrachten den Tag auf dem Gipfel, und nie habe ich einen mehr genossen. Man sah Chile, vom Pazifik und von den Anden begrenzt, wie auf einer Landkarte. Die Freude an der Szenerie, die schon an sich schön war, wurde von den zahlreichen Reflexionen, die vom bloßen Anblick der Campana-Kette mit ihren weniger hohen Parallelketten

Blick auf die Anden in Portillo, Region Valparaíso

und von dem breiten Quillota-Tal, das sie direkt durchschnitt, noch gesteigert.

18. August – Wir stiegen den Berg hinab und gelangten an einigen schönen Fleckchen mit Bächen und prächtigen Bäumen vorbei. Nachdem wir in derselben *hacienda* wie zuvor geschlafen hatten, ritten wir die beiden folgenden Tage das Tal hinauf und gelangten durch Quillota, was eher eine Ansammlung von Pflanzenschulen war als eine Stadt. Die Obstgärten waren schön und zeigten eine einzige Masse von Pfirsichblüten. Hier und da erblickte ich auch eine Dattelpalme, ein äußerst stattlicher Baum, und ich kann mir vorstellen, dass eine Gruppe davon in ihrer heimischen asiatischen oder afrikanischen Wüste ein prächtiger Anblick ist. Auch durch San Felipe kamen wir, eine hübsche, weitläufige Stadt wie Quillota. Das Tal weitet sich dort zu einer jener großen Buchten oder Ebenen bis an den Fuß der Kordilleren, welche, wie schon erwähnt, einen so merkwürdigen Teil der Landschaft Chiles bilden. Am Abend erreichten wir die Minen von Jajuel, die in einer Schlucht an der Flanke der großen Kette gelegen war. Hier blieb ich fünf Tage. Mein Gastgeber, der Aufseher der Mine, war ein pfiffiger, aber ziemlich ungebildeter Bergmann aus Cornwall. Er hatte eine Spanierin geheiratet und wollte nicht mehr nach Hause zurück, doch seine Bewunderung der Minen Cornwalls war nach wie vor grenzenlos.

Chilenischer Bergarbeiter

In diesen Minen wird Kupfer gefördert, und das Erz wird sämtlich nach Swansea transportiert, wo es ausgeschmolzen wird. Daher haben die Minen, verglichen mit denen in England, ein eigentümlich ruhiges Erscheinungsbild: Hier stören kein Rauch, keine Hochöfen oder große Dampfmaschinen die Einsamkeit der umliegenden Berge.

Die chilenische Regierung oder vielmehr das alte spanische Recht ermuntert die Suche nach Minen mit jeder Methode. Der Entdecker darf eine Mine gegen Bezahlung von fünf Shilling auf jedem Boden betreiben, und noch bevor er diese entrichtet, darf er zwanzig Tage lang schürfen, selbst im Garten eines anderen.

Nun weiß man, dass die chilenische Methode des Bergbaus die billigste ist. Mein Gastgeber sagte, die zwei wichtigsten, von Ausländern eingeführten Verbesserungen seien gewesen erstens, durch vorheriges Rösten den Kupferkies zu reduzieren – welcher zum Erstaunen der englischen Bergleute anfangs, da er in Cornwall das gängige Erz ist, als nutzlos weggeworfen wurde; zweitens das Zerstampfen und Auswaschen der Schlacke aus den alten Hochöfen – wodurch Metallpartikel in reichem Maße gerettet werden. Ich habe selbst gesehen, wie Maultiere eine Ladung solcher Zinder zum Weitertransport nach England an die Küste trugen. Der erste Fall ist jedoch der bei weitem seltsamste. Die chilenischen Bergleute waren so überzeugt davon, dass Kupferkies keine Kupferpartikel enthält, dass sie die Engländer ob ihrer Unwissenheit auslachten, die ihrerseits lachten und die ergiebigsten Adern für wenige Dollar kauften. Es ist sehr eigenartig, dass in einem Land, in dem Bergbau viele Jahre lang intensiv betrieben wurde, ein so einfacher Prozess wie das sanfte Rösten des Erzes zur Austreibung des Schwefels vor dem Schmelzen nie entdeckt worden war. Auch bei manchen der einfachen Maschinen wurden Verbesserungen eingeführt, doch noch bis zum heutigen Tage wird das Wasser aus einigen Minen entfernt, indem die Männer es in Ledereimern den Schacht hinauftragen!

Die Männer arbeiten sehr hart. Sie haben nur wenig Zeit für ihre Mahlzeiten, und sommers wie winters fangen sie an, wenn es hell wird, und hören in der Dunkelheit auf. Als Lohn erhalten sie monatlich ein Pfund Sterling, dazu noch das Essen: Dies besteht beim Frühstück aus sechzehn Feigen und zwei kleinen Laiben Brot; zum Mittagessen gibt es gekochte Bohnen, zum Abendessen zerstampfte geröstete Weizenkörner. Fleisch gibt es kaum, und mit den £ 12 im Jahr müssen sie sich kleiden und die Familie ernähren. Die Bergleute, die in der Mine selbst arbeiten, erhalten 25 Shilling im Monat und ein wenig *charqui*. Diese Männer aber kommen von ihren trübseligen Behausungen nur alle vierzehn Tage oder drei Wochen herab.

Während meines Aufenthaltes hier bereitete es mir große Freude, in diesen riesigen Bergen umherzuklettern. Die Geologie war, wie zu erwarten, sehr interessant. Die zerschmetterten und gebackenen Felsblöcke, von unzähligen Grünsteinadern durchzogen, zeigten, welche Umwälzungen einstmals stattgefunden hatten. Die Landschaft war weitgehend dieselbe wie bei Quillota – trockene, kahle Felsen, hier und da von Büschen mit spärlichem Laub gesprenkelt. Die Kakteen oder vielmehr Opuntien waren hier sehr zahlreich.

Starker Schneefall an den letzten beiden Tagen hinderte mich an weiteren interessanten Exkursionen. Ich versuchte, einen See zu erreichen, den die Bewohner aus unerklärlichen Gründen für einen

Kupferminen in Sewell, Chile, Anfang 20. Jahrhundert

Meeresarm halten. Während einer langen Trockenzeit wurde einmal vorgeschlagen, um des Wassers willen einen Kanal davon zu graben, doch erklärte der Padre nach einer Beratung, es sei zu gefährlich, da Chile überschwemmt würde, wenn, wie allseits angenommen, der See mit dem Pazifik verbunden sei. Wir stiegen auf eine große Höhe, doch da wir in Schneewehen gerieten, vermochten wir diesen wundersamen See nicht zu erreichen und schafften den Rückweg nur unter Schwierigkeiten.

26. August – Wir verließen Jajuel und überquerten das Becken von San Felipe erneut. Es war ein

~ AUS ~
DIE ENTSTEHUNG DER ARTEN

VON CHARLES DARWIN

Fast keine paläontologische Entdeckung ist erstaunlicher als die, dass die Lebensformen auf der Erde fast gleichzeitig wechseln. So können wir z. B. unsere europäische Kreideformation in den entferntesten Gegenden und unter den verschiedensten Klimaten, wo sich kein Stückchen Kreidegesteins findet, wiederkennen, namentlich in Nordamerika, im äquatorialen Südamerika, im Feuerlande, am Kap der Guten Hoffnung und auf der ostindischen Halbinsel. In allen diesen entlegenen Teilen der Erde zeigen die organischen Überreste bestimmter Schichten eine unverkennbare Ähnlichkeit mit denen unserer Kreideformation. Nicht als ob dieselben Arten vorkämen – manchmal ist sogar keine einzige Art mit den andern identisch; aber sie gehören doch zu denselben Familien, Gattungen oder Gattungsabteilungen und sind sich oft in Kleinigkeiten, z. B. in der äußeren Skulptur ähnlich. Auch kommen andere Formen, die sich zwar in der Kreide Europas nicht finden, wohl aber in darunter oder darüber liegenden Formationen, in gleicher Reihenfolge in den entferntesten Teilen der Erde vor. In den aufeinanderfolgenden paläozoischen Formationen von Russland, Westeuropa und Nordamerika hat man einen ähnlichen Parallelismus der Lebensformen beobachtet, und das Gleiche gilt nach Lyell für die Tertiärschichten Europas und Nordamerikas. Selbst wenn wir die wenigen fossilen Arten, die der Alten und Neuen Welt gemeinsam sind, ganz außer Acht lassen, zeigt sich der allgemeine Parallelismus der aufeinanderfolgenden Lebensformen in den paläozoischen und tertiären Schichten; die Formationen lassen sich leicht in Wechselbeziehung bringen.

wahrhaft chilenischer Tag: gleißend hell und die Luft ganz klar. Die dicke und allgemeine Decke frischen gefallenen Schnees machte den Anblick des Vulkans Aconcagua und der Hauptkette ganz herrlich. Wir waren nun auf der Straße nach Santiago, der Hauptstadt Chiles. Wir überquerten den Cerro del Talguen und schliefen auf einem kleinen Rancho. Der Gastgeber sprach über den Zustand Chiles im Vergleich zu anderen Ländern sehr bescheiden: «Manche sehen mit zwei Augen und manche mit einem, aber was mich betrifft, so glaube ich nicht, dass Chile überhaupt mit einem sieht.»

27. August – Nachdem wir viele niedere Hügel überquert hatten, stiegen wir in die kleine landumschlossene Ebene von Guitron hinab. Wir überquerten einen niedrigen Kamm, welcher Guitron von der großen Ebene trennt, auf der Santiago steht. Der Blick von hier war überaus eindrucksvoll: die vollkommen flache Ebene, in Teilen von Akazienwäldchen bestanden, und in der Ferne die Stadt, wie

RECHTS: Südamerikanisches Zaumzeug
UNTEN: Chilenische Sporen und Steigbügel

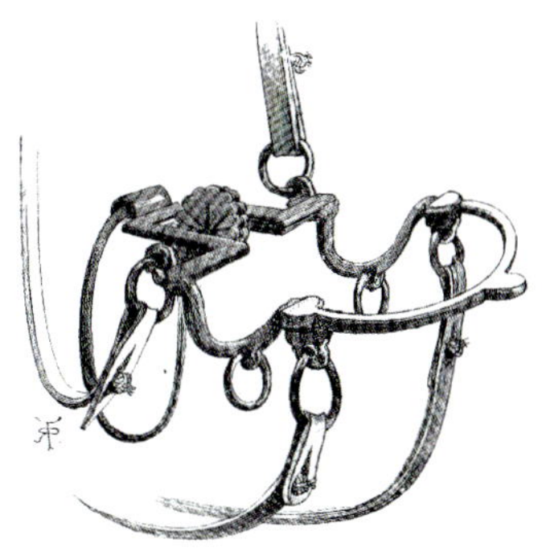

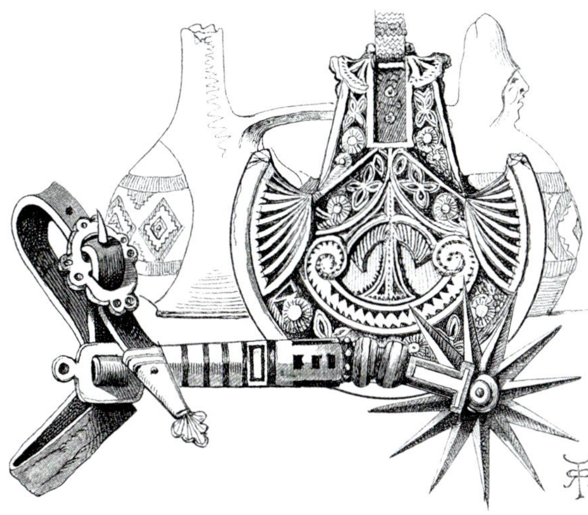

sie horizontal an den Fuß der Anden stößt, deren schneebedeckte Gipfel von der Abendsonne leuchteten. Sobald wir die flache Straße erreichten, trieben wir unsere Pferde zum Galopp an und erreichten die Stadt noch vor Einbruch der Dunkelheit.

In Santiago blieb ich eine Woche und genoss meinen Aufenthalt sehr. Morgens ritt ich zu verschiedenen Orten auf der Ebene, abends speiste ich mit einigen der englischen Kaufleute, deren Gastfreundschaft dort wohlbekannt ist. Ein unfehlbarer Quell der Freude war die Ersteigung des kleinen Felsenhügels (St.Lucia), der mitten in der Stadt aufragt. Die Szenerie ist sehr eindrucksvoll und, wie ich schon sagte, sehr eigen. Man sagte mir, dasselbe Gepräge sei auch den Städten auf der mexikanischen Hochebene gemein. Über die Stadt selbst habe ich nichts Besonderes zu sagen: Sie ist weder so schön noch so groß wie Buenos Ayres, jedoch nach demselben Schema angelegt. Ich war auf einem Umweg von Norden hergekommen, also beschloss ich, auf einer deutlich längeren Exkursion südlich der direkten Straße nach Valparaíso zurückzukehren.

5. September – Um die Mitte des Tages langten wir an einer der aus Häuten gefertigten Hängebrücken an, welche den Maypu überspannt, ein großer, aufgewühlter Fluss einige Wegstunden südlich von Santiago. Diese Brücken sind recht armselige Geschichten. Der Weg, welcher dem Bogen der Hängeseile folgt, besteht aus dicht aneinander gefügten Stockbündeln. Er war voller Löcher und schwankte recht beängstigend, allein schon unter dem Gewicht eines Mannes, der sein Pferd führt. Am Abend erreichten wir ein bequemes Bauernhaus, wo es etliche hübsche Señoritas gab.

6. September – Wir ritten genau nach Süden weiter und schliefen in Rancagua. Die Straße verlief über die flache, aber schmale Ebene, die an einer Seite von hohen Bergen, an der anderen von den

Brücke aus Leder, Santiago de Chile

Kordilleren eingefasst war. Am folgenden Tag wandten wir uns in das Tal des Rio Cachapual, worin die heißen Bäder von Cauquenes liegen, die seit langem wegen ihrer medizinischen Eigenschaften gerühmt werden. Die Hängebrücken in dieser weniger besuchten Gegend werden winters, wenn die Flüsse niedrig sind, meistens abgenommen. Das war auch bei diesem Tal der Fall, weswegen wir den Strom zu Pferde durchqueren mussten. Das ist ziemlich unangenehm, denn das schäumende Wasser ist zwar nicht tief, fließt aber so schnell über das Bett aus gerundeten Steinen, dass man im Kopf ganz durcheinander gerät und es sogar schwierig ist zu erkennen, ob das Pferd nun vorankommt oder still steht. Im Sommer, wenn der Schnee schmilzt, sind diese reißenden Flüsse völlig unpassierbar; dann ist ihre Kraft und Wildheit gewaltig, wie man deutlich an den Spuren sieht, die sie hinterlassen haben. Am Abend erreichten wir die Bäder und blieben dort fünf Tage, wobei wir an den beiden letzten von heftigem Regen festgehalten wurden. Die Gebäude bestehen aus einem Geviert aus erbärmlichen kleinen Hütten, jede mit einem Tisch und einer Bank. Sie liegen in einem schmalen, tiefen Tal unmittelbar vor den zentralen Kordilleren. Es ist ein stiller, einsamer Flecken mit viel wilder Schönheit darum.

Kordilleren, Santiago, Chile

Die Mineralquellen von Cauquenes sprudeln auf einer Verwerfungslinie, welche eine geschichtete Gesteinsmasse quert, deren Gesamtheit die Einwirkung von Wärme verrät. Aus denselben Öffnungen wie das Wasser entweicht eine beträchtliche Menge Gas. Obwohl die Quellen nur einige Yard auseinander liegen, haben sie eine unterschiedliche Temperatur, und das scheint mir die Folge einer ungleichen Mischung mit kaltem Wasser zu sein, denn diejenigen mit der niedrigsten Temperatur haben kaum einen mineralischen Geschmack. Nach dem großen Erdbeben von 1822 versiegten die Quellen, und das Wasser trat erst wieder nach einem knappen Jahr aus. Auch das Erdbeben von 1835 wirkte stark auf sie, indem die Temperatur plötzlich von 48° auf 33 °C fiel.[1] Es scheint wahrscheinlich, dass ein Mineralwasser, das tief auf dem Erdinnern aufsteigt, von unterirdischen Störungen stets mehr berührt wird als solche nahe der Oberfläche. Der Mann, der für die Quellen zuständig war, versicherte mir, im Sommer sei das Wasser heißer und fließe reichlicher als im Winter.

13. September – Wir verließen die Bäder von Cauquenes, stießen wieder auf die Hauptstraße und schliefen am Rio Claro. Von hier aus ritten wir zu der Stadt San Fernando. San Fernando liegt vierzig Wegstunden von Santiago entfernt, und es war mein südlichster Punkt, denn hier wandten wir uns im rechten Winkel zur Küste. Wir schliefen bei den Goldminen von Yaquil, die von Mr. Nixon betrieben werden, einem amerikanischen Herrn, dem ich für seine Freundlichkeit während der vier Tage, die ich in seinem Hause weilte, großen Dank schulde. Am folgenden Morgen ritten wir zu den Minen, die einige Wegstunden entfernt nahe dem Gipfel eines hohen Berges liegen. Unterwegs sahen wir kurz den Taguatagua-See, der wegen seiner schwimmenden

Blick von oben auf Valparaíso, Chile, um 1916

Inseln berühmt ist, die Mr. Gay beschrieben hat.[2] Sie setzen sich aus den Stängeln verschiedener toter Pflanzen zusammen, die ineinander verschlungen sind und auf deren Oberfläche andere, lebende, Wurzeln schlagen. Ihre Form ist gemeinhin kreisrund, und ihre Stärke beträgt zwischen vier und sechs Fuß, wovon der größere Teil im Wasser liegt. Sie treiben mit dem Wind vom einen Seeufer zum anderen und haben oftmals Vieh und Pferde als Passagiere.

Als wir an der Mine eintrafen, fiel mir die Blässe vieler der Männer auf, und ich befragte Mr. Nixon nach deren Befinden. Die Mine ist 450 Fuß tief, und jeder Mann trägt ungefähr 200 Pfund Steine hinauf. Mit dieser Last müssen sie Baumstämme hinaufsteigen, die im Wechsel eingekerbt und in einer Zickzacklinie in den Schacht gestellt sind. Selbst bartlose junge Männer, achtzehn oder zwanzig Jahre alt, mit nur geringer Muskelbildung am Körper (bis auf eine Hose sind sie ganz nackt) steigen mit dieser schweren Last aus nahezu derselben Tiefe herauf. Ein kräftiger Mann, der an diese Arbeit nicht gewöhnt ist, kommt schon stark ins Schwitzen, wenn er nur sein eigenes Gewicht hinaufträgt. Bei dieser äußerst harten Arbeit leben sie ausschließlich von gekochten Bohnen und Brot. Brot allein wäre ihnen lieber, ihre Herren jedoch wissen, dass sie damit nicht so schwer arbeiten können; sie behandeln sie wie Pferde und zwingen sie, auch Bohnen zu essen. Die Bezahlung ist hier deutlich höher als in den Minen von Jajuel, nämlich 24 bis 28 Shilling im Monat. Sie verlassen die Mine nur einmal alle drei Wochen; dann sind sie zwei Tage bei ihrer Familie. Eine der Regeln in dieser Mine klingt sehr hart, ist dem Herrn aber recht gut dienlich. Die einzige Möglichkeit, Gold zu stehlen, ist, Stückchen des Erzes beiseite zu schaffen und sie herauszubringen, wenn sich die Gelegenheit bietet. Findet der Verwalter bei einem ein solches Klümpchen versteckt, wird sein gesamter Wert allen Männern vom Lohn abgezogen, welche daher, es sei denn, sie tun sich alle zusammen, aufeinander Acht haben müssen.

Ist das Erz zur Mühle gebracht, wird es zu einem feinen Pulver gemahlen. Beim Waschvorgang werden alle leichteren Partikel entfernt, dann wird der Goldstaub schließlich durch Amalgamierung gebunden. Das Waschen scheint, wenn beschrieben, ein sehr einfacher Vorgang zu sein, doch es ist schön zu sehen, wie die genaue Anpassung des Wasserstromes an das spezifische Gewicht des Goldes die pulverisierte Grundmasse vom Metall trennt.

Der Schlamm, der aus den Mühlen kommt, wird in Teichen gesammelt, wo er sich absetzt, hin und wieder herausgeholt und auf einen gemeinsamen Haufen geworfen. Sodann beginnt eine Vielzahl chemischer Vorgänge, verschiedenartige Salze blühen an der Oberfläche aus, und die Masse wird hart. Nachdem man sie ein Jahr oder zwei so belassen hat und sie erneut wäscht, liefert sie Gold, und dieser Prozess kann sogar sechs oder sieben Mal wiederholt werden, allerdings wird die Goldmenge jedes Mal weniger, und die erforderlichen Pausen (für die Erzeugung des Metalls, wie die Bewohner sagen) werden länger. Es besteht kein Zweifel, dass der schon erwähnte chemische Vorgang jedes Mal aufs Neue aus einer bestimmten Verbindung frisches Gold freisetzt. Die Entdeckung einer Methode, dieses noch vor dem anfänglichen Mahlen zu bewirken, würde den Wert von Goldadern zweifellos um ein Vielfaches erhöhen.

So schlecht die Behandlung der Bergleute auch erscheint, wird sie von ihnen doch freudig akzeptiert, denn die Lage der arbeitenden Landwirte ist noch weit schlimmer. Ihre Löhne sind geringer, und sie leben beinahe ausschließlich von Bohnen. Ihre Armut verdankt sich wohl vornehmlich dem feudalistischen System, nach dem das Land bestellt wird: Der Grundbesitzer überlässt dem Landarbeiter ein kleines Grundstück, das er bewirtschaften kann, und bekommt im Gegenzug seine Dienste (oder die eines Vertreters) an jedem Tag seines Lebens ohne jeden Lohn. Solange ein Vater keinen erwachsenen Sohn hat, der durch seine Arbeit die Pacht bezahlen kann, ist, außer gelegentlich einmal an einem Tag, niemand da, der sich um sein eigenes Fleckchen Land kümmern kann. Daher ist unter den arbeitenden Schichten dieses Landes äußerste Armut sehr verbreitet.

In der Umgebung dort gibt es einige alte indianische Ruinen, und man zeigte mir einen der perforierten Steine, die Molina zufolge vielerorts in beträchtlicher Zahl gefunden werden. Sie haben eine runde, flache Form bei einem Durchmesser von fünf bis sechs Zoll und ein Loch, das genau durch die Mitte geht. Es wird allgemein angenommen, dass sie als Köpfe für Knüttel verwendet wurden, obgleich ihre Form keineswegs gut für diesen Zweck geeignet erscheint. Burchell[3] schreibt, manche Stämme in Südafrika grüben mithilfe eines Stocks, der am einen Ende spitz zuläuft, Wurzeln aus, und dessen Kraft und Gewicht würden mittels eines runden Steins mit einem Loch in der Mitte erhöht, in welches das andere Ende fest eingezwängt ist. Es ist wahrscheinlich, dass die Indianer Chiles ehemals ein solch grobes Ackerbaugerät verwendet haben.

19. September – Wir verließen Yaquil und folgten dem flachen Tal, das wie jenes von Quillota geformt war, worin der Rio Tinderidica fließt. Schon so wenige Meilen weiter südlich von Santiago ist das Klima viel feuchter; folglich gab es schöne Weideflächen, die nicht bewässert waren. (20.) Wir folgten diesem Tal, bis es sich zu einer großen Ebene weitete, die vom Meer bis zu den Bergen westlich von Rancagua reicht. Alsbald wichen alle Bäume und selbst Büsche, weswegen die Bewohner mit Brennholz beinahe genauso schlecht dran sind wie jene der Pampas. In den Steilhängen, welche diese Täler begrenzen, gibt es einige große Höhlen, die zweifellos ursprünglich von Wellen geformt wurden: Eine davon ist unter dem Namen Cueva del Obispo berühmt geworden, nachdem sie zuvor geweiht worden war. Im Laufe des Tages fühlte ich mich zunehmend unwohl und erholte mich bis Ende Oktober nicht mehr.

GEGENÜBER: Puma *(Felis concolor)*, auch Berglöwe genannt

22. September – Wir gelangten weiter über grüne Ebenen ohne einen Baum. Am nächsten Tag erreichten wir ein Haus bei Navedad an der Meeresküste, wo ein reicher *haciendero* uns Unterkunft gewährte. Hier blieb ich die zwei folgenden Tage, und obwohl mir sehr unwohl war, vermochte ich doch auf der Tertiärformation einige Seemuscheln zu sammeln.

24. September – Unser Weg führte nun Richtung Valparaíso, welches ich unter erheblichen Schwierigkeiten am 27. erreichte und wo ich bis Ende Oktober das Bett hüten musste. Während dieser Zeit lag ich in Mr. Corfields Haus, für dessen Freundlichkeit mir gegenüber ich keine Dankesworte finde.

Ich möchte hier einige Beobachtungen über einen Teil der Tiere und Vögel Chiles anfügen. Der Puma, oder südamerikanische Löwe, ist nicht selten. Dieses Tier hat eine weite geographische Verbreitung, man begegnet ihm von den äquatorialen Wäldern durch die gesamte Wüste Patagoniens bis ganz im Süden in den feuchtkalten Breiten (53° bis 54°) Feuerlands. Ich habe seine Fußspuren in den Kordilleren Zentralchiles auf einer Höhe von 10 000 Fuß gesehen. In La Plata stellt der Puma hauptsächlich Hirsch, Strauß, Vizcacha und anderen kleinen Vierfüßern nach; nur selten greift er Rind oder Pferd an, und nur in Einzelfällen den Menschen. In Chile hingegen reißt er viele junge Pferde und Rinder, was wahrscheinlich auf den Mangel an anderen Vierfüßern zurückzuführen ist, auch hörte ich von zwei Männern und einer Frau, die von ihm getötet wurden. Es wird behauptet, der Puma töte seine Beute stets, indem er ihr auf die Schultern springt und dann mit beiden Pranken den Kopf zurückzieht, bis die Wirbel brechen: Ich habe in Patagonien die Skelette von Guanakos gesehen, deren Hals entsprechend verdreht war.

Hat der Puma sich satt gefressen, bedeckt er den Kadaver mit vielen großen Büschen und legt sich nieder, um ihn im Auge zu behalten. Diese Angewohnheit ist häufig der Grund dafür, dass er entdeckt wird, denn die Kondore, die in der Luft kreisen, landen hin und wieder, um an dem Mahle teilzuhaben, doch werden sie wütend verjagt und erheben sich alle zugleich in die Luft. Es wird behauptet, verrät sich ein Puma einmal dadurch, dass er solchermaßen einen Kadaver beobachtet, so pflegt er diese Angewohnheit nie mehr wieder, sondern frisst sich vielmehr satt und zieht weiter. Der Puma ist leicht zu töten. Auf freiem Gelände wird er zunächst mit den *bolas* gefesselt, dann mit dem *lazo* eingefangen und über die Erde geschleift, bis er bewusstlos ist. Bei Tandeel (im Süden von La Plata) sagte man mir, binnen dreier Monate seien auf diese Weise einhundert getötet worden. In Chile treibt man sie gemeinhin auf Bäume oder Büsche, wonach sie entweder geschossen oder von den Hunden zu Tode gehetzt werden. Die bei dieser Jagd verwendeten Hunde gehören einer besonderen Rasse namens *leoneros* an: Es sind schwache, schmale Tiere, langbeinigen Terriern ähnlich, aber mit einem besonderen Instinkt für diese Jagd geboren. Der Puma wird als sehr listig beschrieben; wird er verfolgt, kehrt er oftmals auf derselben Spur zurück, macht dann plötzlich einen Sprung zur Seite und wartet, bis die Hunde vorbeigelaufen sind. Er ist ein sehr stilles Tier, das nicht einmal dann einen Laut von sich gibt, wenn es verwundet ist, und nur selten während der Aufzucht der Jungen.

Bei den Vögeln sind zwei Arten der Gattung *Pteroptochos* (*megapodius* und *albicollis* von Kittlitz) die vielleicht auffallendsten. Ersterer, von den Chilenen *el turco* genannt, ist so groß wie eine Drossel, mit der er eine gewisse Verwandtschaft zeigt, doch sind seine Beine viel länger, der Schwanz kürzer und der Schnabel kräftiger; seine Färbung ist ein rötliches

Braun. Der Turco ist nicht selten. Er lebt auf dem Boden, geschützt von dem Dickicht, das über die trockenen und unfruchtbaren Berge verstreut ist. Hin und wieder kann man ihn sehen, wie er mit hochgerecktem Schwanz und stelzenartigen Beinen ungewöhnlich schnell von einem Busch zum nächsten saust. Er erhebt sich nur mit größter Schwierigkeit in die Luft, auch rennt er nicht, sondern hüpft nur. Die verschiedenen lauten Schreie, die er ausstößt, wenn er in einem Busch verborgen ist, sind ebenso seltsam wie seine Erscheinung. Sein Nest baut er anscheinend in einem tiefen Loch in der Erde. Ich sezierte mehrere Exemplare: Der Magen, der sehr muskulös war, enthielt Käfer, Pflanzenfasern und Kieselsteine. Wegen seines Gepräges, der Länge seiner Beine, der scharrenden Füße, der membranartigen Bedeckung seiner Nasenlöcher und der kurzen und gebogenen Flügel scheint dieser Vogel in einem gewissen Maße die Drossel mit den Hühnerartigen zu verbinden.

Die zweite Art (also *P.albicollis*) ist mit der ersten durch das allgemeine Äußere verbunden. Sie heißt *tapacolo* oder «bedecke das Hinterteil», und diesen Namen verdient der schamlose Vogel sehr wohl, trägt er seinen Schwanz doch mehr als aufrecht, das heißt, zum Kopfe hin zurückgebogen. Er ist weit verbreitet und sucht den Boden unter Hecken und die Büsche auf, die über die kahlen Hügel verstreut sind, wo kaum ein anderer Vogel existieren kann. In seiner allgemeinen Art zu fressen und flink aus den Büschen und wieder hinein zu hüpfen, in seinem Verlangen, sich versteckt zu halten, seiner Abneigung zu fliegen und seines Nestbaus wegen besitzt er eine starke Ähnlichkeit mit dem Turco, doch ist sein Erscheinungsbild nicht ganz so lächerlich. Der Tapacolo ist sehr listig: Wird er von jemandem geängstigt, bleibt er starr am Boden eines Busches sitzen und versucht dann nach einer kleinen Weile mit viel Geschick, an der entgegengesetzten Seite davonzukrabbeln. Auch ist er ein sehr aktiver Vogel und macht beständig Geräusche: Diese Geräusche sind vielfältig und sehr eigenartig; manche sind wie Taubengurren, andere wie sprudelndes Wasser, und viele verweigern sich jedem Vergleich. Die Landleute sagen, er verändere seinen Ruf fünf Mal im Jahr – vermutlich entsprechend dem Wechsel der Jahreszeiten.[4]

Zwei Arten von Kolibris sind verbreitet; *Trochilus forficatus* ist auf einer Fläche von 2500 Quadratmeilen an der Westküste heimisch, vom heißen, trockenen Land um Lima bis zu den Wäldern Feuerlands – wo man ihn im Schneesturm umherflitzen sieht. Auf der bewaldeten Insel Chiloé mit ihrem äußert feuchten Klima ist dieser kleine Vogel, wo er unter dem tropfenden Laub hin und her hüpft, vielleicht häufiger vertreten als fast jede andere Art. Bei mehreren Exemplaren, die ich in verschiedenen Teilen des Kontinents schoss, öffnete ich den Magen, und bei allen waren die Überreste von Insekten ebenso zahlreich wie im Magen des Baumläufers. Wenn diese Art im Sommer nach Süden zieht, tritt eine andere, aus dem Norden kommend, an ihre Stelle. Diese zweite Art *(Trochilus gigas)* ist für die zarte Familie, der er angehört, ein sehr großer Vogel; im Fluge ist sein Erscheinungsbild einzigartig. Wie andere dieser Gattung zieht er von Ort zu Ort mit einer Geschwindigkeit, die mit jener der Syrphus unter den Fliegen und dem Schwärmer unter den Nachtfaltern vergleichbar ist; doch wenn er über einer Blüte schwebt, schlägt er die Flügel mit einer sehr langsamen und kraftvollen Bewegung, die sich von der vibrierenden, die den meisten Arten gemein ist, vollkommen unterscheidet und die auch das Summgeräusch erzeugt.

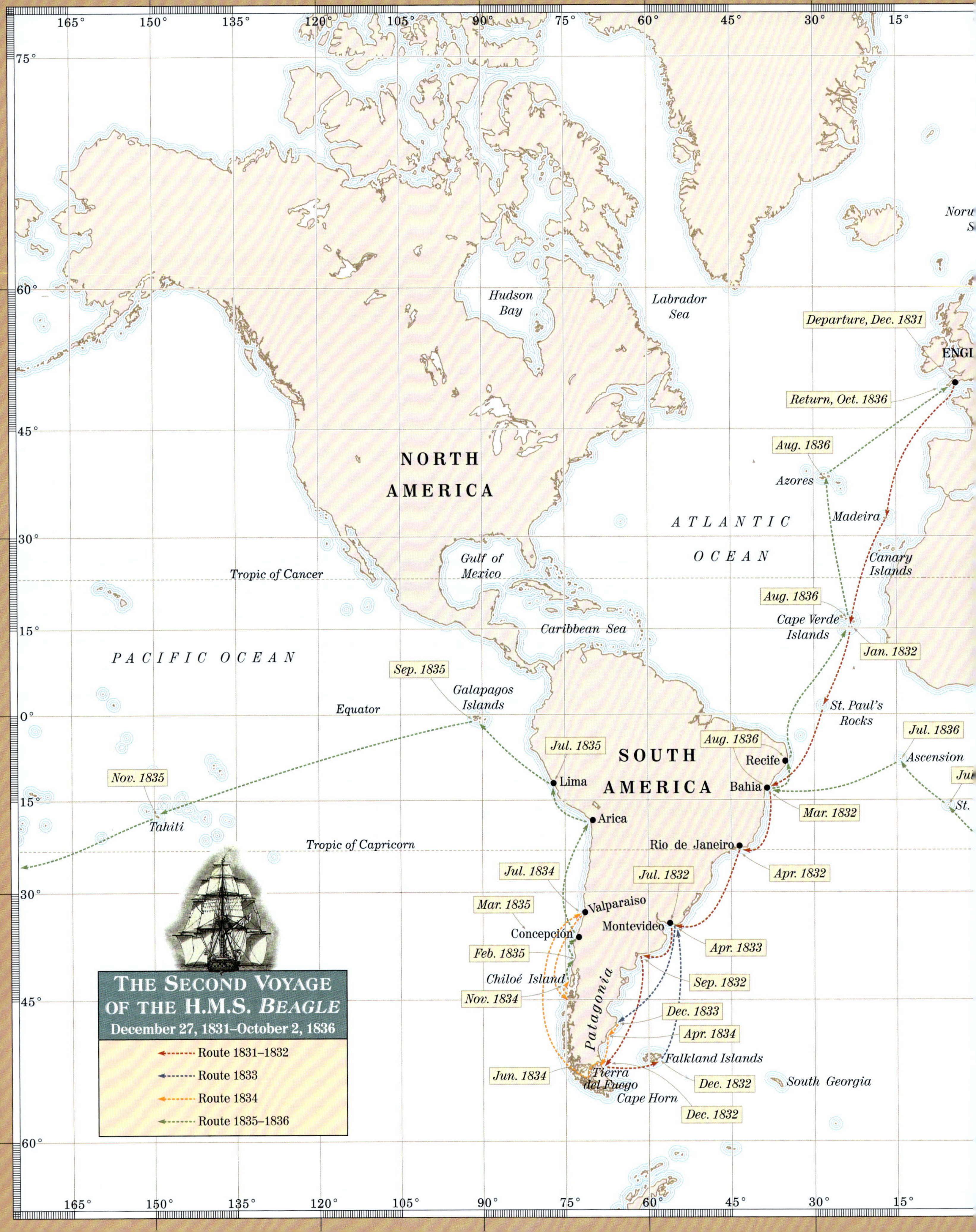
THE SECOND VOYAGE OF THE H.M.S. BEAGLE
December 27, 1831–October 2, 1836
Route 1831–1832
Route 1833
Route 1834
Route 1835–1836
NORTH AMERICA
SOUTH AMERICA
PACIFIC OCEAN
ATLANTIC OCEAN
Hudson Bay
Labrador Sea
Gulf of Mexico
Caribbean Sea
Tropic of Cancer
Equator
Tropic of Capricorn
Departure, Dec. 1831
ENGL
Return, Oct. 1836
Aug. 1836
Azores
Madeira
Canary Islands
Aug. 1836
Cape Verde Islands
Jan. 1832
St. Paul's Rocks
Jul. 1836
Ascension
St.
Aug. 1836
Recife
Bahia
Mar. 1832
Rio de Janeiro
Apr. 1832
Sep. 1835
Galapagos Islands
Jul. 1835
Lima
Arica
Nov. 1835
Tahiti
Jul. 1834
Valparaiso
Jul. 1832
Montevideo
Mar. 1835
Concepción
Apr. 1833
Feb. 1835
Chiloé Island
Sep. 1832
Nov. 1834
Patagonia
Dec. 1833
Apr. 1834
Falkland Islands
Jun. 1834
Tierra del Fuego
Dec. 1832
South Georgia
Cape Horn
Dec. 1832

Barents Sea
ASIA
UROPE
Mediterranean Sea
FRICA
H.M.S. BEAGLE
W
E
S
PACIFIC OCEAN
Arabian Sea
Bay of Bengal
South China Sea
Philippine Sea
Apr. 1836
Keeling (Cocos) Is.
Apr. 1836
Mauritius
Coral Sea
INDIAN OCEAN
AUSTRALIA
Jun. 1836
King George's Sound
Sydney
Jan. 1836
Dec. 1835
Tasman Sea
Mar. 1836
Van Diemen's Land (Tasmania)
Feb. 1836
New Zealand
wn

Platz in San-Carlos de Chiloé, 1885

13. Kapitel

CHILOÉ UND CHONOS-INSELN

Chiloé – allgemeines Gepräge – Exkursion im Boot – eingeborene Indianer – Castro – zahmer Fuchs – Besteigung des San Pedro – Chonos-Archipel – Halbinsel Tres Montes – granitene Gebirgskette – schiffbrüchige Seeleute – Lows Hafen – wilde Kartoffel – Torfformation – Myoptamus, Otter und Mäuse – Cheucau und Bellvogel – Opetiorhynchus – eigentümliches Kennzeichen der Ornithologie – Sturmvögel

10. November [1834] – Die *Beagle* fuhr von Valparaíso aus nach Süden, um den südlichen Teil Chiles, die Insel Chiloé und das zerrissene Land namens Chonos-Archipel zu vermessen, das bis zur Halbinsel Tres Montes reicht. Am 21. ankerten wir in der Bucht von San Carlos, der Hauptstadt Chiloés.

Die Insel ist ungefähr neunzig Meilen lang bei einer Breite von weniger als dreißig. Das Land ist hügelig, aber nicht bergig, und von einem großen Wald bedeckt außer um die strohgedeckten Häuschen herum, wo einige freie grüne Flecken geschaffen wurden. Von fern ähnelt der Blick ein wenig Feuerland, doch kommt man näher, sind die Wälder ungleich schöner. Hier treten viele Arten immergrüner Bäume und Pflanzen mit tropischem Charakter an die Stelle der düsteren Buche der südlichen Gestade. Winters ist das Klima abscheulich, sommers nur wenig besser. Ich würde meinen, es gibt nur wenige Orte auf der

A New & Exact MAP of the Coast, Countries and Islands within ye LIMITS of ye SOUTH SEA COMPANY, from ye River Aranoca to Terra del Fuego, and from thence through ye South Sea, to ye North Part of California &c. with a View of the General and Coasting TRADE-WINDS. And particular Draughts of the most important Bays, Ports &c. According to ye Newest Observations, By Herman Moll Geographer
Sold by Herman Moll
Note that ye Arrows among the Lines shew the Course of those General & Coasting Trade-winds.
A Map of ye Port of BALDIVIA with the Fortifications and Islands &c. Done after a New Spanish Draught.
A Map of the Isle C the Lake of ANCU Islands &c. Done a Spanish Draughts.
A Chart from ENGLAND to the River Aranoca &c.
SOUTH SEA
NORTH SEA
GULF of MEXICO
FLORIDA
NEW MEXICO
CALIFORNIA
Tropick of Cancer
Equinoctial Line
Tropick of Capricorn
TERRA FIRMA
GUIANA
AMAZONES this Country and its Inhabitans are very little known
BRASIL
PERU
LA PLATA
Tucuman
PATAGONIA
TERRA DEL FUEGO
Falkland I.
C. Horn
Calms and Tornado's
The Port of ACAPULCO
The Gulf of AMAPALLA or FONESCA
The GALLAPAGOS Islands
The Island of JUAN FERDINANDO
A Map of the ISTHMUS of DARIEN & BAY of PANAMA &c.
A Map of ye STRAITS of MAGELLAN &c.
PEYPSES or PEPY
60 Degrees West from LONDON
There is lately published a two sheet Map of South America, coppyed after a very erroneous French Map done at Paris in 1703, and to deceive ye world dedicated to Dr Halley, and pretended in ye Dedication to be corrected by his own Discoveries. This Copy places C. Horn in Lat 56 and makes ye Long. between C. Horn and C. St Augustin 27 Deg. whereas ye Doctor lays C. Horn in Lat 57 30 and makes ye Long. between C. Horn & C. St Augustin 45 20 that this false Map differs from Dr Halley's and all other late Observations, in ye Lat. of C. Horn 1½ and in ye Long. between ye said Capes 18 D. and consequently makes our Sailing to ye South Sea less by above a Thousand Miles, than really it is.

~ AUS ~

VERLAUF DER ZWEITEN EXPEDITION 1831–1836

VON ROBERT FITZ ROY

Wir segelten von Port Low ab und gingen noch einmal nach Huafo, da wir Mr. Darwin die Gelegenheit geben wollten, es geologisch zu untersuchen. Die Insel ist nicht bewohnt, doch sind dort sehr viele Schafe der Chiloten, die auf Caylin wohnen. Früher waren auf Huafo Indianer, Huyhuen-che genannt*; doch die Spanier zwangen sie zu gehen, aus Angst, sie würden englische Schiffe mit Informationen oder Vorräten versorgen. In der Nähe der ankernden *Beagle* befand sich eine viereckige Stelle, wie der Eingang zu einer Höhle, die, wie es schien, von Menschen in den weichen Sandstein geschlagen worden war; ich habe mich oft gescholten, weil ich die wahre Natur dieser Stelle nicht erforschte. Es kann der Eingang zu einer Höhle sein, die einmal als Bestattungsplatz genutzt wurde.

* *Die Huyhuen-che, oft auch Huyhuenes genannt, waren ein Stamm der Chonos-Indianer, an die Pichihuilli-che grenzend, die im nördlichen Teil von Chiloé lebten. Das Wort Huyhuen bedeutet «Pfiff» oder «Gezische» oder auch «pfeifen» bzw. «zischen».*

Welt in den gemäßigten Breiten, wo so viel Regen fällt. Die Winde sind sehr stürmisch, und der Himmel ist beinahe ständig bewölkt: Eine Woche schönes Wetter ist etwas ganz Wunderbares. Es ist sogar schwierig, auch nur die Kordilleren zu erkennen: Während unseres ersten Besuches zeichnete sich der Vulkan Osorno nur einmal in klaren Konturen ab, und das war vor Sonnenaufgang; es war merkwürdig zu beobachten, wie sich die Umrisse allmählich im grellen Schein des östlichen Himmels auflösten.

Die Einwohner scheinen, nach ihrer Hautfarbe und dem niederen Wuchs zu urteilen, zu drei Vierteln Indianerblut in den Adern zu haben. Sie sind eine demütige, stille, fleißige Gesellschaft. Obgleich die fruchtbare Erde, die sich aus der Zersetzung des Vulkangesteins ergibt, eine üppige Vegetation fördert, ist das Klima für Erzeugnisse, die zur Reifung viel Sonne brauchen, dennoch nicht günstig. Es gibt sehr wenig Weideland für die größeren Vierfüßer; folglich sind die Hauptnahrungsmittel Schweine, Kartoffeln und Fisch. Die Menschen tragen alle kräftige, wollene Kleidung, welche jede Familie selbst herstellt und mit Indigo von dunkelblauer Tönung färbt. Die Künste dagegen sind im rohsten Zustand – wie man an ihrer seltsamen Form des Pflügens, ihrer Methode des Spinnens, des

GEGENÜBER: Karte aus dem 18. Jahrhundert mit dem Gebiet vom Süden der Vereinigten Staaten bis Feuerland.

Getreidemahlens und an der Bauweise ihrer Boote erkennen kann. Die Wälder sind so undurchdringlich, dass das Land ausschließlich nahe der Küste und auf den angrenzenden Inseln urbar gemacht ist. Selbst da, wo es Pfade gibt, sind sie wegen des weichen und sumpfigen Bodens kaum passierbar. Die Einwohner sind wie jene von Feuerland hauptsächlich am Strand oder im Boot unterwegs. Obgleich es genügend zu essen gibt, sind die Leute sehr arm: Es gibt keinen Bedarf an Arbeit, folglich können die unteren Schichten kaum genügend Geld zusammenkratzen, um selbst die kleinsten Luxusgegenstände zu erwerben. Auch herrscht großer Mangel an Zahlungsmitteln. Ich habe gesehen, wie ein Mann auf dem Rücken einen Sack Holzkohle daherschleppte, um damit eine Kleinigkeit zu kaufen, und einen anderen mit einer Bootsplanke als Tausch gegen eine Flasche Wein. Daher muss jeder Händler auch Kaufmann sein und die Güter wieder verkaufen, die er im Tausch entgegennimmt.

26. November – Der Tag erhob sich herrlich klar. Der Vulkan Osorno spie gewaltige Mengen Rauch aus. Dieser wunderschöne Berg, gleich einem vollkommenen Kegel und weiß von Schnee, ragt vor den Kordilleren auf. Ein weiterer großer Vulkan mit einem sattelförmigen Gipfel entließ ebenfalls kleine Dampfstrahlen aus seinem gewaltigen Krater. Danach sahen wir den Corcovado mit seinen luftigen Spitzen – und er verdiente den Namen *el famoso Corcovado* sehr wohl. So erblickten wir von einem Standpunkt aus drei große, aktive Vulkane, ein jeder ungefähr siebentausend Fuß hoch. Überdies standen weit im Süden weitere erhabene, schneebedeckte Kegel, welche, obgleich sie nicht als aktiv gelten, ebenfalls vulkanischen Ursprungs sein dürften. Die Linie der Anden ist in diesem Gebiet nicht annähernd

Stelzenhäuser, Chiloé

so hoch wie in Chile, auch scheint sie keine ganz so vollkommene Barriere zwischen den Regionen der Erde zu bilden. Diese große Gebirgskette verläuft zwar in gerader Nord-Süd-Richtung, doch erschien sie aufgrund einer optischen Täuschung stets mehr oder weniger gekrümmt, denn die Linien, die sich von jedem Gipfel zum Auge des Betrachters zogen, konvergierten zwangsläufig wie die Radien eines Halbkreises, und da sich (dank der Klarheit der Luft und mangels jedweder Gegenstände dazwischen) unmöglich beurteilen ließ, wie weit die hintersten Gipfel entfernt waren, schienen sie in einem eher flachen Halbkreis zu stehen.

Als wir um Mittag an Land gingen, sahen wir eine Familie rein indianischen Ursprungs. Der Vater ähnelte ungemein York Minster, und einige der jüngeren Kinder hätte man mit ihrer rötlichen Gesichtsfarbe für Pampas-Indianer halten können. Alles, was ich gesehen habe, überzeugt mich von der engen Verbindung der verschiedenen amerikanischen Stämme, die gleichwohl unterschiedliche Sprachen sprechen. Diese Gruppe konnte nur wenig Spanisch aufbieten, und untereinander redeten sie in ihrer eigenen Sprache. Es ist erfreulich zu sehen, dass die Ureinwohner dasselbe Maß an Zivilisation erreichten, wie gering es auch sein mag, über das ihre weißen Eroberer verfügen. Weiter nach Süden sahen wir viele reine Indianer: Ja, alle Bewohner einiger der Inselchen haben ihren indianischen Nachnamen beibehalten. Bei der Volkszählung von 1832 lebten auf Chiloé und seinen abhängigen Gebieten 42 000 Seelen, deren größere Zahl gemischten Blutes zu sein scheint. 11 000 haben ihren

~ AUS ~

VERLAUF DER ZWEITEN EXPEDITION 1831–1836

VON ROBERT FITZ ROY

Zwischen der Ost- und der Westseite von Chiloé besteht ein merklicher Unterschied im Klima, was die Menge an Niederschlägen und Wind angeht. Ein Teil davon scheint an der windwärtigen Seite der Höhen aufgehalten zu werden (sozusagen), sodass die Umgebung von Castro und den Inseln im Golf von Ancud viel schöneres Wetter haben als etwa San Carlos. Aber selbst da sagen die Bewohner, das habe sich allmählich geändert und jetzt falle nicht mehr annähernd so viel Regen wie früher. Sie schreiben dies der Rodung der Wälder zu, nicht nur auf Chiloé selbst, sondern auch in der benachbarten Kordillere. Auf Chiloé herrscht die Vorstellung, vor allem auf einen großen Ausbruch des Osorno oder auch eines anderen nahen Vulkans folge sicher schönes Wetter. Ohne die Möglichkeit solch eines Zusammenhangs leugnen zu wollen, neige ich doch dazu, dass dies Zufälle waren und das schöne Wetter bei oder kurz nach solch einer Zeit stärker auffiel als sonst.

Nachnamen behalten, wahrscheinlich ist aber, dass nicht annähernd alle davon reinrassig sind.

Des Nachts erreichten wir eine schöne kleine Bucht nördlich der Insel Caucahue. Die Leute hier klagten über Mangel an Land. Das liegt teils an ihrer eigenen Nachlässigkeit, die Wälder nicht zu roden, teils an den Beschränkungen durch die Regierung, die vorschreibt, dass, bevor ein noch so kleines Land erworben wird, zwei Shilling an den Vermesser gezahlt werden, damit er jede *quadra* (150 Yards im Quadrat) misst, und das zusätzlich zu dem Preis, den er als den Wert dieses Landes festsetzt. Nach seiner Bewertung muss das Land drei Mal zur Versteigerung kommen, und wenn niemand mehr bietet, kann der Käufer es zu seinem Preis haben. Alle diese Forderungen sind ein ernstes Hemmnis dafür, dass der ganze Boden gerodet wird, wo die Bewohner so bitterarm sind. In den meisten Ländern wird der Wald ohne große Schwierigkeiten mithilfe von Feuer entfernt, auf Chiloé dagegen ist es wegen der Feuchtigkeit des Klimas und der Baumarten nötig, sie erst zu fällen. Dies ist für das Gedeihen Chiloés von großem Nachteil.

Die beiden folgenden Tage waren schön, und bei Nacht erreichten wir die Insel Quinchao. Diese Gegend ist der kultivierteste Teil des Archipels; ein breiter Streifen Land an der Küste der Hauptinsel wie auch auf zahlreichen der kleineren benachbar-

Mechuque, Chiloé-Archipel

ten Eilande ist nahezu vollständig gerodet. Einige der Bauernhäuser wirkten sehr behaglich. Mir war daran gelegen, in Erfahrung zu bringen, wie reich diese Leute wohl waren, doch Mr. Douglas sagte mir, keiner könne als mit einem regelmäßigen Einkommen versehen betrachtet werden. Einer der reichsten Grundbesitzer könne in einem langen, arbeitsreichen Leben möglicherweise umgerechnet £ 1000 Sterling ansammeln; sollte dies aber der Fall sein, so würde es in einen geheimen Winkel geschafft, denn es ist üblich, dass praktisch jede Familie einen Topf oder eine Schatzkiste in der Erde vergraben hat.

30. November – Sonntag frühmorgens erreichten wir Castro, die alte Hauptstadt Chiloés, jetzt aber ein ganz einsamer und verlassener Ort. Man konnte das übliche viereckige Arrangement spanischer Städte erkennen, doch waren die Straßen und der Platz mit feinem grünem Rasen überzogen, auf welchem Schafe grasten. Die Kirche, die in der Mitte steht, ist gänzlich aus Brettern erbaut und hat ein malerisches und ehrwürdiges Erscheinungsbild. Die Armut des Ortes kann man daran ermessen, dass er zwar rund hundert Einwohner zählte, einer aus unserer Gruppe jedoch außerstande war, irgendwo ein Pfund Zucker oder ein gewöhnliches Messer zu erwerben. Kein Einziger besaß eine Taschen- oder Standuhr, und ein alter Mann, von dem es hieß, er habe ein gutes Zeitgefühl, war angestellt, die Kirchenglocke nach Gutdünken zu schlagen. Die Ankunft unserer Boote war in diesem stillen, abgeschiedenen Erdenwinkel ein seltenes Ereignis, und so kamen beinahe sämtliche Einwohner an den Strand, um zuzusehen, wie wir unsere Zelte aufschlugen. Sie waren sehr zuvorkommend und boten uns ein Haus an, und einer schickte uns sogar ein Fässchen Apfelwein als Geschenk. Am

Abend machten wir dem Gouverneur unsere Aufwartung – ein stiller alter Mann, der nach Erscheinung und Lebensweise kaum einem englischen Häusler überlegen war. Nachts setzte heftiger Regen ein, der jedoch kaum genügte, den weiten Kreis der Zuschauer von unseren Zelten zu vertreiben.

1. Dezember – Wir machten uns zu der Insel Lemuy auf. Ich wollte mir unbedingt eine Kohlengrube ansehen, von der man mir berichtet hatte, die sich aber als Braunkohle von geringem Wert entpuppte; sie lag in dem Sandstein (vermutlich aus einer alten Tertiärepoche), aus welchem diese Inseln bestehen. Als wir Lemuy erreichten, hatten wir Schwierigkeiten, überhaupt einen Platz zu finden, wo wir unsere Zelte aufschlagen konnten, denn es war Frühjahr, und das Land war bis an den Wasserrand bewaldet. Binnen kurzem waren wir von einer großen Gruppe nahezu reiner indianischer Bewohner umringt. Sie waren über unsere Ankunft äußerst überrascht und sagten untereinander: «Deshalb haben wir also in letzter Zeit so viele Papageien gesehen; der Cheucau (ein seltsamer rotbrüstiger kleiner Vogel, der den dichten Wald bewohnt und ganz eigenartige Laute ausstößt) hat nicht umsonst ‹Hütet euch› geschrien.» Bald wollten sie unbedingt handeln.

Die Menschen hier ernähren sich hauptsächlich von Schalentieren und Kartoffeln. Zu bestimmten Zeiten fangen sie auch in *corrales*, also Hecken unter Wasser, viele Fische, die bei Ebbe auf den Schlammufern liegen bleiben. Zuweilen besitzen sie Geflügel, Schafe, Ziegen, Schweine, Pferde und Rinder; die Reihenfolge, in der sie hier aufgeführt werden, bezeichnet ihre jeweilige Zahl. Nie begegnete mir etwas Verbindlicheres und Bescheideneres als die Wesensart dieser Menschen. Im Allgemeinen begannen sie mit der Erklärung, sie seien arme Eingeborene des Ortes und keine Spanier und sie litten schlimmen Mangel an Tabak und anderen Labsalen. Auf Caylen, der südlichsten Insel, kauften die Seeleute mit einem Riemen Tabak im Wert von dreieinhalb Pence zwei Geflügel, wovon eines, wie der Indianer angab, Haut zwischen den Zehen habe und sich als eine prächtige Ente erwies, und mit einigen Baumwolltüchern wurden drei Schafe und ein großes Büschel Zwiebeln erworben. Die Jolle ankerte dort ein Stück entfernt vom Ufer, und in der Nacht fürchteten wir um ihre Sicherheit wegen Räubern. Unser Lotse, Mr. Douglas, sagte folglich dem dortigen Bezirkskommissarius, wir stellten stets Wachen mit geladenen Waffen auf, und da wir kein Spanisch verstünden und jemanden im Dunkeln sähen, würden wir ihn gewiss auch erschießen. Der Kommissarius bestätigte mit großer Demut die Richtigkeit dieser Maßnahme und versprach uns, dass sich in dieser Nacht niemand aus dem Haus bewegen werde.

Während der folgenden vier Tage segelten wir immer weiter nach Süden. Das allgemeine Gepräge des Landes blieb unverändert, doch war es viel weniger dicht besiedelt. Auf der großen Insel Tanqui gab es kaum ein gerodetes Fleckchen, und an allen Seiten reckten die Bäume ihre Äste über den Meeresstrand. Einmal sah ich auf den Sandstein-Kliffen einige sehr schöne Exemplare des Nesselschirms *(Gunnera scabra)* wachsen; sie ähnelt etwas dem Rhabarber in riesigem Maßstab. Die Einwohner essen die Stängel, welche säuerlich sind, gerben mit den Wurzeln Leder und bereiten daraus eine schwarze Farbe. Das Blatt ist nahezu kreisrund, am Rand jedoch tief eingekerbt. Ich vermaß eines, das beinahe acht Fuß im Durchmesser hatte und mithin nicht weniger als vierundzwanzig im Umfang! Der Stängel ist etwas über ein Yard lang, und jede Pflanze treibt vier oder fünf dieser enormen Blätter aus, die zusammen ein sehr prächtiges Bild abgeben.

6. Dezember – Am Abend erreichten wir die Insel San Pedro, wo die Beagle vor Anker lag. Zwei der Offiziere umsegelten die Spitze und gingen an Land, um mit dem Theodoliten einige Winkel zu messen. Auf den Felsen saß ein Fuchs *(Canis fulvipes)*, der dieser Insel eigen und sehr selten sein soll und der eine neue Art darstellt. Er war so tief versunken in die Beobachtung der Offiziere bei ihrer Arbeit, dass ich ihm, indem ich mich leise von hinten an ihn heranschlich, mit meinem Geologenhammer den Schädel einschlagen konnte. Dieser Fuchs, neugieriger oder wissenschaftsbegieriger und weniger klug als die Mehrzahl seiner Genossen, steht nun im Museum der Zoologischen Gesellschaft.

Wir blieben drei Tage in diesem Hafen, und an einem unternahm Kapitän Fitz Roy mit einer Gruppe den Versuch, den Gipfel des San Pedro zu ersteigen. Der Wald zeigte hier ein deutlich anderes Bild als jener auf der Nordseite der Insel. Und da das Gestein Glimmerschiefer war, gab es keinen Strand, vielmehr tauchten die steilen Wände direkt ins Wasser. Folglich ähnelte das allgemeine Bild eher Feuerland als Chiloé. Vergebens versuchten wir, den Gipfel zu erreichen: Der Wald war so undurchdringlich, dass niemand, der es nicht gesehen hat, sich eine so verschlungene Masse sterbender und toter Stämme vorstellen kann.

10. Dezember – Jolle und Walboot setzten unter Mr. Sulivan ihre Vermessungen fort, wohingegen ich auf der *Beagle* blieb, die am folgenden Tage San Pedro Richtung Süden verließ. Am 13. liefen wir in eine Öffnung im Südteil der Guayatecas oder dem Chonos-Archipel ein, und das war unser Glück, denn tags darauf tobte mit großer Wut ein Sturm, der Feuerlands würdig war. Weiße Wolkenmassen türmten sich vor einem dunkelblauen Himmel, und davor jagten schwarze Dunstfetzen vorüber.

Wir lagen dort drei Tage. Das Wetter blieb schlecht, doch das hatte nichts auf sich, da die Landfläche auf allen diesen Inseln praktisch unpassierbar ist.

18. Dezember – Wir liefen aus. Am 20. verabschiedeten wir uns vom Süden und nahmen bei gutem Wind Kurs nach Norden. Vom Kap Tres Montes aus segelten wir munter die hohe, verwitterte Küste entlang, die sich durch die scharfen Umrisse ihrer Berge und der dichten Walddecke selbst auf den beinahe senkrechten Flanken auszeichnet. Am nächsten Tag wurde ein Hafen entdeckt, welcher an dieser gefährlichen Küste einem Fahrzeug in Not von großem Nutzen sein konnte. Er ist leicht zu erkennen an einem 1600 Fuß hohen Berg, der sogar ein noch vollkommenerer Kegel ist als der berühmte Zuckerhut von Rio de Janeiro. Am folgenden Tag, nachdem wir den Anker geworfen hatten, gelang es mir, den Gipfel dieses Berges zu erklimmen.

Stängel des Nesselschirms *(Gunnera scabra)*, Insel Chiloé

Transit-Theodolit, ein Gerät zur Landvermessung

In diesen wilden Ländern bereitet es große Freude, den Gipfel eines Berges zu erreichen. Es herrscht die unbestimmte Erwartung, etwas sehr Eigenartiges zu sehen, die sich, wie oft sie auch enttäuscht worden sein mag, in mir bei jedem nachfolgenden Versuch doch stets wieder einstellte. Jedermann kennt doch gewiss das Gefühl von Triumph und Stolz, welches ein großartiger Blick von hoch oben dem Geiste mitteilt. In diesen wenig besuchten Ländern ist damit auch ein wenig die Eitelkeit verbunden, dass man vielleicht der erste Mensch ist, der je auf dieser Spitze gestanden oder jenen Blick bewundert hat.

28. Dezember – Das Wetter blieb weiterhin sehr schlecht, gestattete es uns aber schließlich, mit den Vermessungen fortzufahren. Die Zeit wurde uns sehr lang, wie es immer war, wenn aufeinander folgende Stürme uns Tag um Tag aufhielten. Am Abend wurde ein weiterer Hafen entdeckt, in dem wir dann vor Anker gingen. Unmittelbar darauf sahen wir einen Mann, der sein Hemd schwenkte, worauf ein Boot ausgeschickt wurde, das zwei Matrosen zurückbrachte. Sechs Mann waren von einem amerikanischen Walfänger geflohen und mit ihrem Boot, das dann von der Brandung zerschlagen worden war, etwas weiter südlich gelandet. Daraufhin waren sie fünfzehn Monate lang die Küste auf und ab gewandert, ohne zu wissen, wohin sie sich wenden sollten oder wo sie waren. Welch außerordentliches Glück, dass dieser Hafen nun entdeckt war! Ohne diesen einen Glücksfall wären sie wohl noch weiter umhergezogen, bis sie alte Männer geworden und endlich an dieser wilden Küste zugrunde gegangen wären. Im Lichte dessen, was sie durchgemacht hatten, hatten sie sich meiner Ansicht nach ein sehr gutes Zeitgefühl bewahrt, denn sie hatten nur vier Tage verloren.

30. Dezember – Wir ankerten in einer geschützten kleinen Bucht am Fuße einiger hoher Berge nahe dem Nordende von Tres Montes. Nach dem Frühstück am folgenden Morgen erstieg eine Gruppe einen dieser Berge, der 2400 Fuß hoch war. Die Landschaft war bemerkenswert. Der Hauptteil der Kette bestand aus mächtigen, massigen, schroffen Granitfelsen, die aussahen, als stammten sie aus der Zeit des Anbeginns der Welt. Der Granit war mit Glimmerschiefer bedeckt, und dieser war im Laufe der Zeit zu eigenartigen fingerförmigen Spitzen abgetragen worden. Diese beiden in ihren Umrissen so verschiedenen Formationen gleichen sich darin, dass sie nahezu bar jeglicher Vegetation sind. Diese Kargheit bot unserem Auge ein seltsames Bild, nachdem wir nun so lange den Anblick eines nahezu allumfassenden Waldes aus dunkelgrünen Bäumen gewohnt waren. Es bereitete mir große Freude, die Struktur dieser Berge zu untersuchen. Die verwickelten und hohen Gebirgsketten machen einen stattlichen Eindruck von Dauerhaftigkeit – jedoch gleichermaßen nutzlos für den Menschen und alle anderen Tiere. Für den Geologen ist der klassische Boden Granit: Wegen seiner ausgedehnten Verbreitung und seiner schönen und kompakten Textur werden nur wenige Gesteine als älter angesehen. Granit hat vielleicht zu mehr Diskussionen hinsichtlich seines Ursprungs geführt als jede andere Formation.

1. Januar 1835 – Das Neue Jahr wird mit den für diese Region angemessenen Zeremonien eingeleitet. Es nährt keine falschen Hoffnungen: Schwerer Sturm aus Nordwest mit anhaltendem Regen kündigt das beginnende Jahr an. Gott sei Dank sind wir nicht dazu bestimmt, sein Ende hier zu erleben, sondern hoffen, dann im Pazifischen Ozean zu sein, wo einem ein blauer Himmel anzeigt, dass es einen

solchen gibt – etwas, was jenseits der Wolken über unseren Köpfen liegt.

Die Nordwestwinde hielten während der nächsten vier Tage an, sodass wir nur eine große Bucht durchqueren und in einem weiteren sicheren Hafen vor Anker gehen konnten. Ich begleitete den Kapitän in einem Boot zum Ende einer tiefen Bucht. Die Zahl der Seehunde, die wir auf dem Wege sahen, war ganz erstaunlich; jedes Fleckchen flacher Fels und Teile des Strandes waren mit ihnen bedeckt. Sie schienen von freundlichem Wesen zu sein und lagen eng aneinander gekauert da, im Tiefschlaf, ganz wie Schweine, doch selbst Schweine hätten sich ihres Schmutzes und des abscheulichen Gestanks geschämt, der von ihnen ausging. Jede Herde wurde von den geduldigen, aber unheildrohenden Augen des Truthahngeiers beobachtet. Dieser abstoßende Vogel mit seinem kahlen, scharlachroten Kopf, geschaffen, um in Fäulnis zu waten, ist an der Westküste sehr verbreitet, und ihre Nähe bei den Seehunden zeigt, wovon sie sich ernähren. Wir fanden das Wasser (wahrscheinlich nur das an der Oberfläche) nahezu frisch, was von den zahlreichen Sturzbächen herrührte, welche als Kaskaden über die steilen Granitberge ins Meer fielen. Das Süßwasser zieht die Fische an und diese wiederum viele Seeschwalben, Möwen und zwei Arten von Kormoranen. Auch sahen wir ein Paar der schönen Schwarzhalsschwäne und etliche kleine Seeotter, deren Fell eine so hohe Wertschätzung genießt.

Chonos-Archipel

7. Januar – Nachdem wir die Küste hinaufgefahren waren, ankerten wir nahe dem Nordende des Chonos-Archipels in Lows Hafen, wo wir eine Woche blieben. Die Inseln hier bestanden, wie Chiloé, aus einer geschichteten, weichen Küstenablagerung, und folglich war die Vegetation schön und üppig. Die Wälder gingen bis an den Strand hinab, ganz wie immergrünes Buschwerk über einen Kiesweg. Auch bot sich uns vom Ankerplatz aus ein prächtiger Blick auf vier große, schneebedeckte Kegel der Kordilleren, darunter *el famoso Corcovado*; die Kette selbst hatte auf dieser Breite eine so geringe Höhe, dass nur wenige Stellen die Gipfel der umliegenden Inseln zu überragen schienen. Wir stießen hier auf eine Gruppe von fünf Männern aus Caylen, *el fin del Cristiandad*, die das Stück offenes Meer, das Chonos von Chiloé trennt, in ihrem erbärmlichen Kanu überquert hatten, um hier zu fischen. Diese Inseln werden wohl bald ähnlich jenen vor der Küste Chiloés besiedelt werden.

Auf diesen Inseln wächst die wilde Kartoffel auf dem Muschelsandboden nahe dem Meeresstrand in Hülle und Fülle. Die höchste Pflanze maß vier Fuß. Sie sind hier zweifellos heimisch: Mr. Low zufolge wachsen sie bis zu der Breite von 50° und werden von den wilden Indianern dort aquinas genannt; die Indianer von Chiloé haben einen anderen Namen dafür. Professor Henslow, der die getrockneten Exemplare, die ich nach Hause brachte, untersucht

Robbenfelle, Halbinsel Valdez, Argentinien

hat, meint, es seien die gleichen, die Mr. Sabine[1] aus Valparaíso beschrieb, dass sie jedoch eine Varietät bildeten, die manche Botaniker als eigene Art erachteten. Es ist bemerkenswert, dass die gleiche Pflanze in den unfruchtbaren Bergen Zentralchiles, wo über ein halbes Jahr lang kein Tropfen Regen fällt, wie auch in den feuchten Wäldern dieser südlichen Inseln anzutreffen ist.

In den Zentralregionen des Chonos-Archipels (45° S) hat der Wald weitgehend das gleiche Gepräge wie jener an der gesamten Westküste auf 600 Meilen nach Süden bis Kap Hoorn. Das Baumgras Chiloés findet sich hier nicht, wohingegen die Buche Feuerlands auf ordentliche Größe wächst und einen beträchtlichen Anteil des Waldes stellt, jedoch nicht in derselben Ausschließlichkeit wie weiter südlich. Sporenpflanzen haben hier ein äußerst förderliches Klima. In der Magellanstraße erscheint das Land, wie schon bemerkt, zu kalt und nass, um ihre vollkommene Ausprägung zu gestatten; auf diesen Inseln hingegen ist die Anzahl der Arten und die große Fülle von Moosen, Flechten und kleinen Farnen innerhalb des Waldes ganz außerordentlich.[2] In Feuerland wachsen Bäume nur an Berghängen; jedes ebene Stück Land ist durchweg von einer dicken Torfschicht bedeckt. Auf Chiloé dagegen trägt das Flachland die üppigsten Bäume. Hier, im Chonos-Archipel, nähert sich die Natur des Klimas mehr jenem in Feuerland als dem Nord-Chiloés an, denn jeder Flecken ebenen Bodens ist von zwei Pflanzenarten bedeckt (*Astelia pumila* und *Donatia magellanica*), welche durch ihr vereintes Absterben eine dicke Schicht nachgiebigen Torfes bilden.

Auf den ebeneren Teilen des Landes wird die Torffläche von kleinen Wassertümpeln aufgebrochen, die in unterschiedlicher Höhe stehen und aussehen, als wären sie künstlich ausgehoben. Kleine, unterirdisch fließende Wasserläufe vervollständigen die Auflösung der Pflanzenstoffe und konsolidieren das Ganze.

Das Klima im südlichen Teil Amerikas erscheint für die Entstehung von Torf besonders günstig. Auf den Falklandinseln wird nahezu jede Pflanze, selbst das grobe Gras, das die gesamte Landoberfläche bedeckt, in diese Substanz verwandelt: Kaum ein Umstand hemmt ihr Wachstum; einige Felder sind bis zu zwölf Fuß dick, und der untere Teil wird, wenn er trocken ist, so fest, dass er kaum brennt. Obgleich jede Pflanze ihre Hilfe anbietet, so ist in den meisten Gegenden doch die Astelia die effizienteste. Es ist recht eigentümlich, da es so anders ist als das, was in Europa geschieht, dass ich nirgendwo sonst als in Südamerika sah, wie Moos durch sein Absterben zur Bildung von Torf beitrug. Hinsichtlich der Nordgrenze, bis zu der das Klima jene besondere Art der langsamen Zersetzung gestattet, die für seine Erzeugung notwendig ist, glaube ich, dass auf Chiloé (41° bis 42° S), obgleich es dort viel sumpfiges Gelände gibt, kein als gut beschriebener Torf vorkommt; auf den Chonos-Inseln, drei Grad weiter südlich, haben wir ihn in großer Fülle gesehen. An der Ostküste in La Plata (35° S) sagte mir ein spanischer Bewohner, der in Irland gewesen war, er habe oft danach gesucht, ihn aber nie finden können. Er zeigte mir, was er als die größte Annäherung daran entdeckt hatte, nämlich eine schwarze torfige Erde, die so stark von Wurzeln durchzogen war, dass sie eine äußerst langsame und unvollständige Verbrennung gestattete.

Panorama der Küste mit den Vulkanen Osorno und Quellaypo

Die Zoologie dieser zerklüfteten Inseln des Chonos-Archipels ist, wie wohl zu erwarten war, sehr dürftig. An Vierfüßern sind zwei Wassertiere verbreitet. Das *Myopotamus coypus* (wie ein Biber, aber mit rundem Schwanz) ist bekannt für sein schönes Fell, das überall an den Nebenflüssen des La Plata ein Handelsgegenstand ist. Hier jedoch hält es sich ausschließlich in Salzwasser auf, was auch jener große Nager, das Capybara, gelegentlich bevorzugt, wie berichtet worden ist. Sehr zahlreich vertreten ist ein kleiner Seeotter; dieses Tier ernährt sich nicht ausschließlich von Fisch, sondern bestreitet seine Nahrung in großem Umfang auch mit einem kleinen roten Krebs, der in Schwärmen nahe der Wasseroberfläche schwimmt. An einer Stelle fing ich in einer Falle eine eigentümliche kleine Maus *(M. brachiotis)*; sie schien auf mehreren der Eilande verbreitet, doch die Chiloter in Lows Hafen meinten, dort gebe es sie gar nicht. Welche Kette von Zufällen[3] oder welche Niveauveränderungen ins Spiel gekommen sein müssen, damit diese kleinen Tiere sich über diesen zerklüfteten Archipel ausbreiten konnten!

In allen Teilen von Chiloé und Chonos sind zwei sehr merkwürdige Vögel vertreten; sie sind verwandt mit dem Turco und dem Tapacolo Zentralchiles und nehmen hier beide ihren Platz ein. Einer wird von den Bewohnern *cheucau* genannt *(Pteroptochos rubecula)*; er hält sich in den düstersten und abgelegensten Winkeln des feuchten Waldes auf. Mag sein Ruf manchmal auch in unmittelbarer Nähe zu hören sein, so wird man den Cheucau, und schaut man noch so aufmerksam, nicht sehen, manchmal aber, wenn man reglos stillsteht, nähert sich der rotbrüstige kleine Vogel aufs Zutraulichste bis auf wenige Fuß. Dann hüpft er geschäftig durch die verschlungene Masse aus verrotteten Stöcken und Zweigen, den kleinen Schwanz aufwärts gereckt. Wegen seines seltsamen und unterschiedlichen Rufs hat man vor dem Cheucau abergläubischen Respekt. Es sind drei sehr verschiedene Rufe: Einer wird *chiduco* genannt, was ein gutes Omen ist, ein weiterer *huitreu*, was äußerst ungünstig ist, den dritten habe ich vergessen. Diese Worte ahmen die Geräusche nach, und in manchen Dingen lassen sich die Eingeborenen völlig davon beherrschen. Die Chiloter haben sich gewiss ein höchst komisches kleines Wesen als Propheten erwählt. Eine verwandte, aber deutlich größere Art wird von den Eingeborenen *guid-guid (Pteroptochos tarnii)* und von den Engländern Bellvogel genannt. Letzterer Name passt ganz hervorragend, denn ich möchte wetten, dass jeder anfangs sicher ist, einen kleinen Hund irgendwo im Wald kläffen zu hören. So wie beim Cheucau ist das Bellen manchmal ganz nah, dennoch wird der Versuch vergeblich sein, den Vogel durch angestrengtes Schauen zu Gesicht zu bekommen, noch weniger, indem man auf die Büsche schlägt; dann wiederum kommt der Guidguid furchtlos heran. Seine Art zu fressen wie auch seine allgemeine Lebensweise sind denen des Cheucau sehr ähnlich.

An der Küste[4] ist ein kleiner, schwärzlicher Vogel *(Opetiorhynchus patagonicus)* sehr verbreitet. Auffallend ist seine stille Lebensweise; wie der Strandläufer lebt er ausschließlich am Meeresstrand. Neben diesen Vögeln bewohnen nur wenige andere dieses zerrissene Land. In meinen ersten Notizen habe ich die seltsamen Geräusche beschrieben, welche, obgleich in diesen düsteren Wäldern

Ein Coypu *(Myocastor coypus)*

häufig vernommen, die allgemeine Stille jedoch kaum stören. Das Kläffen des Guidguid und das jähe Juu-juu des Cheucau ertönen manchmal von weitem, manchmal auch sehr nah; gelegentlich fügt der kleine schwarze Zaunkönig aus Feuerland seinen Ruf hinzu; der Baumläufer *(Oxyurus)* folgt kreischend und zwitschernd dem Eindringling; der Kolibri flitzt immer wieder umher und lässt, gleich einem Insekt, sein schrilles Tschirpen erschallen, und schließlich ist vom Wipfel eines hohen Baumes der undeutliche, aber klagende Ton des weißschopfigen Tyrannen *(Myiobius)* zu vernehmen. Wegen des häufigen Vorkommens bestimmter gemeiner Vogelgattungen wie der Finken ist man zunächst überrascht, die oben aufgeführten besonderen Formen als die verbreitetsten Vögel in jedem Gebiet anzutreffen.

In diesen südlichen Meeren sind mehrere Arten des Sturmvogels verbreitet; der größte, *Procellaria gigantea* oder Rieseneis möwe (*quebrantahuesos*, also Knochenbrecher, wie die Spanier sagen), ist in den inländischen Kanälen und auf dem offenen Meer häufig anzutreffen. In seiner Lebensweise und Form des Fluges besteht eine große Ähnlichkeit mit dem Albatros, und man kann ihn stundenlang beobachten, ohne zu erkennen, wovon er sich ernährt. Der Knochenbrecher ist indes ein räuberischer Vogel, denn einige Offiziere von Port St. Antonio beobachteten, wie er einen Taucher jagte, der mittels Tauchen und Fliegen zu entrinnen suchte, jedoch immer wieder getroffen und schließlich mit einem Hieb auf den Schädel getötet wurde. In Port St. Julian sah man, wie diese großen Sturmvögel junge Möwen töteten und fraßen. Eine zweite Art *(Puffinus cinereus)*, die in Europa, am Kap Hoorn und an der peruanischen Küste lebt, ist deutlich kleiner als der *P. gigantea*, doch wie dieser von schmutzig schwarzer Farbe. Gemeinhin frequentiert er die inländischen Sunde in sehr großen Scharen; ich glaube, ich habe keine andere Vogelart in so großer Zahl zusammen fliegen sehen wie diese einmal hinter der Insel Chiloé. Zu Hunderttausenden flogen sie in ungeordneter Linie mehrere Stunden lang in eine Richtung. Ließ sich ein Teil der Schar auf dem Wasser nieder, war es schwarz, und ein Lärm drang von ihnen her wie von Menschen, die in der Ferne schwatzen.

Es gibt noch mehrere andere Arten des Sturmvogels, doch möchte ich nur noch eine weitere erwähnen, den *Pelacanoides berardi*, der ein Beispiel für jene außerordentlichen Fälle darstellt, wenn ein Vogel, der offenkundig einer gut bezeichneten Familie angehört, nach Lebensweise und Struktur jedoch mit einem ganz anderen Tribus verwandt ist. Dieser Vogel verlässt die stillen inländischen Sunde nie. Wird er gestört, taucht er eine gewisse Strecke und schwingt sich beim Auftauchen mit einer einzigen Bewegung in die Luft. Nachdem er mittels der schnellen Bewegungen seiner kurzen Flügel eine Zeit lang geradeaus geflogen ist, fällt er wie vom Schlag getroffen nieder und taucht erneut. Die Form seines Schnabels und der Nasenlöcher, die Länge der Füße und selbst die Färbung seines Gefieders zeigen, dass dieser Vogel ein Sturmvogel ist; andererseits lassen seine kurzen Flügel und mithin geringe Flugkraft, die Form seines Leibes und des Schwanzes, das Fehlen einer hinteren Zehe am Fuß, seine Art zu tauchen und seine Wahl des Standortes zunächst daran zweifeln, ob er nicht in einem ebenso engen Verhältnis mit den Alken steht. Von weitem gesehen, sei's im Fluge oder wenn er taucht oder ruhig auf den abgelegenen Kanälen Feuerlands schwimmt, würde man ihn zweifellos für einen Alk halten.

Opetiorhynchus lanceolatus

~ AUS ~

DIE ENTSTEHUNG DER ARTEN

VON CHARLES DARWIN

Die Sturmvögel sind von allen Vögeln am meisten in der Luft und auf dem Wasser heimisch; dennoch würde jeder eine in den ruhigen Meerengen des Feuerlands wohnende Art *(Puffinuria Berardi)* wegen ihrer Lebensweise, ihrer erstaunlichen Tauchfähigkeit und ihrer Art zu schwimmen und zu fliegen für einen Alk oder Lappentaucher halten. Sie ist aber im Wesentlichen ein Sturmvogel, wenn auch ein in seiner Organisation stark abgeänderter. Bei der Betrachtung einer toten Wasseramsel würde auch der Kenner nicht auf halb ans Wasser gebundene Lebensweise schließen, und doch ernährt sich dieser den Drosseln verwandte Vogel, indem er untertaucht; er gebraucht seine Flügel unter Wasser und ergreift Steine mit den Füßen.

Sturmvogel im Flug

Darwin begutachtet nach dem Erdbeben in Concepción die Schäden

mitzukommen, doch lange Zeit konnte nichts ihn davon überzeugen, dass zwei Engländer tatsächlich zu einem solch abgeschiedenen Ort wie Cucao wollten. Wir wurden nun also von den beiden größten Aristokraten des Landes begleitet, was am Verhalten aller armen Indianer deutlich zu erkennen war. Von Chonchi aus überquerten wir die Insel, folgten verwirrend gewundenen Pfaden, gelangten zuweilen durch prachtvolle Wälder, dann wieder über hübsche, gerodete Felder, die reichlich Mais und Kartoffeln trugen. Das wellige, teilweise kultivierte Waldland erinnerte mich an die wilderen Gegenden Englands und barg für meinen Blick daher eine äußerste Faszination. In Vilinco, das am Ufer des Cucao-Sees liegt, waren nur einige wenige Felder gerodet, und alle Bewohner schienen Indianer zu sein. Dieser See ist zwölf Meilen lang und verläuft in ostwestlicher Richtung. Aufgrund lokaler Besonderheiten weht der Seewind regelmäßig am Tage und legt sich am Abend: Dies hat zu merkwürdigen Übertreibungen geführt, denn das Phänomen wurde uns in San Carlos als wahres Wunder beschrieben.

Die Straße nach Cucao war so schlimm, dass wir uns entschieden, in eine *periagua* zu steigen. Der Kommandant befahl sechs Indianern aufs herrischste, sich bereit zu machen, uns hinüberzurudern, ohne ihnen indes zu sagen, ob sie dafür bezahlt würden. Die *periagua* ist ein eigenartiges grobes Boot, doch noch eigenartiger war die Mannschaft: Ich habe Zweifel, ob je sechs hässlichere kleine Männer zusammen in einem Boot saßen. Allerdings pullten sie sehr gut und fröhlich. Der Schlagmann plapperte Indianisch und stieß merkwürdige Schreie aus, ganz so, wie ein Schweinetreiber seine Schweine treibt. Wir fuhren mit leichtem Gegenwind los, erreichten aber dennoch die Capella de Cucao, bevor es spät war. Das Land zu beiden Seiten

Die Insel Chiloé, Chile

des Sees war ein einziger durchgehender Wald. In Cucao gingen wir zu einer unbewohnten Hütte (die Residenz des Padre, wenn er dieser Capella einen Besuch abstattet), wo wir, nachdem wir Feuer gemacht hatten, unser Abendessen zubereiteten und es dann sehr bequem hatten.

Der Bezirk Cucao ist das einzige bewohnte Gebiet an der gesamten Westküste Chiloés. Er umfasst etwa dreißig bis vierzig Indianerfamilien, die auf vier bis fünf Meilen die Küste entlang verstreut sind. Sie sind vom restlichen Chiloé weitgehend abgeschnitten und treiben kaum nennenswerten Handel, außer gelegentlich mit ein wenig Öl, das sie aus Nesseltieren gewinnen. Sie sind ausreichend mit Kleidung versehen, die sie selbst herstellen, und haben genügend zu essen. Dennoch scheinen sie unzufrieden, aber in einem Maße demütig, dass es ganz schmerzlich mit anzusehen war. Diese Empfindungen sind meiner Ansicht nach hauptsächlich der harschen, gebieterischen Art und Weise zuzuschreiben, in der sie von ihren Herrschern behandelt werden. Unsere Begleiter, die uns gegenüber doch so höflich waren, verhielten sich gegen diese

OBEN: San Carlos, Insel Chiloé
GEGENÜBER: Weiße Schalen auf dem schwarzen Sandstrand, Insel Chiloé

armen Indianer, als wären es Sklaven und keine freien Männer gewesen.

Am folgenden Tag ritten wir nach dem Frühstück nordwärts nach Punta Huantamo. Die Straße verlief einen sehr breiten Strand entlang, an dem sich selbst nach so vielen schönen Tagen noch eine schreckliche Brandung brach. Man versicherte mir, ihr Brüllen sei nach einem schweren Sturm nachts noch in Castro zu hören, eine Entfernung von nicht weniger als einundzwanzig Seemeilen über bergiges und bewaldetes Gelände. Wir hatten einige Schwierigkeiten, diesen Ort zu erreichen, weil die Pfade so unsäglich schlecht waren, denn überall im Schatten wird der Boden schnell zu einem wahren Morast. Die Spitze selbst ist ein steiler Felsenberg. Er ist von einer Pflanze überzogen, die meiner Ansicht nach mit der Bromelia verwandt ist und von den Bewohnern *chepones* genannt wird.

Die Küste nördlich von Punta Huantamo ist äußerst rau und zerklüftet, und ihr vorgelagert sind zahlreiche Klippen, gegen die das Meer unablässig anbrüllt. Mr. King und ich wollten gern, wenn es möglich gewesen wäre, zu Fuß diese Küste entlang zurückkehren, doch selbst die Indianer sagten, dies sei völlig undurchführbar. Man sagte uns, es habe schon Menschen gegeben, die sich quer durch die Wälder von Cucao nach San Carlos durchgeschlagen hätten, nie aber die Küste entlang. Bei diesen Expeditionen führen die Indianer nur gerösteten Mais mit, und davon essen sie sparsam zwei Mal am Tag.

26. Januar – Wir schifften uns wieder auf der *periagua* ein, kehrten über den See zurück und bestiegen dann die Pferde. Ganz Chiloé nutzte diese Woche ungewöhnlich schönen Wetters, um den Boden durch Brände zu roden. In allen Richtungen ringelte sich dichter Rauch in den Himmel. Obwohl die Bewohner so emsig in jedem Teil des Waldes Feuer legten, sah ich doch keinen einzigen weitläufigen Brand, der ihnen gelungen wäre. Wir speisten mit unserem Freund, dem Kommandanten, und erreichten Castro erst nach Einbruch der Dunkelheit. Am folgenden Morgen brachen wir sehr zeitig auf. Nachdem wir eine Zeit lang geritten waren, bot sich uns vom Rand eines steilen Berges ein ausgedehnter Blick (und das ist auf dieser Straße etwas sehr Seltenes) auf den großen Wald. Über dem Horizont der Bäume ragten der Vulkan Corcovado und der große mit dem flachen Gipfel im Norden in stolzer Überlegenheit auf: Kaum ein anderer Berg in dieser langen Kette zeigte seinen schneebedeckten Gipfel. Ich hoffe, ich werde diesen Abschiedsblick auf die großartigen Kordilleren lange nicht vergessen, die Chiloé gegenüber liegen. Nachts biwakierten wir unter einem wolkenlosen Himmel, und am folgenden Morgen erreichten wir San Carlos. Wir langten gerade rechtzeitig an, denn noch vor dem Abend setzte heftiger Regen ein.

4. Februar – Fuhren von Chiloé ab. In der Woche davor hatte ich mehrere Exkursionen unternommen. Eine geschah zu dem Zweck, ein großes Bett heute

noch existierender Muscheln zu untersuchen, das sich auf 300 Fuß über dem Meeresboden erhob; zwischen diesen Muscheln wuchsen große Waldbäume. Ein weiterer Ritt führte zur Punta Huechucucuy. Ich hatte einen Führer dabei, der das Land viel zu gut kannte, denn er nannte mir hartnäckig endlose indianische Namen für jedes Fleckchen, jeden Bach und jede kleine Bucht. In gleicher Weise wie in Feuerland erscheint die indianische Sprache eigentümlich gut dafür geeignet, den banalsten Eigenarten des Landes Namen zu geben. Ich glaube, alle waren froh, Chiloé Lebewohl zu sagen, doch ließen sich die Düsternis und der unaufhörliche Winterregen vergessen, so könnte Chiloé als reizvolle Insel gelten. Auch die Schlichtheit und bescheidene Höflichkeit der armen Bewohner hat einen sehr großen Reiz.

Wir steuerten nach Norden die Küste entlang, doch wegen des trüben Wetters erreichten wir Valdivia erst am Abend des 8. Am darauf folgenden Morgen fuhren wir mit dem Boot weiter zur Stadt, die ungefähr zehn Meilen entfernt liegt. Wir folgten dem Lauf des Flusses, wobei wir gelegentlich einige

Zerfranste Küstenlinie von Chiloé

Hütten und in dem ansonsten ungebändigten Wald gerodete Flächen passierten; manchmal begegneten wir auch einem Kanu mit einer indianischen Familie darin. Die Stadt liegt am flachen Ufer des Stroms und ist so vollkommen in einem Wald aus Apfelbäumen vergraben, dass die Straßen kaum mehr als Wege durch einen Obstgarten sind. Nie habe ich ein Land gesehen, in dem Apfelbäume so gut gediehen wie in diesem feuchten Teil Südamerikas; am Straßenrand standen viele junge Bäume, die sich offensichtlich selbst ausgesät hatten.

11. Februar – Ich brach mit einem Führer zu einem kurzen Ritt auf, bei dem ich es jedoch schaffte, ausgesprochen wenig zu sehen, von der Geologie, vom Land wie auch von seinen Bewohnern. Um Valdivia gibt es nicht viel gerodetes Land: Nachdem wir den Fluss in der Entfernung von einigen Meilen durchquert hatten, gelangten wir in einen Wald und danach nur noch an einer elenden Hütte

vorbei, bevor wir unseren Schlafplatz für die Nacht erreichten. Schon der geringe Unterschied in der geographischen Breite von 150 Meilen hat dem Wald, verglichen mit jenem auf Chiloé, ein anderes Gepräge verliehen. Das liegt an einem etwas anderen Verhältnis der Art der Bäume. Die immergrünen scheinen nicht ganz so zahlreich vertreten zu sein, und folglich hat der Wald auch eine hellere Färbung. Wie auf Chiloé ist auch hier der untere Teil mit Rohr verflochten; hier wächst auch eine andere Art (die dem brasilianischen Bambus ähnelt und ungefähr 20 Fuß hoch wird) in Büscheln und schmückt das Ufer der Flüsse in sehr hübscher Weise. Aus dieser Pflanze fertigen die Indianer auch ihre *chuzos*, also die langen, spitz zulaufenden Speere.

12. Februar – Die von Valdivia abhängigen Stämme sind *reducidos y cristianos*. Die Indianer weiter nördlich um Arauco und Imperial sind noch immer sehr wild und nicht bekehrt, doch haben sie alle viel Verkehr mit den Spaniern. Der Padre sagte, die christlichen Indianer kämen nicht sehr gern zur Messe, ansonsten zeigten sie jedoch viel Respekt vor der Religion. Die größte Schwierigkeit bestehe darin, sie die Zeremonien der Ehe beachten zu lassen. Die wilden Indianer nehmen sich so viele Frauen, wie sie ernähren können, und ein Cacique hat manchmal über zehn: Betritt man sein Haus, kann man ihre Zahl an jener der verschiedenen Feuerstellen erkennen. Jede Frau lebt reihum eine Woche bei dem Cacique, alle sind jedoch damit beschäftigt, Ponchos usw. zu seinem Nutzen zu weben. Die Frau eines Caciquen zu sein ist eine Ehre, die von den indianischen Frauen sehr erstrebt ist.

Die Männer aller dieser Stämme tragen einen groben wollenen Poncho, jene südlich von Valdivia kurze Hosen, die nördlich davon einen Rock ähnlich der Chilipa der Gauchos. Alle haben sie ihr langes Haar mit einem scharlachroten Band eingebunden, darüber hinaus tragen sie keine Kopfbedeckung. Diese Indianer sind Männer von stattlicher Größe; ihre Backenknochen stehen hervor, und in ihrem allgemeinen Erscheinungsbild ähneln sie der großen amerikanischen Familie, der sie angehören, doch erschien mir ihre Physiognomie ein wenig verschieden von der eines jeden anderen Stammes, den ich davor gesehen hatte.

Am folgenden Tag begegneten wir auf dem Rückweg sieben sehr wild aussehenden Indianern, wovon einige Caciques waren, die gerade ihr kleines Gehalt wegen langer Treue von der chilenischen Regierung bekommen hatten. Es waren stattliche Männer, und sie ritten mit äußerst düsterer Miene hintereinander daher. Das Reisen war sehr mühselig, zum einen, weil die Straßen so schlecht waren, zum anderen, weil so viele Bäume darauf gestürzt waren, die man entweder überspringen oder um die man einen weiten Bogen schlagen musste. Wir schliefen an der Straße und erreichten am folgenden Tage Valdivia, wo ich dann an Bord ging.

Einige Tage später überquerte ich mit einigen Offizieren die Bucht und landete nahe dem Fort namens Niebla. Die Gebäude waren in einem stark verfallenen Zustand und die Kanonenlafetten ganz morsch. Mr. Wickham sagte zu den Offizieren, mit einem Schuss gingen gewiss alle in Stücke. Der arme Mann, der versuchte, gute Miene zum bösen Spiel zu machen, erwiderte ernst: «Nein, Sir, bestimmt würden sie zwei überstehen!» Die Spanier hatten wohl die Absicht gehabt, diesen Ort uneinnehmbar zu machen. Jetzt liegt mitten auf dem Hof ein kleiner Mörserberg, welcher an Härte mit dem Gestein wetteifert, auf dem er steht. Man hatte ihn in Chile für $ 7000 gekauft. Dann brach die Revolution aus und verhinderte, dass er seinem Zweck zugeführt

~ AUS ~

VERLAUF DER ZWEITEN EXPEDITION 1831–1836

VON ROBERT FITZ ROY

Wir ankerten im trügerischen Hafen von Valdivia. Ich sage trügerisch, weil er dem Anschein nach reichlich Platz und höchste Sicherheit bietet, während in Wahrheit sichere Ankerplätze sehr begrenzt sind. Der Fluss bringt so viel Schlamm und Sand mit, dass sich Bänke bilden und jedes Jahr größer werden. Wir waren verblüfft über die Stärke der Festungen, die von den Holländern 1643 gebaut, von den Spaniern aber verbessert und erweitert wurden. Jetzt ist ihre Stärke aber nur eine scheinbare, denn eine nähere Inspizierung zeigt, dass es fast Ruinen und die Kanonen nicht funktionsfähig sind; ja beinah so sehr, dass sie kaum gefahrlos Salut schießen können. Rund um den Hafen stehen hohe Berge, die völlig bewaldet sind, und sie ziehen so stark Wolken an, dass hier beinahe so viel Regen fällt wie an der Westküste von Chiloé. Mehrere Flüsse entleeren sich in diese eine Bucht, welche die einzige Öffnung zwischen den Bergen ist, die eine Barriere bilden zwischen dem Ozean und einem ausgedehnten Gebiet von ebenem Land,* das bis zu den Anden-Kordilleren reicht.

* *Genannt «Los Llanos» oder die Ebenen*

Landschaft in der Nähe von Valdivia, Chile

wurde, und nun ist er ein Monument für die geschwundene Größe Spaniens.

20. Februar – Dieser Tag hat sich in den Annalen Vadivias mit dem schwersten Erdbeben, das der älteste Bewohner erlebte, tief eingeschrieben. Ich war gerade an der Küste und hatte mich im Wald niedergelegt, um auszuruhen. Es brach unvermittelt aus und dauerte zwei Minuten, doch erschien die Zeit viel länger. Das Schwanken des Bodens war deutlich zu spüren. Die Wellenbewegungen schienen meinem Begleiter und mir genau von Osten zu kommen, wohingegen andere meinten, sie kämen von

Südwest: Dies zeigt, wie schwierig es manchmal ist, die Richtung der Vibrationen zu erkennen. Es war nicht schwer, aufrecht zu stehen, doch die Bewegung machte mich fast schwindelig; sie glich der Bewegung eines Schiffes in einem kleinen Wellenschlag von querab oder eher noch jener, die man empfindet, wenn man auf dünnem Eis Schlittschuh läuft und dieses sich unter dem Körpergewicht beugt.

Ein schlimmes Erdbeben zerstört mit einem Mal unsere ältesten Bindungen: Die Erde, das Emblem von Festigkeit schlechthin, hat sich unter unseren Füßen bewegt wie eine dünne Kruste über Flüssigkeit – eine Sekunde der Zeit hat im Geist einen seltsamen Begriff von Unsicherheit geschaffen, wie ihn stundenlanges Nachdenken nicht erzeugt hätte. Im Wald, wo ein Wind die Bäume bewegte, spürte ich nur die Erde beben, sah aber keine weiteren Auswirkungen. Kapitän Fitz Roy und einige Offiziere waren während der Erschütterung in der Stadt, und dort war die Szene eindrucksvoller, denn obwohl die Häuser, da aus Holz, nicht einfielen, wurden sie doch heftig geschüttelt, und die Bohlen knarrten und rappelten gegeneinander. Die Menschen rannten in höchster Bestürzung aus den Türen. Diese Begleiterscheinungen schaffen denn auch das vollkommene Entsetzen bei einem Erdbeben, das von allen, die seine Auswirkungen gespürt wie auch gesehen haben, empfunden wird. Im Wald war es ein zutiefst interessantes, aber keineswegs furchterregendes Phänomen. Ganz eigenartig waren davon die Gezeiten betroffen. Die große Erschütterung ereignete sich bei Ebbe, und eine Frau, die gerade am Strand war, erzählte mir, das Wasser sei sehr rasch, aber nicht in großen Wellen, bis auf die Hochwassermarke geflossen und dann ebenso rasch wieder auf seine richtige Höhe zurückgekehrt; dies zeigte sich auch an der Linie nassen Sandes. Die gleiche rasche, aber stille Bewegung der Gezeiten geschah auch etliche Jahr zuvor auf Chiloé bei einem leichten Beben und führte zu großer grundloser Bestürzung. Im Laufe des Abends gab es viele schwächere Erschütterungen, die im Hafen anscheinend zu den kompliziertesten Strömungen, teilweise von großer Stärke, führten.

4. März – Wir liefen in den Hafen von Concepción ein. Während das Schiff zum Ankerplatz aufkreuzte, landete ich auf der Insel Quiriquina. Der Verwalter des Gutes kam rasch herangeritten, um mir die schrecklichen Folgen des großen Erdbebens vom 20. zu berichten: «Dass in Concepción und Talcahuano (dem Hafen) kein Haus mehr stehe, dass siebzig Dörfer zerstört seien und dass eine große Welle die Ruinen von Talcahuano nahezu hinweggespült habe.» Für letztere Erklärung sah ich bald reichlich Beweise – die ganze Küste war mit Balken und Möbeln übersät, so als seien tausend Schiffe zerschellt. Neben Stühlen, Tischen, Bücherregalen usw. in großer Zahl sah man auch mehrere Hausdächer, die nahezu vollständig fortgerissen worden waren. Die Lagerhäuser in Talcahuano waren aufgebrochen, und große Ballen Baumwolle, *yerba* und anderes wertvolles Gut lag am Ufer verstreut. Auf meinem Gang um die Insel beobachtete ich, dass zahlreiche Felsbrocken, welche, den Meeresprodukten zufolge, die daran hingen, bis vor kurzem noch im tiefen Wasser gelegen haben mussten, weit den Strand hinaufgeschleudert worden waren; einer davon war sechs Fuß lang, drei breit und zwei dick.

Die Insel selbst zeigte die überwältigende Kraft des Erdbebens ebenso deutlich wie der Strand jene der darauf folgenden großen Welle. Der Boden war an vielen Stellen in Nord-Süd-Richtung aufgerissen, was vielleicht daher rührte, dass die parallelen, steilen Seiten dieser schmalen Insel nachgegeben hatten. Manche Risse nahe den Kliffs waren ein Yard breit. Viele gewaltige Massen waren schon auf den Strand gefallen, und die Bewohner glaubten, wenn der Regen einsetze, würden noch weit größere abrutschen. Noch eigenartiger war die Wirkung der Erschütterung auf den harten Primärschiefer, welcher das Fundament der Insel bildet: Die oberflächlichen Teile einiger schmaler Grate waren so gründlich zerschmettert, als wären sie mit Pulver gesprengt worden. Diese Wirkung, die sich an den frischen Brüchen und dem verschobenen Erdreich so deutlich zeigte, muss auf die oberflächennahen Teile beschränkt gewesen sein, denn sonst gäbe es in ganz Chile keinen massiven Gesteinsblock mehr, und das ist auch nicht unwahrscheinlich, da, wie man weiß, die Oberfläche eines vibrierenden Körpers anders als der mittlere Teil betroffen ist. Vielleicht ist eben das der Grund, dass Erdbeben in tiefen Bergwerken nicht ganz so schreckliche Verwüstungen anrichten, wie man es erwarten würde. Ich glaube, diese Erdstöße haben mehr dazu beigetragen, die Insel Quiriquina zu verkleinern, als die gewöhnliche Abnutzung durch Meer und Wetter im Lauf eines ganzen Jahrhunderts.

Valdivia, Chile

Am folgenden Tag landete ich in Talcahuano und ritt anschließend nach Concepción. Beide Städte boten das schrecklichste und dabei auch interessanteste Schauspiel, das ich je gesehen hatte. Für einen, der sie vorher gekannt hatte, mochte es womöglich noch eindrucksvoller gewesen sein, denn die Ruinen waren so durcheinander geworfen und die ganze Szenerie hatte so wenig von der Atmosphäre eines bewohnbaren Ortes, dass sein voriger Zustand kaum noch vorstellbar war. Das Erdbeben begann um halb zwölf Uhr am Vormittag. Hätte es sich mitten in der Nacht ereignet, so dürfte statt weniger als einhundert die überwiegende Zahl der Bewohner (welche in dieser einen Provinz viele tausend beträgt) umgekommen sein, so aber rettete sie allein der übliche Brauch, beim ersten Erzittern der Erde ins Freie zu stürzen. In Concepción stand jedes Haus, jede Häuserreihe als Trümmerhaufen oder -reihe da. In Talcahuano hingegen ließ sich wegen der großen Welle kaum mehr als eine Schicht Backsteine, Ziegel und Balken, zwischen der hier und da noch ein Teil einer Wand stehen geblieben war, erkennen. Deswegen war Concepción, wenngleich nicht so stark verwüstet, ein schrecklicherer und, wenn ich das so sagen darf, malerischerer Anblick. Die erste Erschütterung kam völlig unvermittelt. Der Verwalter von Quiriquina sagte mir, das Erste, was er davon bemerkt habe, sei gewesen, dass er sich samt dem Pferd, auf dem er gerade ritt, auf der Erde wälzte. Kaum sei er wieder aufgestanden, sei er erneut umgeworfen worden. Weiterhin sagte er mir, einige Kühe, die auf dem steilen Hang der Insel gestanden hätten, seien ins Meer hinausgerissen worden. Die große Welle verursachte den Tod vieler Rinder; auf einer niedrigen Insel nahe dem Ende der Bucht wurden siebzig Tiere hinweggeschwemmt und ertranken. Es herrscht die allgemeine Ansicht, dass es das schlimmste Erdbeben war, das je in Chile aufgezeichnet wurde, doch da die sehr schweren nur in großen Intervallen auftreten, kann man das nicht leicht wissen, auch hätte eine viel stärkere Erschütterung die Sache nicht sehr verschlimmert, denn die Zerstörung war nun vollkommen. Zahllose kleine Nachbeben folgten dem großen; innerhalb der ersten zwölf Tage wurden nicht weniger als dreihundert gezählt.

Ein Vulkanausbruch in den Kordilleren, vor dem Menschen fliehen

Nachdem ich Concepción gesehen habe, kann ich nicht begreifen, wie der überwiegende Teil der Bewohner unverletzt davongekommen ist. Vielerorts fielen die Häuser nach außen, wodurch sie mitten auf den Straßen kleine Schutt- und Backsteinhügel bildeten. Mr. Rouse, der englische Konsul, sagte uns, er habe gerade beim Frühstück gesessen, als die erste Bewegung ihm bedeutet habe hinauszulaufen. Er habe kaum die Mitte des Hofes erreicht, als auch schon eine Seite des Hauses donnernd niedergebrochen sei. Er habe sich die Geistesgegenwart bewahrt zu bedenken, dass er in Sicherheit sei, wenn er auf den Teil gelange, der schon einge-

~ AUS ~

VERLAUF DER ZWEITEN EXPEDITION 1831–1836

VON ROBERT FITZ ROY

Um zehn Uhr morgens am 20. Februar sah man große Schwärme von Seevögeln von der Küste über die Stadt Concepción ins Landesinnere fliegen, und bei den alten Einwohnern, die mit dem Klima von Concepción gut vertraut waren, rief solch ein ungewöhnlicher und gleichzeitiger Wechsel der Gewohnheiten dieser Vögel* einige Überraschung hervor, da keine Anzeichen eines aufziehenden Sturms zu sehen waren und auch keiner in dieser Jahreszeit erwartet wurde. Gegen elf Uhr frischte die südliche Brise† wie üblich auf – der Himmel war klar und fast wolkenlos. Vierzig Minuten nach elf‡ waren Stöße eines Erdbebens zu spüren, anfangs leicht, aber zunehmend stärker. In der ersten halben Minute blieben die meisten Menschen in ihren Häusern, doch dann waren die Erschütterungen so stark, dass allgemein Angst ausbrach, und sie rannten alle hinaus ins Freie. Die schreckliche Bewegung nahm zu, die Menschen konnten fast nicht stehen, Gebäude schwankten und wankten – plötzlich führte ein überwältigender Erdstoß zu allgemeiner Zerstörung – und in nicht einmal sechs Sekunden lag die Stadt in Trümmern. Das betäubende Geräusch einstürzender Häuser, das schreckliche Aufreißen der Erde, die sich an vielen Stellen schnell und wiederholt öffnete und von Neuem schloss,§ die verzweifelten und herzzerreißenden Schreie der Menschen, die erstickende Hitze, die blind machenden qualmenden Staubwolken, die völlige Hilflosigkeit und Verwirrung und das äußerste Entsetzen und Schrecken sind weder zu beschreiben noch wirklich vorstellbar.

Diese fatale Katastrophe ereignete sich etwa eineinhalb bis zwei Minuten nach dem ersten Erdstoß und dauerte fast zwei Minuten mit gleicher Heftigkeit an. In dieser Zeit konnte niemand ohne Hilfe stehen. Die Menschen klammerten sich aneinander, an Bäume oder an Pfosten. Einige warfen sich zu Boden, doch dort war die Bewegung so stark, dass sie die Arme seitlich ausstrecken mussten, damit sie nicht hin und her geschleudert wurden. Das Geflügel flog wild kreischend umher. Pferde und andere Tiere hatten große Angst und standen stark zitternd mit gespreizten Beinen und gesenkten Köpfen da.

* *Hauptsächlich Möwen.*
† *Meeresbrise*
‡ *Mittlere Zeit. Gleichung = 14 Min. von der mittleren Zeit abziehen*
§ *Die Richtung der Risse war nicht stets die gleiche, verlief aber zumeist südöstlich und nordwestlich*

fallen sei. Da er wegen der Bewegung des Bodens nicht habe stehen können, sei er auf Händen und Knien gekrochen, und kaum habe er die kleine Erhebung erreicht, sei auch schon die andere Seite des Hauses eingefallen, und die großen Balken seien dicht an seinem Kopf vorbeigesaust. Die Augen geblendet und den Mund voller Staub, der selbst die Sonne verdunkelte, habe er dann endlich die Straße erreicht. Da im Abstand weniger Minuten Stoß auf Stoß gefolgt sei, habe sich niemand an die zerschmetterten Ruinen gewagt, und niemand habe gewusst, ob seine liebsten Freunde und Verwandten mangels Hilfe nicht im Sterben lagen. Wer etwas Besitz gerettet habe, der habe unablässig Wache halten müssen, da Diebe umherschlichen, die sich bei jedem kleinen Zittern mit einer Hand auf die Brust geschlagen und *«misericordia!»* geschrien und dann mit der anderen aus den Ruinen stibitzt hätten, was sie nur finden konnten. Die Strohdächer seien auf die Feuer gefallen, und allerorts seien Brände aufgeflammt. Hunderte wüssten sich zugrunde gerichtet, und nur wenige hätten die Mittel, sich Essen für den Tag zu beschaffen.

Kurz nach der Erschütterung sah man mitten in der Bucht in einer Entfernung von drei, vier Meilen eine große Welle mit glatten Umrissen nahen; dennoch riss sie die Küste entlang Häuser und Bäume nieder, als sie mit unwiderstehlicher Gewalt dahinraste. Am Ende der Bucht brach sie sich in einer fürchterlichen Linie weißer Sturzseen, die sich bis auf eine Höhe von 23 vertikalen Fuß über die

Der Hafen von Talcahuano, Chile, in den 1910er Jahren

höchsten Springtiden auftürmten. Ihre Gewalt muss ungeheuer gewesen sein, denn am Fort wurde eine Kanone samt Lafette, deren geschätztes Gewicht bei vier Tonnen lag, 15 Fuß weiter geschoben. 200 Yard vom Strand entfernt blieb ein Schoner inmitten der Trümmer liegen. Der ersten Welle folgten zwei weitere, welche beim Zurückweichen ein riesiges Wrack aus treibenden Gegenständen davontrugen. In einem Teil der Bucht wurde ein Schiff auf den Strand geworfen, fortgetragen, wieder auf den Strand geworfen und abermals fortgetragen. In einem anderen wurden zwei große Fahrzeuge, die nebeneinander vor Anker lagen, umhergewirbelt, sodass ihre Trossen drei Mal umeinander geschlungen waren; obwohl sie auf einer Tiefe von 36 Fuß ankerten, lagen sie einige Minuten lang auf Grund. Die große Welle muss langsam gewesen sein, denn die Einwohner von Talcahuano hatten noch Zeit, die Berge hinter der Stadt hinaufzulaufen, und einige Seeleute ruderten aufs Meer hinaus in dem glücklichen Vertrauen darauf, dass ihr Boot sicher über die Woge fuhr, wenn sie sie erreichten, bevor sie brach. Zwischen den Hausruinen standen noch Lachen Salzwasser, und Kinder, die aus alten Tischen und Stühlen Boote machten, waren so fröhlich wie ihre Eltern elend. Dabei war es außerordentlich interessant zu beobachten, wie viel aktiver und froher alle erschienen, als erwartet werden musste. Es hieß sehr zu Recht, dass, da die Zerstörung allumfassend war, kein Einzelner mehr als der andere gedemütigt war oder seine Freunde der Kälte verdächtigen konnte – jenes bitterste Ergebnis des Verlustes von Reichtum. Mr. Rouse und eine große Gruppe, die er freundlicherweise bei sich aufnahm, hausten

in der ersten Woche in einem Garten unter Apfelbäumen. Anfangs waren sie heiter wie bei einem Picknick, doch bald darauf führte starker Regen zu viel Verdruss, denn sie waren ohne jeden Schutz.

Die Stadt Concepción war der üblichen spanischen Weise entsprechend gebaut, wo alle Straßen im rechten Winkel zueinander verlaufen, wobei die einen nach Südwest auf West verliefen, die anderen nach Nordwest auf Nord. Die Wände in ersterer Richtung hatten jedenfalls besser gehalten als jene in letzterer: Die Backsteinmassen wurden überwiegend nach Nordwesten hin umgeworfen. Diese beiden Umstände stimmen völlig überein mit der allgemeinen Ansicht, dass die Wellenbewegungen aus Südwest kamen, von woher auch unterirdische Geräusche vernommen wurden, liegt es doch auf der Hand, dass die Wände, die nach Südwest und Nordost verliefen und ihre Enden dahin richteten, woher die Wellenbewegungen kamen, mit weit geringerer Wahrscheinlichkeit einstürzten als die von Nordwest nach Südost verlaufenden, die auf ganzer Länge gleichzeitig aus der Senkrechte geworfen worden sein müssen, denn die Wellenbewegungen, die von Südwesten kamen, müssen sich, als sie unter den Fundamenten hinwegliefen, in nordwestliche und südöstliche Wellen ausgedehnt haben.

Der unterschiedliche Widerstand, den die Wände entsprechend ihrer Richtung leisteten, verdeutlichte sich gut bei der Kathedrale. Die Seite, welche nach Nordost ging, wies einen großen Trümmerhaufen auf, in dessen Mitte Türzargen und Massen von Balken herausragten, so als trieben sie in einem Strom. Einige der kantigen Brocken Mauerwerk hatten große Ausmaße und waren eine ganze Strecke weit auf die flache Plaza gerollt worden wie Gesteinsfragmente an den Fuß eines hohen Berges. Die Seitenwände (die von Süd nach West und von Nord nach Ost verliefen) wiesen zwar starke Risse auf, waren jedoch stehen geblieben, die gewaltigen Stützpfeiler hingegen (im rechten Winkel dazu und mithin parallel zu den eingestürzten Wänden) waren vielfach wie mit dem Meißel sauber abgetrennt und zu Boden geschleudert. Manche rechteckigen Ornamente auf der Mauerkappe eben dieser Wände waren von dem Erdbeben in eine diagonale Lage verschoben worden. Ein ähnlicher Umstand war nach Erdbeben in Valparaíso, Kalabrien und anderen Orten beobachtet worden, darunter auch an einigen griechischen Tempeln.[1] Diese Dreh-Verschiebung scheint zunächst auf eine Wirbelbewegung unter jeder so betroffenen Stelle hinzudeuten, das aber ist äußerst unwahrscheinlich. Könnte sie nicht von einer Neigung jedes Steins rühren, sich im Hinblick auf die Vibrationslinien in eine bestimmte Position zu verlagern – in einer ähnlichen Art und Weise wie Nadeln auf einem Blatt Papier, wenn man es schüttelt? Ganz allgemein hielten sich bogenförmige Türen oder Fenster weit besser als alle anderen Teile des Gebäudes. Gleichwohl wurde ein lahmer alter Mann, der bei geringfügigen Erschütterungen die Angewohnheit hatte, zu einer bestimmten Tür zu kriechen, dieses Mal erschlagen.

Ich habe nicht versucht, eine detaillierte Beschreibung des Erscheinungsbildes von Concepción zu geben, denn ich sehe mich vollkommen außerstande, die gemischten Gefühle wiederzugeben, die ich dabei hatte. Mehrere unserer Offiziere besuchten es vor mir, doch selbst deren kräftigste Ausdrucksweise vermochte mir kein angemessenes Bild der Verwüstungen zu vermitteln. Es ist bitter und demütigend zu sehen, wie Werke, welche die Menschen so viel Zeit und Mühe gekostet haben, in einer Minute umgeworfen wurden, doch das Mitgefühl für die Bewohner war beinahe auf der Stelle von der Überraschung darüber vertrieben, einen Zustand in einem Zeitraum hergestellt zu sehen, den man einer Abfolge von Zeitaltern zuzuschreiben gewohnt war. Meiner Meinung nach hat sich uns, seit wir England verließen, kaum ein so zutiefst interessanter Anblick geboten.

Die erste Bewegung scheint eine unmittelbare Folge des Erdbebens zu sein, das auf flüssige und feste Massen unterschiedlich einwirkt, wobei das jeweilige Niveau leicht gestört wird; der zweite Fall hingegen ist das weitaus bedeutendere Phänomen. Bei den meisten Erdbeben, zumal bei jenen an der Westküste Amerikas, ist, und das ist gesichert, die erste große Wasserbewegung eine des Rückzugs. Manche Autoren haben das damit zu erklären versucht, dass das Wasser sein Niveau beibehalte, das Land dagegen aufwärts oszilliere; gewiss aber würde das Wasser nahe am Land, selbst an einer ziemlich steilen Küste, an der Bewegung des Bodens teilhaben; überdies sind ähnliche Bewegungen des Meeres, wie Mr. Lyell betont, bei Inseln aufgetreten, die von der Hauptlinie der Störung weit entfernt lagen, so bei Juan Fernandez im Falle dieses Erdbebens und auch bei Madeira bei dem berühmten Erdstoß von Lissabon. Es fällt auf, dass Talcahuano und Callao (bei Lima), beide am Ende einer großen, flachen Bucht gelegen, bei jedem schweren Erdbeben unter hohen Wellen gelitten haben, Valparaíso dagegen, das am Rande eines sehr tiefen Gewässers liegt, ist nie überspült worden, obwohl es so oft von den schwersten Beben erschüttert worden ist. Dadurch, dass die große Welle nicht unmittelbar auf das Erdbeben folgt, sondern zuweilen gar erst nach einer Pause von einer halben Stunde, und dass ferne Inseln in ähnlicher Weise betroffen werden wie die Küste nahe dem Zentrum der Erschütterung, hat es den Anschein, dass die Welle sich auf offener See bildet, und da dies eine allgemeine Erscheinung ist, muss auch die Ursache allgemein sein: Ich vermute, wir müssen die Linie, wo die geringer aufgewühlten Gewässer des tiefen Ozeans auf diejenigen nahe der Küste treffen, welche an der Bewegung des Landes teilhatten, als den Ort betrachten, wo die große Welle entsteht; auch will es scheinen, dass die Welle größer oder kleiner ist entsprechend der Ausdehnung des flachen Wassers, das zusammen mit dem Boden, auf dem es ruhte, aufgewühlt wurde.

Die auffallendste Wirkung dieses Erdbebens war die dauerhafte Anhebung des Landes; wahrscheinlich wäre es viel richtiger, sie als die Ursache zu bezeichnen. Es besteht kein Zweifel, dass das Land um die Bucht von Concepción herum um zwei bis drei Fuß angehoben worden ist; dabei verdient jedoch Aufmerksamkeit, dass ich, da die Welle die alten Linien der Gezeiteneinflüsse auf den abschüssigen Sandstränden verwischte, keine Belege dafür finden konnte und nur die Aussagen der Bewohner hatte, dass eine kleine felsige, zuvor mit Wasser bedeckte Untiefe nun freiliege. Auf der Insel Santa Maria (ungefähr dreißig Meilen entfernt) war die Anhebung größer; an einer Stelle fand Kapitän Fitz Roy ganze Felder faulender Muschelschalen, die *noch immer an den Felsen festsaßen*, zehn Fuß über der Hochwassermarke: Nach diesen Muscheln hatten die Bewohner früher bei Springfluten bei Ebbe getaucht. Die Anhebung dieses Gebietes ist besonders deswegen interessant, weil es der Ort mehrerer anderer heftiger Erdbeben war und weil eine große Zahl von Seemuscheln übers Land verstreut waren, und das bis zu einer Höhe von jedenfalls 600 und, wie ich glaube, sogar 1000 Fuß. Bei Valparaíso finden sich, wie schon bemerkt, ähnliche Muscheln in einer Höhe von 1300 Fuß: Es lässt sich kaum bezweifeln, dass diese große Anhebung durch aufeinander folgende kleine Erhebungen bewirkt wurde, wie sie das diesjährige Erdbeben begleitet oder bewirkt hat, aber auch durch einen unmerklich langsamen Anstieg, der an manchen Abschnitten dieser Küste sicherlich im Gange ist.

Die Insel Juan Fernandez, die 360 Meilen nordöstlich liegt, wurde bei dem großen Beben vom 20. heftig erschüttert, sodass die Bäume gegeneinander schlugen und ein Vulkan unter Wasser nahe der Küste ausbrach: Diese Fakten sind deshalb bemerkenswert, weil diese Insel während des Erdbebens von 1751 ebenfalls stärker als andere Gegenden in gleicher Entfernung von Concepción betroffen war, und das scheint mir doch auf eine unterirdische Verbindung zwischen diesen beiden Orten hinzudeuten. Chiloé, das ungefähr 340 Meilen südlich von Concepción liegt, wurde offenbar stärker erschüttert als die Gegend um Valdivia, wo der Vulkan Villarica in keiner Weise betroffen war, wohingegen in den Kordilleren auf einer Höhe mit Chiloé zwei der Vulkane zu gleicher Zeit einen heftigen Ausbruch erlebten. Diese beiden Vulkane wie auch einige benachbarte waren noch längere Zeit tätig und wurden zehn Monate später erneut durch ein Erdbeben bei Concepción beeinflusst. Einige Männer, die am Fuß eines dieser Vulkane Holz fällten, nahmen von der Erschütterung am 20. nichts wahr, obwohl das gesamte umliegende Gebiet bebte; wir haben es hier mit einer Eruption zu tun, die ein Erdbeben minderte und an seine Stelle trat, so wie es in Concepción geschehen wäre, wenn der Vulkan Antuco, dem Glauben der niederen Schichten zufolge, nicht durch Hexerei verstopft worden wäre. Zweidreiviertel Jahre später wurden Valdivia und Chiloé erneut erschüttert, heftiger noch als am 20., und eine Insel des Chonos-Archipels wurde dauerhaft um über acht Fuß angehoben.

Die Fläche, aus deren Innern am 20. vulkanisches Gestein tatsächlich hinausgeschleudert wurde, beträgt 720 Meilen auf einer Linie und 400 auf einer weiteren, die im rechten Winkel zur ersten liegt: Daher erstreckt sich dort aller Wahrscheinlichkeit nach ein unterirdischer Lavasee, der nahezu die doppelte Fläche des Schwarzen Meeres bedeckt. Aufgrund der innigen und komplizierten Weise, in der, wie gezeigt, die hebenden und eruptiven Kräfte bei dieser Abfolge von Phänomenen verbunden sind, können wir zuversichtlich zu dem Schluss gelangen, dass diejenigen Kräfte, die Kontinente langsam und mit kleinen Schüben anheben, und diejenigen, welche in aufeinander folgenden Zeiten Lavamassen aus offenen Öffnungen gießen, identisch sind. Aus vielerlei Gründen glaube ich, dass die häufigen Beben an diesem Küstenstreifen vom Aufplatzen der Schichten herrühren, eine zwangsläufige Folge der Spannungen der Erde, wenn sie emporgehoben und verflüssigtes Gestein in sie injiziert wird. Dieses Platzen und Injizieren würde bei entsprechend häu-

Der Vulkan Antuco, in der Nähe von Talcahuano, Chile

Die Ruinen der Kathedrale von Concepción nach dem Erdbeben 1835

figer Wiederholung (und wir wissen, dass Erdbeben wiederholt dieselben Gebiete in derselben Weise berühren) eine Hügelkette bilden – und es scheint, dass die geradlinige Insel St. Mary, welche auf die dreifache Höhe des umliegenden Landes angehoben wurde, diesen Prozess durchläuft. Ich glaube, dass die feste Achse eines Berges sich in der Art ihrer Ausbildung nur darin von einem vulkanischen Berg unterscheidet, dass das geschmolzene Gestein wiederholt injiziert statt wiederholt ausgeworfen wurde. Ich glaube, es ist unmöglich, die Struktur großer Gebirgsketten wie der Kordilleren, wo die Schichten, welche die injizierte Achse plutonischen Gesteins bedecken, an ihren Rändern mehrere parallele und angrenzende Höhenlinien entlang ausgeworfen wurden, anders als mit der Ansicht zu erklären, dass das Gestein der Achse nach hinreichend langen Zeiträumen, in denen die oberen Teile oder Keile abkühlen und fest werden konnten, wiederholt injiziert wurden – denn wenn die Schichten in ihre jetzige stark geneigte, vertikale und selbst umgekehrte Lage mit einem Ausbruch ausgeworfen worden wären, dann wäre das Erdinnere selbst herausgeschleudert worden, und statt dass wir abrupte Bergachsen aus unter hohem Druck verfestigtem Gestein hätten, wären Lavaströme an unzähligen Stellen auf jeder Höhenlinie herausgeflossen.[2]

Cerro Concepción, Valparaíso, Chile

15. Kapitel

ÜBERQUERUNG DER KORDILLEREN

Valparaíso – Portillo-Pass – Weisheit von Maultieren – Gebirgsbäche – Minen, wie entdeckt – Beweise für die allmähliche Anhebung der Kordilleren – Wirkung von Schnee auf Felsen – geologische Struktur der beiden Hauptketten, ihr eindeutiger Ursprung und ihre Erhebung – große Absenkung – roter Schnee – Winde – Schneegipfel – trockene und klare Luft – Elektrizität – Pampas – Zoologie der anderen Seite der Anden – Heuschrecken – große Wanzen – Mendoza – Uspallata-Pass – verkieselte Bäume, begraben, während sie noch wuchsen – Inkasbrücke – schlechter Zustand der Pässe übertrieben – Cumbre – Casuchas – Valparaíso

7. März 1835 – Wir blieben noch drei Tage in Concepción und segelten dann nach Valparaíso. Da der Wind aus Norden kam, erreichten wir die Mündung des Hafens von Concepción erst kurz vor Einbruch der Dunkelheit. Da wir dem Land sehr nahe waren und Nebel aufkam, wurde der Anker geworfen. Bald lag ein großer amerikanischer Walfänger neben uns, und wir hörten, wie der Yankee seine Männer anschnauzte, sie sollten still sein, solange er auf Brecher horchte. Kapitän Fitz Roy rief ihm mit lauter, klarer Stimme zu, er solle den Anker werfen, wo er gerade sei. Der arme Mann musste geglaubt haben, die Stimme komme von Land, denn sogleich erhob sich auf dem Schiff ein sol-

ches Babel von Rufen – ein jeder brüllte «Anker fallen lassen! Trosse fieren! Segel reffen!» Es war das Lächerlichste, das ich je gehört hatte. Hätte die Besatzung des Schiffes nur aus Kapitänen und keiner Mannschaft bestanden, es hätte kein größeres Durcheinander an Befehlen gegeben. Später erfuhren wir, dass der Maat stotterte; vermutlich halfen ihm alle Mann dabei, seine Befehle zu geben.

Am 11. ankerten wir vor Valparaíso, und zwei Tage danach machte ich mich auf, die Kordilleren zu überqueren. Ich begab mich zunächst nach Santiago, wo Mr. Caldcleugh mich bei den kleinen Vorbereitungen, welche nötig waren, in jeder Hinsicht aufs zuvorkommendste unterstützte. In diesem Teil Chiles gibt es zwei Pässe über die Anden nach Mendoza: Der eine, überwiegend benutzte, also der von Aconcagua oder Uspallata, liegt ein wenig nach Norden hin, der andere mit Namen Portillo liegt südlich davon und ist näher, aber auch höher und gefährlicher.

18. März – Wir brachen zum Portillo-Pass auf. Nachdem wir Santiago verlassen hatten, durchquer-

Santiago de Chile, 19. Jahrhundert

ten wir die weite, verbrannte Ebene, auf der die Stadt steht, und erreichten am Nachmittag den Maypu, einen der Hauptflüsse Chiles. Das Tal ist da, wo es in die ersten Kordilleren eintritt, an allen Seiten von hohen, kahlen Bergen umschlossen, und obwohl nicht breit, ist es doch sehr fruchtbar. Zahlreiche Häuschen waren von Weinstöcken und Gärten mit Apfel-, Nektarinen- und Pfirsichbäumen umgeben. Am Abend passierten wir das Zollhaus, wo man unser Gepäck durchsuchte. Die Grenze Chiles ist von den Kordilleren besser bewacht als von den Wassern des Meeres. Es gibt sehr wenige Täler, die bis zu den zentralen Ketten reichen, und an den anderen Stellen sind die Berge für Lasttiere völlig unpassierbar.

Nachts schliefen wir in einem kleinen Haus. Unsere Art des Reisens war wunderbar unabhängig. In den bewohnten Gegenden kauften wir ein wenig Brennholz, mieteten Weide für die Tiere und biwakierten in einer Ecke desselben Feldes bei ihnen. Wir hatten einen Eisentopf dabei, in dem wir unser Abendmahl kochten und unter einem wolkenlosen Himmel daraus aßen, und nichts bereitete Verdruss. Meine Begleiter waren Mariano Gonzales, der mich zuvor schon einmal in Chile begleitet hatte, ein *arriero* mit seinen zehn Maultieren und eine *madrina*. Die *madrina* (also Patin) ist eine hochbedeutende Persönlichkeit: Es ist eine alte rüstige Stute mit einem Glöckchen um den Hals; wohin sie auch geht, die Maultiere folgen ihr wie brave Kinder. Die Zuneigung dieser Tiere für ihre *madrina* erspart unendlich Ärger. In einer Herde trägt jedes Tier auf ebener Strecke eine Fracht, welche 416 Pfund wiegt, im Bergland dagegen hundert Pfund weniger, doch auf welch zarten schmalen Beinen ohne jede entsprechende Muskelmasse tragen diese Tiere eine so große Last! Das Maultier erscheint mir stets als ein höchst verblüffendes Tier. Dass ein Hybride mehr Verstand, Gedächtnis, Starrsinn, gesellige Zuneigung, ausdauernde Muskelkraft und Lebensdauer als jedes seiner Eltern besitzt, scheint darauf hinzudeuten, dass in diesem Falle die Kunst die Natur übertroffen hat. Von unseren zehn Tieren waren sechs zum Reiten und vier zum Lasttragen vorgesehen, und immer wurde abgewechselt. Wir führten eine erkleckliche Menge Lebensmittel mit, falls wir eingeschneit würden, da es für eine Überquerung des Portillo schon recht spät im Jahr war.

19. März – An dem Tag ritten wir bis zum letzten und daher höchstgelegenen Haus im Tale. Die Zahl der Bewohner wurde spärlich, doch überall, wo Wasser auf das Land geleitet werden konnte, war es sehr fruchtbar. Alle großen Täler der Kordilleren zeichnen sich dadurch aus, dass sie zu beiden Seiten einen Rand oder Terrassen aus Kies und Sand haben, jeweils grob geschichtet und im Allgemeinen von beträchtlicher Stärke. Diese Ränder erstreckten sich einstmals über die Täler und waren verbunden, und die Sohlen der Täler Nordchiles, wo es keine Flüsse gibt, sind damit glatt aufgefüllt. An diesen Rändern verlaufen zumeist die Straßen, denn ihre Oberfläche ist eben, und sie steigen mit einer sehr sanften Neigung die Täler an, weswegen sie sich auch leicht mit Bewässerung kultivieren lassen. Sie lassen sich bis auf eine Höhe von 7000 bis 9000 Fuß verfolgen, wo sie dann von den regellosen Schutthaufen verdeckt werden. Am unteren Ende oder Auslass der Täler gehen sie übergangslos in jene landumschlossenen Ebenen (die ebenfalls aus Kies gebildet sind) am Fuß der eigentlichen Kordilleren über, welche ich in einem früheren Kapitel als für die Landschaft Chiles charakteristisch beschrieben habe und welche zweifellos abgelagert wurden, als das Meer Chile in ähnlicher Weise durchdrang, wie es heute bei den südlicheren Küsten der Fall ist. Nichts an der Geologie Südame-

rikas interessierte mich mehr als diese Terrassen aus grob geschichtetem Kies. Sie gleichen in ihrer Zusammensetzung exakt der Substanz, welche die Sturzbäche in jedem Tal ablagerten, würden sie in ihrem Lauf durch eine Ursache wie die Einmündung in einen See oder einen Meeresarm gehemmt; doch statt Substanzen abzulagern, sind die Sturzbäche nun fleißig daran, in jedem Haupt- und Seitental auf ganzer Länge den massiven Fels wie auch diese alluvialen Ablagerungen abzutragen. Dafür lassen sich unmöglich Gründe nennen, dennoch bin ich überzeugt, dass die Kiesterrassen während der langsamen Erhebung der Kordilleren von den Sturzbächen angesammelt wurden, die ihr Geröll in aufeinander folgenden Schichten am Ende langer, schmaler Meeresarme ablagerten, zunächst weit oben in den Tälern, dann, indem das Land sich langsam anhob, immer weiter unten. Wenn dies so ist, woran ich nicht zweifle, dann wurde die große, zerklüftete Kette der Kordilleren nicht auf einmal aufgeworfen, wie es noch bis vor kurzem die allgemeine Ansicht war und bis heute die gängige Meinung unter Geologen

Portillo, Chile

ist, sondern in ihrer Masse langsam und ebenso allmählich angehoben wie die Küsten von Atlantik und Pazifik in neuerer Zeit. Mit dieser Sichtweise erhalten eine Vielzahl von Fakten, die die Struktur der Kordilleren betreffen, eine einfache Erklärung.

Die Flüsse, die in diesen Tälern fließen, sollten eher Sturzbäche genannt werden. Ihr Gefälle ist sehr stark, und ihr Wasser hat die Farbe von Schlamm. Das Getöse des Maypu, wie er über die großen, gerundeten Gesteinsmassen rauschte, glich jenem des Meeres. Inmitten des Tosens des dahinstürzenden Wassers war das Geräusch der Steine, wie sie übereinander polterten, selbst aus einiger Entfernung ganz deutlich hörbar. Dieses polternde Geräusch lässt sich Tag und Nacht im ganzen Verlauf des Sturzbaches vernehmen. Das Geräusch sprach beredt zu dem Geologen; die Tausende und Abertausende Steine, die, wenn sie gegeneinander schlugen, das gleiche dumpfe, eintönige Geräusch erzeugten, eilten allesamt in eine Richtung. Es war, als dächte man über die Zeit nach, wo die Minute, die nun verstreicht, unwiderruflich ist. So war es auch bei diesen Steinen; der Ozean ist ihre Ewigkeit, und ein jeder Ton dieser wilden Musik erzählte von einem weiteren Schritt zu ihrer Bestimmung.

In diesem Abschnitt des Tales waren die Berge mit ihren gerundeten Konturen und steilen, kahlen Flanken zu beiden Seiten von 3000 bis 6000 oder gar 8000 Fuß hoch. Das Haus, in dem wir schliefen, lag am Fuße eines Berges, auf dessen Gipfel sich die Minen von San Pedro de Nolasko befinden. Sir F. Head verwundert sich, wie Minen in einer solch außergewöhnlichen Lage, auf dem trostlosen Gipfel des Berges San Pedro de Nolasko, entdeckt wurden. Zunächst einmal sind Metalladern in diesem Land allgemein härter als die sie umgebenden Schichten: Daher ragen sie während der allmählichen Abtragung der Berge über die Bodenoberfläche hinaus. Zum Zweiten versteht nahezu jeder Arbeiter, zumal im Norden Chiles, etwas vom Vorkommen von Erzen. In den großen Bergbauprovinzen Coquimbo und Copiapó ist Brennholz sehr rar, und die Männer suchen es überall auf Berg und im Tal, und auf diese Weise sind die reichsten Minen alle dort entdeckt worden. Chanuncillo, wo im Laufe weniger Jahre Silber im Wert von vielen hunderttausend Pfund gefördert wurde, hat ein Mann entdeckt, der nach seinem beladenen Esel einen Stein warf, der ihm recht schwer erschien, worauf er ihn wieder aufhob und erkannte, dass er reines Silber war: Die Ader befand sich in geringer Entfernung und stand aufrecht wie ein Metallkeil. Auch streifen die Bergleute häufig sonntags mit dem Brecheisen durch die Berge. In diesem südlichen Teil Chiles sind die Entdecker zumeist die Männer, die das Vieh in die Kordilleren treiben und die in jede Schlucht gelangen, wo sich ein wenig Weideland findet.

Hängebrücke über den Maypu im Süden von Santiago de Chile, 1851

20. März – Während wir das Tal hinaufstiegen, wurde die Vegetation, abgesehen von einigen hübschen Alpenblumen, außerordentlich spärlich, und Vierfüßer, Vögel oder Insekten waren kaum zu sehen. Die hohen Berge, deren Gipfel von einigen Schneefeldern bezeichnet waren, standen deutlich getrennt voneinander; die Täler waren von einem enormen Lager geschichteten Alluviums aufgefüllt.

Laguna del Inca, Portillo, Chile

Was mir in der Landschaft der Anden im Gegensatz zu den anderen Gebirgsketten, die mir bekannt sind, am meisten auffiel, waren – die flachen Ränder zu beiden Seiten der Täler, die sich zuweilen zu schmalen Ebenen dehnten – die leuchtenden Farben, hauptsächlich rot und purpurn, der vollkommen kahlen und steilen Porphyrhänge – die imposanten, fortlaufenden mauerartigen Deiche – die klar getrennten Schichten, welche da, wo sie nahezu vertikal waren, die malerischen und wilden Mittelspitzen bildeten, dort aber, wo sie weniger geneigt waren, die großen massigen Berge an den Rändern der Kette formten – und schließlich die glatten konischen Haufen feinen und bunt gefärbten Gerölls, die sich in einem extremen Winkel vom Fuß der Berge aufwärtsschoben, manchmal bis auf eine Höhe von über 2000 Fuß.

Häufig beobachtete ich, in Feuerland wie auch in den Anden, dass der Schnee da, wo er den Fels während des überwiegenden Teils des Jahres bedeckte, in ungewöhnlicher Weise zu kleinen kantigen Bruchstücken aufgesplittert war. Scoresby[1] hat dasselbe Phänomen auf Spitzbergen beobachtet. Der Fall erscheint mir recht obskur: Denn jener Teil der Berge, der von einem Schneemantel geschützt ist, muss doch wiederholten und großen Temperaturschwankungen weniger ausgesetzt sein als jeder andere. Zuweilen dachte ich, dass die Erde und die Gesteinsfragmente auf der Oberfläche von langsam wegsickerndem Schnee[2] vielleicht weniger stark entfernt werden als von Regen und dass der Anschein einer rascheren Auflösung der festen Gesteins unter dem Schnee daher trügerisch sei. Was auch immer die Ursache ist, die Menge bröckelnden Gesteins in den Kordilleren ist sehr groß. Im Frühjahr rutschen gelegentlich große Massen dieses Gerölls die Berge hinab und legen sich über die Schneewehen in den Tälern, wodurch sie natürliche Eishäuser bilden. Wir ritten über eines, dessen Höhe weit unterhalb der Grenze des ewigen Schnees lag.

Als der Abend sich dem Ende zuneigte, erreichten wir eine kleine, beckenartige Ebene namens Valle del Yeso. Sie war von ein wenig trockenem Weideland bedeckt, und uns bot sich der angenehme Anblick einer Rinderherde inmitten der umliegenden felsigen Wüstenei.

Das Tal trägt seinen Namen Yeso nach einer großen, ich würde sagen, wenigstens 2000 Fuß dicken Schicht aus weißem, an manchen Stellen ganz reinem Gips. Wir schliefen bei einer Gruppe Männer, die damit beschäftigt waren, Maultiere mit dieser Substanz zu beladen, welche bei der Herstellung von Wein verwendet wird. Am frühen Morgen (21.) brachen wir auf und folgten dem Lauf des Flusses, der sehr schmal geworden war, bis wir am Fuß des Kammes anlangten, der die Gewässer teilt, die in den Pazifik und in den Atlantik fließen. Die Straße, die bis dahin gut war und stetig, aber sehr allmählich anstieg, wurde nun zu einem Zickzackweg die große Kette hinauf, welche die Republiken Chile und Mendoza trennte.

Ich werde nun einen sehr kurzen Abriss der Geologie der verschiedenen Parallellinien geben, welche die Kordilleren bilden. Von diesen

Maypu-Canyon und El-Yeso-Speichersee, Anden, Chile

Linien sind zwei beträchtlich höher als die anderen, nämlich auf der chilenischen Seite der Peuquenes-Kamm, welcher dort, wo die Straße ihn überquert, 13 210 Fuß über dem Meeresspiegel liegt, sowie die Portillo-Kette auf der Mendoza-Seite, 14 305 Fuß hoch. Die unteren Schichten des Peuquenes-Kammes wie auch der verschiedenen großen Linien westlich davon setzen sich aus einem riesigen Haufen Porphyren von vielen tausend Fuß Stärke, welche als unterseeische Lavaströme flossen, im Wechsel mit kantigen und gerundeten Fragmenten desselben Gesteins zusammen, die aus den unterseeischen Kratern geschleudert wurden. Diese alternierenden Massen sind in ihrer Mitte von einer dicken Schicht aus rotem Sandstein, Konglomerat und kalkigem Tonschiefer bedeckt, welche mit üppigen Gipslagern verbunden ist und in sie übergeht. In diesen oberen Schichten sind Muscheln recht häufig, und sie gehören ungefähr derselben Periode an wie der untere Kalk in Europa. Es ist eine alte, aber darum nicht weniger wunderbare Geschichte, von Muscheln zu hören, die einstmals auf dem Grund des Meeres krabbelten und nun nahezu 14 000 Fuß über seiner Ebene liegen. Die unteren Lager in diesem großen Schichtenhaufen wurden durch die Einwirkung von Gebirgsmassen eines besonderen weißen Sodagranitgesteins verworfen, gehärtet, kristallisiert und fast vermischt.

Die andere Hauptlinie, also jene von Portillo, besteht aus einer vollkommen anderen Formation: hauptsächlich aus imposanten kahlen Spitzen eines roten Kaligranits, welche weit unten an der Westflanke von Sandstein bedeckt sind, der durch die damalige Wärme in Quarzgestein verwandelt wurde. Auf dem Quarz lagern Schichten eines Konglome-

Schneelandschaft in den Kordilleren, Chile

rats von mehreren tausend Fuß Stärke, welche von dem roten Granit emporgehoben wurden und sich in einem Winkel von 45° zur Peuquenes-Linie abdachen. Zu meiner Verwunderung stellte ich fest, dass dieses Konglomerat teilweise aus Kieseln bestand, die aus den Felsen, mit ihren fossilen Muscheln, aus der Peuquenes-Kette stammten, und teils aus rotem Kaligranit wie jener der Portillo. Wir müssen also folgern, dass sowohl die Peuquenes- als auch die Portillo-Kette teilweise emporgehoben und einer Abnutzung ausgesetzt waren, als sich das Konglomerat bildete, doch da die Schichten des Konglomerats von dem roten Portillo-Granit in einen Winkel von 45° gedreht wurden (wobei der darunterliegende Sandstein davon gehärtet wurde), können wir davon ausgehen, dass der größere Teil der Injektion und der Erhebung der schon teilweise gebildeten Portillo-Linie nach der Ansammlung des Konglomerates stattfand und lange nach der Anhebung der Peuquenes-Kette. Weshalb die Portillo, die höchste Linie in diesem Teil der Kordilleren, nicht so alt ist wie die weniger hohe von Peuquenes.

Schließlich beweisen die Muscheln in der Peuquenes, also der ältesten Kette, dass sie seit einer sekundären Periode, welche wir in Europa als keineswegs alt zu betrachten gewohnt sind, um 14 000 Fuß angehoben wurde; da diese Muscheln aber in einem mäßig tiefen Meer lebten, kann gezeigt werden, dass das heute von den Kordilleren eingenommene Gebiet sich um mehrere tausend Fuß – in Nordchile sogar 6000 – abgesenkt haben muss, damit es möglich war, dass sich die Menge unterseeischer Schichten auf die Schicht legte, auf der diese Muscheln lebten. Der Beweis ist derselbe wie jener, mit dem gezeigt wurde, dass in einer viel späteren Periode als derjenigen, in der die tertiären Muscheln Patagoniens lebten, eine Absenkung von mehreren hundert Fuß wie auch eine darauf folgende Anhebung stattgefunden haben mussten. Tagtäglich wird es dem Geologen vor Augen geführt, dass nichts, nicht einmal der Wind, der weht, so instabil ist wie die obere Schicht der Erdkruste.

Gegen Mittag begannen wir den mühseligen Anstieg der Peuquenes-Kette und erlebten dann zum ersten Mal ein wenig Schwierigkeiten mit der Atmung. Die Maultiere hielten alle fünfzig Yard an, und nachdem sie sich einige Sekunden ausgeruht hatten, liefen die armen willigen Tiere von allein weiter. Die Kurzatmigkeit durch die dünne Luft wird von den Chilenen *puna* genannt, und sie haben ganz lächerliche Vorstellungen von ihrem Ursprung. Manche sagen: «Hier haben alle Wasser *puna*», andere: «Wo Schnee liegt, da ist *puna*» – und das ist zweifellos richtig. Die einzige Empfindung, die ich verspürte, war eine leichte Enge um Kopf und Brust, wie wenn man einen warmen Raum verlässt und schnell in frostiger Witterung rennt. Selbst hierin lag etwas Einbildung, denn als ich auf dem höchsten Grat fossile Muscheln fand, vergaß ich in meiner Freude die *puna* vollkommen. Gewiss war die Anstrengung beim Gehen äußerst groß, und die Atmung wurde tief und mühsam. Man sagte mir, in Potosi (ungefähr 13000 Fuß über dem Meer) gewöhnten sich Fremde ein ganzes Jahr lang nicht völlig an die Luft. Die Bewohner empfehlen gegen die *puna* allesamt Zwiebeln, und da dieses Gemüse in Europa zuweilen gegen Brustbeschwerden verabreicht wird, kann es möglicherweise wirklich von Nutzen sein; was mich betrifft, so wirkte bei mir nichts so gut wie die fossilen Muscheln!

Als wir uns dem Gipfel näherten, wurde der Wind, wie es häufig geschieht, ungestüm und äußerst kalt. Zu beiden Seiten des Grates mussten wir breite Streifen ewigen Schnees überwinden,

die bald mit einer frischen Schicht bedeckt sein sollten. Als wir die Kuppe erreichten und zurückblickten, bot sich uns ein prachtvoller Blick. Die Luft strahlend klar, der Himmel ein intensives Blau, die tiefen Täler, die wilden, zerklüfteten Formen, die Trümmerhaufen, aufgehäuft im Vergehen der Zeit, das buntfarbene Gestein, abgesetzt von den stillen Schneebergen – dies alles erzeugte eine Szene, wie sie sich niemand hätte vorstellen können.

Auf mehreren Schneefeldern entdeckte ich den *Protococcus nivalis* oder roten Schnee, den man aus den Berichten arktischer Navigatoren so gut kennt. Ich wurde darauf aufmerksam, als ich bemerkte, dass die Abdrücke der Maultiere sich rot verfärbten, so als hätten sie an den Hufen leicht geblutet. Zunächst dachte ich, es sei Staub von den umliegenden Bergen aus rotem Porphyr, denn durch die vergrößernde Kraft der Schneekristalle erschienen die Gruppen dieser mikroskopischen Pflanzen als grobe Partikel. Der Schnee war nur da verfärbt, wo er sehr rasch getaut oder von ungefähr niedergetreten war. Ein wenig davon auf ein Stück Papier gerieben, verlieh diesem eine schwache rosafarbene, mit ein wenig Backsteinrot vermengte Tönung. Später kratzte ich etwas von dem Papier und erkannte, dass es Gruppen kleiner Kugeln in farblosen Gehäusen waren, eine jede den tausendsten Teil eines Zolls im Durchmesser.

Der Wind auf dem Kamm der Peuquenes ist, wie schon bemerkt, zumeist ungestüm und sehr kalt; anscheinend weht er stetig von der westlichen oder pazifischen Seite.[3] Da die Beobachtungen überwiegend im Sommer gemacht wurden, muss dieser Wind eine obere und Rückströmung sein. In ähnlicher Weise fällt der Pik von Teneriffa bei geringerer Höhe und auf einer Breite von 28° S gelegen in eine obere Rückströmung. Zunächst erscheint es sehr überraschend, dass der Passat der nördlichen Teile Chiles und der peruanischen Küste so weit nach Süden weht, doch wenn wir uns vergegenwärtigen, dass die Kordilleren, die in Nord-Süd-Richtung verlaufen, gleich einer großen Mauer die gesamte Tiefe des unteren Luftstroms abfangen, können wir leicht verstehen, dass der Passat, der Gebirgslinie folgend, nach Norden, zu den Äquatorialzonen hin, geleitet werden muss und somit einen Teil jener östlichen Bewegung verliert, die er andernfalls von der Erdrotation erhalten hätte. In Mendoza am östlichen Fuße der Anden soll das Klima langen Kalmen und häufigen, obgleich falschen Anzeichen eines aufkommenden Gewitterregens ausgesetzt sein: Wir können uns

OBEN: Chilenos
GEGENÜBER: Lauca-Nationalpark, Chile

vorstellen, dass der Wind, der von Osten kommend von der Gebirgskette aufgestaut wird, in seinen Bewegungen stockend und unregelmäßig wird.

Nachdem wir die Peuquenes überquert hatten, stiegen wir in ein bergiges Land hinab, das zwischen den beiden Hauptketten lag, und schlugen dann unser Lage für die Nacht auf. Wir befanden uns nun in der Republik Mendoza. Die Höhe war wahrscheinlich nicht unter 11 000 Fuß und die Vegetation folglich äußerst karg. Die Wurzel einer kümmerlichen kleinen Pflanze diente als Brennstoff, doch sie gab ein erbärmliches Feuer, und der Wind war schneidend kalt. Da ich von meinem Tagewerk recht müde war, bereitete ich mein Bett, so schnell ich konnte, und legte mich schlafen. Um Mitternacht sah ich, dass der Himmel sich jäh bewölkte: Ich weckte meinen *arriero*, um zu erfahren, ob schlechtes Wetter drohe, doch er meinte, ohne Donner und Blitz bestehe kein Risiko eines schweren Schneesturms.

22. März – Nachdem wir kartoffellos gefrühstückt hatten, ritten wir über den mittleren Bereich zum Fuße der Portillo-Kette. Mitte des Sommers wird das Vieh zum Grasen heraufgetrieben, jetzt aber war keines mehr da; selbst die meisten Guanakos hatten sich davongemacht, da sie nur zu gut wussten, sollten sie hier von einem Schneesturm überrascht werden, so säßen sie in der Falle. Wir hatten einen schönen

Serpentinenstraße in den Anden in der Nähe von Mendoza, Argentinien

~ AUS ~ *LEBEN UND BRIEFE VON CHARLES DARWIN*

VON CHARLES DARWIN

Ich überquerte den in dieser Jahreszeit nicht ungefährlichen Portillo-Pass, weswegen ich dort nicht verweilen durfte. Nach einem Tag in der dummen Stadt Mendoza trat ich gemächlich den Rückweg über den Uspallata an. Der ganze Ausflug dauerte nur zweiundzwanzig Tage. Ich reiste mit für mich ungewohntem Komfort, denn ich hatte ein *Bett* dabei! Meine Gruppe bestand aus zwei Peons und zehn Maultieren, von denen zwei mit Gepäck oder vielmehr Lebensmitteln beladen waren, falls wir eingeschneit würden. Alles ging jedoch gut; nicht ein Flöckchen Schnee war auf die Straße gefallen. Ich nehme nicht an, dass einer von Euch besonders an geologischen Details interessiert ist, aber ich werde nur meine wichtigsten Ergebnisse erwähnen: Nicht nur verstehe ich in gewissem Grad die Beschreibung und Wirkweise der Kraft, die diese große Linie angehoben hat, ich kann auch eindeutig belegen, dass ein Teil der zwiefachen Kette lange vor der anderen entstand. Bei der älteren Linie, der echten Andenkette, kann ich Sorte und Abfolge ihrer Felsen beschreiben. Diese sind bemerkenswert, weil sie ein fast 2000 Fuß dickes Gipsflöz enthalten – eine weltweit wohl einzigartige Menge. Ich habe mir fossile Muschelschalen (in 12 000 Fuß Höhe) beschafft. Ich denke, ihre Untersuchung wird, im Vergleich mit den Schichten Europas, ein ungefähres Alter für diese Berge ergeben. Bei der anderen Kordillere ist (meiner Meinung und Überzeugung nach) stark anzunehmen, dass diese ungeheure Masse an Bergen, mit bis zu 13 000 und 14 000 Fuß hohen Gipfeln, so jung ist, dass sie aus der gleichen Zeit wie die Ebenen Patagoniens (oder die oberen Schichten der Isle of Wight) stammt. Wenn dieses Ergebnis als bewiesen gilt,* ist es eine sehr wichtige Tatsache in der Theorie über die Entwicklung der Erde; denn wenn derartige wunderbare Veränderungen sich erst in so junger Zeit in der Erdkruste ereigneten, besteht kein Grund, von früheren Epochen großer Heftigkeit auszugehen. Diese neueren Schichten sind sehr bemerkenswert, da sie durchzogen sind von Silber, Gold, Kupfer etc. Bislang dachte man, diese gehörten zu älteren Formationen. In ebendiesen Flözen und nah bei einer Goldmine fand ich petrifizierte Bäume, die aufrecht standen und um die herum sich Sandstein mit Abdrücken ihrer Rinde abgelagert hatte. Die Bäume sind mit weiterem Sandstein und Lavaströmen von mehreren Tausend Fuß Stärke bedeckt. Die Felsbrocken wurden unterseeisch abgelagert; und doch müssen die Bäume einmal über dem Meeresspiegel gestanden haben, sodass es gewiss ist, dass der Boden um mindestens genauso viele Fuß nach unten gedrückt wurde, wie die darauf lastenden unterseeischen Ablagerungen dick sind. Aber ich fürchte, Ihr sagt, ich langweile mit meinen geologischen Beschreibungen und Theorien …

** Die Bedeutung dieser Ergebnisse wurde von den Geologen voll anerkannt.*

Blick auf ein Bergmassiv namens Tupungato, das vollständig von durchgehendem Schnee bedeckt war, in dessen Mitte sich eine blaue Stelle befand, zweifellos ein Gletscher – ein seltenes Vorkommnis in diesen Bergen. Nun begann ein schwerer und langer Anstieg ähnlich jenem die Peuquenes hinauf. Steile konische Berge aus rotem Granit erhoben sich zu beiden Seiten; in den Tälern lagen mehrere breite Felder ewigen Schnees. Diese gefrorenen Massen hatten sich während des Tauprozesses an manchen Stellen in Spitzen oder Säulen verwandelt,[4] welche, da sie hoch waren und dicht beieinander standen, den Lastmaultieren das Passieren erschwerten.

Als wir den Kamm des Portillo fast erreicht hatten, wurden wir in eine fallende Wolke aus winzigen gefrorenen Eisnadeln gehüllt. Das war sehr misslich, da es den ganzen Tag anhielt und die Aussicht vollkommen versperrte. Der Pass trägt seinen Namen Portillo von einer schmalen Spalte oder Tür im höchsten Sattel, wodurch die Straße führt. Von da aus kann man an einem klaren Tag die weiten Ebenen überblicken, die sich ohne Unterbrechung bis zum Atlantischen Ozean erstrecken. Wir stiegen auf die Obergrenze der Vegetation hinab und fanden im Schutz einiger großer Gesteinsbrocken ein gutes Nachtquartier. Dort trafen wir auf ein paar Reisende, die sich besorgt nach dem Zustand der Straße erkundigten. Gleich nach Einbruch der Dunkelheit verzogen sich die Wolken plötzlich, und die Wirkung dessen war durchaus magisch. Die großen Berge, vom Vollmond hell erleuchtet, schienen an allen Seiten wie über einer tiefen Spalte über uns aufzuragen; sehr früh an einem Morgen erlebte ich denselben verblüffenden Effekt. Sobald sich die Wolken aufgelöst hatten, herrschte strenger Frost, doch da kein Wind wehte, schliefen wir sehr bequem.

Die gesteigerte Leuchtkraft von Mond und Sternen in dieser Höhe war dank der vollkommenen Transparenz der Luft ganz bemerkenswert. Reisende, welche im Hochgebirge die Schwierigkeit beobachtet haben, Höhen und Entfernungen abzuschätzen, haben dies im Allgemeinen fehlenden Vergleichspunkten zugeschrieben. Mir scheint jedoch, dass dies ebenso sehr der Transparenz der Luft geschuldet ist, welche Gegenstände in unterschiedlicher Entfernung vermengt, teilweise aber auch der neuen Erfahrung eines ungewöhnlichen Grades an Ermüdung durch eine kleine Anstrengung – wodurch die Gewohnheit den Sinneseindrücken widerspricht. Gewiss verleiht diese extreme Klarheit der Luft der Landschaft ein besonderes Gepräge, wobei alle Gegenstände wie in einer Zeichnung oder einem Panorama beinahe auf eine Ebene gebracht werden. Die Transparenz verdankt sich vermutlich dem gleichbleibend hohen Maß atmosphärischer Trockenheit. Diese Trockenheit zeigte sich in der Art, wie Holzwerk schrumpfte (was ich schnell an dem Verdruss bemerkte, den mir mein Geologenhammer bereitete), Nahrungsmittel wie Brot und Zucker extrem hart wurden und auch, wie sich Fell und Teile des Fleischs von Tieren, die am Weg verendet waren, erhalten hatten. Derselben Ursache müssen wir die eigentümliche Leichtigkeit zuschreiben, mit der Elektrizität erzeugt wird. Mein Flanellwams sah aus wie mit Phosphor gewaschen, wenn man es im Dunkeln rieb – jedes Haar auf dem Rücken eines Hundes knisterte –, selbst die Leinenlaken und Lederriemen am Sattel sprühten Funken, wenn man sie anfasste.

23. März – Der Abstieg auf der Ostseite der Kordilleren ist viel kürzer oder steiler als auf der pazifischen; mit anderen Worten, die Berge erheben sich aus den Ebenen abrupter als aus dem alpinen Land Chile. Ein ebenes, leuchtend weißes Wolken-

meer erstreckte sich zu unseren Füßen und verdeckte den Blick auf die gleichfalls ebenen Pampas. Schon bald traten wir in die Wolkenschicht ein und tauchten an dem Tag nicht wieder daraus auf. Gegen Mittag stießen wir bei Los Arenales auf Weide für die Tiere und Büsche als Brennholz und blieben für die Nacht. Es war nahe der obersten Grenze der Büsche, und die Höhe dürfte zwischen sieben- und achttausend Fuß betragen haben.

Sehr auffallend war der beträchtliche Unterschied zwischen der Vegetation dieser östlichen Täler und jener auf der chilenischen Seite; das Klima jedoch wie auch die Beschaffenheit des Bodens sind nahezu gleich, und der Unterschied der geographischen Länge ist ganz unbedeutend. Dieselbe Bemerkung trifft auf die Vierfüßer zu, in geringerem Maße auf die Vögel und Insekten. Ich darf dazu die Mäuse anführen, wovon ich dreizehn Exemplare an den Gestaden des Atlantiks und fünf vom Pazifik erhielt, und keine davon ist identisch. Ausschließen müssen wir all jene Arten, die gewohnheitsmäßig oder auch nur gelegentlich höhere Berge aufsuchen, und bestimmte Vögel, die nach Süden bis zur

Die Anden in Mendoza, Argentinien

Magellanstraße kommen. Dies stimmt völlig mit der geologischen Geschichte der Anden überein, denn diese Berge existieren als große Barriere, seit die heutigen Tierrassen aufgetaucht sind, und daher sollten wir, es sei denn, wir gehen davon aus, dass dieselbe Art an zwei verschiedenen Orten entstanden ist, zwischen den organischen Wesen auf den gegenüberliegenden Seiten der Anden keine größere Ähnlichkeit erwarten als zwischen jenen an den gegenüberliegenden Küsten eines Ozeans. In beiden Fällen müssen wir davon diejenigen Arten ausnehmen, welche die Barriere zu überwinden vermochten, bestehe sie nun aus festem Gestein oder Salzwasser.[5]

Eine große Zahl der Pflanzen und Tiere waren absolut gleich wie die in Patagonien oder aufs engste mit ihnen verwandt. Wir haben hier Aguti, Viscacha, drei Arten des Gürteltiers, Strauß, bestimmte Arten des Rebhuhns und andere Vögel, wovon man keines in Chile antrifft, welche hingegen die charakteristischen Tiere der Wüstenebenen Patagoniens sind. Ebenso haben wir hier viele der (für das Auge dessen, der kein Botaniker ist) gleichen verkümmerten Dornbüsche, welken Gräser und Zwergpflanzen. Selbst die schwarzen, langsam kriechenden Käfer sind sehr ähnlich und einige bei strenger Untersuchung absolut identisch. Es war mir stets ein Anlass des Bedauerns, dass wir unumgänglich gezwungen waren, den Marsch den Fluss Santa Cruz hinauf abzubrechen, bevor er die Berge erreichte: Ich hatte stets die geheime Hoffnung, dort auf größere Veränderungen im Gepräge des Landes zu stoßen; nun aber bin ich mir sicher, dass er nur den Ebenen Patagoniens einen Berganstieg hinauf gefolgt wäre.

24. März – Frühmorgens erstieg ich einen Berg an einer Seite des Tales und genoss einen weithin reichenden Blick über die Pampas. Es war ein Schauspiel, auf das ich mich stets mit großem Interesse gefreut hatte, doch ich wurde enttäuscht: Auf den ersten Blick glich es ganz einem Blick auf den Ozean von fern, doch nach Norden hin waren bald etliche Abweichungen zu erkennen. Das auffallendste Merkmal bestand aus den Flüssen, welche zur aufgehenden Sonne hin wie Silberfäden schimmerten, bis sie in der Unermesslichkeit der Ferne verschwanden. Gegen Mittag stiegen wir ins Tal hinab und gelangten an eine Hütte, wo ein Offizier und drei Soldaten postiert waren, um Pässe zu überprüfen. Von dieser Stelle an öffnete sich das Tal zusehends, und die Berge wurden, verglichen mit den Riesen hinter uns, zu bloßen, von Wasser zerfurchten Hügeln. Dahinter weitete es sich zu einer sanft abfallenden Kiesebene, die mit Bäumen und niedrigem Gebüsch bestanden war. Diese Geröllhalde dürfte sich, obgleich sie schmal erscheint, nahezu zehn Meilen weit ausdehnen, bevor sie in die vermeintlich topfebene Pampas übergeht. Wir passierten das einzige Haus in dieser Gegend, die *estancia* von Chaquaio, und bei Sonnenuntergang erreichten wir die erste geschützte Ecke und biwakierten dort.

25. März – Als ich die Scheibe der aufgehenden Sonne sah, durchschnitten von einem Horizont, der flach wie jener des Ozeans war, fühlte ich mich an die Pampas von Buenos Ayres erinnert. In der Nacht hatte sich viel Tau gebildet, etwas, was wir in den Kordilleren nicht erlebt hatten. Die Straße führte eine Zeit lang genau nach Osten durch einen flachen Sumpf, wonach sie auf die trockene Ebene ging, bis sie sich nordwärts auf Mendoza zu wandte. Die Entfernung beträgt zwei sehr lange Tagesreisen. Unsere erste betrug vierzehn Wegstunden nach Estacado, die zweite siebzehn bis Luxan bei Mendoza. Die ganze Strecke geht über eine flache Wüstenebene mit kaum mehr als zwei oder drei Häusern. Die Sonne schien äußerst kräftig, und der Ritt war ohne jeden Reiz. In

dieser *traversia* gibt es sehr wenig Wasser, und auf unserer zweiten Tagesreise stießen wir lediglich auf einen kleinen Tümpel. Aus den Bergen fließt nur wenig Wasser, und das wird von dem trockenen und porösen Erdreich rasch aufgesogen, sodass wir, obgleich wir in einer Entfernung von lediglich zehn bis fünfzehn Meilen vom äußeren Rand der Kordilleren unterwegs waren, keinen einzigen Fluss überquerten. An vielen Stellen war die Erde mit einer salzigen Auswitterung überkrustet, weshalb wir auf die gleichen Salz liebenden Pflanzen trafen, die bei Bahía Blanca verbreitet sind. Die Landschaft hat von der Magellanstraße die ganze Ostküste Patagoniens entlang bis zum Rio Colorado ein einförmiges Gepräge, und anscheinend erstreckt sich die gleiche Landschaft von diesem Fluss aus in einem weiten Bogen landein bis San Luis und vielleicht noch weiter nördlich. Östlich dieser geschwungenen Linie liegt das Becken der vergleichsweise feuchten und grünen Ebenen von Buenos Ayres. Die unfruchtbaren Ebenen von Mendoza und Patagonien bestehen aus einer Kiesschicht, welche von den Meereswellen glatt geschliffen und angehäuft wurden, wohingegen die mit Disteln, Klee und Gras bedeckten Pampas von altem Mündungsschlamm des Plata gebildet worden sind.

Nach unseren mühseligen zwei Tagesreisen waren die Pappelreihen und die Weiden, welche um das Dorf und den Fluss mit Namen Luxan wuchsen, ein erfrischender Anblick. Kurz vor unserem Eintreffen dort beobachteten wir im Süden eine zottige Wolke von dunkler, rötlichbrauner Farbe. Zunächst glaubten wir, es handele sich um Rauch von einem Feuer auf der Ebene, doch bald merkten wir, dass es ein Schwarm Heuschrecken war. Sie flogen Richtung Norden, und mit Unterstützung einer leichten Brise überholten sie uns mit einer Geschwindigkeit von zehn bis fünfzehn Meilen die Stunde.

Wir durchquerten den Luxan, ein Fluss von beträchtlicher Größe, dessen Verlauf zur Meeresküste hin dennoch sehr unvollkommen bekannt ist; es steht sogar in Zweifel, ob er während seines Laufes durch die Ebene nicht verdunstet und verschwindet. Wir schliefen in dem Dorf Luxan, einem kleinen, von Gärten umgebenen Ort im südlichsten kultivierten Bezirk der Provinz Mendoza; er liegt fünf Wegstunden südlich der Hauptstadt. In der Nacht erlebte ich einen Angriff (denn keinen geringeren Namen verdient es) von *benchuca*, eine Art der *Reduvius*, der großen schwarzen Wanze der Pampas. Es ist ein ganz widerwärtiges Gefühl, wenn einem weiche, flügellose Insekten, ungefähr einen Zoll lang, über den Körper krabbeln. Vor dem Saugen sind sie ganz dünn, danach jedoch werden sie rund und aufgebläht von Blut und lassen sich in diesem Zustand leicht zerquetschen. Eine, die ich in Iquique fing (denn man trifft sie in Chile und Peru an), war ganz leer. Setzte man sie auf den Tisch und hielt ihr einen Finger hin, so stülpte das kühne Insekt, selbst als Leute darum herumsaßen, ihren Saugrüssel aus, machte einen Satz und sog Blut, wenn man es ihm gestattete. Die Wunde verursachte keine Schmerzen. Es war eigenartig, ihren Leib während des Saugens zu betrachten, da er, erst flach wie eine Oblate, in weniger als zehn Minuten zu einer runden Form aufquoll. Dieses eine Festmahl, wofür die Benchuca einem der Offiziere Dank schuldete, beließ sie ganze vier Monate lang fett, doch schon nach zwei Wochen war sie für ein weiteres bereit.

27. März – Wir ritten weiter nach Mendoza. Das Land war sehr schön kultiviert und ähnelte Chile. Die Umgebung ist berühmt für ihre Früchte, und es konnte wohl nichts gedeihlicher erscheinen als die Wein- und Obstgärten mit Feigen, Pfirsichen und Oliven. Wir kauften Wassermelonen, die beinahe

Noch eine Ansicht der Anden

doppelt so groß waren wie ein Männerkopf, herrlich kühl und von gutem Aroma, für einen halben Penny das Stück und für den Gegenwert von dreien eine halbe Schubkarre voller Pfirsiche. Der kultivierte und umzäunte Bereich dieser Provinz ist sehr klein; er ist kaum größer als das, was wir zwischen Luxan und der Hauptstadt durchritten. Das Land verdankt, wie Chile, seine Fruchtbarkeit gänzlich künstlicher Bewässerung, und es ist wahrhaft wunderbar zu beobachten, wie außerordentlich produktiv eine karge *traversia* dadurch gemacht wird.

Am folgenden Tag blieben wir in Mendoza. Der Wohlstand des Ortes hat in den letzten Jahren stark gelitten. Die Bewohner sagen, «es ist gut, hier zu leben, aber sehr schlecht, um reich zu werden». Die Unterschichten haben das saumselige, unbekümmerte Wesen der Gauchos der Pampas, und ihre Kleidung, Reitzeug und Lebensgewohnheiten sind nahezu dieselben. Für mein Empfinden hat die Stadt ein dummes, verzweifeltes Gepräge.

29. März – Wir machten uns auf die Rückreise nach Chile, über den Uspallata-Pass, der nördlich von Mendoza gelegen ist. Wir mussten eine lange und sehr unfruchtbare *traversia* von fünfzehn Wegstunden durchqueren. Das Erdreich war an manchen Stel-

len vollkommen nackt, an anderen von zahllosen Zwergkakteen bewachsen, die mit furchterregenden Stacheln bewehrt waren und von den Einheimischen «kleine Löwen» genannt wurden. Auch einige niedrige Büsche gab es. Obgleich die Ebene nahezu 3000 Fuß über dem Meer liegt, war die Sonne sehr kräftig, und die Hitze ebenso wie die Wolken aus feinem Staub machten das Reisen außerordentlich beschwerlich. Unser Weg führte an dem Tage nahezu parallel zu den Kordilleren, näherte sich ihnen dann aber allmählich an. Noch vor Sonnenuntergang gelangten wir in eines der breiten Täler oder vielmehr Buchten, die sich auf die Ebene öffnen, doch bald verengte es sich zu einer Schlucht, in welcher ein wenig höher das Haus Villa Vicencio steht. Da wir den ganzen Tag ohne einen Tropfen Wasser geritten waren, hatten wir ebenso wie unsere Maultiere sehr großen Durst, und wir hielten sehr begierig nach dem Fluss Ausschau, der durch dieses Tal fließt. Es war eigenartig zu beobachten, wie allmählich das Wasser zum Vorschein kam: Auf der Ebene war das Bett ganz trocken, nach und nach wurde es ein wenig feuchter, dann zeigten sich Wasserpfützen, welche sich bald verbanden, und bei der Villa Vicencio floss ein hübsches kleines Bächlein.

Raubwanze in den Anden

30. März – Die einsame Hütte, welche den eindrucksvollen Namen Villa Vicencio trägt, wird von jedem Reisenden erwähnt, der die Anden überquert hat. Während der beiden folgenden Tage blieb ich hier, und besuchte auch einige der umliegenden Minen. Die Geologie des Landes der Umgebung ist recht eigenartig. Die Uspallata-Kette ist von den Hauptkordilleren durch eine lange, schmale Ebene oder vielmehr Becken getrennt ähnlich jenen, die häufig in Verbindung mit Chile erwähnt werden, doch liegt es höher, sechstausend Fuß über dem Meer. Diese Kette hat in Bezug auf die Kordilleren nahezu dieselbe geographische Lage wie die gigantische Portillo-Linie, ist jedoch vollkommen anderen Ursprungs: Sie besteht aus verschiedenen Arten unterseeischer Lava, die sich mit vulkanischem Sandstein und anderen auffallenden Sedimentablagerungen abwechselt; das Ganze hat sehr große Ähnlichkeit mit einigen der Tertiärlager an der Pazifikküste. Wegen dieser Ähnlichkeit erwartete ich, verkieseltes Holz anzutreffen, das in der Regel charakteristisch für diese Formation ist. Ich wurde auf ganz außerordentliche Weise zufrieden gestellt. In der Mitte der Kette auf einer Höhe von ungefähr siebentausend Fuß bemerkte ich an einem

kahlen Hang einige hervorstehende schneeweiße Säulen. Es waren versteinerte Bäume, wovon elf verkieselt und dreißig bis vierzig in grob kristallisierten weißen Kalkspat umgewandelt worden waren. Sie waren jäh abgebrochen, und die aufrechten Stümpfe ragten einige Fuß über den Boden hinaus. Die Stämme hatten einen Umfang von jeweils drei bis fünf Fuß. Sie standen ein wenig entfernt voneinander, doch bildeten sie alle eine Gruppe. Mr. Robert Brown war so freundlich, das Holz zu untersuchen: Seiner Ansicht nach gehört es zur Klasse der Fichten und hat auch etwas von der Familie der Araukarien, allerdings bei einigen seltsamen Affinitäten mit der Eibe. Der vulkanische Sandstein, in dem die Bäume steckten und in dessen tieferen Lagen sie gewachsen sein mussten, hatte sich in immer neuen dünnen Schichten um die Stämme gelegt, und der Stein hatte noch immer den Abdruck der Rinde.

Es bedurfte einer gewissen geologischen Übung, um die wunderbare Geschichte zu interpretieren, welche diese Szene da enthüllte, wobei ich gestehe, dass ich zunächst so erstaunt war, dass ich kaum den klarsten Indizien Glauben schenken mochte. Ich sah die Stelle, wo einst eine Gruppe schöner Bäume ihre Äste an den Gestaden des Atlantiks schwenkte, als dieser Ozean (heute 700 Meilen zurückgesetzt) noch bis an den Fuß der Anden reichte. Ich sah, dass sie aus vulkanischer Erde gesprossen waren, welche über Meereshöhe angehoben worden war, und dass dies trockene Land mit seinen aufrechten Bäumen danach in die Tiefen des Ozeans abgesenkt worden war. In diesen Tiefen wurde das vormals trockene Land von Sedimentschichten bedeckt und diese wiederum von gewaltigen Strömen unterseeischer Lava – wobei nur eine solche Masse die Stärke von tausend Fuß erreichte; diese Fluten geschmolzenen Steins und wasserhaltiger Ablagerungen hatten sich im Wechsel fünf Mal ausgebreitet. Der Ozean, der solch starke Massen aufnahm, muss sehr tief gewesen sein, doch dann wurden die unterirdischen Kräfte erneut wirksam, und nun lag vor mir das Bett dieses Ozeans und bildete eine Gebirgskette von über siebentausend Fuß Höhe. Doch waren diese antagonistischen Kräfte nicht untätig geblieben, denn sie sind stets damit beschäftigt, die Oberfläche des Landes abzutragen: Die großen geschichteten Haufen waren von vielen breiten Tälern durchschnitten worden, und die Bäume, nun in Silex umgewandelt, wurden freigelegt, als die Vulkanerde, aus der sie ragten, in Gestein verwandelt wurde, woraus sie zuvor noch in grünem und knospendem Zustand ihr stattliches Haupt emporgereckt hatten. Heute ist alles unwiederbringlich und Wüste; nicht einmal Flechten können sich an den steinernen Gussformen ehemaliger Bäume festhalten. Gewaltig und kaum begreiflich, wie solche Veränderungen erscheinen müssen, sind sie doch alle in einer Zeit geschehen, die, verglichen mit der Geschichte der Kordilleren, jung erscheinen muss, und die Kordilleren selbst sind wieder absolut neuzeitlich verglichen mit vielen der Fossilien enthaltenden Schichten Europas und Amerikas.

1. April – Wir überquerten die Uspallata-Kette und schliefen nachts beim Zollhaus – dem einzigen bewohnten Fleck auf der Ebene. Kurz bevor wir das Gebirge hinter uns ließen, bot sich uns ein außerordentlicher Blick: rote, purpurne, grüne und ganz weiße Sedimentgesteine, im Wechsel mit schwarzer Lava, waren von Porphyrmassen einer jeden Farbschattierung, vom dunkelsten Braun bis zum hellsten Lila, aufgebrochen und in jede erdenkliche Unordnung geworfen worden. Es war der erste Anblick, den ich sah, der tatsächlich jenen hübschen Profilen ähnelte, die Geologen vom Erdinnern machen.

~ AUS ~

GEOLOGISCHE BEOBACHTUNGEN ZU SÜDAMERIKA

VON CHARLES DARWIN

Da ist noch einen Punkt, der Beachtung verdient, nämlich die Analogie zwischen den oberen Teilen der Tertiärformation Patagoniens, genau wie den oberen möglicherweise zeitgleichen Schichten von Chiloé und Concepción, und der Gipsformation der Kordilleren. Denn in beiden zeigt das Gestein mit seiner Schmelzfähigkeit, seinem Gips und vielen anderen Merkmalen eine enge oder entfernte Verbindung mit vulkanischer Aktivität; und da in beiden die Schichten während der Absenkung angehäuft wurden, erscheint es zunächst nur natürlich, diese Absenkbewegung mit einer hohen Aktivität benachbarter Vulkane zu verbinden. In der Kalkoolith-Zeit ist das bei der Puente del Inca gewiss so gewesen, nach der Anzahl der zwischengelagerten Lavaströmen in den unteren 3000 Fuß der Schicht zu urteilen. Doch im Allgemeinen scheinen die vulkanischen Auslässe in dieser Zeit als unterseeische Solfatare bestanden zu haben und waren sie im Vergleich zu ihrem Zustand bei der Akkumulation der Formation aus Porphyrkonglomerat bestimmt ruhig.

Tags darauf überquerten wir die Ebene und folgten dem Lauf desselben großen Gebirgsflusses, der auch an Luxan vorbeifließt. Hier war er ein wütender Sturzbach, völlig unpassierbar, und erschien größer als im Tiefland, so wie auch das Flüsschen bei der Villa Vicencio. Am Abend des darauf folgenden Tages erreichten wir den Rio de las Vacas, welcher als der am schlechtesten zu durchquerende Strom in den Kordilleren gilt. Da alle diese Flüsse einen schnellen und kurzen Lauf haben und von der Schneeschmelze genährt werden, hängt ihr Volumen in beträchtlichem Maße von der jeweiligen Tageszeit ab. Abends ist der Strom trübe und voll, bei Tagesanbruch hingegen wird er klarer und weniger ungestüm. So war es auch beim Rio Vacas, und am Morgen durchquerten wir ihn mit nur geringen Schwierigkeiten.

Einen der schlimmen Pässe namens *Las Animas* (die Seelen) hatte ich überquert und erst einen Tag später erfahren, dass er eine der schrecklichen Gefahren war. Zweifellos gibt es viele Stellen, an denen der Reiter, sollte das Maultier straucheln, einen tiefen Abgrund hinabgeschleudert würde, doch ist diese Möglichkeit äußerst gering. Gewiss sind im Frühling die *laderas*, also Wege, welche jedes Jahr aufs Neue durch die herabgefallenen Geröllhaufen gebahnt werden, sehr schlecht, doch nach dem, was ich sah, vermute ich, dass es mit der wirklichen Gefahr nichts auf sich hat.

OBEN: Sandsteinlabyrinth bei San Pedro da Atacama, Chile
GEGENÜBER: Schnee in den Anden am Uspallata, Argentinien

4. April – Vom Rio de las Vacas nach Puente del Incas, eine halbe Tagesreise. Da es dort Gras für die Maultiere und Geologie für mich gab, biwakierten wir die Nacht über. Wenn man von einer natürlichen Brücke hört, stellt man sich eine tiefe, enge Schlucht vor, durch die eine ordentliche Masse Gestein gefallen ist, oder einen großen Bogen, der ausgehöhlt ist wie ein Höhlengewölbe. Stattdessen besteht die Inkasbrücke aus einer Kruste geschichteten Kieses, der von den Ablagerungen der benachbarten heißen Quellen verkittet ist. Es hat den Anschein, als habe der Strom an einer Seite einen Kanal ausgeschaufelt und dabei eine überhängende Kante geschaffen, auf die Erde und Steine von dem gegenüberliegenden Abhang gefallen sind. Jedenfalls war eine schräge Verbindung, wie in einem solchen Falle üblich, auf der einen Seite sehr ausgeprägt. Die Brücke der Inkas ist die großen Monarchen, deren Namen sie trägt, keineswegs wert.

5. April – Auf einem langen Tagesritt über den Mittelgrat gelangten wir von der Inkasbrücke zu den Ojos del Agua, welche nahe der niedrigsten *casucha* auf der chilenischen Seite liegen. Diese casuchas sind kleine runde Türme mit einer Außentreppe zum Boden, welcher wegen der Schneewehen einige Fuß über die Erde erhoben ist. Es sind acht an der Zahl, und während der spanischen Herrschaft waren sie winters wohl gefüllt mit Nahrungsmitteln und

Holzkohle, und jeder Kurier besaß einen Generalschlüssel. Heute dienen sie nur dem Zweck einer Höhle oder vielmehr eines Kerkers. Auf eine kleine Anhöhe gebaut, passen sie jedoch nicht schlecht zu der trostlosen Szenerie darum herum. Der Zickzack-Aufstieg auf den Cumbre, also die Wasserscheide, war sehr steil und mühselig; seine Höhe beträgt, Mr. Pentland zufolge, 12 454 Fuß. Der Pfad führte nirgendwo durch ewigen Schnee, obgleich einige Felder davon zu beiden Seiten lagen. Der Wind auf dem Gipfel war außerordentlich kalt, dennoch war es unmöglich, nicht einige Minuten lang zu verweilen und immer wieder aufs Neue die Farbe des Himmels und die leuchtende Transparenz der Luft zu bewundern. Die Szenerie war überwältigend: Nach Westen hin gab es ein schönes Chaos aus Bergen, welche durch tiefe Schluchten geteilt waren. Im Allgemeinen fällt noch vor dieser Jahreszeit Schnee, und es ist sogar vorgekommen, dass die Kordilleren zu dieser Zeit schon völlig gesperrt waren. Doch wir hatten großes Glück. Der Himmel war bei Tag wie bei Nacht wolkenlos bis auf ein paar kleine runde Dunstmassen, die über den höchsten Spitzen schwebten. Diese Inselchen am Himmel sah ich oft, wie sie die Lage der Kordilleren bezeichneten, wenn die Berge in weiter Ferne unterm Horizont verborgen waren.

6. April – Am Morgen merkten wir, dass ein Dieb eines unserer Maultiere und das Glöckchen der *madrina* gestohlen hatte. Daher ritten wir nur zwei, drei Meilen das Tal hinab und blieben dort noch den folgenden Tag in der Hoffnung, das Maultier wieder zu finden, was, wie der Arriero meinte, in einer Schlucht versteckt worden sei.

8. April – Wir verließen das Tal des Aconcagua, durch das wir herabgestiegen waren, und erreichten am Abend ein Häuschen bei der Villa de Santa Rosa. Die Fruchtbarkeit der Ebene war wunderbar: Da der Herbst schon fortgeschritten war, warfen viele Obstbäume ihre Blätter ab, und was die Arbeiter betraf – einige waren damit beschäftigt, Feigen und Pfirsiche auf den Dächern ihrer Häuser zu trocknen, andere hingegen lasen die Trauben in den Weingärten. Es war eine hübsche Szene, doch vermisste ich jene sinnende Stille, welche den Herbst in England wahrlich zum Abend des Jahres macht. Am 10. erreichten wir Santiago, wo Mr. Caldcleugh mir eine sehr warme und gastfreie Aufnahme bereitete. Meine Exkursion hatte mich nur vierundzwanzig Tage gekostet, und nie habe ich eine gleiche Zeitspanne tiefer genossen. Wenige Tage danach kehrte ich zu Mr. Corfield nach Valparaíso zurück.

OBEN: Inkasbrücke, Uspallata-Pass
GEGENÜBER: Mount Aconcagua, Argentinien

Kupferstich von Lima, Peru, um 1850

16. Kapitel

NORDCHILE UND PERU

Küstenstraße nach Coquimbo – große Lasten von den Bergleuten getragen – Coquimbo – Erdbeben – stufenförmige Terrassen – Fehlen junger Ablagerungen – Gleichzeitigkeit der Tertiärformationen – Exkursion ins Tal hinauf – Straße nach Guasco – Wüsten – Copiapó-Tal – Regen und Erdbeben – Hydrophobie – der Despoblado – indianische Ruinen – wahrscheinlicher Klimawechsel – Flussbett von einem Erdbeben gebogen – kalte Stürme – Geräusche von einem Berg – Iquique – Salzalluvium – salpetersaures Natron – ungesundes Land – Ruinen von Callao, von einem Erdbeben umgeworfen – neuzeitliche Senkung – erhöhte Muscheln auf San Lorenzo, ihr Zerfall – Ebene mit eingebetteten Muscheln und Keramikfragmenten – Alter der indianischen Rasse

27. April [1835] – Ich brach zu einer Reise nach Coquimbo auf und von dort weiter über Guasco nach Copiapó, wo Kapitän Fitz Roy mich freundlicherweise mit der *Beagle* wieder aufnehmen wollte. Die Entfernung in Luftlinie nach Norden die Küste entlang beträgt nur 420 Meilen; doch meine Art der Fortbewegung machte eine sehr lange Reise daraus. Ich kaufte vier Pferde und zwei Maultiere; Letztere trugen im Tageswechsel das Gepäck. Die sechs Tiere kosteten zusammen nur den Gegenwert von fünfundzwanzig Pfund Sterling, und in Copiapó verkaufte ich sie wieder für dreiundzwanzig. Wir reisten in der gleichen

unabhängigen Weise wie zuvor, kochten uns unsere Mahlzeiten selbst und schliefen im Freien. Als wir auf Viño del Mar zuritten, warf ich einen Abschiedsblick auf Valparaíso und bewunderte sein malerisches Erscheinungsbild. Zu geologischen Zwecken machte ich einen Umweg von der Chaussee zum Fuße der Glocke von Quillota. Wir gelangten durch ein alluviales Gebiet, das reich an Gold war, in die Umgebung von Limache, wo wir schliefen. Das Auswaschen von Gold ernährt die Bewohner zahlreicher Hütten, die an den Ufern eines jeden kleinen Flüsschens entlang verstreut sind, doch wie alle, deren Ertrag unsicher ist, sind sie in ihrer Lebensweise nicht sehr haushälterisch und folglich arm.

28. April – Am Nachmittag erreichten wir ein Häuschen am Fuße der Glocke. Die Bewohner waren Freisassen, was in Chile eher unüblich ist. Sie lebten vom Ertrag eines Gartens und eines kleinen Feldes, waren aber sehr arm. Es fehlt ihnen so sehr an Kapital, dass sie das grüne Korn verkaufen müssen, solange es noch auf dem Feld steht, um sich Mundvorräte für das folgende Jahr zu kaufen. Infolgedessen war Weizen in der Gegend, wo er angebaut wurde, teurer als in Valparaíso, wo die Händler leben. Tags darauf stießen wir wieder auf die Hauptstraße nach Coquimbo. Am Abend gab es einen sehr feinen Nieselregen: Es war der erste Tropfen seit dem schweren Regen am 11. und 12. September, der mich in den Bädern von Cauquenes festhielt. Dazwischen lagen siebeneinhalb Monate, allerdings kam der Regen in Chile dieses Jahr erheblich später als üblich. Die fernen Anden waren nun mit einer dicken Schneeschicht bedeckt; ein prachtvoller Anblick.

3. Mai – Von Quilimari nach Conchalee. Das Land wurde zunehmend unfruchtbarer. In den Tälern gab es kaum genügend Wasser für Bewässe-

Die Thermalbäder von Cauquenes, 1890

rung, und das Land dazwischen war ganz kahl; nicht einmal Ziegen fanden darauf Nahrung. Im Frühjahr nach den Wintergüssen sprießt rasch dünnes Weidegras auf, und dann wird das Vieh aus den Kordilleren hinabgetrieben, damit es für kurze Zeit grasen kann. Es ist eigenartig zu beobachten, wie die Samen des Grases und anderer Pflanzen sich wie durch eine erworbene Gewohnheit auf die Regenmenge einzustellen scheinen, der auf die verschiedenen Abschnitte dieser Küste fällt. Ein Schauer weit im Norden bei Copiapó hat eine ebenso große Wirkung auf die Vegetation wie zwei bei Guasco und drei oder vier in diesem Landstrich. Ein Winter in Valparaíso, der so trocken ist, dass er das Weidegras schwer schädigt, würde bei Guasco die ungewöhnlichste Fülle hervorbringen. Nach Norden hin scheint die Regenmenge nicht im strengen Verhältnis zur geographischen Breite abzunehmen. Bei Conchalee, was nur 67 Meilen nördlich von Valparaíso liegt, wird Regen erst gegen Ende Mai erwartet, in Valparaíso hingegen fällt er üblicherweise schon Anfang April: Auch ist die Jahresmenge gering im Verhältnis dazu, wie spät die Regenzeit einsetzt.

4. Mai – Wir ritten weiter nach Los Hornos, einem weiteren Bergbaugebiet, wo der Hauptberg mit Löchern durchbohrt war gleich einem großen Ameisenbau. Die chilenischen Bergleute sind mit ihrer Lebensweise eine eigenartige Spezies Mensch. Nachdem sie wochenlang zusammen an den trostlosesten Orten waren und an Festtagen dann in die Dörfer hinabsteigen, gibt es keinen Exzess, keine Ausschweifung, wozu sie sich nicht hinreißen lassen. Manchmal verdienen sie eine beträchtliche Summe, worauf sie, gleich Seeleuten mit Prisengeld, versuchen, wie schnell sie es zu verschleudern vermögen. Sie trinken exzessiv, kaufen Mengen an Kleidung und kehren nach wenigen Tagen mittellos zu ihren elenden Behausungen zurück, wo sie härter als Lastesel arbeiten.

Das Gewand des chilenischen Bergmanns ist sehr eigen und recht malerisch. Er trägt ein sehr langes Hemd aus dunklem Boi, dazu eine Lederschürze; das Ganze wird von einer bunten Schärpe um die Taille festgehalten. Seine Hose ist sehr weit, und seine kleine Mütze aus scharlachrotem Tuch ist für einen engen Sitz gefertigt.

Wir reisten in einer Zickzacklinie weiter nach Norden, wobei wir zuweilen für geologische Untersuchungen einen Tag verweilten. Das Land war so dünn besiedelt, dass wir oftmals Schwierigkeiten hatten, den Weg zu finden. Am 12. blieb ich bei einigen Minen.

Kapitän Head hat beschrieben, welche erstaunliche Ladung die *apires*, wahrhaftig Lasttiere, aus den tiefsten Minen herauftragen. Ich gestehe, den Bericht für übertrieben gehalten zu haben, sodass ich mich über die Gelegenheit freute, eine dieser Ladungen, die ich willkürlich auswählte, zu wiegen. Es erforderte eine beträchtliche Anstrengung meinerseits, sie, unmittelbar darüber stehend, anzuheben. Die Ladung wurde als untergewichtig angesehen, denn

Chilenische Minenarbeiter im 19. Jahrhundert

sie erwies sich als 177 Pfund schwer. Der *apire* hatte sie achtzig lotrechte Yard heraufgetragen – darunter befand sich ein steiler Abschnitt, den größten Teil jedoch bildeten eingekerbte Pfähle, die im Zickzack den Schacht hinauf angelegt waren. Gemäß den allgemeinen Bestimmungen ist es dem *apire* nur dann gestattet, zum Atemholen stehen zu bleiben, wenn die Mine über sechshundert Fuß tief ist. Die durchschnittliche Ladung soll deutlich mehr als 180 Pfund schwer sein, und man hat mir versichert, eine mit 270 Pfund sei versuchsweise aus der tiefsten Mine heraufgetragen worden! Hier nun brachten die *apires* die übliche Ladung zwölf Mal am Tage herauf; das heißt, 2160 Pfund aus einer Tiefe von achtzig Yard, und in den Pausen wurden sie eingesetzt, um Erz zu brechen und zu scheiden.

Diese Männer sind, außer durch Unfälle, gesund und wirken fröhlich. Ihr Körper ist nicht sehr muskulös. Sie essen selten Fleisch, einmal wöchentlich, niemals häufiger, und dann nur das harte, trockene *charqui*. Trotz des Wissens, dass die Arbeit freiwillig geschah, war es dennoch recht empörend mit anzusehen, in welchem Zustand sie den Eingang der Mine erreichten; den Köper vorgebeugt, die Arme auf die Stufen gelehnt, die Beine krumm, die Muskeln bebend, Schweiß vom Gesicht über die Brust strömend, die Nasenlöcher geweitet, die Mundwinkel gewaltsam nach hinten gezogen und das Ausstoßen der Luft sehr mühevoll. Bei jedem Atemzug stoßen sie einen vernehmbaren Schrei aus, «ay-ay», der in einem Ton aus dem Innersten der Brust endet, jedoch schrill wie der Klang einer Querpfeife. Nachdem sie zu dem Erzhaufen gewankt waren, leerten sie den *carpacho*; zwei, drei Sekunden lang schöpften sie Atem, wischten sich den Schweiß von der Stirn und stiegen, scheinbar ganz frisch, schnellen Schritts wieder hinab in die Mine. Das erscheint mir als wunderbares Beispiel dafür, welche Menge Arbeit die Gewohnheit, denn nichts anderes kann es sein, einen Mann auszuhalten befähigt.

14. Mai – Wir erreichten Coquimbo, wo wir einige Tage blieben. Das einzige Besondere an dieser Stadt ist ihre äußerste Stille. Sie soll zwischen 6000 und 8000 Menschen beherbergen.

Am Abend speisten Kapitän Fitz Roy und ich bei Mr. Edwards, einem dort ansässigen Engländer, der bei allen, die Coquimbo besuchten, für seine Gastfreiheit wohlbekannt war, als die Erde heftig bebte. Ich hörte das vorausgehende Grollen, doch wegen der Schreie der Damen, der hastenden Bedienten und weil einige der Herren zur Tür stürzten, konnte ich die Bewegung nicht ausmachen. Hernach weinten einige Frauen vor Entsetzen, und ein Herr sagte, er werde die ganze Nacht kein Auge zutun, und wenn doch, so werde er nur von einstürzenden Häusern träumen. Der Vater dieses Herrn hatte unlängst in Talcahuano alle seine Habe verloren, und er selbst war 1822 in Valparaíso nur mit knapper Not einem herabstürzenden Dach entronnen. Er erwähnte einen seltsamen Vorfall, der sich dort ereignete: Er saß beim Kartenspiel, als einer der Runde, ein Deutscher, mit den Worten aufstand, er werde in diesen Ländern niemals in einem Raum mit geschlossener Tür sitzen, da er deswegen in Copiapó einmal fast ums Leben gekommen wäre. Also öffnete er die Tür, und kaum hatte er es getan, als er ausrief: «Da geht's schon wieder los!», und die berühmte Erschütterung begann. Die ganze Runde kam davon. Die Gefahr bei einem Erdbeben entsteht nicht durch die mit dem Öffnen der Tür verlorene Zeit, sondern dadurch, dass sie durch die Bewegung der Wände womöglich eingeklemmt wird.

Ich verbrachte einige Tage damit, die stufenförmigen Schieferterrassen zu untersuchen, erstmals

~ AUS ~

VERLAUF DER ZWEITEN EXPEDITION 1831–1836

VON ROBERT FITZ ROY

Das Erdbeben war überall zwischen Chiloé und Copiapó: von Juan Fernandez bis Mendoza. An der Küste war in diesen Grenzen das Verebben und Anschwellen des Ozeans überall zu beobachten. In Mendoza war die Bewegung gleichmäßig sanft. Copiapó, Huasco und Coquimbo erlebten ähnliche, wenn auch kräftigere Wellen. Die Städtchen und Häuser zwischen der 35. und 37. Breite litten schrecklich und wurden fast alle in Trümmer gelegt. Doch nördlich und südlich dieser Breitengrade wurden die Gebäude nur leicht beschädigt. In Höhe der 35,5. war Juan Fernandez betroffen, doch Valparaíso kam unbeschadet davon.

Im Hinblick auf die umliegenden Vulkane waren die Berichte ihres Verhaltens vor wie nach dem Erdbeben so unterschiedlich, dass ich nicht die Möglichkeit hatte festzustellen, was davon wirklich wahr war. Doch ich hörte von Valdivia, dass unmittelbar nach dem Erdbeben alle Vulkane vom Antuco bis zum Osorno voll aktiv waren.

bemerkt von Kapitän B. Hall; Mr. Lyell nimmt an, sie seien im Zuge der allmählichen Erhebung des Landes vom Meer geformt worden. Dies ist gewiss die richtige Erklärung, denn ich fand auf diesen Terrassen zahlreiche Schalen existierender Arten. Fünf schmale, sanft abfallende, saumartige Terrassen erheben sich hintereinander und bestehen da, wo sie am besten entwickelt sind, aus Schiefer: Sie liegen zur Bucht hin und erheben sich zu beiden Seiten des Tales. In Guasco, nördlich von Coquimbo, zeigt sich das Phänomen in weit größerem Umfang, sodass es selbst manche Einwohner mit Erstaunen erfüllt. Die Terrassen sind dort viel breiter und könnten Ebenen genannt werden; mancherorts gibt

Coquimbo, Chile

es ihrer sechs, im Allgemeinen jedoch nur fünf; sie erstrecken sich auf siebenunddreißig Meilen von der Küste das Tal hinauf. Diese stufenförmigen Terrassen oder Säume ähneln stark jenen im Tal von Santa Cruz und, außer dass sie insgesamt kleiner sind, den großen entlang der ganzen Küste Patagoniens. Zweifellos wurden sie von der Kraft des Meeres während der langen Ruheperioden bei der allmählichen Erhebung des Kontinents abgetragen.

Aber die Schalen vieler existierender Arten auf den Terrassen von Coquimbo liegen nicht nur an der Oberfläche (bis auf eine Höhe von 250 Fuß), sondern sind auch in einem bröckeligen Kalkgestein eingelagert, das an manchen Stellen zwanzig bis dreißig Fuß stark, aber von geringer Ausdehnung ist. Diese neuzeitlichen Lager ruhen auf einer alten Tertiärformation mit Muscheln darin, die offenbar alle ausgestorben sind. Obwohl ich so viele hundert Meilen Küste auf der pazifischen wie auch atlantischen Seite untersucht habe, fand ich doch keine regelmäßigen Schichten, die Muscheln einer neueren Art enthielten, nur hier und an einigen wenigen Stellen nördlich der Straße nach Guasco. Dieser Umstand erscheint mir äußerst bemerkenswert, denn die üblicherweise von Geologen gelieferte Erklärung dafür, dass geschichtete, fossilienhaltige Ablagerungen einer bestimmten Periode in einem Gebiet fehlen, nämlich dass dieses Land auch damals schon trocken lag, ist hier nicht anwendbar, wissen wir doch von den auf der Oberfläche verstreuten und in lockerem

Die Straße zum Agua-Negra-Pass, der Argentinien über die Anden mit Chile verbindet

Sand oder Erde eingelagerten Muscheln, dass das Land auf Tausende von Meilen an beiden Küsten unlängst noch unter Wasser lag. Die Erklärung muss zweifellos darin gesucht werden, dass der gesamte Südteil des Kontinents sich schon seit langem langsam anhebt, weswegen auch alle Substanzen, welche die Küste entlang in seichtem Wasser abgelagert wurden, schon bald heraufgebracht und nach und nach dem Abrieb auf dem Meeresstrand ausgesetzt wurden: Nur in vergleichsweise flachem Wasser kann die größere Zahl der organischen Meerwesen gedeihen, und es ist offensichtlich unmöglich, dass sich in solchem Wasser Schichten von größerer Stärke ansammeln können. Zur Demonstration der gewaltigen Kraft des Abriebs an Meeresstränden brauchen wir nur auf die großen Steilhänge entlang der heutigen Küste Patagoniens und auf die Abbrüche bzw. alten Meereskliffs auf unterschiedlichen Ebenen entlang dieses Küstenstreifens zu verweisen.

Die alte darunterliegende Tertiärformation bei Coquimbo scheint ungefähr genauso alt wie verschiedene Ablagerungen an der Küste Chiles (wovon die bei Navedad die wesentliche ist) und wie die große Formation Patagoniens zu sein. Bei Navedad wie auch in Patagonien gibt es Hinweise darauf, dass, da die dort eingeschlossenen Muscheln (eine Liste davon wurde von Professor E. Forbes eingesehen) lebten, eine Senkung von mehreren hundert Fuß wie auch eine darauf folgende Anhebung stattgefunden hat. Natürlich ließe sich dann fragen, wie es kommt, dass, obwohl auf beiden Seiten des Kontinents keine ausgedehnten fossilienhaltigen Ablagerungen der neueren Zeit wie auch aus keiner anderen, die zwischen ihr und der alten Tertiärepoche liegt, erhalten sind, in dieser älteren Tertiärepoche Sedimentsubstanzen mit fossilen Überresten darin jedoch an verschiedenen Stellen in Nord-Süd-Richtung auf einem Raum von 1100 Meilen an den Gestaden des Pazifiks und von mindestens 1350 Meilen an jenen des Atlantiks sowie in Ost-West-Richtung auf 700 Meilen an der breitesten Stelle des Kontinents abgelagert wurden und erhalten sind. Ich glaube, die Erklärung fällt nicht schwer, und vielleicht ist sie auch auf beinahe analoge Umstände anwendbar, die in anderen Teilen der Welt beobachtet worden sind. Angesichts der enormen Abtragungskraft, über die, wie sich anhand zahlloser Fakten zeigt, das Meer verfügt, ist es unwahrscheinlich, dass eine Sedimentablagerung, wenn angehoben, die Prüfung des Strandes bestehen und in hinreichender Menge bewahrt werden könnte, um bis in eine ferne Zeit zu überdauern, es sei denn, sie war ursprünglich von großen Ausmaßen und beträchtlicher Stärke: Nun kann sich auf einem mäßig flachen Grund, welcher allein für die meisten Lebewesen förderlich ist, unmöglich eine starke und ausgedehnte Sedimentdecke ausbreiten, ohne dass sich der Grund absenkt, um die nachfolgenden Schichten aufzunehmen. Das scheint denn auch um dieselbe Zeit im südlichen Patagonien und in Chile stattgefunden zu haben, obgleich diese Gebiete tausend Meilen auseinander liegen. Wenn daher länger anhaltende, annähernd gleichzeitige Senkungsbewegungen auf einer sehr weiten Fläche stattfinden, was ich aufgrund meiner Untersuchung der Korallenriffe der großen Ozeane stark vermute – oder wenn, um unsere Sicht auf Südamerika zu beschränken, die Senkbewegungen in denselben Gebieten wie die Anhebung stattfinden, wodurch die Küsten Perus, Chiles, Feuerlands, Patagoniens und von La Plata in derselben Periode existierender Muscheln angehoben worden sind –, dann können wir sehen, dass zur gleichen Zeit an weit auseinander liegenden Orten die Umstände die Bildung Fossilien enthaltender Ablagerungen von großer Ausdehnung und beträchtlicher Stärke begünstigten und diese folglich gute Aussichten hatten, dem Abrieb aufeinander folgender Strandlinien zu widerstehen und bis in eine künftige Epoche zu überdauern.

23. Mai – Wir stiegen in das fruchtbare Tal von Coquimbo hinab und folgten ihm, bis wir eine *hacienda* erreichten, die einem Verwandten Don Joses gehört; dort blieben wir den nächsten Tag. Ich ritt eine Tagesreise weiter, um mir etwas anzusehen, was als versteinerte Muscheln und Bohnen bezeichnet worden war, was sich aber dann als kleine Quarzkiesel herausstellte. Wir gelangten durch mehrere kleine Dörfer; das Tal war schön kultiviert und die ganze Landschaft sehr eindrucksvoll. Wir waren hier nahe der Hauptkette der Kordilleren, und die umliegenden Berge waren hoch. In allen Gegenden Nordchiles sind die Obstbäume in einer beträchtlichen Höhe nahe der Anden weit ergiebiger als im flacheren Land. Die Feigen und Trauben dort sind berühmt wegen ihrer hervorragenden Qualität und werden in großem Umfang angebaut. Dies Tal ist vielleicht das produktivste nördlich von Quillota: Ich glaube, es leben dort, Coquimbo eingeschlossen, 25 000 Einwohner. Am folgenden Tag kehrte ich zur *hacienda* und danach, zusammen mit Don Jose, nach Coquimbo zurück.

3. Juni – Von Yerba Buena nach Carizal. Im Verlauf des ersten Tagesabschnitts überquerten wir eine bergige Steinwüste und anschließend eine lange, tiefe Sandebene, die mit zerbrochenen Seemuscheln übersät war. Es gab sehr wenig Wasser, und das wenige war salzig: Das ganze Land, von der Küste bis zu den Kordilleren, ist unbewohnte Wüste. Reichlich Spuren sah ich lediglich von einem Lebewesen, nämlich die Schalen einer *Bulimus*, die in außerordentlicher Zahl an den trockensten Stellen versammelt waren. Im Frühling treibt eine bescheidene kleine Pflanze ein paar Blätter, und von denen ernähren sich die Schnecken. Da man sie nur ganz früh am Morgen sieht, wenn der Boden vom Tau ein wenig feucht ist, glauben die *guasos*, dass sie daraus entstehen. Andernorts habe ich beobachtet, dass die äußerst trockenen und unfruchtbaren Gegenden, wo das Erdreich kalkig ist, außerordentlich günstig für Landmuscheln ist. In Carizal gab es einige wenige Häuschen, etwas Brackwasser und Spuren von Ackerbau: Dennoch hatten wir Schwierigkeiten, ein wenig Getreide und Stroh für unsere Pferde zu kaufen.

4. Juni – Von Carizal nach Sauce. Wir ritten weiter über karge Ebenen, die von großen Guanakoherden bevölkert waren. Auch durchquerten wir das Tal von Chaneral, welches, obgleich das fruchtbarste zwischen Guasco und Coquimbo, sehr schmal ist und so wenig Weidegras hervorbringt, dass wir keines für unsere Pferde kaufen konnten. Am nächsten Tag ritten wir über einige Berge hinweg nach Freyrina im Tale von Guasco. Mit jedem Tagesritt weiter nach Norden wurde die Vegetation dürftiger; selbst der große kronleuchterähnliche Kaktus wich hier einer anderen, viel kleineren Art.

In Freyrina blieben wir zwei Tage. Im Tal von Guasco gibt es vier kleine Ansiedlungen. Am Eingang ist der Hafen, ein einziger Wüstenflecken ohne jedes Wasser in der näheren Umgebung. Fünf Wegstunden höher liegt Freyrina, ein langes, weitläufiges Dorf mit ansehnlichen, weiß getünchten Häusern. Weitere zehn Wegstunden hinauf liegt Ballenar, und darüber dann Guasco Alto, ein Dorf, in dem viel Gartenbau betrieben wird und das berühmt für seine getrockneten Früchte ist. An klaren Tagen ist der Blick durchs Tal sehr schön; die gerade Öffnung endet in den fernen, schneebedeckten Kordilleren; zu beiden Seiten vermengen sich unendlich viele Querlinien zu einem wunderschönen Labyrinth. Der Vordergrund

Häuser in Humberstone, einer im späten 19. Jahrhundert gegründeten ehemaligen Bergwerksstadt dreißig Meilen östlich von Iquique in der Atacama-Wüste

zeichnet sich durch die Zahl paralleler, stufenförmiger Terrassen aus, und der eingeschlossene grüne Talstreifen mit seinen Weidenbüschen sticht an beiden Seiten gegen die nackten Berge ab. Dass das umliegende Land äußerst unfruchtbar ist, wird man gern glauben, wenn man weiß, dass während der letzten dreizehn Monate kein Tropfen Regen gefallen ist. Die Einwohner hörten mit dem größten Neid vom Regen in Coquimbo; nach dem Aussehen des Himmels hatten sie Hoffnungen auf ein ebensolches Glück gehegt, welche vierzehn Tage später in Erfüllung gingen. Zu der Zeit war ich in Copiapó, und dort redeten die Leute mit dem gleichen Neid über den ergiebigen Regen in Guasco. Nach zwei oder drei sehr trockenen Jahren mit vielleicht gerade einem Schauer in der ganzen Zeit folgt zumeist ein regenreiches Jahr, und das richtet mehr Schaden an als selbst die Dürre. Die Flüsse schwellen an und bedecken die schmalen Streifen Erde, die sich allein für den Anbau eignen, mit Kies und Sand. Auch beschädigen die Fluten die Bewässerungsgräben. So kam es drei Jahre zuvor zu großen Zerstörungen.

8. Juni – Wir ritten weiter nach Ballenar, was seinen Namen von Ballenagh in Irland herleitet, dem Geburtsort der Familie O'Higgins, die unter der

Salar de Huasco, Chile

spanischen Regierung Präsidenten und Generäle in Chile waren. Da die Felsengebirge zu beiden Seiten von Wolken eingehüllt waren, verliehen die terrassenartigen Ebenen dem Tal ein Erscheinungsbild wie das von Santa Cruz in Patagonien. Nachdem ich einen Tag in Ballenar verbracht hatte, brach ich, am 10., zum oberen Teil des Tals von Copiapó auf. Wir ritten den ganzen Tag durch uninteressantes Land. Ich bin es leid, die Epitheta karg und unfruchtbar zu wiederholen. Doch sind diese Begriffe, da häufig gebraucht, relativ; ich habe sie auf die Ebenen Patagoniens angewandt, die immerhin Dornbüsche und einige Grasbüschel vorweisen können, und das ist, verglichen mit dem Norden Chiles, die absolute Fruchtbarkeit. Hier wiederum gibt es kaum Stellen von zweihundert Yard im Quadrat, wo sich nach sorgfältiger Prüfung nicht ein kleiner Busch, ein Kaktus oder Flechten entdecken lassen, und im Erdreich schlummern Samen, bereit, beim ersten regnerischen Winter aufzusprießen. In Peru finden sich über weite Landstriche echte Wüsten. Gegen Abend langten wir an einem Tal an, worin das Bett des Flüsschens feucht war: Als wir ihm aufwärts folgten, stießen wir auf leidlich gutes Wasser.

11. Juni – Wir ritten ohne Halt zwölf Stunden lang, bis wir einen alten Schmelzofen erreichten, wo es Wasser und Brennholz gab; doch erneut bekamen unsere Pferde nichts zu fressen, da sie in einen alten Hof gesperrt wurden. Am folgenden Tag erreichten

wir das Tal von Copiapó. Darüber war ich von Herzen froh, denn die gesamte Reise war ein beständiger Quell von Sorgen; es war äußerst unangenehm zu hören, wie unsere Pferde, während wir unser Mahl einnahmen, an den Pfosten nagten, an welche sie gebunden waren, und keine Möglichkeit zu haben, ihren Hunger zu lindern. Allem Anschein nach waren die Tiere jedoch ganz frisch, und niemand hätte erkennen können, dass sie während der vergangenen fünfundfünfzig Stunden nichts gefressen hatten.

Ich hatte ein Empfehlungsschreiben für Mr. Bingley, der mich auf der *hacienda* von Potrero Seco sehr freundlich aufnahm. Dieses Gut ist zwischen zwanzig und dreißig Meilen lang, aber sehr schmal, im Ganzen gerade zwei Felder breit, eines auf jeder Seite des Flusses. An manchen Stellen hat das Gut gar keine Breite, was heißt, dass das Land nicht bewässert werden kann und daher ebenso nutzlos wie die umliegende Steinwüste ist. Die Einwohner beobachten mit großem Interesse einen Sturm über den Kordilleren, da ein guter Schneefall sie im folgenden Jahr mit Wasser versorgt. Das ist unendlich folgenreicher als Regen im Unterland. Regen ist, so oft er eben fällt, also ungefähr einmal alle zwei bis drei Jahre, von großem Nutzen, weil Rinder und Maultiere einige Zeit danach ein wenig Gras auf den Bergen finden. Doch ohne Schnee in den Anden ist das ganze Tal eine einzige Einöde. Es ist eine historische Tatsache, dass drei Mal nahezu sämtliche Einwohner in den Süden auswandern mussten. In diesem Jahr gab es reichlich Wasser, und jedermann bewässerte seinen Boden nach Belieben; häufig jedoch war es notwendig, an den Schleusen Soldaten zu postieren, damit auch jedes Gut nur den ihm zustehenden Anteil während so und so vieler Stunden pro Woche entnahm. Das Tal soll 12 000 Seelen beherbergen, doch reicht sein Ertrag nur für drei Monate im Jahr; der Rest der Vorräte wird aus Valparaíso und dem Süden herangeschafft. Vor der Entdeckung der berühmten Silberminen von Chanuncillo war Copiapó in einem raschen Niedergang begriffen, nun aber gedeiht es ganz prächtig, und die Stadt, die von einem Erdbeben vollständig zerstört worden war, ist wieder aufgebaut. Das Tal von Copiapó, das gerade nur ein Band Grün in der Wüste bildet, verläuft genau in südlicher Richtung, sodass es bis zu seinem Ursprung in den Kordilleren von beträchtlicher Länge ist. Die Täler von Guasco und Copiapó können beide als lange, schmale Inseln angesehen werden, die vom übrigen Chile statt durch Salzwasser durch Steinwüsten getrennt sind. Nördlich davon erstreckt sich noch ein sehr elendes Tal namens Paposo, in dem ungefähr 200 Seelen leben, und dahinter dehnt sich die eigentliche Atacamawüste – eine Barriere, weit schlimmer als der tosendste Ozean. Nach einigen Tagen in Potrero Seco reiste ich weiter das Tal hinauf zum Hause Don Benito Cruz', für den ich ein Empfehlungsschreiben hatte. Ich fand ihn sehr gastfrei; tatsächlich kann man unmöglich ein zu starkes Zeugnis für die Freundlichkeit ablegen, mit der Reisende in nahezu jedem Teil Südamerikas aufgenommen werden. Am folgenden Tag mietete ich einige Maultiere, die mich durch die Schlucht von Jolquera in die Zentralkordilleren bringen sollten. In der zweiten Nacht schien das Wetter einen Schneesturm oder ein Gewitter anzukündigen, und als wir im Bett lagen, spürten wir die geringfügige Erschütterung eines Erdbebens.

Die Verbindung zwischen Erdbeben und Wetter wird häufig disputiert: Mir erscheint sie von großem Interesse, was kaum begriffen wird. Humboldt hat in einem Teil der *Personal Narrative*[1] bemerkt, wer lange in Neu-Andalusien oder im unteren Peru gelebt habe, könne wohl kaum bestreiten, dass es eine

Verbindung zwischen diesen Phänomenen gebe; an anderer Stelle hingegen erscheint ihm diese Verbindung wunderlich. In Guayaquil soll einem schweren Schauer in der Trockenzeit stets ein Erdbeben folgen. In Nordchile, wo Regen oder auch nur Wetter, das Regen ankündigt, äußerst selten sind, ist auch die Wahrscheinlichkeit zufälliger Übereinstimmungen sehr gering, doch sind die Bewohner dort der festen Überzeugung, dass es einen Zusammenhang zwischen dem Zustand der Luft und dem Beben des Bodens gibt: Darüber war ich recht verblüfft, als ich einigen Leuten in Copiapó gegenüber erwähnte, es habe bei Coquimbo eine starke Erschütterung gegeben: Sogleich riefen sie aus: «Welch ein Glück! dann werden sie dort nächstes Jahr viel Weideland haben.» Für sie kündigte ein Erdbeben Regen an, so sicher wie Regen reichlich Weideland. Auf jeden Fall war es so, dass genau am Tage des Erdbebens dieser Regenschauer fiel, von dem ich schrieb, er habe binnen zehn Tagen einen feinen Rasen sprießen lassen. Andere Male ist Regen auf ein Erdbeben in einer Jahreszeit gefolgt, da er ein weit größeres Wunder ist als das Erdbeben selbst: Das geschah nach der Erschütterung vom November 1822 und wieder 1829 in Valpa-raíso, ebenso nach jener vom September 1833 in Tacna. Man muss an das Klima dieser Länder einigermaßen gewöhnt sein, um die äußerste Unwahrscheinlichkeit zu erkennen, dass es zu jenen Zeiten regnet, es sei denn als Folge eines Gesetzes, das mit dem gewöhnlichen Verlauf des Wetters in keinerlei Zusammenhang steht. Im Falle der großen Vulkanausbrüche wie jenem des Coseguina, wo es Regengüsse zu einer dafür sehr ungewöhnlichen Zeit und «fast ohne Beispiel für Südamerika» gab, ist es nicht schwer zu verstehen, dass die Mengen an Dunst und Aschewolken das atmosphärische Gleichgewicht stören konnten. Humboldt erweitert diese Sichtweise auf Erdbeben, die nicht von Ausbrüchen begleitet werden; mir jedoch erscheint es kaum möglich, dass die kleine Menge gasartiger Flüssigkeiten, die dann aus den Spalten im Boden austreten, solch beachtliche Auswirkungen zeitigen können.

Die Atacama-Wüste an der Küste Chiles

Nachdem wir in diesem Teil der Schlucht wenig Interessantes gefunden hatten, wandten wir uns zum Hause Don Benitos zurück, wo ich zwei Tage blieb und fossile Muscheln und Holz sammelte. Große umgestürzte, verkieselte Baumstämme, eingelagert in ein Konglomerat, waren sehr zahlreich. Ich vermaß einen; sein Umfang betrug fünfzehn Fuß; wie überraschend, dass jedes Atom der Holzmasse in diesem großen Zylinder durch Kieselerde so vollständig entfernt und ersetzt worden ist, dass jedes Gefäß, jede Pore erhalten ist! Diese Bäume wuchsen ungefähr in der Periode unserer unteren Kreide; sie gehörten alle dem Tribus der Kiefern an. Es war amüsant mitzuhören, wie die Bewohner die Natur der fossilen Muscheln, die ich gesammelt hatte, erörterten, beinahe in den Begriffen, wie sie in Europa hundert Jahre zuvor gebraucht wurden – nämlich, ob sie so «von der Natur geboren» waren oder nicht. Meine geologische Untersuchung des Landes erregte bei den Chilenos gehörige Überraschung: Es dauerte lange, bis sie überzeugt waren, dass ich nicht auf der Jagd nach Minen war. Das war zuweilen lästig: Ich merkte, dass ich ihnen meine Tätigkeit am einfachsten erklärte, indem ich sie fragte, wie es komme, dass sie hinsichtlich Erdbeben und Vulkane nicht selbst neugierig seien – warum manche Quellen warm und andere kalt seien – warum es in Chile ein Gebirge gebe, in La Plata dagegen keinen einzigen Hügel. Diese knappen Fragen befriedigten sogleich die größere Zahl und ließen sie verstummen; manche dagegen (wie so manche in England, die ein Jahrhundert im Hintertreffen sind) fanden alle solche Fragen nutzlos und eine Sünde und meinten, es genüge durchaus, dass Gott dieses Gebirge erschaffen habe.

In diesem Tal hatte es schon häufiger Tollwut gegeben. Es erstaunt doch, dass an demselben abgeschiedenen Ort immer wieder eine solch merkwürdige und schreckliche Krankheit auftritt. Es heißt, auch in England seien bestimmte Dörfer dieser Heimsuchung weit häufiger ausgesetzt als andere. Dr. Unanùe bemerkt, dass die Tollwut in Südamerika erstmals 1803 bekannt wurde: Diese Erklärung wird dadurch bestätigt, dass Azara und Ulloa zu ihrer Zeit nie davon gehört hatten. Dr. Unanùe sagt, sie sei in Mittelamerika ausgebrochen und langsam nach Süden vorgedrungen. Sie habe 1807 Arequipa erreicht, und es heißt, dort seien auch einige Männer, die nicht gebissen worden seien, betroffen gewesen, ebenso einige Neger, die einen Bullen gegessen hatten, der an Tollwut gestorben war. In Ica seien so zweiundvierzig Menschen elendig zugrunde gegangen. Die Krankheit sei zwischen zwölf und neunzig Tagen nach dem Biss ausgebrochen, und in den Fällen, wo sie gekommen sei, sei der Tod unausweichlich binnen fünf Tagen eingetreten. Nach 1808 folgte ein langer Zeitraum ohne jeden Fall. Webster versichert, auf den Azoren habe es Tollwut niemals gegeben, und dieselbe Behauptung wurde hinsichtlich Mauritius und St. Helena aufgestellt.[2] Bei einer solch merkwürdigen Krankheit lassen sich Informationen möglicherweise dadurch erhalten, dass man die Umstände betrachtet, unter denen sie in fernen Klimaten ausbricht, denn es ist doch unwahrscheinlich, dass ein schon gebissener Hund in diese fernen Länder gebracht wurde.

Wir kehrten ins Tal zurück und erreichten am 22. die Stadt Copiapó. Der untere Teil des Tals ist breit und bildet eine schöne Ebene wie die von Quillota. Die Stadt nimmt eine beträchtliche Fläche ein, und jedes Haus besitzt einen Garten: Doch es ist ein unwirtlicher Ort, und die Behausungen sind ärmlich eingerichtet. Jeder scheint darauf aus zu sein, Geld zu machen und dann so schnell wie möglich fortzuziehen. Alle Einwohner haben mehr oder weniger

Eine mit schimmernden smaragdgrünen Atakamitplättchen und funkelnden Atakamit-Mikrokristallen bedeckte Probe aus Copiapó, Chile

unmittelbar mit Minen zu tun, und Minen und Erz sind die einzigen Gesprächsthemen. Alles, was man zum Leben braucht, ist außerordentlich teuer, da die Entfernung von der Stadt zum Hafen achtzehn Wegstunden beträgt, und der Transport über Land ist sehr kostspielig. Ein Huhn kostet fünf oder sechs Shilling; Fleisch ist fast ebenso teuer wie in England; Brennholz oder vielmehr Zweige werden per Lastesel aus einer Entfernung von zwei oder drei Tagesreisen aus den Kordilleren gebracht, und das Weiden der Tiere beträgt einen Shilling am Tag: Das alles ist für Südamerika wunderbar exorbitant.

26. Juni – Ich mietete einen Führer und acht Maultiere, die mich auf einer anderen Strecke als auf meiner letzten Exkursion in die Kordilleren bringen sollten. Da das Land vollkommen wüst war, nahmen wir anderthalb Ladungen Hafer mit, vermischt mit gehacktem Stroh. Ungefähr zwei Wegstunden oberhalb der Stadt zweigt ein breites Tal namens Despoblado, also Unbewohnt, von demjenigen ab, durch das wir gekommen waren. Obgleich das Tal von gewaltigen Dimensionen ist und zu einem Pass über die Kordilleren führt, ist es doch vollkommen trocken, vielleicht mit Ausnahme weniger Tage in einem sehr regenreichen Winter. Ich habe kaum Zweifel, dass dieses Tal wie auch jene von Reisenden erwähnten in Peru von den Wellen des Meeres während der langsamen Anhebung des Landes in dem Zustand, in dem wir sie heute sehen, zurückgelassen wurden. An einer Stelle, wo in das Despoblado eine Schlucht mündete (die in nahezu jeder anderen Kette als großes Tal bezeichnet worden wäre), beobachtete ich, dass sein Bett, wenngleich lediglich aus Sand und Kieseln bestehend, höher als das dieser Schlucht war. Selbst der kleinste Bach hätte sich binnen einer Stunde seinen eigenen Kanal gegraben, doch es war offensichtlich, dass ganze Zeitalter vergangen waren und kein solcher Bach dies große Seitental entwässert hatte. Es war eigenartig, die Maschinerie, wenn ein solcher Begriff gestattet ist, für eine Entwässerung zu sehen, alles bis auf die letzte geringfügige Ausnahme perfekt, doch ohne jedes Zeichen von Tätigkeit. Jedem muss schon einmal aufgefallen sein, wie Schlickbänke, von der Tide freigegeben, im Kleinen eine Landschaft mit Berg und Tal nachahmen; hier nun haben wir das Urmodell in Stein, das, statt durch Ebbe und Flut der Tide, bei dem langfristigen Rückzug des Ozeans gebildet wurde. Fällt ein Regenschauer auf die trocken gewordene Schlickbank, vertieft er die schon ausgeformten flachen Höhlungen, und ebenso verhält es sich bei dem Regen über die Jahrhunderte hinweg auf jene Bank aus Stein und Erde, die wir Kontinent nennen.

Wir ritten noch im Dunkeln weiter, bis wir eine Seitenschlucht mit einer kleinen Quelle namens *Agua amarga* erreichten. Das Wasser verdiente diesen Namen, denn es war nicht nur salzig, sondern roch auch noch ganz unangenehm faulig und bitter, sodass wir uns nicht überwinden konnten, Tee oder Maté zu trinken. Ich nehme an, die Entfernung vom

Spätstadium der Hundswut (hydrophobia)

Copiapó-Fluss bis zu dieser Stelle betrug wenigstens fünfundzwanzig bis dreißig englische Meilen; auf der gesamten Stecke gab es keinen einzigen Tropfen Wasser, und das Land verdiente die Bezeichnung Wüste im engsten Sinne. Allerdings kamen wir auf halbem Wege bei Punta Gorda an alten indianischen Ruinen vorbei: Auch fielen mir vor manchen der Täler, die vom Despoblado abzweigten, zwei Steinhaufen auf, die ein wenig voneinander entfernt so aufgeschichtet waren, dass sie zum Eingang dieser kleinen Täler zeigten. Meine Begleiter wussten nichts darüber und beantworteten meine Fragen nur mit ihrem unerschütterlichen *«quien sabe?»*.

Indianische Ruinen habe ich in mehreren Gegenden der Kordilleren bemerkt: Die am besten erhaltenen, die ich sah, waren die Ruinas de Tambillos am Uspallata-Pass. Kleine viereckige Räume waren in verschiedenen Gruppen zusammengedrängt: Manche Eingänge standen noch; sie waren von einer steinernen Querplatte in einer Höhe von lediglich drei Fuß gebildet. Ulloa hat einige Anmerkungen zur Niedrigkeit der Türen bei den alten peruanischen Behausungen gemacht. Diese Häuser müssen, als sie noch intakt waren, geeignet gewesen sein, eine beträchtliche Zahl von Menschen aufzunehmen. Der Überlieferung zufolge wurden sie als Rastplätze für die Inkas beim Überqueren der Berge genutzt. Spuren indianischer Behausungen wurden in vielen anderen Gegenden entdeckt, wo es unwahrscheinlich erscheint, dass sie als bloße Rastplätze genutzt wurden, wo das Land sich aber auch ebenso wenig für eine Kultivierung eignet wie bei den Tambillos, der Inka-Brücke oder dem Portillo-Pass, wo ich überall Ruinen sah. In der Schlucht von Jajuel beim Aconcagua, wo es keinen Pass gibt, hörte ich von den Überresten von Häusern in großer Höhe, wo es äußerst kalt und unfruchtbar ist. Zunächst nahm ich an, diese Häuser seien Zufluchtsorte gewesen, von den Indianern beim Eintreffen der Spanier gebaut, doch seither spekuliere ich über die Wahrscheinlichkeit eines kleinen Klimawandels.

In diesem nördlichen Teil Chiles, in den Kordilleren, sollen alte indianische Häuser besonders zahlreich sein: Wenn man in den Ruinen gräbt, entdeckt man nicht selten wollene Gegenstände, Werkzeuge aus Edelmetall und Maisköpfe: Man gab mir eine Pfeilspitze aus Achat in genau der gleichen Form wie jene, die heute in Feuerland benutzt werden. Ich weiß wohl, dass die peruanischen Indianer heute oftmals sehr hohe und karge Gegenden bewohnen; in Copiapó hingegen versicherten mir Männer, die ihr Leben lang die Anden bereist hatten, dass es dort sehr viele *(muchisimas)* Gebäude in so großer Höhe gebe, dass sie fast an den ewigen Schnee grenzten, und in Gebieten, wo es keinen Pass gebe, wo das Land rein gar nichts hervorbringe und, was noch außerordentlicher ist, wo es kein Wasser gibt. Dennoch sind die Menschen auf dem Lande der Meinung (obgleich darüber sehr verblüfft), dass die Indianer die Häuser dem Anschein nach zum dauerhaften Wohnen nutzten. In diesem Tal bei Punta Gorda bestanden die Überreste aus sieben oder acht kleinen, viereckigen Räumen, die, ähnlich geformt wie jene bei Tombillos, hauptsächlich aber aus Lehm erbaut waren, deren Dauerhaftigkeit die heutigen Bewohner aber weder hier noch, Ulloa zufolge, in Peru herstellen können. Sie standen in einer ganz auffälligen und ungeschützten Lage, unten in dem flachen, breiten Tal. Näher als drei bis vier Wegstunden gab es kein Wasser, und dann auch nur in sehr geringer Menge und schlecht: Das Erdreich war vollkommen unfruchtbar; vergeblich suchte ich auch nur nach einer Flechte, die sich an den Stein klammerte.

Ich habe überzeugende Beweise, dass dieser Teil des südamerikanischen Kontinents sich nahe der Küste seit der Zeit der heute noch lebenden Muscheln mindestens um 400 bis 500, an manchen Stellen um 1000 bis 1300 Fuß angehoben hat, und weiter landeinwärts war die Erhebung wahrscheinlich noch größer. Da der eigentümlich aride Charakter des Klimas offensichtlich eine Folge der Höhe der Kordilleren ist, können wir fast sicher sein, dass die Luft vor den späteren Erhebungen nicht so vollständig bar jeder Feuchtigkeit gewesen sein dürfte wie heute, und da die Erhebung allmählich erfolgte, wird es auch beim Klima so gewesen sein. Unter der Annahme eines Klimawandels, seitdem die Gebäude bewohnt waren, müssen die Ruinen ein äußerst hohes Alter haben, aber ich halte ihre Bewahrung in dem chilenischen Klima nicht für sehr schwierig. Ebenfalls unter dieser Annahme (und dies ist vielleicht schwieriger) müssen wir einräumen, dass der Mensch Südamerika seit ungeheuer langer Zeit bewohnt, insofern, als eine Veränderung des Klimas durch die Erhebung des Landes äußerst allmählich vonstatten gegangen sein muss. Innerhalb der letzten 220 Jahre betrug die Erhebung bei

Die archäologische Stätte El Brujo bei Trujillo, Peru

Valparaíso etwas weniger als 19 Fuß; bei Lima hob sich ein Meeresstrand während der Indianischen Periode bestimmt um 80 bis 90 Fuß: Doch solch geringe Erhebungen dürften wenig Einfluss auf die Umlenkung der Feuchtigkeit bringenden Luftströme gehabt haben. Dr. Lund fand jedoch in den Höhlen von Brasilien menschliche Skelette, deren Vorhandensein ihn zu der Ansicht führte, dass die indianische Rasse in Südamerika über einen großen Zeitraum hinweg gelebt hat.

Als ich in Lima war, sprach ich über diese Themen[3] mit Mr. Gill, einem Bauingenieur, der vom Landesinnern viel gesehen hat. Er sagte mir, zuweilen sei ihm eine Mutmaßung bezüglich eines Klimawandels durch den Kopf gegangen, doch habe er angenommen, der überwiegende Teil des Landes, das heute nicht kultivierbar, aber mit indianischen Ruinen übersät ist, sei dadurch verödet worden, dass die Wasserleitungen, welche die Indianer vormals in so wunderbar großem Umfang angelegt hätten, durch Vernachlässigung und unterirdische Bewegungen beschädigt worden seien. Ich darf an dieser Stelle erwähnen, dass die Peruaner ihre Bewässerungsströme tatsächlich über Tunnel durch Berge aus massivem Stein geleitet haben. Mr. Gill sagte mir, er habe berufsmäßig einen zu untersuchen gehabt; die Passage sei niedrig, schmal, gekrümmt und ungleichmäßig stark, aber von beträchtlicher Länge gewesen. Ist es nicht ganz wunderbar, dass der Mensch sich an solche Unternehmungen ohne den Gebrauch von Eisen oder Schießpulver gewagt hat? Auch schilderte Mr. Gill mir einen höchst interessanten und, soweit ich weiß, gänzlich beispiellosen Fall, dass eine unterirdische Störung die Entwässerung eines Landes verändert hat. Auf der Reise von Casma nach Huaraz (nicht sehr weit entfernt von Lima) sei er auf eine Ebene gestoßen, die mit Ruinen und Anzeichen alter Kultivierung übersät, nun aber völlig unfruchtbar gewesen sei. Nahebei sei der ausgetrocknete Lauf eines beachtlichen Flusses gewesen, dem damals das Wasser für die Bewässerung entnommen worden sei. Nichts habe am Erscheinungsbild des Flusses darauf hingedeutet, dass er dort einige Jahre zuvor nicht geflossen war; an manchen Stellen waren Sand- und Kiesflächen, an anderen war der massive Stein zu einem breiten Kanal ausgewaschen worden, welcher an einer Stelle 40 Yard breit und 8 Fuß tief war. Es versteht sich von selbst, dass ein Mensch, der dem Lauf eines Flusses aufwärts folgt, stets in größerer oder geringerer Steigung bergan geht: Mr. Gill war daher sehr erstaunt, dass es, als er dem Bett dieses vormaligen Flusses folgte, plötzlich bergab ging. Er meinte, die Abwärtsneigung habe ein Gefälle von ungefähr 40 Fuß in der Senkrechte. Wir haben hier einen unzweideutigen Beweis, dass quer über das alte Flussbett ein Kamm emporgehoben worden war. Von dem Augenblick an, als der Flusslauf solchermaßen gewölbt war, muss das Wasser zwangsläufig zurückgeworfen worden sein und ein neuer Kanal sich gebildet haben. Vom selben Augenblick an muss die umliegende Ebene auch ihren befruchtenden Strom verloren haben und Wüste geworden sein.

28. Juni – Wir setzten unseren gemächlichen Aufstieg fort, und nun wandelte sich das Tal zur Schlucht. Am Tage sahen wir mehrere Guanakos und die Spur einer nahe verwandten Art, des Vikunja: Letzteres Tier ist in seiner Lebensweise vornehmlich alpin; nur selten steigt es unterhalb der Grenze des ewigen Schnees hinab und hält sich daher in höheren und unfruchtbareren Regionen als das Guanako auf. Das einzige andere Tier, das

GEGENÜBER: Die Terrassen von Machu Picchu

wir überhaupt noch sahen, war ein kleiner Fuchs: Vermutlich jagt dieses Tier die Mäuse und anderen Nager, die, solange es nur die mindeste Vegetation gibt, in beträchtlicher Zahl in sehr wüsten Gegenden vorhanden ist. In Patagonien, selbst an den Rändern der Salinas, wo sich bis auf Tau niemals ein Tropfen Süßwasser findet, wimmelt es von diesen kleinen Tieren. Neben den Echsen scheinen Mäuse fähig zu sein, auf den kleinsten und trockensten Teilen der Erde zu überleben – sogar auf Eilanden mitten im Ozean.

Die Szenerie zeigte zu allen Seiten Ödnis, aufgehellt und erträglich gemacht von einem klaren, wolkenlosen Himmel. Eine Zeit lang ist eine solche Landschaft erhaben, doch diese Empfindung ist nicht von Dauer, und dann wird sie uninteressant. Wir biwakierten am Fuße der *primera linea*, also der ersten Wasserscheide. Die Ströme auf der Ostseite fließen indes nicht in den Atlantik, sondern in eine hoch gelegene Gegend, in deren Mitte eine große Salina ist, also ein Salzsee – wodurch sich ein kleines Kaspisches Meer auf einer Höhe von vielleicht zehntausend Fuß bildet. Wo wir schliefen, gab es beträchtliche Schneefelder, doch sie bleiben nicht das ganze Jahr. Die Winde in diesen hohen Regionen gehorchen sehr regelmäßigen Gesetzen: Jeden Tag weht eine frische Brise das Tal herauf, und nachts, eine Stunde oder zwei nach Sonnenuntergang, fährt die Luft aus den kalten Regionen wie durch einen Schornstein hinab. In dieser Nacht stürmte es gewaltig, und die Temperatur muss um ein Beträchtliches unter dem Gefrierpunkt gelegen haben, denn das Wasser in einem Gefäß wurde rasch zu einem Eisblock. Keine Kleidung schien der Luft ein Hindernis zu bieten; ich litt stark unter der Kälte, sodass ich nicht schlafen konnte, und erhob mich am Morgen recht träge und taub.

29. Juni – Wir ritten freudig das Tal hinab zu unserer vormaligen Unterkunft und von dort weiter in die Nähe der *Agua amarga*. Am 1. Juli erreichten wir das Tal von Copiapó. Nach der geruchlosen Luft des trockenen, unfruchtbaren Despoblado war der Duft des frischen Klees ganz köstlich. In der Stadt hörte ich mehrere Einwohner von einem Berg in der Nachbarschaft berichten, den sie *Bramador* nannten – der Brüller oder Beller. Zu der Zeit schenkte ich den Berichten nicht genügend Beachtung, doch soweit ich sie verstand, war der Berg mit Sand bedeckt, und das Geräusch wurde nur ausgelöst, wenn Menschen, indem sie ihn bestiegen, den Sand in Bewegung setzten. Die gleichen Umstände sind detailliert von Seetzen und Ehrenberg[4] als die Ursache der Geräusche beschrieben, die von vielen Reisenden auf dem Berg Sinai nahe dem Roten Meer vernommen worden sind. Einer, mit dem ich mich unterhielt, hatte das Geräusch selbst gehört; er beschrieb es als sehr überraschend und erklärte unmissverständlich, obwohl er dessen Ursache nicht verstanden habe, sei es doch nötig gewesen, den Sand das Gefälle hinab in Bewegung zu setzen. Ein Pferd, das über trockenen, groben Sand geht, löst durch die Reibung der Partikel ein zirpendes Geräusch aus, etwas, was ich mehrmals an der Küste Brasiliens bemerkte.

12. Juli – Wir ankerten im Hafen Iquique auf 20° 12' S an der Küste Perus. Die Stadt beherbergt rund tausend Einwohner und liegt auf einer kleinen Sandebene am Fuße einer großen, 2000 Fuß hohen Felswand, die hier die Küste bildet. Das Ganze ist vollkommen wüst. Nur einmal in sehr vielen Jahren fällt ein leichter Regenschauer, folglich sind die Schluchten voller Geröll und die Berghänge noch bis auf eine Höhe von 1000 Fuß mit Haufen feinen weißen Sands bedeckt. Während dieser Jahreszeit spannte sich eine schwere Wolkenbank über

den Ozean, die sich nur selten über die Felswand entlang der Küste hebt. Die Anmutung des Ortes war sehr düster; der kleine Hafen mit seinen wenigen Fahrzeugen und dem Grüppchen erbärmlicher Häuser schien von der übrigen Szenerie erdrückt und in keinerlei Verhältnis dazu zu stehen.

Die Einwohner leben wie an Bord eines Schiffes: Alles Notwendige kommt von weit her: Wasser wird in Booten aus Pisagua, ungefähr vierzig Meilen nördlich, herangeschafft und zu einem Preis von neun Reals (4 *s.* 6 *d.*) für das Achtzehn-Gallonen-Fass verkauft: Ich kaufte eine Flasche Wein für ganze drei Pence. Ebenso wird Brennholz und natürlich jedes Lebensmittel importiert. An einem solchen Ort lassen sich nur sehr wenige Tiere halten: Am darauf folgenden Morgen mietete ich unter Schwierigkeiten und zu einem Preis von £ 4 Sterling zwei Maultiere und einen Führer, um mit ihrer Hilfe zu dem Natronsalpeterwerk zu gelangen. Dieses Salz wurde erstmals 1830 ausgeführt: In einem Jahr wurde eine Menge im Wert von £ 100 000 nach England und Frankreich verschifft. Es wird überwiegend als Dünger und bei der Herstellung von Salpetersäure verwendet: Dank seiner zerfließenden Eigenschaft ist es für Schießpulver unbrauchbar. Früher gab es hier in der Gegend noch zwei äußerst ergiebige Silberminen, doch deren Ertrag ist heute sehr gering.

13. Juli – Am Morgen brach ich zu dem Salpeterwerk auf, eine Strecke von vierzehn Wegstunden. Nachdem wir das steile Küstengebirge auf einem sandigen Zickzackweg erklommen hatten, kamen schon bald die Minen von Guantajaya und Santa Rosa in Sicht. Diese beiden kleinen Dörfer liegen unmittelbar am Eingang der Minen, und da sie auf Bergen kauerten, boten sie einen noch unnatürlicheren und trostloseren Anblick als Iquique.

Vicuña-Mutter *(Lama vicugna)* mit ihrem Jungen, peruanische Anden

Kissenmoos im chilenischen Hochland

Wir erreichten das Salpeterwerk erst nach Sonnenuntergang, nachdem wir den ganzen Tag durch Hügelland geritten waren, das eine wahrhafte Wüste ist. Die Straße war übersät mit den Knochen und getrockneten Fellen der zahlreichen Lasttiere, die dort an Erschöpfung eingegangen waren. Mit Ausnahme des *Vultur aura*, der die Kadaver frisst, sah ich weder Vogel, Vierfüßer, Reptil noch Insekt. In dem Küstengebirge auf ungefähr 2000 Fuß Höhe, wo zu dieser Jahreszeit für gewöhnlich die Wolken hängen, wuchsen einige wenige Kakteen in Felsspalten, und der lose Sand war mit Flechten durchzogen, die ohne jede Haftung darauf liegen. Diese Pflanze gehört der Gattung *Cladonia* an und hat eine gewisse Ähnlichkeit mit der Rentierflechte. An manchen Stellen gab es sie in genügender Menge, um den Sand, aus einiger Entfernung betrachtet, mit einer blassgelben Färbung zu tönen. Weiter landeinwärts sah ich auf den ganzen vierzehn Wegstunden lediglich eine weitere Pflanze, und das war eine winzig kleine gelbe Flechte, die auf den Knochen verendeter Maultiere wuchs. Dies war die erste echte Wüste, die ich gesehen hatte: Sie wirkte auf mich nicht sehr eindrucksvoll, aber ich glaube, das lag daran, dass ich mich auf meinem Ritt nördlich von Valparaíso über Coquimbo nach Copiapó zunehmend an solche Landschaften gewöhnt hatte. Das Erscheinungsbild des Landes war insofern bemerkenswert, als es von einer dicken Kruste gewöhnlichen Salzes und von einem geschichteten salzhaltigen Alluvium überzogen war, welches sich wohl im Zuge der langsamen Erhebung des Landes über Meereshöhe abgelagert hatte. Das Salz ist weiß, sehr hart und kompakt: Es tritt in vom Wasser ausgeformten Nieren auf, die aus dem agglutinierten Sand hervorstehen, und ist mit viel Gips verbunden. Das Aussehen dieser Oberflächenmasse ähnelte sehr stark dem eines Landes nach Schnee, bevor die letzten schmutzigen Flächen getaut sind. Das Vorhandensein dieser Kruste aus löslicher Substanz auf dem gesamten Angesicht des Landes zeigt, wie außerordentlich trocken das Klima über lange Zeit gewesen sein muss.

In der Nacht schlief ich im Hause des Besitzers einer der Salpeterminen. Das Land ist hier ebenso unergiebig wie nahe der Küste, immerhin lässt sich Wasser beschaffen, das einen sehr bitteren und brackigen Geschmack hat, indem man Brunnen gräbt. Der Brunnen dieses Hauses war 36 Yard tief: Da kaum Regen fällt, liegt es auf der Hand, dass das Wasser nicht daher kommt, denn dann wäre es zwangsläufig so salzig wie Meerwasser, da das gesamte umliegende Land mit verschiedenen salzigen Substanzen überkrustet ist. Wir müssen daher folgern, dass es unterirdisch von den Kordilleren heransickert, auch wenn diese viele Wegstunden entfernt sind. In diese Richtung liegen einige kleine Dörfer, deren Bewohner, da sie mehr Wasser haben, ein wenig Land bewässern und Heu ziehen können, womit die Maultiere und Esel, die man zum Transport des Salpeters einsetzt, gefüttert werden. Der

Gerät zur Aufbereitung von Salpeter in der Geisterstadt Humberstone, Chile

Natronsalpeter wurde nun am Schiff zu 14 Shilling pro 100 Pfund verkauft: Die Hauptkosten entstehen durch seinen Transport zur Küste. Die Mine besteht aus einer harten, zwei bis drei Fuß starken Schicht, und das Nitrat ist mit ein wenig schwefelsaurem Natrium sowie einem erheblichen Anteil an gewöhnlichem Salz vermengt. Es liegt nahe der Oberfläche und folgt auf einer Länge von einhundertfünfzig Meilen dem Rand eines großen Beckens oder einer Ebene, die ihrem Umriss nach augenscheinlich einmal ein See oder, noch wahrscheinlicher, ein inländischer Meeresarm gewesen sein muss, wie man aus dem Vorhandensein von Jodsalzen in der Salzschicht schließen kann. Die Oberfläche der Ebene liegt 3300 Fuß über dem Pazifik.

19. Juli – Wir ankerten in der Bucht von Callao, dem Hafen Limas, der Hauptstadt Perus. Hier blieben wir sechs Wochen, doch aufgrund der Wirren im öffentlichen Leben sah ich vom Land sehr wenig. Während unseres gesamten Aufenthalts

war das Klima nicht annähernd so wunderbar, wie es gemeinhin dargestellt wird. Beständig hing eine trübe, schwere Wolkenbank überm Land, sodass ich während der ersten sechzehn Tage nur einmal einen Blick auf die Kordilleren hinter Lima erhielt. Diese Berge boten, in Stufen gesehen, einer hinter dem anderen durch eine Öffnung in den Wolken, ein ganz prachtvolles Bild. Es ist fast schon sprichwörtlich, dass im unteren Teil Perus nie Regen fällt. Doch das kann kaum als zutreffend gelten, denn an beinahe jedem Tag unseres Besuches gab es einen dicken, nieseligen Nebel, der genügte, um die Straßen matschig und die Kleidung feucht zu machen: Dies nennen die Leute gern den peruanischen Tau. Dass nicht viel Regen fällt, steht sicher fest, denn die Häuser sind nur mit flachen Dächern aus gehärtetem Ton gedeckt, und auf der Mole waren Schiffsladungen Weizen aufgestapelt, und so bleiben sie wochenlang ohne jeden Schutz.

Ich kann nicht behaupten, dass mir das sehr wenige, was ich von Peru gesehen habe, gefallen hat: Im Sommer soll das Klima jedoch weit angenehmer sein. Zu allen Jahreszeiten leiden Einheimische wie Ausländer an heftigen Fieberanfällen. Diese Krankheit ist an der ganzen peruanischen Küste verbreitet, im Landesinnern hingegen unbekannt. Die Krankheitsanfälle, die von Miasma herrühren, erscheinen stets vollkommen rätselhaft. Vom Erscheinungsbild eines Landes zu beurteilen, ob es gesund ist oder nicht, ist so schwierig, dass einer, hätte man ihm gesagt, er solle sich innerhalb der Tropen eine Gegend wählen, die seiner Gesundheit förderlich ist, sehr wahrscheinlich diese Küste genannt hätte. Die Ebene um Callao herum ist spärlich mit sehr grobem Gras bewachsen, und an manchen Stellen finden sich einige stehende, wenn auch sehr kleine Wassertümpel. Das Miasma kommt aller Wahrscheinlichkeit nach daraus, denn die Stadt Arica war ähnlich betroffen, und ihre Gesundheit besserte sich stark, nachdem man einige dieser kleinen Tümpel entleert hatte. Miasma wird nicht immer von einer üppigen Vegetation in einem heißen Klima erzeugt, denn viele Gegenden Brasiliens, selbst wo es Marschen und eine wuchernde Vegetation gibt, sind viel gesünder als diese unfruchtbare Küste Perus. Die dichtesten Wälder in einem gemäßigten Klima wie auf Chiloé scheinen die Gesundheit der Luft nicht im Mindesten zu berühren.

Die Insel St.Iago von den Kapverden bietet ein weiteres eindrucksvolles Beispiel für ein Land, das jedermann für gesund gehalten hätte, dabei aber das genaue Gegenteil dessen ist. Ich habe beschrieben, wie die kahlen und freien Ebenen während einiger Wochen nach der Regenzeit eine dünne Vegetation tragen, welche dann bald wieder verdorrt und trocknet: Während dieser Zeit scheint die Luft ganz giftig zu werden, dann werden Einheimische wie Ausländer von heftigem Fieber gepackt. Der Galapagos-Archipel im Pazifik wiederum, der über eine ganz ähnliche Erde verfügt und periodisch dem gleichen Prozess der Vegetation unterworfen ist, ist vollkommen gesund. Humboldt hat bemerkt, dass «in der heißen Zone die kleinsten Marschen die gefährlichsten sind, da sie, wie bei Vera Cruz und Carthagena, mit aridem und sandigem Boden umgeben sind, welcher die Temperatur der sie umgebenden Luft erhöht».[5] An der Küste Perus ist die Temperatur jedoch nicht übermäßig heiß, und vielleicht folgt daraus, dass das periodisch auftretende Fieber nicht zu den bösartigsten gehört. In allen ungesunden Ländern geht man das größte Risiko ein, wenn man am Strand schläft. Ist dies dem Zustand des Körpers im Schlaf geschuldet oder einer größeren Fülle von Miasma in dieser

Zeit? Gewiss scheint, dass diejenigen, die an Bord eines Fahrzeugs bleiben, selbst wenn es nur in kurzer Entfernung von der Küste ankert, im Allgemeinen weniger leiden als diejenigen unmittelbar an der Küste. Andererseits habe ich von einem bemerkenswerten Fall gehört, wo ein Fieber unter der Besatzung eines Kriegsschiffs einige hundert Meilen vor der Küste Afrikas ausbrach und genau zur selben Zeit eine jener fürchterlichen Todesperioden in Sierra Leone begann.[6]

Kein Staat in Südamerika hat seit der Unabhängigkeitserklärung unter der Anarchie mehr gelitten als Peru. Zur Zeit unseres Besuchs stritten vier Häuptlinge mit Waffengewalt um die Vorherrschaft in der Regierung: Gelangte einer eine Zeit lang zu großer Macht, verbündeten sich die anderen gegen ihn, doch kaum hatten sie den Sieg errungen, waren sie einander wieder Feind. Neulich wurde am Jahrestag der Unabhängigkeit das Hochamt durchgeführt, wobei der Präsident das Sakrament empfing: Während des *Te deum laudemus* wurde, statt dass ein jedes Regiment die peruanische Fahne zeigte, eine schwarze mit einem Totenkopf darauf enthüllt. Man stelle sich eine Regierung vor, unter der ein solches Schauspiel bei einem solchen Anlass befohlen wird, sinnbildlich für ihre Entschlossenheit, bis zum Tode zu kämpfen! Diese Sache geschah zu einer mir sehr unangenehmen Zeit, da sie mich daran hinderte, Exkursionen über die Stadtgrenzen hinaus zu unternehmen.

Callao ist ein schmutziger, schlecht gebauter kleiner Seehafen. Die Einwohner hier wie in Lima zeigen jede nur denkbare Mischung aus europäischem, negridem und indianischem Blut. Sie erscheinen als ein verderbter, betrunkener Menschenschlag. Die Luft ist erfüllt von üblen Gerüchen, und jener besondere, den man in nahezu jeder Stadt in den Tropen wahrnehmen kann, war hier besonders stark. Die Festung, die Lord Cochranes langer Belagerung trotzte, bietet ein imposantes Bild. Doch während unseres Aufenthalts verkaufte der Präsident die Messingkanonen und ließ schon Teile der Festung schleifen. Der genannte Grund war, er habe keinen Offizier, dem er ein solch bedeutsames Amt anvertrauen könne. Er selbst hatte durchaus Anlass zu dieser Annahme, hatte er die Präsidentschaft doch durch Rebellion übernommen, als er selbst Kommandant dieser Festung war. Nachdem wir Südamerika verlassen hatten, bezahlte er die Strafe in der üblichen Weise, indem er besiegt, gefangen genommen und erschossen wurde.

Lima liegt auf der Ebene eines Tals, das sich während des allmählichen Zurückweichens des Meeres bildete. Die Stadt ist sieben Meilen von Callao entfernt, doch da das Gefälle sehr flach ist, erscheint die Straße als absolut eben, sodass man, hat man Lima erreicht, kaum glauben mag, dass man auch nur hundert Fuß erklommen hat. Humboldt hat auf diesen außerordentlich trügerischen Umstand hingewiesen. Steile, karge Berge erheben sich wie Inseln aus der Ebene, die mittels gerader Erdwälle in große grüne Felder aufgeteilt ist. Auf diesen wächst kaum ein Baum, von einigen wenigen Weiden und gelegentlich einem Grüppchen Bananen- oder Orangenbäume abgesehen. Lima befindet sich jetzt in einem jämmerlichen Zustand des Verfalls: Die Straßen sind nahezu ungepflastert, und an allen Ecken und Enden türmt sich Unrat, aus dem die schwarzen Gallinazos, zahm wie Hühner, Kadaverfetzen herauszerren. Die Häuser haben zumeist ein Obergeschoss, das wegen der Erdbeben aus vergipstem Holzwerk gebaut ist; manche alten jedoch, die nun von mehreren Familien genutzt werden, sind ungeheuer groß und würden mit ihren Gemächern überall mit den prächtigsten wetteifern. Lima, die Stadt der Könige, muss einst eine herrliche Stadt gewesen sein. Die außerordentliche Zahl an Kirchen verleiht ihr noch heute ein besonderes und auffallendes Gepräge, zumal wenn man von nahem darauf blickt.

Einmal ging ich mit einigen Kaufleuten in der unmittelbaren Umgebung der Stadt auf die Jagd. Unsere Ausbeute war sehr mager, allerdings hatte ich Gelegenheit, die Ruinen eines der alten Indianerdörfer zu sehen, dessen Grabhügel sich gleich einem natürlichen Berg in der Mitte erhob. Die über diese Ebene verstreuten Überreste von Häusern, Einfriedungen, Bewässerungsgräben und Grabhügeln vermitteln einem durchaus eine klare Vorstellung

Die Kathedrale von Lima, aus der *Geographie Perus* des peruanischen Historikers Mariano Felipe Paz Soldán

von Zustand und Anzahl der alten Bevölkerung. Betrachtet man ihr irdenes Geschirr, ihre Wollkleidung, die Gerätschaften mit ihrer anmutigen Form, aus dem härtesten Stein geschnitten, ihre Werkzeuge aus Kupfer, den Schmuck aus Edelsteinen, die Paläste und hydraulischen Werke, kann man nicht umhin, den beträchtlichen Fortschritt zu respektieren, den sie in den Künsten der Zivilisation gemacht haben. Die Grabhügel, genannt *huacas*, sind wahrhaft stupend, auch wenn sie mancherorts wie umschlossene und gestaltete natürliche Hügel erscheinen.

Es gibt noch eine weitere und sehr andersartige Klasse von Ruinen, die von Interesse ist, nämlich die des alten Callao, das von dem großen Erdbeben von 1746 und der damit einhergehenden Flutwelle vernichtet wurde. Die Zerstörung muss sogar noch vollkommener als in Talcahuano gewesen sein. Ganze Kieselmassen verbergen beinahe die Fundamente der Mauern, und es hat den Anschein, als seien riesige Mengen Ziegelwerk von den zurückweichenden Wellen wie Kiesel herumgeschleudert worden. Es wird gesagt, das Land habe sich durch diese denkwürdige Erschütterung abgesenkt: Dafür konnte ich jedoch keinen Beweis erkennen, aber es scheint keineswegs unwahrscheinlich, denn die Küstenform muss seit der Gründung der Stadt jedenfalls eine Veränderung durchlaufen haben, da niemand bei Verstand die schmale Landzunge aus Kieseln, auf der die Ruinen heute stehen, als Siedlungsplatz ausgesucht hätte. Seit unserer Reise ist M. Tschudi durch den Vergleich alter und heutiger Landkarten zu dem Schluss gekommen, dass sich die Küste nördlich wie auch südlich von Lima abgesenkt haben muss.

Auf der Insel San Lorenzo finden sich sehr überzeugende Beweise dafür, dass sich das Land in der jüngsten Periode angehoben hat. Das widerspricht natürlich nicht der Annahme, dass später eine kleine Absenkung des Bodens stattgefunden hat. Die der Bucht von Callao zugewandte Seite der Insel ist zu drei verworrenen Terrassen ausgeformt, deren unterste auf einer Länge von einer Meile mit einem Lager bedeckt ist, das sich nahezu ausschließlich aus achtzehn Muschelarten zusammensetzt, die heute im Meer davor leben. Die Höhe dieses Lagers beträgt fünfundachtzig Fuß. Viele dieser Muscheln sind stark zerfressen und wirken weit älter und brüchiger als jene auf einer Höhe von 500 oder 600 Fuß an der Küste Chiles. Die Muscheln sind mit viel gewöhnlichem Salz und ein wenig schwefelsaurem Kalk vermengt (beides womöglich Rückstände von der verdunstenden Gischt, als das Land sich langsam hob), dazu mit Natriumsulfat und Calciumchlorid. Sie ruhen auf Fragmenten des darunterliegenden Sandsteins und sind einige Zoll stark mit Geröll bedeckt. Bei den auf dieser Terrasse höher gelegenen Muscheln konnte nachgewiesen werden, dass sie sich abschuppen und zu einem feinen Staub zerfallen, und auf einer oberen Terrasse in 170 Fuß Höhe wie auch an erheblich höheren Stellen stieß ich auf eine Schicht aus Salzpulver von ganz ähnlichem Aussehen, die in derselben relativen Position lag. Ich habe keinen Zweifel, dass diese obere Schicht ursprünglich ein Muschellager ähnlich jenem auf der fünfundachtzig Fuß hohen Schicht war; jetzt aber enthält sie keinerlei Spuren organischer Strukturen mehr. Das Pulver hat Mr. T. Reeks für mich untersucht; es besteht aus Sulfaten und Chloriden von Calcium wie auch Natrium mit sehr geringen Mengen Calciumcarbonaten.

Mit großem Interesse entdeckte ich auf der Terrasse in einer Höhe von fünfundachtzig Fuß, *eingebettet* zwischen den Muscheln und viel angetriebenem Unrat, einige Baumwollfäden, geflochtene

Binsen und den Kopf eines Maisstängels: Ich verglich diese Überreste mit ähnlichen aus den *huacas*, also den alten peruanischen Grabhügeln, und fand sie von identischem Aussehen. Auf dem Festland vor San Lorenzo, bei Bellavista, gibt es eine ausgedehnte, flache Ebene, ungefähr hundert Fuß hoch, deren unterer Bereich aus wechselnden Schichten Sand und unreinem Ton besteht, dazu etwas Kies, und die Oberfläche in einer Stärke von drei bis sechs Fuß aus einem rötlichen Lehm, der einige verstreute Seemuscheln und zahlreiche kleine Fragmente groben roten Tongeschirrs enthält, an manchen Stellen reichlicher als an anderen. Anfangs neigte ich zu der Ansicht, dass dieses oberflächliche Bett wegen seiner großen Ausdehnung und Glätte unter Wasser abgelagert worden sein musste; später jedoch erkannte ich an einer Stelle, dass es auf einem künstlichen Boden aus runden Steinen lag. Es ist daher sehr wahrscheinlich, dass es zu einer Zeit, als das Land noch auf niedrigerem Niveau lag, eine Ebene gab, die stark derjenigen ähnelte, die heute Callao umgibt, und, da von einem Kieselstrand geschützt, sich nur geringfügig über den Meeresspiegel erhebt. Auf dieser Ebene mit ihren darunterliegenden Tonschichten haben die Indianer, so meine Vorstellung, ihre irdenen Gefäße hergestellt, und bei einem heftigen Erdbeben brach das Meer dann über den Strand und verwandelte die Ebene zeitweilig in einen See, wie 1713 und 1746 bei Callao geschehen. Dann hätte das Wasser Schlamm abgelagert, der Steingutscherben aus den Brenn öfen enthielt, an manchen Stellen mehr als an anderen, und Muscheln aus dem Meer. Diese Schicht mit fossiler Töpferware liegt ungefähr auf gleicher Höhe wie die Muscheln der unteren Terrasse auf San Lorenzo, in denen die Baumwollfäden und anderen Überreste eingebettet waren. Wir können daher getrost schließen, dass, wie schon angedeutet, innerhalb der Indianischen Periode eine Anhebung von über fünfundachtzig Fuß stattgefunden hat, denn eine kleine Anhebung müsste dadurch, dass sich die Küste angehoben hat, seit die alten Karten graviert wurden, ausgeglichen worden sein. Bei Valparaíso gab es, obgleich die Anhebung während der 220 Jahre vor unserem Besuch neunzehn Fuß nicht überschritten haben kann, nach 1817 eine Anhebung, teils unmerklich, teils ruckartig während der Erschütterung von 1822, von zehn oder elf Fuß. Das hohe Alter der indianischen Rasse ist, der Landerhebung von fünfundachtzig Fuß seit der Einbettung der Überreste nach zu urteilen, desto bemerkenswerter, da an der Küste Patagoniens, als das Land ungefähr genauso viele Fuß tiefer lag, das Macrauchenia noch lebte, doch da die Küste Patagoniens in einiger Entfernung von den Kordilleren liegt, kann die Anhebung dort langsamer erfolgt sein. Bei Bahía Blanca beträgt die Erhebung, seit die gigantischen Vierfüßer dort begraben wurden, nur wenige Fuß, und nach allgemeiner Übereinkunft gab es den Menschen zu Lebzeiten dieser ausgestorbenen Tiere noch nicht. Doch die Ahebung jenes Teils der patagonischen Küste steht vielleicht in keinerlei Zusammenhang mit den Kordilleren, sondern vielmehr mit einer Linie alter Vulkanfelsen an der peruanischen Küste. Doch alle diese Spekulationen müssen im Ungefähren bleiben, denn wer will sich unterfangen zu behaupten, dass es nicht, eingeschoben zwischen den Anhebungsbewegungen, verschiedene Perioden der Absenkung gegeben hat, wissen wir doch, dass es an der gesamten patagonischen Küste in der Aufwärtsbewegung sicherlich viele und lange Unterbrechungen gegeben hat.

GEGENÜBER: Eine Rodadero-Gesteinsformation in der Nähe der Inka-Ruinenstätte Sacsayhuaman oberhalb von Cusco, Peru

Grüne Meeresschildkröten, *Chelonia mydas*, auf der Insel Fernandina (Narborough)

17. Kapitel

GALAPAGOS-ARCHIPEL

Die ganze Gruppe vulkanisch – Zahl der Krater – blattlose Büsche – Kolonie auf Charles Island – James Island – Salzsee in Krater – Naturgeschichte der Gruppe – Ornithologie, merkwürdige Finken – Reptilien – große Schildkröten, Lebensweise von – Meerechse, ernährt sich von Seetang – Landechse, grabende Lebensweise, pflanzenfressend – Bedeutung von Reptilien für Archipel – Fische, Muscheln, Insekten – Botanik – amerikanischer Organisationstypus – Unterschiede in den Arten oder Rassen auf verschiedenen Inseln – Zahmheit der Vögel – Furcht vor dem Menschen, ein erworbener Instinkt

17. September [1835] – Dieser Archipel besteht aus zehn Hauptinseln, wovon fünf deutlich größer als die anderen sind. Sie liegen unterhalb des Äquators und fünf- bis sechshundert Meilen westlich der amerikanischen Küste. Sie bestehen allesamt aus Vulkangestein; einige Fragmente merkwürdig geglätteten und von der Wärme veränderten Granits können kaum als Ausnahme betrachtet werden. Einige der Krater, die auf den größeren Inseln aufragen, sind von beträchtlicher Größe und erheben sich bis auf eine Höhe von drei- bis viertausend Fuß. Ihre Flanken sind von zahllosen kleineren Öffnungen durchsetzt. Ich zögere kaum zu behaupten, dass es auf dem ganzen Archipel wenigstens

zweitausend Krater gibt. Diese bestehen entweder aus Lava, Schlacke oder einem fein geschichteten, sandsteinartigen Tuff. Letztere sind überwiegend schön symmetrisch; sie verdanken ihren Ursprung den Eruptionen vulkanischen Schlamms ohne jede Lava: Es ist bemerkenswert, dass bei jedem einzelnen der achtundzwanzig Tuffkrater, die wir untersuchten, die Südseite entweder viel niedriger als die anderen oder ganz niedergebrochen und abgetragen war. Da alle diese Krater offenbar geformt wurden, als sie im Meer standen, und da die Wellen vom Passatwind und der Dünung aus dem offenen Pazifik ihre Kräfte hier an der Südküste aller Inseln bündeln, lässt sich diese einzigartige Gleichförmigkeit der niedergebrochenen Krater, die ja aus dem weichen und nachgiebigen Tuff bestehen, leicht erklären.

Angesichts dessen, dass diese Inseln unmittelbar unter dem Äquator liegen, ist das Klima keineswegs übermäßig heiß; das scheint in der Hauptsache an der auffallend niedrigen Temperatur des sie umgebenden Wassers zu liegen, das von dem großen Südpolarstrom hierher geführt wird. Bis auf eine kurze Zeit fällt nur sehr wenig Regen, und selbst dann ist er unregelmäßig; allerdings hängen die Wolken meistens tief. Während die tieferen Bereiche der Inseln sehr karg sind, herrscht daher in den oberen ab einer Höhe von tausend Fuß und darüber ein feuchtes Klima und eine leidlich üppige Vegetation. Das gilt insbesondere für die nach Luv liegenden Seiten der Inseln, welche die Feuchtigkeit aus der Luft als erste empfangen und kondensieren.

Am Morgen (17.) gingen wir auf Chatham Island an Land, welche sich, wie die anderen auch, mit

Charles Darwin bei der Beobachtung einer Galapagos-Schildkröte *(Geochelone nigra)*, im Hintergrund die *Beagle*

~ AUS ~

VERLAUF DER ZWEITEN EXPEDITION 1831–1836

VON ROBERT FITZ ROY

Allmählich am Horizont aufsteigend wurde die Chatham-Insel deutlich sichtbar: In dieser Gegend ist die Luft am Wasser nicht so klar, dass fernes hohes Land sich für das Auge oben an der Mastspitze langsam am Horizont erhebt, denn im Allgemeinen sind diese Inseln wolkenverhangen und ist die Atmosphäre dunstig. Gegen Abend wurden die höheren Teile des Landes von Wolken verdeckt, doch wir waren nah genug, um zu erkennen, dass die Insel sehr zerklüftet war – an manchen Stellen ziemlich unfruchtbar – an anderen mit verkümmertem und sonnenverdorrtem Buschwerk bestanden – und dass die umwölkten Höhen dicht in Wald gehüllt waren. Die Küsten schienen kahl und leicht erreichbar, wenn auch wegen der unablässig hohen Brandung nicht gut anfahrbar zu sein.

Kleine Krater (wie es schien) und riesige, unregelmäßig geformte Lavamassen gaben den tiefer gelegenen Teilen des Eilands ein merkwürdig irreführendes Gepräge, und als wir diese durch den Dunst, der meist über Land im Schein der heißen Sonne zu bemerken ist, zum ersten Mal sahen, hielten wir sie für große Bäume und dichte Wälder.* Vor Anbruch der Abenddämmerung erblickten wir Hood Island, die klein und recht niedrig ist, als wir wendeten und für ein paar Stunden ablandig fuhren.

** Denn Vulkane sind es gewiss gewesen.*

weich gerundeten Konturen erhebt, in denen hier und da Hügel eingestreut sind, die Reste ehemaliger Krater. Nichts könnte weniger einladend sein als dieser erste Eindruck. Ein zerklüftetes Feld schwarzer Basaltlava, in stark gezackten Wellen hingeworfen und von tiefen Rissen durchzogen, ist überall von verkümmertem, sonnenverbranntem Buschwerk bewachsen, das kaum Zeichen von Leben aufweist.

Die *Beagle* umsegelte Chatham Island und ankerte in mehreren Buchten. Eine Nacht verbrachte ich an der Küste eines Inselabschnitts, wo es außerordentlich viele schwarze abgestumpfte Kegel gab; von einer kleinen Erhebung aus zählte ich deren sechzig, allesamt gekrönt von mehr oder minder voll ausgebildeten Kratern. Die gesamte Fläche dieses Inselteils scheint, gleich einem Sieb, von den unterirdischen Dämpfen durchdrungen: Hier und da wurde die Lava, als sie noch weich war, zu großen Blasen aufgeworfen; an anderen Stellen sind die Decken ähnlich geformter Höhlen eingefallen, wobei kreisrunde Gruben mit steilen Rändern entstanden sind. Der Tag war glühend heiß, und sich den Weg über die raue Oberfläche und durch die verworrenen Dickichte zu bahnen war sehr ermüdend, doch wurde ich durch die eigenartige, zyklopische Szenerie reich belohnt. Als ich so dahinging, stieß ich auf zwei große Schildkröten, die jeweils mindestens 200 Pfund gewogen haben müssen: Eine fraß ein Stück von einem Kaktus, und als ich mich ihr näherte, starrte sie mich an und stapfte langsam davon; die andere gab ein tiefes Zischen von sich und zog den Kopf ein. Diese riesigen Reptilien, umgeben von der schwarzen Lava, den blattlosen Büschen und großen Kakteen, erschienen meiner Phantasie wie vorsintflutliche Wesen. Die wenigen dunkel gefärbten Vögel beachteten mich nicht mehr als die großen Schildkröten.

23. September – Die *Beagle* fuhr weiter zu Charles Island. Dieser Archipel wird schon seit langem besucht, anfangs von Freibeutern, später dann von Walfängern, aber erst während der letzten sechs Jahre hat sich hier eine Kolonie angesiedelt. Die Einwohner zählen zwischen zwei- und dreihundert: Es handelt sich dabei nahezu ausschließlich um Farbige, die von der Republik Ecuador, deren Hauptstadt Quito ist, wegen politischer Verbrechen verbannt wurden. Die Siedlung ist ungefähr viereinhalb Meilen landeinwärts in einer Höhe von wohl tausend Fuß angelegt. Auf dem ersten Teil der Reise gelangten wir durch blattlose Dickichte wie auf Chatham Island. Je höher wir kamen, desto grüner wurden die Wälder: Und sobald wir den Kamm der Insel überschritten hatten, wurden wir von einer schönen südlichen Brise abgekühlt und unser Auge von grüner, blühender Vegetation erfrischt. Die Häuser sind unregelmäßig über eine flache Ebene verstreut, auf der Süßkartoffeln und Bananen angebaut werden. Man kann es sich nur schwer vorstellen, wie angenehm uns der Anblick schwarzer Erde war, nachdem wir so lange die ausgedörrte Erde Perus und Nordchiles gewohnt waren. Die Einwohner klagen zwar über ihre Armut, können jedoch ohne großen Aufwand für ihren Lebensunterhalt sorgen. In den Wäldern gibt es viele Wildschweine und Ziegen; hauptsächlich jedoch besteht ihre tierische Nahrung aus Schildkröten. Natürlich wurde deren Zahl auf der Insel stark dezimiert, doch noch immer zählen die Leute darauf, dass zwei Tage Jagd ihnen das Essen für den Rest der Woche liefern. Früher soll ein einziges Schiff bis zu siebenhundert erbeutet haben, und vor Jahren einmal soll die Besatzung einer Fregatte an einem Tag zweihundert Schildkröten an den Strand gebracht haben.

29. September – Wir umsegelten die Südwestspitze von Albemarle Island, und am folgenden Tag lagen wir zwischen ihr und Narborough Island fast in einer Flaute. Beide Inseln sind mit gewaltigen Fluten schwarzer nackter Lava bedeckt, die entweder über den Rand der großen Kessel geflossen sind wie Pech über den Rand eines Topfs, in dem es gekocht wurde, oder aus kleineren Öffnungen an den Flanken; bei ihrem Weg hinab haben sie sich viele Meilen weit an der Meeresküste ausgedehnt. Auf beiden Inseln haben, wie man weiß, Eruptionen stattgefunden, und auf Albemarle sahen wir eine kleine Rauchfahne, die sich aus dem Gipfel eines großen Kraters ringelte. Am Abend gingen wir auf Albemarle Island in Bank's Cove vor Anker.

Die Felsen an der Küste wimmelten von großen schwarzen Echsen, zwischen drei und vier Fuß lang, und in den Bergen war eine hässliche, gelblichbraune Art ebenso zahlreich. Wir sahen viele jener

GEGENÜBER: Vulkankrater auf Isabela Island (Albemarle Island), Galapagos

Letzteren; manche liefen plump vor uns davon, andere verzogen sich in ihren Bau. Ich werde die Lebensweise beider Reptilien sogleich eingehender beschreiben. Der gesamte Nordteil von Albemarle Island ist erbärmlich karg.

8. Oktober – Wir langten auf James Island an; diese Insel wurde, wie auch Charles Island, schon vor langem nach unseren Königen der Stuart-Linie benannt. Mr. Brynoe, ich selbst und unsere Bedienten wurden hier für eine Woche mit Vorräten und einem Zelt zurückgelassen, während die *Beagle* Wasser bunkern fuhr. Wir trafen hier auf eine Gruppe Spanier, die von Charles Island hergeschickt worden waren, um Fisch zu trocknen und Schildkrötenfleisch zu salzen. Ungefähr sechs Meilen landeinwärts, auf einer Höhe von beinahe 2000 Fuß, war eine Hütte errichtet worden, in der zwei der Männer hausten, um auf Schildkrötenfang zu gehen, während die anderen vor der Küste fischten. Dieser Gruppe stattete ich zwei Besuche ab und schlief einmal dort. Wie auf den anderen Inseln war die untere Region von nahezu blattlosen Büschen bedeckt, die Bäume hingegen waren von höherem Wuchs als anderswo; mehrere hatten einen Durchmesser von zwei Fuß, andere sogar von zwei Fuß und neun Zoll. Die obere Region, von den Wolken feucht gehalten, wies eine grüne, blühende Vegetation auf. Der Boden war so feucht, dass es große Felder mit grobem Cyperus gab, in denen zahlreiche sehr kleine Wasserrallen lebten und brüteten. Solange wir in dieser oberen Region waren, ernährten wir uns fast ausschließlich von Schildkrötenfleisch: Die Brustplatte mit dem Fleisch darin geröstet (wie die Gauchos es mit *carne con cuero* machen) schmeckt sehr gut, und die jungen Schildkröten geben eine hervorragende Suppe ab; ansonsten ist das Fleisch für meinen Geschmack aber mäßig.

Mus darwinii oder *Phyllotis darwini*, genannt Darwin-Blattohrmaus

Während des größeren Teils unseres einwöchigen Aufenthalts war der Himmel wolkenlos, und wenn sich der Passat einmal für eine Stunde legte, wurde die Hitze recht drückend. An zwei Tagen stand das Thermometer im Zelt einige Stunden lang bei 34 °C, im Freien, in Wind und Sonne hingegen nur bei 29°. Der Sand war äußerst heiß; das Thermometer, auf einen von brauner Farbe gelegt, stieg sogleich auf 58°, und wie weit es noch gestiegen wäre, weiß ich nicht, denn höher war es nicht graduiert. Der schwarze Sand fühlte sich noch heißer an, sodass es selbst in dicken Stiefeln recht unangenehm war, darauf zu gehen.

Die Naturgeschichte dieser Inseln ist äußerst merkwürdig und verdient sehr wohl Aufmerksamkeit. Die meisten organischen Erzeugnisse sind heimische Geschöpfe, die nirgendwo sonst zu finden sind;

OBEN LINKS: Ein Galapagosbussard *(Buteo galapagoensis)*, der sich hauptsächlich von Insekten sowie Eidechsen, Schlangen und Nagetieren ernährt
LINKS: Eine Galapagoseule mit Beute
OBEN: Vier Finken, die im Galapagos-Archipel zu finden sind

sogar zwischen den Bewohnern der verschiedenen Inseln gibt es Unterschiede, doch alle zeigen eine ausgeprägte Verwandtschaft mit denen Amerikas, obgleich sie von diesem Kontinent durch einen freien Ozean von 500 bis 600 Meilen Breite getrennt sind. Der Archipel ist eine kleine Welt für sich oder vielmehr ein an Amerika angegliederter Satellit, woher vereinzelte Kolonisten stammen und er das allgemeine Gepräge seiner heimischen Erzeugnisse erhalten hat. Angesichts der geringen Größe dieser Inseln sind wir desto erstaunter über die Zahl ihrer ursprünglichen Lebewesen und deren begrenzter Ausbreitung. Da jede Anhöhe von einem Krater gekrönt und die Begrenzungen der meisten Lavaströme noch deutlich zu sehen sind, gelangen wir zu der Annahme, dass der durchgängige Ozean in einer geologisch jungen Zeit hier ausgebreitet war. Daher scheint es, als seien wir, sowohl in Zeit wie Raum, einigermaßen nahe jenem großen Faktum gebracht – jenem Rätsel aller Rätsel –, dem ersten Erscheinen neuer Lebewesen auf dieser Erde.

An Landsäugetieren gibt es nur eines, das als heimisch angesehen werden muss, nämlich eine Maus *(Mus galapagoensis)*, die, soweit ich feststellen konnte, auf Chatham Island, die östlichste Insel der Gruppe, beschränkt ist. Sie gehört, wie Mr. Water-

house mir mitteilt, zu einer Untergruppe jener Mäusefamilie, die charakteristisch für Amerika ist. Auch wenn niemand das Recht hat, ohne klare Fakten zu spekulieren, sollte doch hinsichtlich der Chatham-Insel-Maus bedacht werden, dass es sich möglicherweise um eine aus Amerika eingeführte Art handelt, denn ich habe in einem sehr dünn besiedelten Teil der Pampas eine einheimische Maus gesehen, die im Dach einer neu gebauten Hütte lebte, und daher ist ihr Transport mit einem Fahrzeug nicht unwahrscheinlich: Analoge Fakten wurden von Dr. Richardson in Nordamerika beobachtet.

An Landvögeln sammelte ich sechsundzwanzig Arten, allesamt der Gruppe angehörig und nirgendwo sonst anzutreffen; eine Ausnahme bildet ein großer, lerchenähnlicher Fink aus Nordamerika *(Dolichonyx oryzivorus)*, der auf diesem Kontinent bis auf 54° N verbreitet ist und vorzugsweise Marschen bewohnt. Zu den anderen fünfundzwanzig Vögeln, gehört zunächst ein Falke, der in seiner Struktur ganz eigentümlich zwischen dem Bussard und der amerikanischen Gruppe des Aas fressenden *Polybon* steht; am meisten gleicht er jenen Vögeln in seinen Lebensgewohnheiten und sogar in der Stimme. Sodann zwei Eulen, welche für die kurzohrige und weiße Schleiereule Europas stehen. Drittens ein Zaunkönig, drei Tyrannen (zwei davon von der Art *Pyrocephalus*, wovon einer oder gar beide von manchen Ornithologen als einzige Varietät bezeichnet würden) und eine Taube – allesamt analog zu, aber verschieden von amerikanischen Arten. Viertens eine Schwalbe, die, obgleich sie sich von der *Progne purpurea* Nord- und Südamerikas nur dadurch unterscheidet, dass sie deutlich dunkler, kleiner und

Darwins eigene beschilderte Galapagosfinken auf seinem Tagebuch

~ AUS ~
DIE ENTSTEHUNG DER ARTEN

VON CHARLES DARWIN

Die einzelnen Galapagosinseln besitzen sogar verschiedene Vogelarten, obgleich die Vögel dem Flug von Insel zu Insel angepasst sind; es gibt dort drei Spottdrosselarten, je eine pro Insel. Nehmen wir nun an, die Spottdrossel der Chathaminsel werde nach der Charlesinsel verweht, die schon ihre eigene Spottdrossel hat: Wie sollte sie dazu kommen, sich doch erfolgreich festzusetzen? Wir können als sicher annehmen, dass die Charlesinsel mit ihrer eigenen Art gut besetzt ist, da Jahr für Jahr mehr Eier gelegt, als Vögel großgezogen werden; und wir können ferner als sicher annehmen, dass die Spottdrossel der Charlesinsel ebenso gut ihrer Heimat angepasst ist wie die auf der Chathaminsel vorkommende Art der ihrigen. Eine merkwürdige Erläuterung zu dieser Tatsache teilten mir Lyell und Wollaston mit, dass nämlich Madeira und die benachbarte Insel Porto Santo viele verschiedene, aber einander vertretende Landschnecken besitzen, von denen einige in Felsspalten leben. Obgleich nun alljährlich große Steinmassen von Porto Santo nach Madeira überführt werden, ist doch diese Insel noch nicht mit den Arten von Porto Santo bevölkert; trotzdem beherbergen beide Inseln aus Europa eingeführte Landschnecken, die zweifellos Vorteile vor den einheimischen Arten gehabt haben. Im Hinblick auf diese Tatsachen brauchen wir nicht erstaunt zu sein, dass sich nicht alle endemischen Arten der Galapagosinseln überall verbreiteten. In den verschiedenen Gegenden ein und desselben Kontinents hat vermutlich eine ähnliche frühere Besitzergreifung dazu beigetragen, die Vermischung der jetzt verschiedene Bezirke unter fast denselben Bedingungen bewohnenden Arten zu verhindern. So bestehen im Südosten und Südwesten Australiens fast dieselben Bedingungen und beide sind durch eine Landbrücke verbunden, werden aber von verschiedensten Säugetieren, Vögeln und Pflanzen bewohnt.

schmaler ist, von Mr. Gould als spezifisch gesondert betrachtet wird. Fünftens gibt es drei Arten der Spottdrossel – eine Art, die für Amerika äußerst typisch ist. Die verbleibenden Landvögel bilden eine ganz eigentümliche Gruppe Finken, von Mr. Gould in drei Untergruppen unterteilt, die durch die Form des Schnabels, des kurzen Schwanzes sowie Körper und Gefieder miteinander verwandt sind: Es gibt dreizehn Arten, die Mr. Gould in vier Untergruppen eingeteilt hat. Alle diese Arten sind auf diesen Archipel beschränkt, ebenso die gesamte Gruppe mit Ausnahme einer Art der Untergruppe *Cactornis*, die unlängst von der Bow-Insel des Low-Archipels eingeführt wurde. Die beiden Arten der *Catornis* sieht man häufig auf den Blumen der großen Kaktusbäume umherklettern; alle anderen Arten dieser Finkengruppe, die in Scharen auftreten, finden ihre Nahrung auf dem trockenen, unfruchtbaren Boden der unteren Regionen. Die Männchen von allen oder jedenfalls der überwiegenden Zahl sind rabenschwarz, die Weibchen (vielleicht mit einer oder zwei Ausnahmen) braun. Das Merkwürdigste ist die vollkommene Abstufung der Schnabelgröße bei den verschiedenen Arten des *Geospiza*, von einem, der groß ist wie der des Kernbeißers, bis zu dem des Buchfinken und (wenn Mr. Gould Recht damit hat, seine Untergruppe *Certhidea* der Hauptgruppe zuzurechnen) selbst dem der Grasmücke. Wenn man diese Abstufung und strukturelle Vielfalt bei einer kleinen, eng verwandten Vogelgruppe sieht, möchte man wirklich glauben, dass von einer ursprünglich geringen Zahl an Vögeln auf diesem Archipel eine Art ausgewählt und für verschiedene Zwecke modifiziert wurde.

An Wat- und Wasservögeln sah ich nur elf verschiedene, und davon sind lediglich drei (darunter eine Ralle, die sich auf die feuchten Gipfel der Inseln beschränkt) neue Arten. Angesichts der umherziehenden Lebensweise der Möwen war ich überrascht, dass die Art, die diese Inseln bewohnt, eine eigenständige, aber mit einer aus den südlichen Regionen Südamerikas verwandt ist. Die weit größere Eigenständigkeit der Landvögel im Vergleich zu den Wat- und schwimmfüßigen Vögeln, denn von sechsundzwanzig sind fünfundzwanzig neue Arten oder wenigstens neue Rassen, hängt mit der größeren Reichweite dieser letzteren Ordnungen in allen Teilen der Welt zusammen. Hiernach werden wir dieses Gesetz, dass Wasserspezies, ob nun Salz- oder Südwasser, an jedem Ort auf der Erdoberfläche weniger eigentümlich sind als die Landspezies derselben Klassen, bei den Muscheln und in geringerem Maße bei den Insekten dieses Archipels eindrucksvoll illustriert sehen.

Mit Ausnahme eines Zaunkönigs mit schöner gelber Brust und eines Tyrannen mit scharlachroter Haube und Brust ist keiner der Vögel bunt gefärbt, wie man es in einer äquatorialen Region hätte erwarten können. Daher würde es als möglich erscheinen, dass dieselben Ursachen, welche die Einwanderer einiger Arten hier kleiner machen, die meisten der

Ein männlicher Rubintyrann *(Pyrocephalus rubinus)*, Galapagos

besonderen galapagischen Arten ebenfalls kleiner machen wie auch in den allermeisten Fällen dunkler färben. Alle Pflanzen geben ein erbärmliches, dürftiges Bild ab, und ich habe keine einzige schöne Blume gesehen. Auch die Insekten sind klein und dunkelfarben, und wie Mr. Waterhouse mir mitteilt, gibt es an ihrer allgemeinen Erscheinung nichts, was ihn zu der Annahme verleitet hätte, sie kämen aus der Nähe des Äquators. Die Vögel, Pflanzen und Insekten haben einen Wüstencharakter und sind nicht leuchtender gefärbt als jene in Südpatagonien; wir können daher schließen, dass die übliche prächtige Färbung der intertropischen Tiere und Pflanzen zwischen den Wendekreisen nicht an die Wärme oder das Licht dieser Zonen geknüpft ist, sondern an etwas anderes, vielleicht daran, dass die Existenzbedingungen das Leben dort allgemein begünstigen.

Wir wollen uns nun der Ordnung der Reptilien zuwenden, welche der Zoologie dieser Inseln den auffälligsten Charakter verleiht. Die Art ist nicht zahlreich, die Anzahl der Tiere der jeweiligen Art allerdings außerordentlich groß. Es gibt eine kleine Echse, die einer südamerikanischen Gattung angehört, und zwei Arten (wahrscheinlich mehr) des *Amblyrhynchus* – eine Gattung, die auf die Galapagosinseln beschränkt ist. Weiterhin ist eine Schlange recht verbreitet; sie ist, wie mir M. Bibron mitteilt, identisch mit der *Psammophis temminckii* aus Chile. Von den Meeresschildkröten gibt es, glaube ich, mehr als eine Art, und von den Landschildkröten, wie wir gleich zeigen werden, zwei oder drei Arten oder Rassen. Kröten und Frösche gibt es keine: Das überraschte mich, da die gemäßigten und feuchten oberen Zonen doch so geeignet für sie erschienen. Das erinnerte mich an die Bemerkung Bory St. Vincents,[1] keine aus dieser Familie komme auf den Vulkaninseln in den großen Ozeanen vor.

Fortsetzung auf Seite *338*

Galapgos-Riesenschildkröte oder Elefantenschildkröte (*Geochelone nigra*)

~ AUS ~

VERLAUF DER ZWEITEN EXPEDITION 1831–1836

VON ROBERT FITZ ROY

Mr. Stokes notierte einiges zu den Schildkröten, als er bei mir war, und da er und ich in Bezug auf die Tatsachen zufrieden sind, füge ich sie an. Süßwasser entdeckten wir erstmals auf Charles und James Island, indem wir den Schildkrötenwegen folgten. Diese Tiere suchen den tieferen warmen Grund zur Futtersuche und Ablage ihrer Eier auf. Doch es muss mühsam für sie sein, die zerklüfteten Höhen hinauf- und hinabzusteigen.

Einige, die Mr. Stokes auf höherem Terrain sah, schien sich sehr wohlzufühlen, als sie über den weichen Lehmboden bei einer Quelle schnupperten und watschelten. Ihre Art zu trinken ist der einer Eule nicht unähnlich und sie scheinen Wasser so sehr zu mögen, dass es merkwürdig ist, wieso sie lange Zeit ohne auskommen; doch die Menschen auf Galapagos sagen, die Tiere könnten sechs Monate ohne Wasser überstehen. Eine sehr kleine lebte über zwei Monate lang auf der *Beagle*, ohne etwas zu fressen und zu trinken, und Walfänger hatten sie oft noch viel länger an Bord. Ein paar Sumpfschildkröten sind so groß, dass sie zwei- bis dreihundert Pfund wiegen; und wenn sie sich auf ihre vier elefantenartigen Beine stellen, erreichen sie mit ihrem schlangenartigen Kopf die Brust eines mittelgroßen Mannes.* Die Siedler von Charles Island kennen keine Methode, das Alter dieser Tiere festzustellen. Sie sagen lediglich, das Männchen habe einen längeren Hals als das Weibchen.† An Bord der Beagle wuchs eine kleine in drei Monaten auf drei Achtel eines Inch heran und eine andere in einem Jahr auf zwei Inches. Mehrere wurden lebend nach England gebracht. Die größte, die wir töteten, war vom einen Ende des Panzers zum anderen drei Fuß lang. Doch die großen sind nicht so gut zu essen wie die fünfzig Pfund schweren – die hervorragend sind – und eine äußerst gesunde Speise. Aus einer großen lässt sich mehr als eine Gallone Öl extrahieren. Es ist ziemlich merkwürdig, und ein erstaunliches Beispiel für die Kurzsichtigkeit mancher Menschen, die ihren Scharfsinn für besser halten als den der meisten anderen, dass diese Schildkröten zu Sätzen Anlass gaben wie: «Na ja, diese Reptilien hätten nicht weit wandern können, so viel ist klar.» Wo doch kein anderes Tier der Schöpfung so leicht zu fangen, zu transportieren ist und für so lange Zeit so wenig Nahrung braucht und sich zugleich geradezu anbietet, von den Eingeborenen als Nahrung mitgenommen zu werden, welche diese Inseln vermutlich in ihren Balsabooten oder großen Doppelkanus besucht haben, lange bevor Kolumbus das blinkende Licht sah, das er für den Schlussstein eines Bogens hielt.

* *Wenn man ihre langen Hälse und kleinen Köpfe über niedrigen Büschen sieht, schauen sie aus wie die von Schlangen.*

† *Ihre Eier wurden in großer Zahl in den Spalten eines harten lehmigen Sandes gefunden. Aber diese Risse waren so klein, dass man nicht viele Eier herausbekam, ohne dass sie zerbrachen. Das Ei ist fast rund, von weißlicher Farbe und misst im Durchmesser zweieinhalb Inches – das ist ungefähr die Größe des Jungen beim Schlüpfen.*

Eine Gruppe von Galapagos-Schildkröten *(Geochelone elephantopus)* suhlt sich in einem saisonalen Tümpel auf Isabela Island

Dass die Familie der Frösche auf den ozeanischen Inseln fehlt, ist desto bemerkenswerter, wenn man dies mit den Echsen kontrastiert, wovon es auf den meisten der kleineren Inseln wimmelt. Könnte dies nicht dadurch begründet sein, dass die Eier der Echsen, da von kalkhaltigen Schalen geschützt, in Salzwasser leichter transportiert werden können als der schleimige Laich von Fröschen?

Ich möchte zunächst die Lebensweise der Schildkröte (*Testudo nigra*, zuvor *indica* genannt) beschreiben, auf die schon so häufig verwiesen worden ist. Diese Tiere kommen, glaube ich, auf allen Inseln des Archipels vor. Sie halten sich bevorzugt in den höheren, feuchten Teilen auf, doch leben sie ebenso in den unteren und ariden Bereichen. Ich habe schon anhand der Menge, die an einem einzigen Tag gefangen wurde, gezeigt, wie äußerst zahlreich sie sein müssen. Manche wachsen zu immenser Größe an: Mr. Lawson, ein Engländer und Vizegouverneur der Kolonie, sagte uns, er habe mehrere gesehen, die so groß waren, dass es sechs oder acht Männer bedurfte, um sie anzuheben, und dass manche bis zu 200 Pfund Fleisch lieferten. Die alten Männchen sind die größten, die Weibchen werden nur selten so groß: Das Männchen lässt sich vom Weibchen leicht durch seinen längeren Schwanz unterscheiden. Die Schildkröten, die auf jenen Inseln leben, wo es kein Wasser gibt, oder in den unteren, ariden Bereichen der anderen, ernähren sich hauptsächlich von dem saftigen Kaktus. Diejenigen in den höheren und feuchteren Regionen fressen die Blätter verschiedener Bäume, eine Art Beere (namens *Guayavita*), die sauer und herb ist, sowie eine hellgrüne, faserige Flechte *(Usnera plicata)*, die in Schlingen von Baumästen herabhängt.

Die Schildkröte mag sehr gern Wasser, sie trinkt es in großen Mengen und watet im Schlamm. Allein die größeren Inseln verfügen über Quellen, und diese liegen stets in eher zentralen Gebieten und in beträchtlicher Höhe. Daher müssen die Schildkröten, die sich in den unteren Bereichen aufhalten, weite Strecken zurücklegen, wenn sie durstig sind. Deswegen fächern sich von den Quellen ausgetretene Pfade in allen Richtungen zur Küste hinab aus, und indem die Spanier diesen hinauf folgten, entdeckten sie auch die Wasserstellen. Als ich auf Chatham Island landete, konnte ich mir nicht vorstellen, was für ein Tier so methodisch wohl gewählte Pfade nimmt. Nahe den Quellen war es ein wunderliches Schauspiel, diese riesigen Wesen zu beobachten; eine Gruppe lief begierig, mit gerecktem Hals, hin, während eine andere auf dem Rückweg war, nachdem sie ihren Durst gelöscht hatte. Wenn die Schildkröte die Quelle erreicht, steckt sie den Kopf, etwaige Zuschauer nicht achtend, bis über die Augen ins Wasser und nimmt gierig große Schlucke in einem Tempo von ungefähr zehn pro Minute. Die Bewohner sagen, jedes Tier halte sich drei bis vier Tage in der Nähe des Wassers auf und kehre dann ins Unterland zurück; hinsichtlich der Häufigkeit dieser Besuche unterschieden sie sich allerdings. Das Tier richtet sich dabei wahrscheinlich nach der Art der Nahrung, von der es gelebt hat. Sicher ist indes, dass Schildkröten selbst auf jenen Inseln überleben können, wo es nur das Wasser gibt, das an den wenigen Regentagen im Jahr fällt.

Die Schildkröten laufen, wenn sie bewusst irgendwohin unterwegs sind, Tag und Nacht, sodass sie viel früher als erwartet am Ziel ihrer Reise angelangt sind. Die Einwohner schätzen aufgrund ihrer Beobachtung markierter Einzeltiere, dass sie an zwei bis drei Tagen eine Entfernung von ungefähr acht Meilen zurücklegen. Eine große Schildkröte, die ich beobachtete, lief mit einer Geschwindigkeit von sechzig Yard in zehn Minuten, das macht 360 Yard in der Stunde oder vier Meilen am Tag – abzüglich ein wenig Zeit für Pausen zum Fressen. In der Paarungszeit, wenn Männchen und Weibchen zusammen sind, stößt das Männchen ein heiseres Röhren oder Bellen aus, das noch in einer Entfernung von hundert Yard zu hören sein soll. Das Weibchen nutzt seine Stimme nie und das Männchen nur zu dieser Zeit, sodass man, hört man dieses Geräusch, weiß, dass die beiden zusammen sind. Während dieser Zeit (Oktober) legten sie ihre Eier ab. Das Weibchen legt sie auf sandigem Grund zusammen ab und bedeckt sie mit Sand; wo der Boden jedoch steinig ist, lässt sie sie wahllos in irgendwelche Löcher fallen: Mr. Brynoe fand mehrere in einer Spalte. Das Ei ist weiß und kugelförmig; eines, das ich maß, hatte einen Umfang von sieben Zoll und drei Achteln und ist somit größer als ein Hühnerei. Die jungen Schildkröten fallen, sobald sie geschlüpft sind, in großer Zahl dem Aas fressenden Bussard zum Opfer. Die älteren scheinen überwiegend an Unfällen wie dem Sturz in einen Abgrund zu sterben: Zumindest sagten mir mehrere Einwohner, sie hätten noch keine tote Schildkröte ohne eine offensichtliche Ursache gefunden.

Die Einwohner glauben, dass diese Tiere vollkommen taub sind; jedenfalls hören sie nicht, wenn jemand unmittelbar hinter ihnen geht. Es amüsierte mich immer, wenn ich eines dieser großen Ungeheuer auf seinem gemächlichen Marsch überholte und es in dem Moment, da ich an ihm vorüberging, Kopf und Beine einzog und tief zischend mit einem harten Schlag wie tot auf die

Eine frisch geschlüpfte Galapagos-Schildkröte kriecht aus ihrem Nest auf Isabela Island

Erde plumpste. Einige Male setzte ich mich einer auf den Rücken, und wenn ich ihr dann ein paar Mal hinten auf ihren Panzer klopfte, erhob sie sich und lief los – doch fand ich es sehr schwierig, das Gleichgewicht zu halten. Das Fleisch dieser Tiere wird stark genutzt, frisch wie gepökelt, und aus dem Fett wird ein wunderbar klares Öl bereitet.

Es kann kaum bezweifelt werden, dass diese Schildkröte eine ursprüngliche Bewohnerin der Galapagosinseln ist, findet man sie doch auf allen oder wenigstens fast allen Inseln, selbst auf manchen der kleineren, wo es kein Wasser gibt; handelte es sich um eine eingeführte Art, so wäre dies bei einer Gruppe, die so wenig besucht ist, wohl kaum der Fall. Überdies fanden die alten Freibeuter diese Schildkröte in noch größerer Zahl als heute: Wood und Rogers sagten 1708 auch, die Spanier glaubten, es gebe sie nirgendwo sonst in diesem Teil der Welt.

Die *Amblyrhynchus*, eine bemerkenswerte Gattung von Meerechsen, ist auf diesen Archipel beschränkt: Es gibt zwei Arten, die einander im allgemeinen Äußeren ähneln; die eine lebt im Meer, die andere an Land. Letztere *(A. cristatus)* wurde erstmals von Mr. Bell beschrieben, der wegen ihres kurzen, breiten Kopfes und den kräftigen Krallen von gleicher Länge wohl voraussah, dass sich ihre Lebensweise als sehr eigen und verschieden von jener ihres nächsten Verwandten, des Iguana, erweisen würde. Sie ist auf allen Inseln der gesamten Gruppe stark verbreitet und lebt ausschließlich auf den steinigen Stränden, wobei sie niemals, jedenfalls soweit ich es gese-hen habe, auch nur zehn Yard landeinwärts angetroffen wird. Das Wesen ist hässlich anzusehen, von schmutzigschwarzer Färbung, dumm und träge in seinen Bewegungen. Gewöhnlich misst die Länge

Eine Galapagos-Meeresechse
(*Amblyrhynchus cristatus*)

eines ausgewachsenen Tieres ungefähr ein Yard, doch gibt es sogar vier Fuß lange; ein großes wog 20 Pfund: Auf der Albemarle Island werden sie offenbar größer als anderswo. Der Schwanz ist seitlich abgeflacht, und alle vier Füße haben teilweise Schwimmhäute. Man darf jedoch nicht glauben, dass sie von Fischen leben. Im Wasser bewegt sich diese Echse durch eine schlangenartige Bewegung des Rumpfes und des abgeflachten Schwanzes mit vollkommener Leichtigkeit und Flinkheit – die Beine bleiben reglos und liegen eng am Körper an. Ihre Gliedmaßen und die kräftigen Klauen sind hervorragend dafür geeignet, über die schrundigen und rissigen Lavamassen zu klettern, die überall die Küste bilden. An solchen Stellen kann man diese scheußlichen Reptilien einige Fuß über der Brandung zu sechst oder siebt auf den schwarzen Felsen sehen, wie sie sich mit ausgestreckten Beinen in der Sonne aalen.

Ich öffnete mehreren den Magen und fand sie stark von zerkleinertem Seetang *(Ulvae)* aufgebläht, der in dünnen blättrigen Schlieren von hellgrüner oder dunkelroter Farbe wächst. Ich erinnere mich nicht, diesen Seetang in größerer Menge auf den Tidefelsen gesehen zu haben, und ich habe Grund zu der Annahme, dass er auf dem Meeresboden in einiger Entfernung vom Strand wächst. Der Darm war groß wie bei anderen Pflanzen fressenden Tieren. Die Art der Nahrung dieser Echse wie auch der Bau von Schwanz und Füßen sowie der Umstand, dass man sie aus freien Stücken draußen im Meer hat schwimmen sehen, sind ein eindeutiger Beleg für ihre aquatische Lebensweise; doch ist diesbezüglich die seltsame Anomalie festzustellen, dass sie, wenn sie sich fürchtet, nicht ins Wasser geht. Daher ist es auch ein Leichtes, diese Echsen auf eine kleine Fläche überm Meer zu treiben, wo sie sich

Eine Galapagos-Landechse (*Conolophus subcristatus*)

eher am Schwanz packen lassen, als ins Wasser zu springen. Es scheint ihnen nicht einzufallen zu beißen, allerdings pressen sie bei großer Angst einen Tropfen Flüssigkeit aus den Nasenlöchern.

Während unseres Besuchs (im Oktober) sah ich äußerst wenige kleine Exemplare dieser Art und keines, das ich für weniger als ein Jahr alt erachtete. Daher ist es wahrscheinlich, dass die Brutzeit noch nicht begonnen hatte. Ich fragte mehrere Einwohner, ob sie wüssten, wann diese Tiere ihre Eier ablegten: Sie sagten, sie wüssten nichts über ihre Vermehrung, obgleich ihnen die Eier der Landspezies wohl vertraut waren – was im Lichte der weiten Verbreitung dieser Echse nicht wenig außergewöhnlich ist.

Wir wollen uns nun der Landspezies *(A. demarlii)* zuwenden; sie hat einen runden Schwanz und keine Schwimmhäute an den Zehen. Diese Echse lebt nicht wie die andere auf allen Inseln, sondern ist auf den mittleren Teil des Archipels beschränkt, also auf die Inseln Albemarle, James, Barrington und Indefatigable. Südlich davon, auf Charles, Hood und Chatham, wie auch im Norden auf Towers, Bindloes und Abingdon habe ich sie weder gesehen noch gehört. Es hat den Anschein, als sei sie in der Mitte des Archipels erschaffen worden und habe sich von dort nur auf eine bestimmte Entfernung ausgebreitet. Einige dieser Echsen halten sich in den höher gelegenen, feuchten Teilen der Inseln auf, sind aber weit zahlreicher in den unteren, unfruchtbaren nahe der Küste. Ich kann keinen schlagenderen Beweis für ihre Zahl geben als zu erklären, dass wir, als wir auf James Island zurückgelassen wurden, eine Zeit lang keine Stelle für unser Zelt finden konnten, die frei von ihren Bauen war. Wie ihre Schwestern, die Meer-Variante, sind es hässliche Tiere, unten gelblich orange gefärbt, oben mit einem bräunlichen Rot: Wegen ihres niedrigen Gesichtswinkels machen sie einen ungeheuer dummen Eindruck. Sie mögen von deutlich geringerer Größe als die Meerspezies sein, aber einige wogen zwischen 10 und 15 Pfund. In ihren Bewegungen sind sie faul und halb starr. Wenn sie keine Angst haben, kriechen sie langsam dahin, wobei Schwanz und Bauch über den Boden schleifen. Sie halten häufig inne und dösen ein Weilchen mit geschlossenen Augen, die Hinterbeine auf der ausgedörrten Erde ausgestreckt.

Sie bewohnen Baue, welche sie zuweilen zwischen Lavabrocken machen, überwiegend jedoch auf ebenen Flächen des weichen sandsteinartigen Tuffs. Die Löcher scheinen nicht sehr tief zu sein, und sie dringen in spitzem Winkel in den Boden, sodass die Erde, geht man über diese Echsenbaue, beständig nachgibt, sehr zum Verdruss des müden Wanderers. Dieses Tier setzt, wenn es seinen Bau gräbt, im Wechsel jeweils eine Seite seines Körpers ein. Ein Vorderbein kratzt kurze Zeit die Erde auf und schleudert sie zum Hinterbein zurück, das so gut platziert ist, dass es sie über die Öffnung des Lochs hinaushebt. Ist diese Körperseite müde, übernimmt die andere die Arbeit und so abwechselnd weiter.

Sie fressen bei Tage und schweifen nicht weit von ihrem Bau: Wenn sie Angst haben, eilen sie mit einem höchst plumpen Gang dorthin. Außer wenn sie bergab rennen, sind sie nicht sehr schnell, offenbar wegen der seitlichen Lage ihrer Beine. Hält man diese Amblyrhynchus fest und plagt sie mit einem Stock, beißen sie fest hinein; gleichwohl habe ich viele am Schwanz gepackt, und nie haben sie versucht, mich zu beißen. Legt man zwei auf die Erde und hält sie fest beieinander, kämpfen sie und beißen einander, bis Blut fließt.

Die Tiere, die das Unterland bewohnen, und das ist die überwiegende Zahl, bekommen das ganze Jahr über kaum einen Tropfen Wasser, doch verzehren sie viel saftigen Kaktus, dessen Äste häufig vom Wind abgebrochen werden. Sie fressen sehr bedächtig, kauen ihr Mahl aber nicht. Die kleinen Vögel wissen, wie harmlos diese Wesen sind: Ich habe gesehen, wie einer der dickschnabeligen Finken am einen Ende eines Stücks Kaktus pickte, während eine Echse am anderen Ende fraß, und später hüpfte der kleine Vogel mit äußerstem Gleichmut dem Reptil auf den Rücken.

Ich öffnete mehreren den Magen und fand sie voller Gemüsefasern und Blättern verschiedener Bäume, besonders der Akazie. Im Oberland leben sie vorwiegend von den sauren und adstringierenden Beeren des Guyavita, unter dessen Bäumen ich diese Echsen zusammen mit riesigen Schildkröten habe fressen sehen. Um die Akazienblätter zu erreichen, erklimmen sie die niedrigen, verkümmerten Bäume, und es ist nicht ungewöhnlich, ein Paar mehrere Fuß über dem Erdboden auf einem Ast sitzend fressen zu sehen. Gekocht liefern diese Echsen ein weißes Fleisch, das diejenigen mögen, deren Magen sich über alle Vorurteile erhebt.

Die beiden Arten des *Amblyrhynchus* haben die allgemeine Struktur und viele Lebensgewohnheiten gemein. Beiden fehlen die schnellen Bewegungen, die für die Gattungen *Lacerta* und *Iguana* so charakteristisch sind. Beide sind sie Pflanzenfresser, obwohl die Pflanzen, von denen sie sich ernähren, sehr unterschiedlich sind. Mr. Bell hat die Gattung nach der Kürze der Schnauze benannt; ja, die Form des Mauls lässt sich beinahe mit jenem der Schildkröte vergleichen: Man möchte meinen, dass dies eine Anpassung an ihren Appetit auf Pflanzen ist. Es ist daher äußerst interessant, auf eine gut beschriebene Gattung zu stoßen, die eine im Wasser und eine an Land lebende Art hat und auf einen so kleinen Flecken der Welt begrenzt ist. Die Wasserart ist die bei weitem bemerkenswertere, weil sie die einzig existierende Echse ist, die von pflanzlichen Meeresprodukten lebt. Wie ich schon bemerkt habe, ist das Besondere dieser Inseln weniger die Anzahl der Reptilienarten als vielmehr die der Einzeltiere; wenn wir an die ausgetretenen Pfade erinnern, die von Tausenden riesiger Schildkröten gebahnt wurden – an die vielen Meerschildkröten – die großen Baue des an Land lebenden *Amblyrhynchus* – und die Gruppen der Meerspezies, die auf jeder dieser Inseln auf die Küstenfelsen klatschen –, müssen wir zugeben, dass es keine andere Gegend auf der Welt gibt, wo diese Ordnung die Pflanzen fressenden Säugetiere in so außerordentlicher Weise ersetzt.

Um mit der Zoologie abzuschließen: Die fünfzehn Spezies von Seefischen, die ich hier gefunden habe, sind allesamt neue Arten; sie gehören zwölf Gattungen an, alle weit verbreitet, ausgenommen *Prionotus*, dessen vier zuvor schon bekannte Arten an der Ostseite Amerikas leben. An Landmuscheln sammelte ich sechzehn Spezies (und zwei bezeichnete Varietäten), die mit Ausnahme einer auf Tahiti angetroffenen *Helix* allesamt auf diesen Archipel beschränkt sind: Eine einzige Süßwassermuschel *(Paludina)* ist auf Tahiti und Van Diemen's Land heimisch. Mr. Cuming sammelte hier vor unserer Reise neunzig Arten von Seemuscheln, und darin nicht eingeschlossen sind mehrere Arten, die noch nicht spezifisch untersucht worden sind, *Trochus, Turbo, Monodonta* und *Nassa*. Er war so freundlich, mir die folgenden interessanten Ergebnisse mitzugeben: Von den neunzig Muscheln sind nicht weniger als siebenundvierzig anderswo unbekannt – ein wunderbares Faktum, wenn man bedenkt, wie weit Seemuscheln im Allgemeinen verbreitet sind. Von den dreiundvierzig Muscheln, die auch in anderen Teilen der Welt zu finden sind, bewohnen fünfundzwanzig die Westküste Amerikas, und von diesen sind acht als Varietäten erkennbar; die verbleibenden achtzehn (darunter eine Varietät) wurden von Mr. Cuming im Low-Archipel entdeckt, einige auch auf den Philippinen. Ich darf hier anfügen, dass nach einem Vergleich durch die Herren Cuming und Hinds von ungefähr 2000 Muscheln von der Ost- und Westküste Amerikas nur eine einzige gemeinsame entdeckt wurde, nämlich die *Purpura patula*, die in der Karibik, der Küste Panamas und bei den Galapagosinseln heimisch ist. Wir haben in diesem Teil der Welt demnach drei große konchyliologische Meeresbereiche, die völlig unterschiedlich sind und dennoch verblüffend nahe beieinander liegen, getrennt durch lange Nord-Süd-Räume, sei es Land oder Meer.

Ich unternahm große Anstrengungen, die Insekten zu sammeln, doch mit der Ausnahme Feuerlands habe ich diesbezüglich kein ärmeres Land gesehen. Selbst in der oberen, feuchten Region fand ich nur sehr wenige, mit Ausnahme einiger winziger Diptera und Hymenoptera zumeist gewöhnliche, weltweit verbreitete Formen. Wie schon erwähnt, sind die Insekten für eine tropische Region von sehr geringer Größe und matter Farbe. An Käfern sammelte ich fünfund-

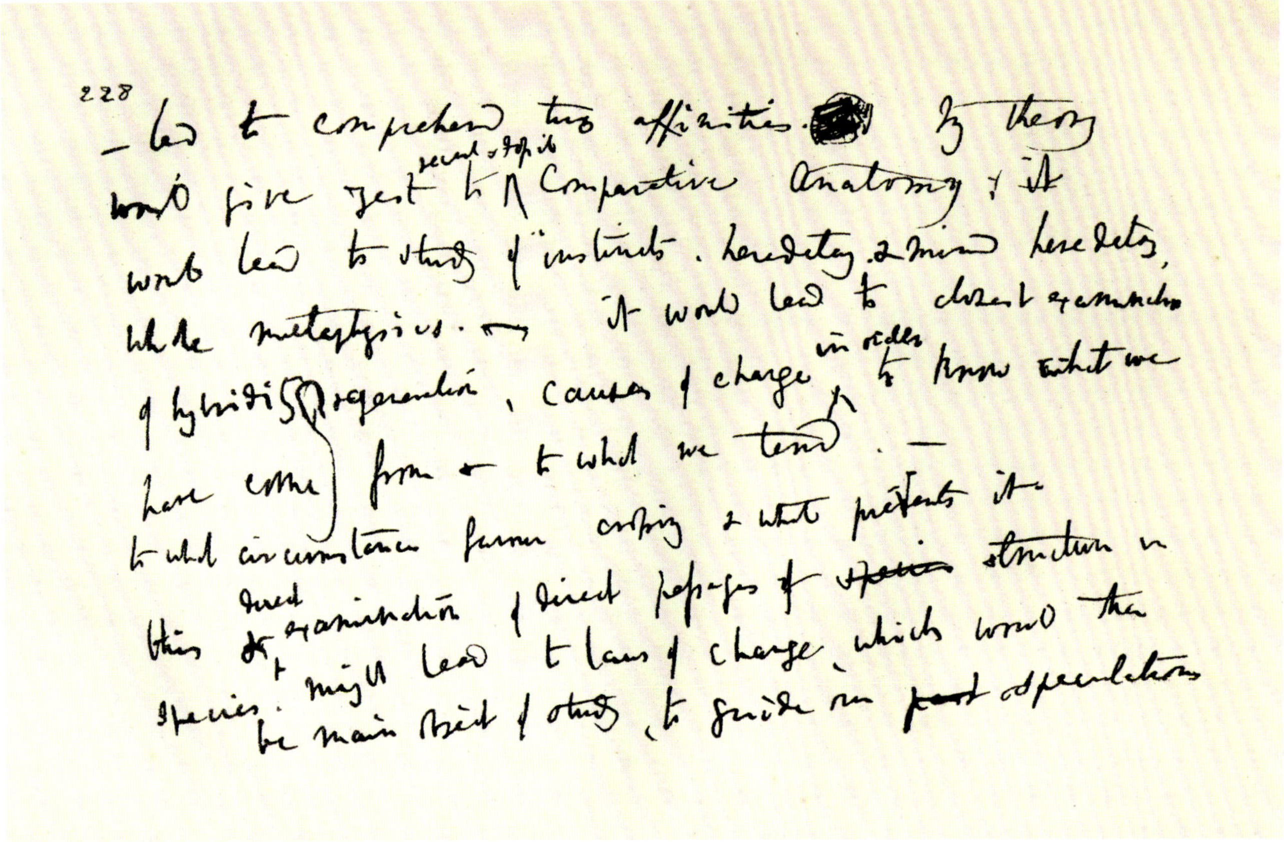

228
— lead to comprehend true affinities. My theory would give zest to recent & fossil Comparative Anatomy; & it would lead to study of instincts, heredity & mind heredity, whole metaphysics. — it would lead to closest examination of hybridity & generation, causes of change in order to know what we have come from & to what we tend. — to what circumstances favour crossing & what prevents it — this & direct examination of direct passages of ~~species~~ structure in species might lead to laws of change, which would then be main object of study, to guide our ~~past~~ speculations

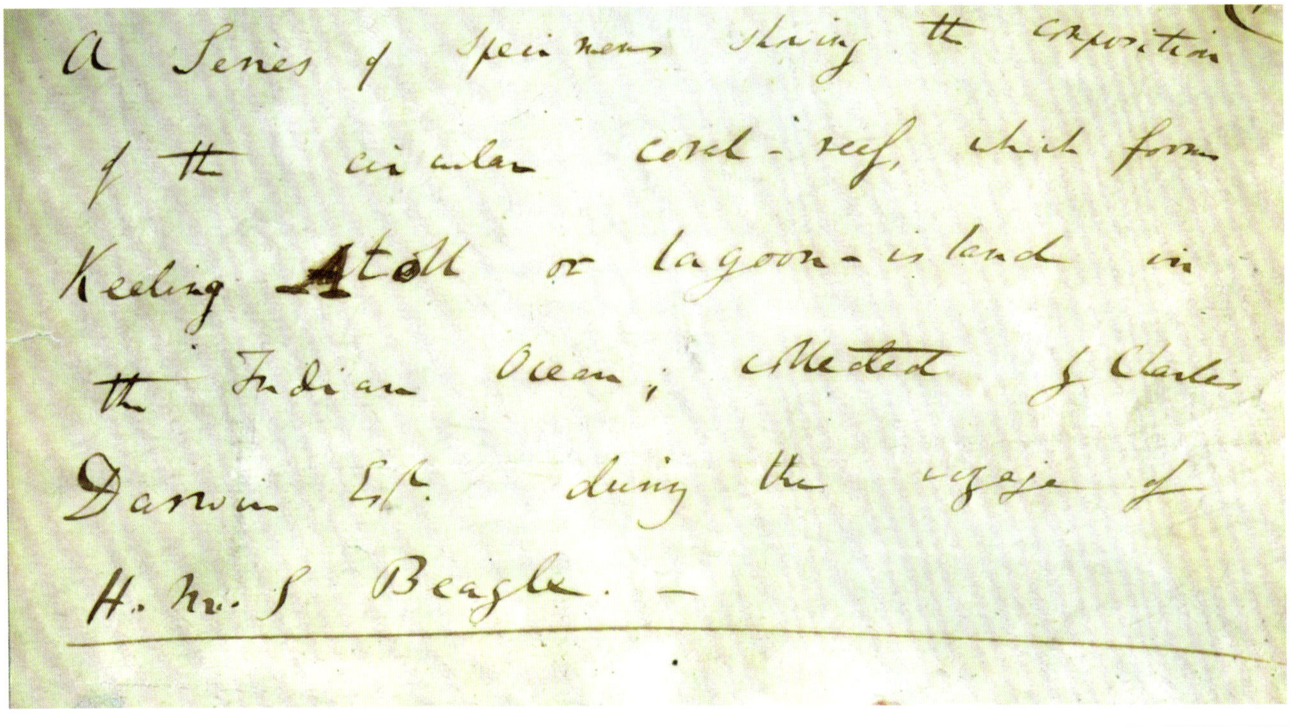

A Series of Specimens showing the composition of the circular coral-reef, which forms Keeling Atoll or lagoon-island in the Indian Ocean; collected by Charles Darwin Esqr. during the voyage of H. M. S. Beagle. —

OBEN: Darwins Schrift: Notizen zu einer Korallensammlung, die er bei seinen Riffstudien auf den Kokosinseln einsammelte, 1836 (oben), und Notizen zur Vererbung und Hybridität, 1837 (unten)
GEGENÜBER: Karte der Galapagosinseln, die 1835 von den Offizieren der *Beagle* gezeichnet wurde

Equator
GALAPAGOS Is.
Albemarle
Abingdon
Bindloes
Tower
James
Indefatigable
Chatham
Charles
Hood
Culpepper
Wenman
Ancon de Sardinas
Barbacoas
C. S. Francisco
C. Pasado
Manta Port
C. S. Lorenzo
Pt. S. Elena
Pt. Carnero
Guayaquil
I. Puna
GULF OF GUAYAQUIL
Tumbez
C. Blanco
Pta. Parina
R. Chira
Payta
Sechura B.
Lobos de Tierra
Lambayeque
Lobos de Afuera
Trujillo
Casma B.
Callao
I. S. Lorenzo
Pisco
Quito
Cuenca
Loxa
Valladolid
Moyobamba
Cuzco
Arequipa
Arica
Tacna
Iquique
Cobija
Tabatinga
Salto
Redondo Rk.
Albemarle Pt.
C. Berkeley
Banks Bay
C. Marshall
C. Stephens
Albany I.
James Bay
James I.
Sugar loaf
C. Nepean
Cowley I.
Jervis I.
C. Douglas
Narborough I.
C. Hammond
Elizabeth Bay
ALBEMARLE I.
Guy Fawkes
Duncan I.
Barrington
Nameless I.
C. Woodford
Indefatigable I.
Chatham I.
Hobbs Reef
Finger Pt.
Kicker R.
Stephens Bay
Dalrymple R.
Wreck Pt.
Barrington I.
Crossman Is.
Pt. Christopher
Iguana Cove
Pt. Essex
Rose
Brattle I.
Freshwater Bay
Watering
Mc Gowen Rf.
Post Office Bay
Champion I.
Enderby I.
Charles I.
Black beach road
Saddle Pt.
Gardner I.
Watson I.
South Pt.
Hood I.
Gardner Bay
Culpepper I.
Wenman I.
Norie Rk.
Abingdon I.
C. Chalmers
C. Ibbetson
Bindloes I.
Douwes or Tower I.
GALAPAGOS ISLANDS
By the Officers of
H.M.S. BEAGLE.
1835.
Felix
Ambrose
5
10
15
20
25
92
91
90

zwanzig Arten (ausschließlich einer *Dennestes* und *Corynetes*, die mit jedem Schiff an Land kommen); von diesen gehören zwei den Harpalidae an, zwei den Hydrophilidae, neun drei Familien der Heteromera und die verbleibenden zwölf ebenso vielen verschiedenen Familien. Dieser Sachverhalt bei den Insekten (und ich darf hinzufügen, Pflanzen), wo sie gering an Zahl sind, gehören sie vielen verschiedenen Familien an, ist, so meine ich, sehr gängig. Mr. Waterhouse, der einen Bericht über die Insekten auf diesem Archipel veröffentlicht hat[2] und dem ich für die oben ausgeführten Einzelheiten Dank schulde, teilt mir mit, es gebe dort mehrere neue Gattungen und dass unter den nicht neuen eine oder zwei amerikanische und die übrigen weltweit verbreitet seien. Mit Ausnahme einer Holz fressenden *Apate* und einem oder wahrscheinlich zwei Wasserkäfern vom amerikanischen Kontinent sind wohl alle Arten neu.

Ebenso interessant wie die Zoologie ist die Botanik dieser Inselgruppe. Dr. J. Hooker wird in den *Linnean Transactions* bald einen umfassenden Bericht der Flora veröffentlichen, und ich schulde ihm für die folgenden Ausführungen großen Dank. An blühenden Pflanzen gibt es dort, soweit gegenwärtig bekannt, 185 Arten sowie 40 kryptogamische, was zusammen 225 macht; davon gelang es mir, 193 nach Hause zu bringen. Von den blühenden Pflanzen sind 100 neue Arten und vermutlich auf diesen Archipel beschränkt. Dr. Hooker ist der Ansicht, dass von den nicht derart beschränkten Pflanzen mindestens 10 Arten, die nahe dem kultivierten Land auf Charles Island gefunden wurden, eingeführt worden sein müssen. Mich wundert, dass nicht mehr amerikanische Arten auf natürlichem Weg eingeführt wurden, da die Entfernung zum Kontinent nur zwischen 500 und 600 Meilen beträgt und da (Collnett, S. 58, zufolge) häufig Treibholz, Bambus, Stöcke und die Nüsse einer Palme an den südöstlichen Küsten angeschwemmt werden. Der Anteil von 100 neuen blühenden Pflanzen an 185 (oder 175, abzüglich des eingeführten Unkrauts) genügt, wie ich meine, um den Galapagos-Archipel zu einer eigenständigen botanischen Region zu erklären, doch ist diese Flora nicht annähernd so eigen wie jene von St. Helena und auch nicht, wie Dr. Hooker mir mitteilt, von Juan Fernandez. Die Eigenheit der galapagischen Flora zeigt sich am besten an bestimmten Familien – es gibt also 21 Arten von Compositae, wovon 20 auf diesen Archipel beschränkt sind; diese gehören zwölf Gattungen an, und von diesen Gattungen sind nicht weniger als zehn auf den Archipel beschränkt!

Es war überaus eindrucksvoll, von neuen Vögeln, neuen Reptilien, neuen Muscheln, neuen Insekten, neuen Pflanzen umgeben zu sein und dennoch von zahllosen geringfügigen Details in der Struktur und selbst von den Stimmen und dem Gefieder der Vögel lebhaft an die gemäßigten Ebenen Patagoniens oder die heißen, trockenen Wüsten Nordchiles erinnert zu werden. Warum wurden die ursprünglichen Bewohner dieser kleinen Landpunkte, die während einer späten geologischen Periode vom Ozean bedeckt gewesen sein müssen, die aus Basaltlava geformt sind und sich daher im geologischen Charakter vom amerikanischen Kontinent unterscheiden, die unter einem besonderen Klima liegen – warum wurden sie, die, wie ich hinzufügen darf, in unterschiedlichen Verhältnissen an Art wie auch Zahl mit jenen auf dem Kontinent verwandt sind, weswegen sie einander auch in verschiedener Weise beeinflussen – warum wurden sie nach amerikanischen Organisationstypen geschaffen?

GEGENÜBER: Käfer aus der Urbina-Bucht, Isabela Island, Galapagos

Das auffallendste Merkmal in der Naturgeschichte dieses Archipels habe ich noch gar nicht erwähnt, nämlich dass die Inseln in erheblichem Maße von unterschiedlichen Lebewesen bewohnt sind. Meine Aufmerksamkeit wurde darauf erstmals durch den Vizegouverneur, Mr. Lawson, gelenkt, der erklärte, die Schildkröten unterschieden sich auf den verschiedenen Inseln und dass er mit Sicherheit sagen könne, von welcher Insel eine stamme. Dieser Erklärung schenkte ich eine Zeit lang nicht genügend Beachtung und hatte die Sammlungen von zweien der Inseln schon teilweise vermischt. Ich hätte mir nicht träumen lassen, dass Inseln, die rund fünfzig bis sechzig Meilen voneinander entfernt und zumeist in Sichtweite voneinander liegen, aus genau demselben Gestein geformt, einem ganz ähnlichen Klima ausgesetzt, auf eine nahezu gleiche Höhe ansteigend, unterschiedlich bewohnt sind, doch wir werden dies bald bestätigt finden. Es ist das Los der meisten Reisenden, erst dann zu entdecken, was an einem Ort das Interessanteste ist, wenn sie sich wieder davon aufmachen, aber vielleicht sollte ich dankbar sein, dass ich genügend Material erhielt, um dieses höchst bemerkenswerte Faktum bei der Verbreitung organischer Lebewesen festzustellen.

Die Einwohner behaupten, wie gesagt, dass sie die Schildkröten nach den verschiedenen Inseln unterscheiden können, und dies nicht nur nach der Größe, sondern auch nach anderen Eigenheiten. Kapitän Porter hat jene von Charles und der nächstgelegenen Insel, Hood Island, so beschrieben,[3] dass ihr Panzer wie ein spanischer Sattel vorne dick und aufwärts gebogen sei, während die Schildkröten von James Island runder, schwärzer und, zubereitet,

Bartolomé Island, Galapagos

von besserem Geschmack seien. M. Bibron teilt mir überdies mit, er habe zwei seiner Meinung nach unterschiedliche Schildkrötenarten von den Galapagosinseln gesehen, wisse aber nicht, von welchen genau. Meine Aufmerksamkeit wurde erstmals richtig geweckt, als ich die zahlreichen Exemplare der Spottdrossel verglich, die von mir und mehreren anderen an Bord geschossen worden waren, und zu meiner Verblüffung entdeckte, dass alle von Charles Island einer Art angehörten *(Mimus trifasciatus)*; alle von Albemarle Island gehörten *M. parvulus* an und alle von James und Charles Island (zwischen denen zwei weitere Inseln ans Bindeglieder liegen) *M. melanotis*. Die beiden letztgenannten Arten sind eng verwandt und würden von manchen Ornithologen als lediglich gut markierte Rassen oder Varietäten angesehen, doch die *Mimus trifasciatus* ist sehr eigenständig. Bedauerlicherweise wurden die meisten vom Tribus der Finken vermischt, doch habe ich viel Grund zu der Annahme, dass einige Arten der Untergruppe *Geospiza* auf getrennte Inseln beschränkt sind. Wenn die verschiedenen Inseln ihre repräsentativen *Geospiza* haben, kann dies eine Erklärung für das außerordentlich zahlreiche Vorkommen der Art dieser Untergruppe auf diesem einen kleinen Archipel sein, dazu als wahrscheinliche Folge ihrer Zahl die perfekt abgestufte Serie bei der Schnabelgröße. Wir erhielten auf dem Archipel zwei Arten der Untergruppe *Cactornis* und zwei von *Camarhynchus*, und von den zahlreichen Exemplaren dieser beiden Untergruppen, von vier Sammlern auf James Island geschossen, gehörten alle zu jeweils einer Art, wohingegen die zahlreichen auf Chatham und Charles Island geschossenen Exemplare (denn die beiden Gruppen wurden vermengt) alle den beiden anderen Arten angehörten: Daher können wir nahezu sicher sein, dass diese Inseln ihre repräsentativen Arten dieser beiden Untergruppen besitzen. Bei Landmuscheln scheint sich dieses Gesetz der Verbreitung nicht zu bestätigen. In meiner sehr

Name der Insel	Gesamtzahl	Zahl der in anderen Teilen der Welt gefundenen Arten	Zahl der auf den Galapagos-Archipel beschränkten Arten	Zahl der auf eine Insel beschränkten Arten	Zahl der auf den Galapagos-Archipel beschränkten, aber auf mehr als einer Insel gefundenen Arten
James Island	71	33	38	30	8
Albemarle Island	46	18	26	22	4
Chatham Island	32	16	16	12	4
Charles Island	68	39 (oder 29, wenn die wahrscheinlich eingeführten Pflanzen abgezogen werden)	29	21	8

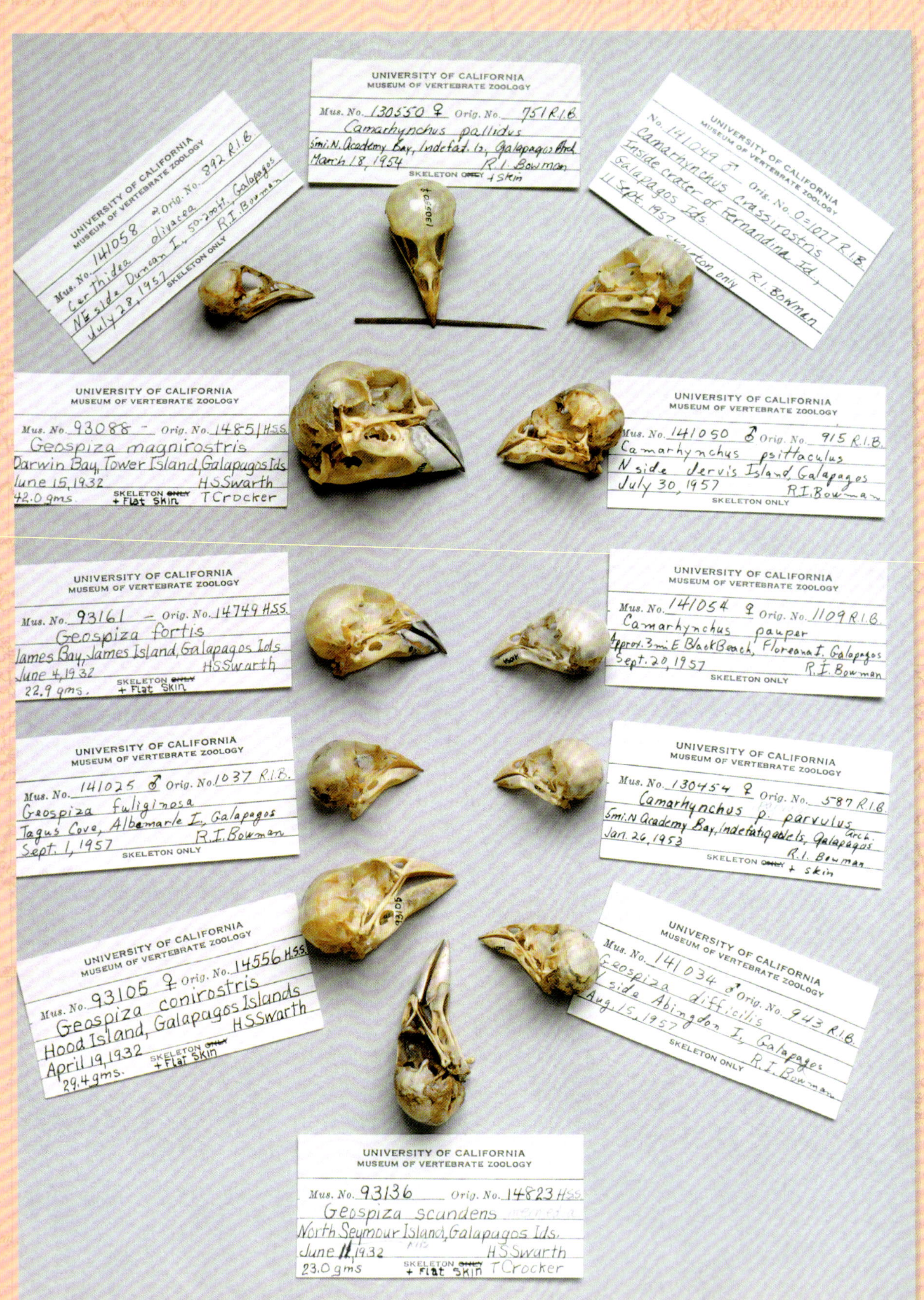

Eine Auswahl von Darwins Finkenschädeln mit Bestimmungskärtchen

kleinen Insektensammlung war, wie Mr. Waterhouse bemerkt, von denen, deren Herkunft bestimmt war, keine einzige auf zwei Inseln zugleich heimisch.

Wenn wir uns nun der Flora zuwenden, so finden wir die ursprünglichen Pflanzen der verschiedenen Inseln wundersam verschieden. Ich berufe mich bei allen folgenden Ergebnissen auf meinen Freund Dr. J. Hooker. Ich darf vorausschicken, dass ich auf den verschiedenen Inseln alles, was in Blüte stand, wahllos sammelte, die Sammlungen aber glücklicherweise getrennt hielt. Zu viel Vertrauen darf in die proportionalen Ergebnisse jedoch nicht gesetzt werden, da die kleinen Sammlungen, die von anderen Naturforschern mitgebracht wurden, auch wenn sie die Ergebnisse in mancher Hinsicht bestätigen, deutlich zeigen, dass in der Botanik dieser Gruppe noch viel zu tun bleibt: Die Leguminosae wurden bislang nur annähernd bestimmt (siehe Tabelle).

Somit haben wir das wahrhaft wunderbare Faktum, dass auf James Island von den achtunddreißig galapagischen Pflanzen oder jenen, die man nirgendwo anders auf der Welt findet, dreißig ausschließlich auf diese eine Insel beschränkt sind, das heißt, nur von vieren weiß man gegenwärtig, dass sie auch auf den anderen Inseln des Archipels wachsen, und, wie in der obigen Tabelle aufgeführt, so weiter bei den Pflanzen auf den Inseln Chatham und Charles. Dieses Faktum wird vielleicht noch eindrucksvoller, wenn ich einige Erläuterungen gebe: So ist *Calesia*, eine bemerkenswerte baumartige Gattung der Compositae, auf den Archipel beschränkt: Sie hat sechs Arten, eine auf Chatham, eine auf Albemarle, eine auf Charles Island, zwei auf James Island und die sechste auf einer der drei letztgenannten Inseln, doch auf welcher, ist nicht bekannt: Keine einzige dieser sechs Arten wächst auf mehr als einer Insel. Besonders lokal sind die Arten der Compositae, und Dr. Hooker hat mich mit mehreren weiteren äußerst eindrucksvollen Beispielen für die Unterschiedlichkeit der Arten auf den verschiedenen Inseln versehen. Er bemerkt, dass dieses Gesetz der Verbreitung sowohl für die Gattungen gilt, die auf den Archipel beschränkt, als auch für jene, die in anderen Teilen der Welt verbreitet sind: Gleichermaßen haben wir gesehen, dass die verschiedenen Inseln ihre je eigene Art der weltweit verbreiteten Gattung der Schildkröte wie auch der weit verbreiteten amerikanischen Gattung der Spottdrossel sowie zwei der galapagischen Untergruppen der Finken und nahezu sicher von der galapagischen Gattung *Amblyrhynchus* aufweisen.

Die Verbreitung der Bewohner dieses Archipels wäre nicht annähernd so wunderbar, wenn beispielsweise eine Insel eine Spottdrossel aufwiese und eine zweite eine gänzlich andere Gattung – wenn eine Insel ihre Echsengattung aufwiese und eine zweite Insel eine weitere andersartige Gattung oder auch gar keine –, oder wenn auf den verschiedenen Inseln nicht repräsentative Arten derselben Pflanzengattungen heimisch wären, sondern vollkommen verschiedene, was in gewissem Maße zutrifft, denn, um ein Beispiel zu geben, ein großer Beeren tragender Baum auf James Island hat keine entsprechende Art auf Chatham Island. Mich aber erstaunt nun, dass mehrere der Inseln ihre eigene Art der Schildkröte, der Spottdrossel, des Finken sowie etlicher Pflanzen aufweisen, wobei diese Arten dieselbe allgemeine Lebensweise haben, in analogen Verhältnissen leben und offensichtlich den gleichen Platz in der natürlichen Ökonomie des Archipels einnehmen. Man könnte nun argwöhnen, dass einige dieser entsprechenden Arten, zumindest im Falle der Schildkröte und einiger Vögel, sich

OBEN: Das Hochland der El-Junco-Lagune, Cathaminsel, auch bekannt als San Cristobál Island
EINSATZ: Die Insel Albemarle, heute Isabela

hiernach nur als gut bezeichnete Rassen erweisen, das aber wäre von ebenso großem Interesse für den philosophischen Naturforscher.

Das einzige Licht, das ich auf diesen bemerkenswerten Unterschied bei den Bewohnern der verschiedenen Inseln werfen kann, ist, dass sehr starke Meeresströmungen in westlicher und westnordwestlicher Richtung die südlichen von den nördlichen

~ AUS ~
DIE ENTSTEHUNG DER ARTEN

VON CHARLES DARWIN

Gewisse Tierklassen sind zuweilen auf Meeresinseln nur unvollständig vertreten; an ihrer Stelle finden wir andere Klassen. So vertreten auf den Galapagosinseln Reptilien und auf Neuseeland riesige flügellose Vögel die Säugetiere. Bei den Pflanzen der Galapagosinseln finden wir nach Hooker ein von anderen Gegenden stark abweichendes Zahlenverhältnis der verschiedenen Ordnungen. Alle solchen Zahlenunterschiede werden gewöhnlich auf verschiedenartige physikalische Bedingungen der Inseln zurückgeführt, aber diese Erklärung ist mehr als zweifelhaft. Die leichte Einwanderungsmöglichkeit scheint mir genauso wichtig zu sein wie die Art der Lebensverhältnisse.

Inseln trennen, soweit es den Transport mit dem Meer betrifft, und zwischen diesen nördlichen Inseln wurde eine starke Nordwestströmung beobachtet, welche die Inseln James und Albemarle effektiv trennt. Da der Archipel in einem ganz bemerkenswerten Maße frei von Stürmen ist, würden Vögel, Insekten oder leichtere Samen nicht von Insel zu Insel geweht. Und schließlich macht es die große Tiefe des Ozeans zwischen den Inseln sowie ihr offensichtlich junger (im geologischen Sinne) vulkanischer Ursprung äußerst unwahrscheinlich, dass sie jemals vereint waren; und dies ist wahrscheinlich eine weit wichtigere Erwägung als jede andere hinsichtlich der geographischen Verbreitung ihrer Bewohner. Beim Blick auf die hier genannten Fakten ist man erstaunt über die Menge der Schöpfungskraft, wenn ein solcher Begriff Anwendung finden darf, die sich auf diesen kleinen, kargen und felsigen Inseln offenbart, und desto mehr über ihre unterschiedliche und dennoch analoge Wirkung auf so nahe beieinander liegende Orte. Ich habe gesagt, man könnte den Galapagos-Archipel einen an Amerika angegliederten Satelliten nennen, viel eher aber sollte man ihn eine Satellitengruppe nennen, die physisch ähnlich, organisch verschieden und dennoch eng untereinander und alle in einem deutlichen, wenn auch viel geringeren Maße mit dem großen amerikanischen Kontinent verwandt sind.

Ich möchte meine Beschreibung der Naturgeschichte dieser Inseln mit einem Bericht über die außerordentliche Zahmheit der Vögel beschließen.

Diese Anlage ist allen Landarten gemein, also den Spottdrosseln, den Finken, Zaunkönigen, Tyrannen, der Taube und dem Aas fressenden Bussard. Alle näherten sie sich oftmals so weit, dass man sie mit einer Rute und manchmal auch, wie ich selbst es versucht habe, mit einer Mütze oder Kappe töten konnte. Eine Flinte ist hier beinahe überflüssig, denn mit dem Lauf stieß ich einen Falken von einem Ast. Einmal, als ich auf der Erde lag, ließ sich eine Spottdrossel auf dem Rand eines aus dem Panzer einer Schildkröte gefertigten Kruges nieder, den ich in der Hand hielt, und trank in aller Seelenruhe Wasser daraus; sie ließ es zu, dass ich das Gefäß vom Boden aufnahm, während sie darauf saß: Häufig habe ich versucht, beinahe mit Erfolg, diese Vögel an den Beinen zu fangen.

Die Vögel werden, obgleich sie heute noch mehr verfolgt werden, nicht so schnell wild: Auf Charles Island, die zu der Zeit ungefähr sechs Jahre lang kolonisiert war, sah ich einen Knaben an einer Quelle sitzen, eine Rute in der Hand, mit welcher er die Tauben und Finken tötete, wenn sie zum Trinken kamen.

OBEN: Ein Mittel-Grundfink *(Geospiza fortis)*, der flügelschlagend ein Männchen um Futter bittet
UNTEN: Ein schwarzer Darwinfink auf einem Kaktus
GEGENÜBER: Waldsängerfink *(Certhidea fusca cinerascens)* auf Española

Die Falklandinseln bieten ein weiteres Beispiel für Vögel mit einer ähnlichen Veranlagung. Die außerordentliche Zahmheit des kleinen Opetiorhynchus wurde von Pernety, Lesson und anderen Reisenden bemerkt. Allerdings ist sie nicht auf diesen Vogel beschränkt: Caracara, Bekassine, Ober- und Unterlandgans, Drossel, Ammer und sogar einige echte Falken sind allesamt mehr oder weniger zahm. Die Zahmheit der Vögel, zumal der Wasservögel, steht in krassem Kontrast zu der Lebensweise derselben Art auf den Falklands, wo sie seit langem von den dortigen wilden Einwohnern verfolgt werden. Auf den Falklands kann der Jäger an einem Tag mehr Oberlandgänse erlegen, als er nach Hause tragen kann, wohingegen es in Feuerland fast ebenso schwierig ist wie in England, die gemeine Wildgans zu schießen.

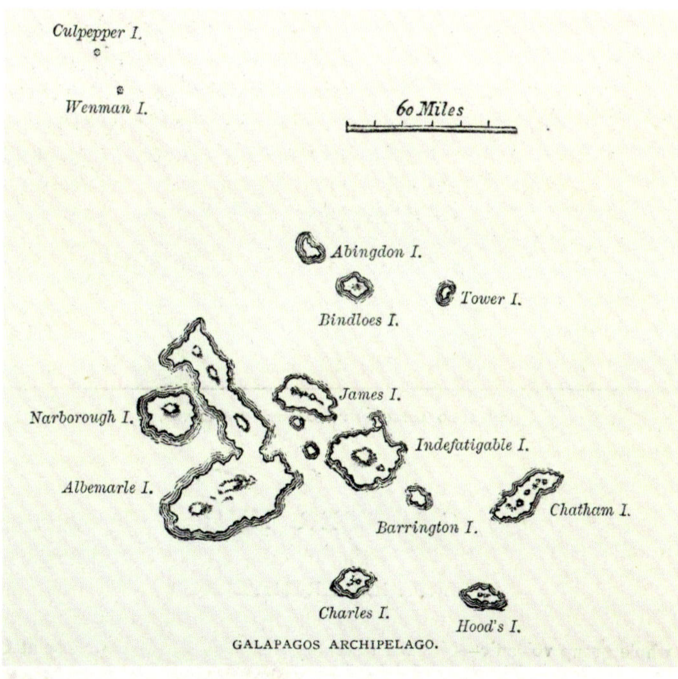

OBEN: Der Galapagos-Archipel
GEGENÜBER: Die Galapagosinseln von der Internationalen Raumstation ISS aus gesehen

Ich darf noch hinzufügen, dass, Du Bois zufolge, alle Vögel 1571/72 auf Bourbon mit Ausnahme von Flamingos und Gänsen so zahm waren, dass man sie mit der Hand fangen oder in beliebiger Zahl mit einem Stock töten konnte. Ebenso schreibt Carmichael über Tristan d'Acunha im Atlantik,[4] die beiden einzigen Landvögel, eine Drossel und eine Ammer, seien «so außerordentlich zahm, dass sie sich mit einem Handnetz fangen lassen». Anhand dieser verschiedenen Fakten können wir, glaube ich, wohl schließen, dass erstens die Wildheit von Vögeln hinsichtlich des Menschen ein besonderer, gegen *ihn* gerichteter Instinkt ist und nicht von einem allgemeinen Maß an Vorsicht abhängt, die aus anderen Gefahrenquellen erwächst; zweitens, dass sie von einzelnen Vögeln nicht in kurzer Zeit erworben wird, selbst wenn sie stark verfolgt werden, sondern dass sie im Laufe nachfolgender Generationen erblich wird. Bei gezähmten Tieren sind wir es gewohnt, neue geistige Gewohnheiten oder Instinkte erworben oder erblich gemacht zu sehen, doch bei Tieren im Naturzustand muss es stets äußerst schwierig sein, Beispiele für erworbenes erbliches Wissen zu entdecken. Die Wildheit von Vögeln dem Menschen gegenüber kann man sich nur als ererbte Gewohnheit erklären: Vergleichsweise wenige junge Vögel wurden in England binnen eines Jahres von Menschen verletzt, doch nahezu alle, selbst Nestlinge, fürchten sie; andererseits wurden viele Tiere auf den Galapagos- wie den Falklandinseln vom Menschen verfolgt und verletzt, und dennoch haben sie keine gesunde Furcht vor ihm gelernt. Aus all dem können wir folgern, welches Unheil die Einführung eines neuen Raubtieres in einem Land auslösen muss, bevor die Instinkte der heimischen Bewohner sich an das Geschick oder die Kraft des Fremden angepasst haben.

18. Kapitel

TAHITI UND NEUSEELAND

Fahrt durch das Low-Archipel – Tahiti – Anblick – Vegetation auf den Bergen – Blick auf Eimeo – Exkursion ins Landesinnere – tiefe Schluchten – Abfolge von Wasserfällen – Anzahl wilder Nutzpflanzen – Mäßigkeit der Einwohner – ihre moralische Verfassung – Parlament einberufen – Neuseeland – Bay of Islands – Hippahs – Exkursion nach Waimate – Mission – englisches Unkraut jetzt wild – Waiomio – Bestattung einer Neuseeländerin – Fahrt nach Australien

20. Oktober [1835] – Nach Abschluss der Untersuchung des Galapagos-Archipels nehmen wir Kurs auf Tahiti und begannen unsere lange Passage über 3200 Meilen. Im Laufe weniger Tage ließen wir das düstere und wolkige Ozeangebiet, das sich winters weit von der Küste Südamerikas erstreckt, hinter uns. Danach hatten wir schönes, klares Wetter und fuhren mit einer Geschwindigkeit von 150 bis 160 Meilen am Tag vor dem steten Passatwind angenehm dahin. Die Temperatur in diesem mittleren Teil des Pazifiks ist höher als nahe der amerikanischen Küste. Das Thermometer in der Achterhütte stand bei Nacht wie bei Tag zwischen 27° und 28 °C, was sehr angenehm ist, doch bei einem oder zwei Grad höher wird die Hitze drückend. Wir gelangten durch den Low- oder Gefährlichen Archipel und sahen mehrere jener höchst merkwürdigen Ringe aus knapp

Pastorales Tahitiennes, Paul Gauguin, 1892

über den Meeresspiegel ragendem Korallenland, welche Laguneninseln genannt werden. Ein langer, strahlend weißer Strand ist von einem Saum grüner Vegetation bedeckt, der Streifen dünnt sich in beide Richtungen hin rasch aus und versinkt unterm Horizont. Von der Mastspitze aus kann man innerhalb dieses Ringes eine riesige Weite glatten Wassers erkennen. Diese niedrigen, hohlen Koralleninseln stehen in keinem Verhältnis zu dem riesigen Ozean, aus dem sie sich jäh erheben, und es erscheint wunderbar, dass solch schwache Eindringlinge von den allmächtigen und nie ermattenden Wellen des großen Meeres, fälschlicherweise Pazifik genannt, nicht begraben werden.

15. November – Bei Tagesanbruch war Tahiti in Sicht, eine Insel, die dem Reisenden in der Südsee auf immer klassisch erscheinen muss. Aus der Entfernung war der Anblick nicht sehr reizvoll. Die üppige Vegetation der unteren Region war noch nicht zu sehen, und als die Wolken fortzogen, zeigten sich zur Inselmitte hin die wildesten und steilsten Gipfel. Kaum ankerten wir in der Matavaibucht, waren wir von Kanus umringt. Für uns war es Sonntag, auf Tahiti jedoch Montag: Wäre es umgekehrt gewesen, wäre kein einziger Besucher gekommen, denn das Verbot, am Sabbat ein Kanu zu Wasser zu bringen, wird streng befolgt. Nach dem Mahl fuhren wir an Land und genossen all die Freuden, welche die ersten Eindrücke eines neuen Landes bieten, und

Eingeborenenhaus auf Tahiti, 1878

~ AUS ~

VERLAUF DER ZWEITEN EXPEDITION 1831–1836

VON ROBERT FITZ ROY

Mr. Darwin und ich gingen nach Point Venus und stießen auf eine Horde neugieriger, lachender und plaudernder Eingeborener, zumeist Frauen und Kinder. Mr. Wilson, der geachtete Missionar, der so lange auf Matavai lebt, traf uns am Strand, und wir gingen mit ihm, begleitet vom jüngeren Teil der Horde, zu seinem Haus. Ein zehnminütiger Fußmarsch über, mit Ausnahme an der Seeseite, ebenes Land, überall bedeckt oder beschattet von dichtem Unterholz, hohen Palmen und dem reichen Laub des Brotfruchtbaums, brachte uns zu der ruhigen Behausung. Das fröhliche Benehmen der Eingeborenen, die ungezwungen freie Plätze auf Stühlen oder dem Boden mit Beschlag belegten, zeigte, dass sie sich hier wohlfühlten, und dass keinerlei Zurückhaltung oder verletzende Einschüchterung durch Überlegenheit seitens Mr. und Mrs. Wilson bestand. Zwei Häuptlinge, von niederem Rang, stellten sich uns vor. Sie kamen herein, schüttelten Hände, setzten sich ungeniert und unterhielten sich mit Mr. Wilson genau wie ehrbare englische Bauern. Sie waren große passiv wirkende Männer mit runden Schultern – passend bis zu den Knien, in saubere weiße Jacketts, Hemden und weite Hosen gekleidet und das kurz geschnittene Haar unter großen Strohhüten verborgen – und sahen sehr ansehnlich aus. «La orana»- «joronha» gesprochen, lautet der Gruß, den wir schnell lernten; aber einer meiner jüngeren Schiffskameraden war doch ein wenig verblüfft. «Warum nennen mich alle – ‚Your Honor'?», sagte er. Die meisten Offiziere und viele Männer verbrachten den Abend am Ufer, und Mr. Darwin und ich streiften umher, bis die Dunkelheit alle zurück an Bord rief.

Matavia, Tahiti, Illustration aus *Voyage autour du Monde sur la Corvette Coquille* von Louis Isodore Duperrey

dieses Land war das reizende Tahiti. Eine Menge aus Männern, Frauen und Kindern hatte sich am denkwürdigen Point Venus eingefunden, um uns mit lachenden, fröhlichen Gesichtern zu empfangen. Sie geleiteten uns zum Hause Mr. Wilsons, des Missionars dieses Bezirks, der uns schon auf der Straße einen sehr freundlichen Empfang bereitete. Nachdem wir kurze Zeit in seinem Haus gesessen hatten, trennten wir uns, um Rundgänge zu machen, kehrten am Abend jedoch zurück.

Das kultivierbare Land ist an kaum einer Stelle mehr als ein Saum flachen Schwemmlands, das sich um den Fuß der Berge herum angesammelt hat und vor den Wellen des Meeres von einem Korallenriff geschützt ist, welches die gesamte Küstenlinie umringt. Innerhalb des Riffs ist weites, glattes Wasser wie das eines Sees, das die Kanus der Einheimischen sicher befahren und wo Schiffe ankern können. Das Flachland, das bis an den Strand aus Korallensand heranreicht, ist von den wunderschönsten Erzeugnissen der intertropischen Regionen bewachsen. Zwischen Bananen-, Orangen-, Kokosnuss- und Brotfruchtbäumen sind Flächen gerodet, auf denen Süßkartoffeln, Zuckerrohr und Ananas angebaut werden. Selbst das Unterholz ist ein eingeführter Obstbaum, nämlich die Guave, die wegen ihrer Überfülle so lästig wie Unkraut geworden ist. In Brasilien habe ich oft die mannigfaltige Schönheit der Bananenbäume, Palmen und Orangenbäume bewundert, wie sie im Kontrast zueinander stehen, und hier haben wir auch noch den Brotfruchtbaum, der mit seinen großen, glänzenden und tief eingeschnittenen Blättern auffällt. Es ist bewundernswert, Haine eines Baumes zu erblicken, der seine Äste, beladen mit großen und höchst nahrhaften Früchten, mit der Kraft der englischen Eiche ausschickt. So selten die Nützlichkeit eines Gegenstandes auch das Vergnügen an seiner Betrachtung erklären kann, im Falle dieser schönen Wälder hat das Wissen um ihre hohe Produktivität zweifellos großen Einfluss auf unsere Bewunderung. Die kleinen gewundenen Pfade führten uns durch kühlenden Schatten zu verstreuten Häusern, deren Besitzer uns überall fröhliche und höchst gastfreundliche Aufnahme gewährten.

Nichts erfreute mich mehr als die Bewohner. In ihrem Gesichtsausdruck liegt eine Milde, welche sogleich den Gedanken an Wilde verbietet, und eine Intelligenz, die zeigt, dass sie in der Zivilisation vorankommen. Die gemeinen Leute belassen den oberen Teil ihres Körpers bei der Arbeit ganz nackt, und gerade dann zeigen sich die Tahitianer zu ihrem

Tahitianer

Vorteil. Sie sind sehr groß, breitschultrig, athletisch und wohlproportioniert. Man sagt, es erfordere wenig Gewöhnung, um eine dunkle Haut für das Auge des Europäers angenehmer und natürlicher zu machen als seine eigene Farbe. Ein Weißer, der neben einem Tahitianer bade, sei wie eine durch des Gärtners Kunst gebleichte Pflanze verglichen mit einer schönen dunkelgrünen, die kraftvoll auf freiem Felde wächst. Die meisten Männer sind tätowiert, und die Ornamente folgen dem Schwung des Körpers so anmutig, dass der Effekt sehr elegant ist. Ein verbreitetes Muster, das in den Einzelheiten variiert, ähnelt der Krone einer Palme. Sie entspringt aus der Mittellinie des Rückens und schlingt sich anmutig um beide Seiten. Der Vergleich mag wunderlich sein, aber ich fand, der Körper eines solchermaßen geschmückten Mannes war wie der Stamm eines edlen, von einer Kletterpflanze umfassten Baumes.

Bei vielen der Älteren waren die Füße von kleinen Figuren bedeckt, die so angeordnet waren, dass sie einer Socke glichen. Diese Mode ist jedoch schon teilweise verschwunden und durch andere ersetzt. Hier muss ein jeder, auch wenn die Mode keineswegs unveränderlich ist, an jener festhalten, die in seiner Jugend vorherrschte. Einem alten Mann ist daher auf immer sein Alter auf den Leib gestempelt, und er kann sich nicht das Ansehen eines jungen Stutzers geben. Die Frauen sind ähnlich wie die Männer tätowiert, sehr häufig an den Fingern. Eine unschöne Mode ist nun fast überall verbreitet: Es wird nämlich das Haar von der Spitze des Kopfes in kreisrunder Form abrasiert, sodass nur noch ein äußerer Ring bleibt. Die Missionare haben versucht, die Leute zu überreden, diese Gewohnheit zu ändern, doch es ist eben die Mode, und das genügt als Antwort auf Tahiti ebenso wie in Paris. Vom Erscheinungsbild der Frauen war ich sehr enttäuscht: Sie sind den Männern in jeder Hinsicht weit unterlegen. Der Brauch, am Hinterkopf oder durch ein kleines Loch im Ohr eine weiße oder scharlachrote Blume zu tragen, ist hübsch. Eine Krone aus geflochtenen Kokosblättern wird auch als Schutz für die Augen getragen. Die Frauen scheinen ein kleidsames Kostüm nötiger zu haben als selbst die Männer.

Fast alle Einheimischen verstehen ein wenig Englisch – das heißt, sie kennen den Namen gemeiner Dinge, und mit deren Hilfe sowie mit Zeichen ließ sich eine leidliche Unterhaltung führen.

17. November – Dieser Tag wird im Logbuch als Dienstag, der 17., gezählt statt Montag, der 16., was unserer soweit erfolgreichen Jagd der Sonne geschuldet ist. Vor dem Frühstück war das Schiff von einer Flottille Kanus eingeschlossen, und als die Einheimischen an Bord kommen durften, waren es wohl kaum weniger als zweihundert. Alle waren der Meinung, es wäre schwierig gewesen, eine gleich große Zahl jeder anderen Nation auszuwählen, die so wenig Kummer bereitet hätte. Jeder brachte etwas zum Verkauf mit: Muscheln waren die hauptsächliche Handelsware. Die Tahitianer verstehen den Wert von Geld nun genau und ziehen es alten Kleidern oder anderen Gegenständen vor. Dennoch geben ihnen die verschiedenen Münzen englischer und spanischer Herkunft Rätsel auf, und das kleine Silber ist für sie stets erst dann sicher, wenn es in Dollar umgetauscht ist.

Nach dem Frühstück ging ich an Land und erstieg den nächstgelegenen Hang bis auf eine Höhe von zwei- bis dreitausend Fuß. Die äußeren Berge sind glatt und konisch, aber steil, und das alte Vulkangestein, aus dem sie bestehen, ist von zahlreichen tiefen Schluchten durchschnitten, welche sich vom zentralen, zerklüfteten Teil der Insel zur Küste hin ausfächern. Nachdem ich den schmalen, flachen Gürtel bewohnten und fruchtbaren Landes überquert hatte, folgte ich einem glatten, steilen Kamm zwischen zweien dieser tiefen Schluchten. Die Vegetation war einzigartig und bestand beinahe ausschließlich aus kleinen Zwergfarnen, die sich weiter oben mit grobem Gras mischten; es war dem auf manchen walisischen Hügeln nicht unähnlich, und dies so dicht über dem tropischen Obstgarten an der Küste, das war sehr verblüffend. An dem höchsten Punkt, den ich erreichte, gab es wieder Bäume. Von den drei Zonen vergleichsweise großer Üppigkeit verdankt die untere ihre Feuchtigkeit und mithin Fruchtbarkeit ihrer Flachheit, denn da sie sich kaum über Meereshöhe erhebt, fließt das Wasser von dem höheren Land langsamer ab. Die mittlere Zone reicht, anders als die obere, nicht in die feuchte und wolkige Luft hinein und bleibt daher unfruchtbar. Der Wald in der oberen Zone ist sehr hübsch; Baumfarne ersetzen die Kokosnüsse an der Küste. Dennoch darf man nicht annehmen, dass dieser Wald an Pracht auch nur entfernt den Wäldern Brasiliens gleichkommt. Die Vielzahl von Erzeugnissen, die einen Kontinent charakterisieren, kann man auf einer Insel nicht erwarten.

Von dem höchsten Punkt, den ich erreichte, bot sich ein guter Blick auf die ferne Insel Eimeo, die demselben Souverän unterstellt ist wie Tahiti. Auf den hohen, gebrochenen Spitzen türmten

Blick in die Oheitepha-Bucht auf der Insel Otaheiti,
John Webber, 1809

Die Insel Eimeo und ihr Barriereriff

sich Wolkenmassen, die eine Insel in dem blauen Himmel bildeten, ganz wie Eimeo im blauen Ozean. Die Insel ist mit Ausnahme einer kleinen Durchfahrt vollständig von einem Riff umringt. Aus dieser Entfernung war lediglich eine schmale, aber klar definierte weiße Linie sichtbar, wo die Wellen auf die Korallenwand trafen. Als ich am Abend von dem Berg herabstieg, kam ein Mann heran, den ich mit einem unbedeutenden Geschenk erfreut hatte, und brachte mir warme geröstete Bananen, eine Ananas und Kokosnüsse. Nach einem Gang unter glühender Sonne kenne ich nichts Köstlicheres als die Milch einer jungen Kokosnuss. Ananas wachsen so reichlich, dass die Menschen sie hier ebenso verschwenderisch essen wie wir Steckrüben. Sie haben ein hervorragendes Aroma – vielleicht ein noch besseres als die in England angebauten, und das ist wohl das größte Kompliment, das man einer jeden Frucht machen kann. Bevor ich an Bord ging, dolmetschte Mr. Wilson für mich mit dem Tahitianer, der in seiner Aufmerksamkeit so geschickt war, dass ich ihn und einen weiteren Mann bat, mich auf eine kurzen Exkursion in die Berge zu begleiten.

18. November – Frühmorgens ging ich an Land mit einer Tasche voller Mundvorrat und zwei Decken für mich und die Bediensteten. Sie waren an die Enden eines langen Stocks geknüpft, den meine beiden tahitianischen Begleiter abwechselnd auf der Schulter trugen. Diese Männer sind es gewohnt, in dieser Art den ganzen Tag lang bis zu 50 Pfund an jedem Ende des Stocks zu tragen. Ich sagte meinen Führern, sie sollten sich mit Nahrung und Kleidung versehen, doch sie meinten, in den Bergen gebe es reichlich zu essen, und was die Kleidung betreffe, so sei ihre Haut genug. Unsere Marschroute war das Tal von Tiaauru, durch das ein Fluss in den See bei Point Venus fließt. Es ist einer der Hauptströme der Insel, und seine Quelle liegt am Fuße der höchsten Gipfel in der Mitte, die auf eine Höhe von ungefähr 7000 Fuß aufsteigen. Die ganze Insel ist so gebirgig, dass man ins Innere nur durch die Täler vordringen kann. Diese Steilhänge müssen rund tausend Fuß hoch gewesen sein, und das Ganze bildete eine Gebirgsschlucht, die prachtvoller war als alles, was ich je zuvor gesehen hatte. Bis die Mittagssonne senkrecht über der Schlucht stand, war die Luft kühl und feucht; nun aber wurde es sehr schwül. Im Schatten eines Felsgrates, unter einer Fassade aus Säulenlava, nahmen wir unser Mahl ein. Meine Führer hatten schon ein Gericht aus kleinen Fischen und Süßwassergarnelen angerichtet. Sie führten ein kleines Netz mit, das über eine Schlinge gespannt war, und wo das Wasser tief war und strudelte, tauchten sie und folgten den Fischen gleich Ottern, mit offenen Augen, in Löcher und Nischen und fingen sie so.

Ein Stück weiter höher teilte sich der Fluss in drei kleine Bäche. Die beiden nördlichen waren wegen einer Abfolge von Wasserfällen, die von dem gezackten Gipfel des höchsten Berges herabkamen,

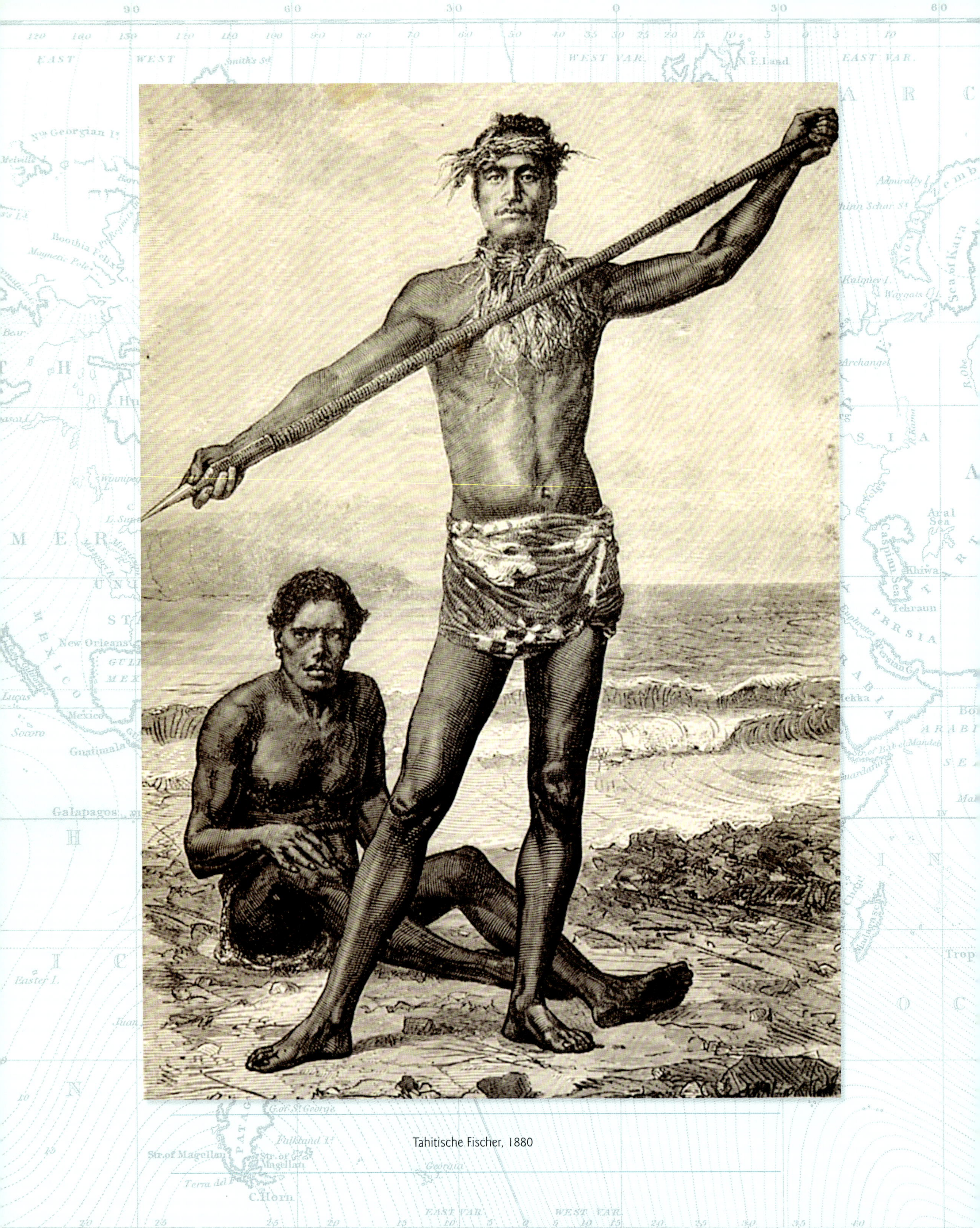

Tahitische Fischer, 1880

unwegsam; der andere war allem Anschein nach ebenfalls unzugänglich, doch wir bewerkstelligten es, ihn auf einem ganz außerordentlichen Wege zu besteigen. Die Seiten des Tals waren hier nahezu lotrecht, doch wie häufig bei geschichtetem Gestein der Fall, ragten kleine Simse hervor, welche dicht mit Bananen, lilienartigen Pflanzen und anderen wuchernden Tropenerzeugnissen bedeckt waren.

Die Tahitianer hatten bei Klettertouren auf der Suche nach Früchten einen Pfad entdeckt, auf dem der ganze Hang erklommen werden konnte. Der erste Anstieg aus dem Tal war sehr gefährlich, denn man musste eine stark geneigte Wand nackten Felses mit Hilfe von Seilen überwinden, die wir mitgebracht hatten. Wie jemand herausgefunden haben konnte, dass dieser fürchterliche Ort die einzige Stelle war, an dem die Bergwand bestiegen werden konnte, ist mir unerklärlich. Sodann schritten wir vorsichtig über einen dieser Simse, bis wir zum einen der drei Bäche gelangten. Dieser Sims bildete eine flache Stelle, über die eine wunderbare Kaskade, einige hundert Fuß hoch, hinabstürzte, und darunter fiel eine weitere hohe Kaskade in den Hauptfluss im Tal hinab. Von diesem kühlen, schattigen Winkel gingen wir einen Bogen, um dem überhängenden Wasserfall auszuweichen. Wie zuvor folgten wir kleinen, vorspringenden Simsen, deren Gefährlichkeit teils von der Stärke der Vegetation verborgen war. Beim Übergang vom einen zum nächsten Sims fiel der Fels immer lotrecht ab. Einer der Tahitianer, ein prächtiger, behänder Mann, lehnte einen Baumstamm dagegen, kletterte hinauf und erreichte dann mit Hilfe von Spalten den Gipfel. Er befestigte die Seile an einer vorstehenden Stelle und ließ sie für unseren Hund und das Gepäck hinab, danach kletterten auch wir hinauf. Unter dem Sims, auf den der tote Baumstamm gestellt worden war, muss der Abgrund fünf- bis sechshundert Fuß tief gewesen sein, und wenn der Schlund nicht teilweise von überhängenden Farnen und Lilien verborgen gewesen wäre, wäre mir schwindelig geworden, und nichts hätte mich dazu gebracht, es zu versuchen. Wir stiegen weiter, zuweilen messerscharfe Grate entlang, wo zu beiden Seiten tiefe Schluchten klafften. Am Abend erreichten wir eine flache kleine Stelle am Ufer des Baches, dem wir gefolgt waren und der in einer Kette von Wasserfällen hinabstürzt: Hier biwakierten wir für die Nacht.

Fatahua-Wasserfall, Tahiti

Mittels Rindestreifen als Schnur, Bambusstämmen als Dachsparren und dem großen Bananenblatt als Reet bauten die Tahitianer uns binnen weniger Minuten ein hervorragendes Haus, und aus verwelkten Blättern bereiteten sie ein weiches Lager.

Sodann machten sie ein Feuer und richteten unser Abendmahl an. Sie gewannen den Funken, indem sie einen Stock mit stumpfer Spitze in der Höhlung eines anderen rieben, wie um diese zu vertiefen, bis der Staub sich durch die Reibung entzündete. Dazu wird ausschließlich ein eigentümlich weißes und sehr leichtes Holz (der *Hibiscus tiliaceus*) verwendet: Es ist dasselbe, das als Stange dient, um alle möglichen Lasten zu tragen, aber auch für die schwimmenden Ausleger ihrer Kanus. Nachdem die Tahitianer aus Stöcken ein kleines Feuer gemacht hatten, legten sie etliche Steine von der Größe eines Kricketballs auf das brennende Holz. Nach ungefähr zehn Minuten waren die Stöcke verbrannt und die Steine heiß. Zuvor hatten sie schon in kleinen Blätterpäckchen Stücke von Fleisch, Fisch, reifen und unreifen Bananen und den Spitzen des wilden Aronstabs eingeschlagen. Diese grünen Päckchen wurden als Schicht zwischen zwei Schichten heiße Steine gelegt und das Ganze dann mit Erde bedeckt, sodass weder Rauch noch Dampf entweichen konnten. Ungefähr eine Viertelstunde später war das Ganze aufs köstlichste gegart. Die vorzüglichen grünen Päckchen wurden nun auf ein Tuch aus Bananenblättern gelegt, und mit einer Kokosnussschale tranken wir das kühle Wasser des fließenden Bachs; so genossen wir unser schlichtes Mahl.

Ich konnte die um uns her wachsenden Pflanzen nicht ohne Bewunderung betrachten. An allen Seiten waren Bananenwälder, deren Früchte, obgleich sie in vielerlei Form als Nahrung dienten, zuhauf modernd auf der Erde lagen. Vor uns war ein ausgedehntes Dickicht aus wildem Zuckerrohr, und der Bach lag im Schatten der dunkelgrünen knotigen Stämme des Kawastrauchs – zu früheren Zeiten so berühmt wegen seiner stark berauschenden Wirkung. Ich kaute ein Stück und fand, dass es einen scharfen, unangenehmen Geschmack hatte, der jedermann veranlasst hätte, ihn als giftig zu bezeichnen. Dank der Missionare gedeiht diese Pflanze heute nur in den tiefen Schluchten, wo sie niemandem schadet. Ganz in der Nähe sah ich den wilden Aronstab, dessen Wurzeln, wenn ausreichend gekocht, gut zu essen und dessen junge Blätter besser als Spinat sind. Dann der wilde Yam und eine lilienartige Pflanze namens *ti*, die in Hülle und Fülle wächst und eine weiche braune Wurzel hat, nach Form und Größe wie ein mächtiger Holzklotz: Diese diente uns als Dessert, denn sie ist süß wie Sirup und hat einen angenehmen Geschmack. Darüber hinaus gab es weitere wilde Früchte und nützliches Gemüse. Der kleine Fluss lieferte neben kühlem Wasser auch Aale und Krebse. Wahrlich, ich bewunderte diese Szenerie, als ich sie mit einer unkultivierten in den gemäßigten Zonen verglich. Ich spürte die Kraft der Bemerkung, dass der Mensch, zumindest der wilde, dessen Fähigkeit zur Vernunft nur teilweise entwickelt ist, ein Kind der Tropen ist.

Als der Abend sich neigte, schlenderte ich im düsteren Schatten der Bananenbäume den Flusslauf hinauf. Mein Weg endete schon bald, denn ich kam in einer Höhe zwischen zwei- und dreihundert Fuß an einen Wasserfall, und darüber war ein weiterer. Ich erwähne diese vielen Wasserfälle in einem Fluss, um eine allgemeine Vorstellung vom Gefälle des Landes zu vermitteln. In den kleinen Winkel, wo das Wasser fiel, war, so schien es, noch

GEGENÜBER: Wasserfall auf Tahiti

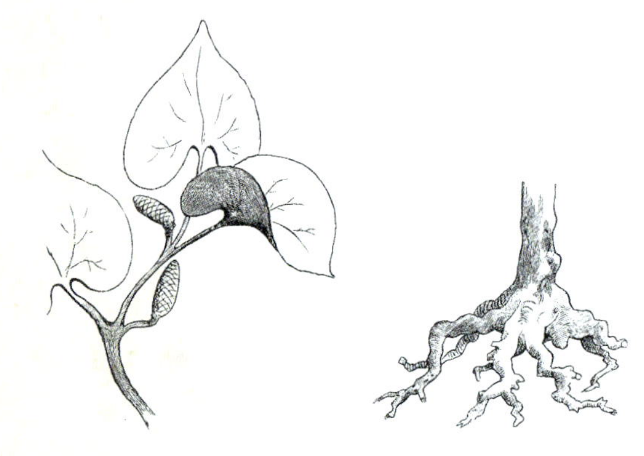

Ava oder Kava *(Macropiper methysticum)*, Tahiti

nie ein Windhauch gelangt. Die dünnen Ränder der großen Bananenblätter waren feucht von Gischt und ungebrochen statt, wie sonst üblich, in tausend Fetzen gerissen. Von unserer Stelle aus, fast in der Bergwand schwebend, sah man immer wieder hinab in Nachbartäler, und die hohen Spitzen der Berge in der Mitte, die innerhalb von sechzig Grad vom Zenit aufragten, verbargen den halben Abendhimmel. Es war ein erhabenes Schauspiel, von dieser Position aus zu beobachten, wie die Schatten der Nacht allmählich die letzten und höchsten Spitzen verdunkelten.

19. November – Bei Tagesanbruch bereiteten meine Freunde nach ihrem Morgengebet in derselben Weise wie am Abend ein hervorragendes Frühstück. Sie selbst sprachen ihm ausgiebig zu, ja, ich habe überhaupt noch niemanden annähernd so viel essen sehen. Vermutlich rühren solch außerordentlich geräumige Mägen daher, dass ein Großteil ihrer Nahrung in ihrer jeweiligen Menge einen vergleichsweise geringen Anteil an Nährstoffen enthält. Unwillentlich war ich, wie ich hiernach erfuhr, der Anlass, dass meine Begleiter eines ihrer Gesetze und Prinzipien brachen: Ich hatte ein Fläschchen Branntwein dabei, bei dem mitzuhalten sie nicht ablehnen konnten, aber immer wenn sie davon tranken, legten sie sich die Finger auf den Mund und sprachen das Wort «Missionar». Ungefähr zwei Jahre davor wurde durch die Einführung von Branntwein Trunkenheit sehr verbreitet. Die Missionare bewogen einige gute Männer, die sahen, dass ihr Land sich rasch zugrunde richtete, sich mit ihnen in einer Mäßigungsgesellschaft zu vereinen. Durch Vernunft oder Scham ließen sich denn auch alle Häuptlinge und die Königin überreden, sich ihr anzuschließen. Sogleich wurde ein Gesetz erlassen, dem zufolge kein Branntwein ins Land gebracht werden durfte, und dass derjenige, der den verbotenen Gegenstand verkaufte, wie auch derjenige, der ihn kaufte, mit einer Strafe belegt werden sollte. Mit bemerkenswerter Gerechtigkeit wurde ein bestimmter Zeitraum gewährt, in welchem das Vorhandene verkauft werden durfte, bevor das Gesetz in Kraft trat. Danach jedoch fand eine allgemeine Durchsuchung statt, von der nicht einmal die Häuser der Missionare ausgenommen war und aller Kawa (wie die Einheimischen alle geistigen Getränke nannten) auf die Erde gegossen wurde.

Nach dem Frühstück setzten wir unsere Reise fort. Da mein Ziel lediglich war, ein wenig von der Landschaft im Innern zu sehen, kehrten wir zurück auf einem anderen Pfad, der in das Haupttal weiter unten hinabführte. Eine Weile schlängelte er sich in verwirrenden Windungen den Berghang entlang, der das Tal bildete. Die Tahitianer hätten mit ihren nackten, tätowierten Körpern, die Köpfe mit Blumen geschmückt, im dunklen Schatten dieser Haine ein prächtiges Bild vom Menschen abgegeben, der ein urtümliches Land bewohnt. Bei unserem Abstieg folgten wir den Kammlinien; sie waren äußerst schmal und über beträchtlichen Strecken steil wie eine Leiter, doch alle mit Vegetation geschmückt. Die extreme

Sorgfalt, mit der jeder Schritt bedacht werden musste, machte den Gang ermüdend. Dabei verwunderte ich mich immerzu über diese Schluchten und Abgründe: Wenn man von einem der messerscharfen Kämme übers Land blickte, war der Standpunkt so klein, dass die Wirkung beinahe eine war, wie sie von einem Ballon aus sein muss. Bei unserem Abstieg hatten wir nur einmal Anlass, die Seile zu benutzen, da, wo wir ins Haupttal kamen. Wir schliefen unter demselben Felsvorsprung, wo wir tags zuvor gespeist hatten: Die Nacht war schön, doch weil die Schlucht so tief und schmal war, vollkommen dunkel.

20. November – Am Morgen brachen wir zeitig auf und erreichten gegen Mittag Matavai. Unterwegs begegneten wir einer großen Gruppe stattlicher, athletischer Männer, die wilde Bananen sammeln gingen. Ich sah, dass das Schiff wegen der Schwierigkeiten beim Wasserbunkern zum Hafen von Papawa gefahren war, wohin ich mich sogleich wandte. Die hübsche Bucht ist von Riffen umgeben und das Wasser glatt wie ein See. Das bebaute Land mit seinen schönen Erzeugnissen, von Häuschen gesprenkelt, reicht bis ans Wasser.

Nach den verschiedenen Berichten, die ich gelesen hatte, bevor ich auf diese Inseln kam, wollte ich mir unbedingt durch eigene Beobachtung ein Urteil über ihre moralische Verfassung bilden – obgleich ein solches Urteil zwangsläufig ganz unvollkommen sein würde. Erste Eindrücke gründen stets sehr fest auf den zuvor erworbenen Vorstellungen. Meine leiteten sich aus Ellis' *Polynesian Researches* ab – ein hervorragendes und hochinteressantes Werk, das aber natürlich alles unter einem günstigen Blickwinkel sah –, aus Beecheys *Voyage* sowie jener Kotzebues, welche dem gesamten Missionarssystem äußerst kritisch gegenübersteht. Wer diese drei Berichte vergleicht, wird sich, so meine ich, eine leidlich genaue Vorstellung vom gegenwärtigen Zustand Tahitis bilden können.

Im Ganzen erscheint es mir, als seien Moral und Religion der Einwohner äußerst achtenswert. Es gibt viele, welche die Missionare, ihr System und die Wirkung beider noch schärfer angreifen als Kotzebue. Solche Eiferer vergleichen nie den gegenwärtigen Zustand mit dem der Insel vor lediglich zwanzig Jahren, nicht einmal mit dem des heutigen Europas; sie vergleichen ihn mit der hohen Richtschnur der Vollkommenheit im Evangelium. Sie erwarten von den Missionaren, das ins Werk zu setzen, woran selbst die Apostel gescheitert sind. Insoweit als die Verfassung der Menschen diesen hohen Standard verfehlt, wird es dem Missionar angelastet, statt ihm

Pomare IV. (1813-1877), Königin von Tahiti

zugute zu halten, was er bewirkt hat. Sie vergessen oder wollen sich nicht erinnern, dass Menschenopfer und die Macht einer götzendienerischen Priesterschaft – ein System der Verworfenheit, wie es überall sonst auf der Welt seinesgleichen sucht – Kindsmord als Folge dieses Systems – blutige Kriege, bei denen die Eroberer weder Frauen noch Kinder schonten –, dass all dies abgeschafft ist, dass Unehrlichkeit, Ausschweifung und Zügellosigkeit durch die Einführung des Christentums stark vermindert worden sind.

Sonntag, 22. November – Der Hafen von Papiéte, wo die Königin residiert, kann als Hauptstadt des Landes angesehen werden: Sie ist auch Regierungssitz und wichtigster Handelsplatz. Kapitän Fitz Roy ging heute mit einer Gruppe hin, um den Gottesdienst zu hören, erst in der tahitischen Sprache, dann in der unseren. Mr. Prichard, der Hauptmissionar der Insel, leitete den Gottesdienst. Die Kapelle bestand aus einer luftigen Holzkonstruktion und war bis zum Bersten mit sauberen, reinlichen Leuten jedes Alters und Geschlechts gefüllt. Ich war von dem augenscheinlichen Grad an Aufmerksamkeit recht enttäuscht, doch glaube ich, dass meine Erwartungen zu hoch waren. In jedem Falle war sie genauso groß wie in einer englischen Dorfkirche. Die Lieder wurden ausgesprochen angenehm gesungen, doch die Sprache auf der Kanzel klang, wenngleich flüssig gesprochen, nicht sehr gut: Eine beständige Wiederholung von Wörtern wie *«tata ta, mata mai»* machte sie doch monoton. Nach dem englischen Gottesdienst kehrte eine Gruppe zu Fuß nach Matavai zurück. Es war ein angenehmer Gang, mal am Meeresstrand entlang, dann wieder im Schatten vieler schöner Bäume.

GEGENÜBER: The Bay of Islands, Jules Durmont d'Urville, 19. Jahrhundert

Ungefähr zwei Jahre zuvor wurde ein Fahrzeug unter englischer Flagge von Bewohnern der Low-Inseln geplündert, die damals unter der Herrschaft der Königin von Tahiti standen. Man glaubte, sie seien durch einige von Ihrer Majestät erlassenen unbesonnenen Gesetze zu dieser Tat verleitet worden. Die britische Regierung verlangte Ersatz, welcher geleistet wurde, und man einigte sich darauf, dass am ersten des vergangenen Septembers eine Summe von dreitausend Dollar gezahlt werde. Der Kommodore in Lima hatte Kapitän Fitz Roy beauftragt, sich nach dieser Schuld zu erkundigen und Genugtuung zu fordern, falls sie nicht bezahlt worden sei. Also bat Kapitän Fitz Roy um eine Unterredung mit Königin Pomarre, seither berühmt wegen der schlechten Behandlung, die ihr durch die Franzosen zuteil geworden war; ein Parlament wurde einberufen, um die Frage zu erörtern, und alle wesentlichen Häuptlinge der Insel sowie die Königin versammelten sich. Nach dem interessanten Bericht Kapitän Fitz Roys möchte ich mich nicht unterfangen zu beschreiben, was geschah. Wie sich zeigte, war das Geld nicht bezahlt worden; vielleicht waren die angeblichen Gründe recht dubios, ansonsten aber kann ich unsere allgemeine Überraschung über die außerordentliche Vernunft, die Fähigkeit zu debattieren, die Redlichkeit und die prompte Entschlossenheit, die allseits zum Ausdruck kamen, nicht genügend bekunden. Ich glaube, wir verließen die Sitzung mit einer ganz anderen Meinung über die Tahitianer als jener, die wir zu Beginn der Versammlung gehabt hatten. Die Häuptlinge und das Volk beschlossen, die ausstehende Summe anzuerkennen und zu erfüllen; Kapitän Fitz Roy betonte, es sei hart, dass ihr privater Besitz für die Verbrechen ferner Insulaner geopfert werden solle. Sie dankten ihm für seine Überlegung, doch Pomarre sei ihre Königin, und sie würden ihr in dieser misslichen Lage beistehen. Dieser Entschluss und seine prompte Ausführung, denn gleich am nächsten Morgen wurde ein Kassenbuch geöffnet, bildeten den krönenden Abschluss dieses ganz bemerkenswerten Akts von Loyalität und Liebenswürdigkeit.

Das tahitianische Parlament tagte mehrere Stunden, und als es endete, lud Kapitän Fitz Roy Königin Pomarre zu einem Besuch auf der *Beagle* ein.

25. November – Am Abend wurden vier Boote nach Ihrer Majestät ausgeschickt; als sie an Bord kam, war das Schiff mit Flaggen geschmückt und die Rahen besetzt. Sie kam in Begleitung der meisten Häuptlinge. Das Benehmen aller war sehr anständig; sie baten um nichts und schienen sich über Kapitän Fitz Roys Geschenke sehr zu freuen. Die Königin ist eine große, unbeholfene Frau ohne jede Schönheit, Anmut und Würde. Sie hat nur ein königliches Attribut: vollkommene Unbeweglichkeit der Miene unter allen Umständen, und diese war auch noch recht verdrießlich. Die Raketen wurden höchlichst bewundert, und vom Ufer her war nach jeder Explosion überall in der dunklen Bucht ein tiefes «Oh!» zu vernehmen. Auch die Seemannslieder wurden sehr bewundert, und die Königin sagte bei einem der rauesten, es könne gewiss kein Kirchenlied sein! Die königliche Gesellschaft kehrte erst nach Mitternacht wieder an Land zurück.

26. November – Am Abend nahmen wir mit einem sanften Landwind Kurs auf Neuseeland, und als die Sonne unterging, bot sich uns ein Abschiedsblick auf die Berge Tahitis – der Insel, der ein jeder Reisender seine Bewunderung gezollt hat.

19. Dezember – Am Abend sahen wir in der Ferne Neuseeland. Wir dürfen nun sagen, dass wir den Pazifik fast ganz überquert haben. Gewöhnt daran, Karten mit kleinem Maßstab zu betrachten, urteilen wir nicht richtig, wie unendlich klein der Anteil trockenen Landes im Vergleich zum Wasser in dieser großen Weite ist. Der Meridian der Antipoden ist ebenfalls passiert, und nun war jede Wegstunde, wie wir voller Freude dachten, eine Wegstunde näher Richtung England.

21. Dezember – Am Morgen fuhren wir in die Bay of Islands ein, und da nahe der Mündung einige Stunden Flaute herrschte, erreichten wir den Ankerplatz erst gegen Mittag. Das Land ist hügelig, weiche Konturen, und von zahlreichen Meeresarmen, die von der Bucht abgehen, tief eingeschnitten. Die Oberfläche erscheint von weitem wie von grobem Weidegras überzogen, das in Wahrheit jedoch nur Farn ist. Auf den entfernteren Hügeln wie auch teilweise in den Tälern ist viel Wald. Die allgemeine Färbung der Landschaft ist kein helles Grün und ähnelt dem Land ein wenig südlich von Concepción in Chile. An mehreren Stellen der Bucht sind kleine Dörfer mit viereckigen, sauberen Häuschen bis ans Ufer hinab verstreut. Drei Walschiffe lagen vor Anker, und hin und wieder fuhr ein Kanu von einer Küste zur anderen; mit diesen Ausnahmen lag über der ganzen Gegend äußerste Stille. Nur ein Kanu kam längsseits. Dies wie auch das Bild der ganzen Szenerie bot einen eindrücklichen und nicht sehr angenehmen Kontrast zu unserem freudigen und stürmischen Willkommen auf Tahiti.

22. Dezember – Am Morgen unternahm ich einen Spaziergang, doch merkte ich rasch, dass das Land ganz unwegsam ist. Alle Hügel sind mit hohem Farn bestanden, dazu niedrigem Buschwerk, das wie die Zypresse wächst, und sehr wenig Boden ist gerodet oder kultiviert. Daraufhin versuchte ich es am Meeresstrand, doch mein Weg nach beiden Seiten wurde rasch von Salzwasserläufen und tiefen Bächen beendet. Zu meiner Verblüffung stellte ich fest, dass nahezu jeder Hügel, den ich erstieg, in früheren Zeiten einmal mehr oder weniger befestigt war. In

die Gipfel waren Stufen oder aufeinander folgende Terrassen geschnitten, und häufig waren sie durch tiefe Gräben geschützt. Später beobachtete ich, dass die größten Berge im Inland gleichfalls künstliche Konturen aufwiesen. Das sind die *pas*, die Kapitän Cook so häufig mit dem Namen *hippah* erwähnt hat; der lautliche Unterschied geht auf den vorangestellten Artikel zurück.

Dass die *pas* früher stark genutzt wurden, zeigte sich an den Muschelhaufen und den Gruben, in denen, wie man mir sagte, Süßkartoffeln als Reserve aufbewahrt wurden. Da es auf diesen Bergen kein Wasser gab, konnten die Bewohner nie einer langen Belagerung vorgebaut haben, sondern nur einem jähen Plünderungsüberfall, gegen den die hintereinander angelegten Terrassen wohl guten Schutz boten. Die allgemeine Einführung von Feuerwaffen hat das gesamte Kriegssystem verändert, und eine exponierte Lage auf einem Berggipfel ist jetzt schlimmer als nutzlos. Die *pas* werden heutzutage folglich auf ebenem Boden angelegt. Sie bestehen aus einer doppelten Reihe dicker, hoher Pfähle, die in einer Zickzacklinie angeordnet sind, sodass jeder Bereich bestrichen werden kann. Zwischen den Palisaden ist ein Erdwall aufgeworfen, hinter dem die Verteidiger sicher ausruhen oder ihre Feuerwaffen darüber abfeuern können. Hier und da sind auf Bodenhöhe kleine Torbögen in diese Brustwehr eingelassen, wodurch die Verteidiger zur Palisade hinauskriechen können, um die Feinde auszukundschaften. Reverend W. Williams, der mir dies schilderte, fügte hinzu, an einem *pas* habe er an der inneren, geschützten Seite des Erdwalls Streben oder Stützen herausragen sehen. Als er den Häuptling nach deren Sinn fragte, erwiderte der, wenn zwei oder drei seiner Männer erschossen seien, würden ihre Nachbarn die Leichen nicht sehen und daher nicht entmutigt.

Diese *pas* gelten bei den Neuseeländern als das ideale Verteidigungsmittel, da die angreifende Seite niemals so diszipliniert ist, um als Einheit gegen die Palisade anzurennen, sie niederzureißen und einzudringen. Zieht ein Stamm in den Krieg, kann der Häuptling nicht befehlen, dass eine Gruppe hierhin und die andere dorthin geht; ein jeder kämpft so, wie es ihm am besten zusagt, und für jeden Einzelnen muss es den sicheren Tod bedeuten, sich einer mit Feuerwaffen verteidigten Palisade zu nähern. Ich würde meinen, ein kriegerischerer Menschenschlag als die Neuseeländer findet sich nirgendwo sonst auf der Welt. Ihr Verhalten, als sie erstmals ein Schiff sahen, illustriert dies, wie von Kapitän Cook beschrieben, deutlich: Dass sie einen Hagel Steine auf einen so großen und neuartigen Gegenstand warfen und ihre trotzigen Worte: «Kommt an Land, und wir töten und essen euch alle», zeigen ihre ungewöhnliche Kühnheit. Dieser kriegerische Geist offenbart sich in vielen ihrer Bräuche und noch in den kleinsten Handlungen. Wird ein Neuseeländer geschlagen, und sei's nur im Scherz, muss der Hieb erwidert werden, wovon ich auch ein Beispiel mit einem unserer Offiziere sah.

Am Abend begleitete ich Kapitän Fitz Roy und Mr. Baker, einen der Missionare, auf einen Besuch in Kororadika: Wir wanderten in dem Dorf umher und unterhielten uns mit vielen der Menschen, Männer, Frauen und Kinder. Bei der Betrachtung des Neuseeländers vergleicht man ihn naturgemäß mit dem Tahitianer; beide gehören derselben Menschenfamilie an. Der Vergleich geht indes arg zu Lasten des Neuseeländers. Er mag vielleicht an Energie überlegen sein, doch in jeder anderen Hinsicht ist sein Wesen von weit geringerem Rang. Ein kurzer Blick auf die jeweiligen Gesichtszüge führt zu der Überzeugung, dass der eine wild, der andere dagegen zivilisiert ist. In ganz Neuseeland suchte man vergebens nach einem Menschen mit dem Gesicht und der Miene des alten tahitianischen Häuptlings Utamme. Zweifellos verleiht die außerordentliche Weise, in der das Tätowieren hier geübt wird, ihrer Miene einen unansehnlichen Ausdruck. Die komplizierten, aber symmetrischen Figuren, die das ganze Gesicht bedecken, verwirren und täuschen das ungewohnte Auge: Überdies ist es wahrscheinlich, dass die tiefen Einschnitte das Spiel der oberflächlichen Muskeln zerstören und ihnen mithin etwas Strenges, Starres verleihen. Dazu ist in den Augen jedoch ein Flackern, das ausschließlich Schläue und Wildheit andeuten kann. Sie sind groß und massig von Gestalt, an Eleganz hingegen nicht vergleichbar mit denen der Arbeiterklasse auf Tahiti.

23. Dezember – In einem Ort namens Waimate, ungefähr fünfzehn Meilen von der Bay of Islands entfernt und auf halbem Wege zwischen der Ost- und der Westküste, haben die Missionare zu ackerbaulichen Zwecken Land erworben. Ich war schon Reverend W. Williams vorgestellt worden, der mich zu einem Besuch dort eingeladen hatte. Mr. Bushby, der britische Ansässige, erbot sich, mich in seinem Boot eine Bucht hinaufzufahren, wo ich einen hübschen Wasserfall sehen und wodurch mein Weg verkürzt werden sollte. Auch beschaffte er mir einen Führer. Als er einen benachbarten Häuptling bat, ihm einen Mann zu empfehlen, erbot sich der Häuptling, selbst mitzukommen; doch seine Unkenntnis vom Wert des Geldes war derart, dass er erst fragte, wie viele Pfund ich ihm geben wolle, danach jedoch mit zwei Dollar zufrieden war. Als ich dem Häuptling ein sehr kleines Bündel zeigte, das ich getragen haben wollte, fand er es unbedingt erforderlich, einen Sklaven mitzunehmen. Mein Begleiter war ein flinker, lebhafter Mann, der in eine schmutzige Decke gehüllt und dessen Gesicht vollständig tätowiert war. Er war einstmals ein großer Krieger gewesen. Er schien mit Mr. Bushby auf sehr herzlichem Fuß zu stehen, aber mehrmals stritten sie auch heftig. Mr. Bushby bemerkte, ein wenig leise Ironie bringe diese Einheimischen, noch wenn sie am ärgsten tobten, häufig zum Schweigen. Ein Häuptling kam und bedrängte Mr. Bushby aufs herrischste: «Ein großer Häuptling, ein großer Mann, ein Freund von mir ist zu Besuch gekommen – du musst ihm etwas Gutes zu essen geben, schöne Geschenke usw.» Mr. Bushby ließ ihn seine Ansprache vollenden und gab ihm dann ruhig eine Antwort wie die folgende: «Was kann dein Sklave sonst noch für dich tun?» Daraufhin machte der Mann ein sehr komisches Gesicht und ließ sofort von seiner Prahlerei ab.

Als das Boot ablegte, stieg noch ein zweiter Häuptling zu, der lediglich das Vergnügen der Fahrt die Bucht hinauf und wieder hinab suchte. Nie habe ich einen scheußlicheren und wilderen Ausdruck gesehen als bei diesem Mann. Hier sprach die Physiognomie die Wahrheit; dieser Häuptling war ein notorischer Mörder gewesen und zudem noch ein ausgemachter Feigling. Von der Landestelle des Bootes begleitete mich Mr. Bushby noch einige hundert Yard den Weg entlang: Ich konnte nicht umhin, die kühle Frechheit des ergrauten Schurken zu bewundern, der im Boot geblieben war, als er Mr. Bushby nachschrie: «Bleib nicht zu lange, bald habe ich das Warten hier satt.»

Wir begannen nun unsere Wanderung. Der Weg war ein ausgetretener Pfad, zu beiden Seiten von dem hohen Farn begrenzt, der das ganze Land bedeckt. Nachdem wir einige Meilen gegangen waren, gelangten wir an ein kleines Dorf, das aus einigen Hütten und ein paar Feldern bestand, auf denen Kartoffeln angebaut wurden. Die Einführung der Kartoffel war der wesentlichste Segen für das Land; sie wird heute mehr als jedes heimische Gemüse gegessen. Neuseeland ist von einem großen natürlichen Vorteil begüns-

OBEN: Farmland bei Waimate, Neuseeland
RECHTS: Hongi-Begrüßungsritual der Maori, 1908-1909

tigt, dass die Einwohner nämlich nie den Hungertod sterben können. Das ganze Land ist reichlich mit Farn versehen, und die Wurzeln dieser Pflanze sind zwar nicht sehr schmackhaft, enthalten aber doch viele Nährstoffe. Ein Einheimischer kann immer davon wie auch von den Schalentieren leben, die an allen Meeresküsten reichlich vorhanden sind. In den Dörfern fallen vor allem die Podeste auf, die zehn oder zwölf Fuß über der Erde auf vier Pfosten ruhen und auf denen die Erzeugnisse des Feldes sicher vor allen Zwischenfällen gelagert werden.

Als ich mich einer der Hütten näherte, sah ich zu meiner großen Belustigung die Zeremonie des Nasenreibens oder, wie es eigentlich heißen sollte, Nasendrückens in geziemender Form. Die Frauen stießen, als wir herankamen, mit äußerst geschmerzter Stimme etwas aus, hockten sich dann nieder und hielten das Gesicht hoch; mein Begleiter stellte sich reihum über sie, legte den Nasenrücken im rechten Winkel auf den ihren und begann zu drücken. Dies dauerte erheblich länger als ein herzlicher Händedruck bei uns, und so wie wir dabei die Kraft des Handgriffs variieren, drücken auch sie unterschiedlich stark. Dabei stießen sie behagliche kleine

~ AUS ~
VERLAUF DER ZWEITEN EXPEDITION 1831–1836

VON ROBERT FITZ ROY

Von mittelgroßer, schlanker, aber kräftiger Gestalt und mit dunkler Gesichtsfarbe, ist das Aussehen des Neuseeländers sehr vorteilhaft. Zähigkeit und Regsamkeit besitzt er, wie zu erwarten, in hohem Maße. Sein Gesichtsausdruck zeigt Energie, schnelle Auffassungsgabe ohne viel Nachdenken und viel Wagemut. Grausamkeit ist ein auffallender Zug in den Mienen vieler älterer Männer, und diese wird noch verstärkt durch den wilden Stil, in dem ihre Gesichter missgestaltet oder, wie sie glauben, mit Linien verziert sind, die mit einem stumpfen Eisen in die Haut geschnitten und schwarz gefärbt werden. Diese Linien sind gewiss mit so viel Geschmack, ja Eleganz gestaltet, wie sie bei so entstellenden Mustern nur möglich sind. Der Ausdruck, der anscheinend damit erzielt werden soll, ist der eines Dämonenkriegers. All ihre alten Vorstellungen scheinen einen Bezug zum Kämpfen zu haben ...

Die Linien sind jedoch keine beliebigen Zeichen, die je nach Laune des Individuums erdacht und vermehrt wurden, und auch keine Grille des Operateurs, der die Tortur durchführt; es sind heraldische Ornamente, für die Eingeborenen Neuseelands weitaus verständlichere Unterscheidungen, als es unsere Wappen in diesen unritterlichen Zeiten für uns sind. Junge Männer haben nur ein paar, Sklaven, die in Unfreiheit geboren oder jung gefangen wurden, haben nahezu keine Markierungen; doch ältere Männer, vor allem die Häuptlinge, sind mit ihnen so bedeckt, dass ihre Miene fast ganz unter einer Ziermaske verborgen ist. Das Tätowieren soll eine Veränderung der Züge im Alter verhindern. Frauen, welche Missionare zu überzeugen suchten, darauf zu verzichten, sagten: «Lassen Sie uns ein paar Linien auf den Lippen, damit sie nicht schrumpeln, wenn wir alt sind.»

Ein jeder hat schon vom Kriegstanz gehört, und viele haben ihn gesehen. Welch noch schrecklichere übertriebene Verzerrungen des menschlichen Gesichts könnte man ersinnen als jene, die sie dann zeigen? Kein Mensch könnte noch stärker gegen Dämonen vorgehen als die Seeländer, wenn sie sich mit ihrem Totentanz für den Kampf in Wut bringen und verrückt machen!

Porträt eines neuseeländischen Maori

Grunzlaute aus, ganz wie zwei Schweine, wenn sie sich aneinander reiben. Mir fiel auf, dass auch der Sklave mit jedermann, dem er begegnete, die Nase drückte, bevor oder auch nachdem sein Herr, der Häuptling, dies getan. Obwohl bei diesen Wilden der Häuptling die absolute Gewalt über Leben und Tod seines Sklaven hat, fehlt zwischen ihnen doch jegliches Zeremoniell. Wo die Zivilisation einen bestimmten Punkt erreicht hat, entstehen rasch komplexe Förmlichkeiten zwischen den verschiedenen Stufen der Gesellschaft: So mussten sich früher auf Tahiti in Gegenwart des Königs alle bis zur Hüfte entkleiden.

Nachdem die Zeremonie des Nasendrückens mit allen abgeschlossen war, setzten wir uns im Kreis vor einer der Hütten nieder und ruhten uns eine halbe Stunde aus. Alle Hütten haben nahezu die gleiche Form und Größe, und alle starren sie gleichermaßen vor Schmutz. Sie gleichen einem Kuhstall, dessen eines Ende offen ist, der aber ein Stück weit nach drinnen eine Trennwand mit einem viereckigen Loch darin hat, wodurch eine kleine, düstere Kammer entsteht. Darin bewahren die Bewohner alle ihre Habseligkeiten auf und schlafen auch bei kalter Witterung. In dem vorderen, offenen Teil essen sie und verbringen ihre Zeit. Nachdem meine Führer ihre Pfeife zu Ende geraucht hatten, setzten wir unsere Wanderung fort. Der Pfad führte weiter durch hügeliges Land, das wie zuvor einförmig mit Farn bedeckt war. Zu unserer Rechten wand sich ein Fluss, dessen Ufer mit Bäumen gesäumt war, und auf den Hängen stand hier und da ein Gehölz. Die ganze Szenerie bot trotz der grünen Färbung ein trostloses Bild. Der Anblick von so viel Farn verschafft dem Geist den Eindruck von Unfruchtbarkeit, doch das ist nicht richtig, denn überall, wo der Farn dicht und brusthoch wächst, wird das Land durch Pflügen ergiebig. Manche Einwohner glauben, dieses weite offene Land sei ursprünglich von Wäldern bedeckt gewesen und durch Brand gerodet worden. Es heißt, wenn man an den kahlsten Stellen gräbt, ließen sich häufig Klümpchen jenes Harzes finden, das aus der Kaurifichte fließt. Die Einheimischen haben einen naheliegenden Grund, das Land zu roden, denn der Farn, früher ein Grundnahrungsmittel, gedeiht nur an den offenen, gerodeten Pfaden. Dass verwandte Gräser nahezu vollkommen fehlen, ein so auffallendes Merkmal der Vegetation dieser Insel, lässt sich vielleicht dadurch erklären, dass das Land ursprünglich von Waldbäumen bedeckt war.

Der Boden ist vulkanisch; an mehreren Stellen gelangten wir über schlackige Lava, und auf mehreren der umliegenden Berge ließen sich deutlich Krater erkennen. Obgleich die Landschaft nirgendwo schön ist und nur gelegentlich hübsch, genoss ich meine Wanderung.

Endlich erreichten wir Waimate. Nachdem wir durch so viele Meilen unbewohntes, nutzloses Land gewandert waren, bereitete mir das unvermittelte Auftauchen eines englischen Bauernhauses mit seinen wohlbestellten Feldern, das wie durch einen Zauberstab erschien, große Freude. Da Mr. Williams nicht da war, bereitete mir Mr. Davies in seinem Haus ein herzliches Willkommen. Nachdem wir mit seiner Familiengruppe Tee getrunken hatten, unternahmen wir einen Spaziergang über die Farm. In Waimate gibt es drei große Häuser, in denen die Missionare, die Herren Williams, Davies und Clarke, leben; nahebei stehen die Hütten der eingeborenen Arbeiter. Auf einem nahe gelegenen Hang standen Gerste und Weizen in voller Ähre, auf einem anderen Feld Kartoffeln und Klee. Aber ich kann gar nicht erst versuchen, alles zu beschreiben, was ich sah; es gab große Gärten mit jeder Frucht, jedem Gemüse, das England hervorbringt, dazu viele, die einem wärmeren Klima angehören. Als Beispiel darf ich

Spargel, Stangenbohnen, Gurken, Rhabarber, Äpfel, Birnen, Feigen, Pfirsiche, Aprikosen, Trauben, Oliven, Stachelbeeren, Brombeeren, Hopfen, Stechginster als Zäune und englische Eichen nennen, dazu vielerlei Blumen. Auf dem Hof gab es Scheunen, eine Dreschtenne samt Schwingmaschine, eine Schmiedeesse sowie auf dem Boden Pflugscharen und anderes Gerät; inmitten all dessen gab es eine gesunde Mischung aus Schweinen und Geflügel, die wie auf jedem englischen Bauernhof behaglich beieinander lagen. In einer Entfernung von wenigen hundert Yard, wo das Wasser eines Rinnsals zu einem Teich aufgestaut war, stand eine große, solide Wassermühle.

Das alles ist ganz überraschend, wenn man bedenkt, dass noch fünf Jahre zuvor dort lediglich Farne wuchsen. Zudem hat diese Veränderung, angeleitet durch die Missionare, die Arbeit der Einheimischen bewirkt – die Lektion des Missionars ist der Zauberstab. Das Haus wurde gebaut, die Fenster wurden gerahmt, die Felder gepflügt und selbst die Bäume gepfropft, alles von den Neuseeländern. Bei der Mühle sah man einen Neuseeländer mit weißem Mehl bepudert, ganz wie sein Müllerkollege in England. Als ich diese Szenerie betrachtete, erschien sie mir ganz bewundernswert. Nicht nur, dass England mir fassbar in Erinnerung gerufen wurde; auch, als sich der Abend neigte, konnte man die häuslichen Geräusche, die Getreidefelder, das ferne, hügelige Land mit seinen Bäumen gut und gern mit unserem Vaterland verwechseln: Dabei war es nicht das triumphierende Gefühl darüber, was Engländer bewirken konnten, sondern vielmehr, dass so große Hoffnungen für die Zukunft dieses schönen Landes genährt wurden.

Mehrere junge Männer, von den Missionaren aus der Sklaverei gerettet, waren auf dem Hof beschäftigt. Sie trugen Hemd, Jacke und Hose und hatten ein achtbares Äußeres. Diese jungen Männer und Knaben erschienen mir höchst lustig und gutgelaunt. Am Abend sah ich einer Gruppe von ihnen beim Kricket zu: Beim Gedanken daran, dass die Missionare der Strenge geziehen werden, beobachtete ich amüsiert, dass einer ihrer eigenen Söhne an dem Spiel teilnahm. Eine entschiedenere und erfreulichere Veränderung zeigte sich bei den jungen Frauen, die als Dienerinnen in den Häusern arbeiteten. Ihr sauberes, reinliches und gesundes Aussehen, ähnlich dem der englischen Milchmädchen, bildete einen wunderbaren Kontrast zu den Frauen in den schmutzigen Hütten in Kororadika.

Spätabends ging ich zu Mr. Williams, wo ich die Nacht verbrachte. Ich fand dort eine große Gruppe Kinder vor, die sich für Weihnachten dort versammelt hatten, und alle saßen um den Tisch beim Abendbrot. Nie habe ich eine hübschere oder fröhlichere Gruppe gesehen, und all das im Zentrum des Landes von Kannibalismus, Mord und allen grausigen Verbrechen! Die Herzlichkeit und Heiterkeit, die sich so offen auf den Gesichtern der kleinen Runde abzeichneten, wurde augenscheinlich ebenso von den Erwachsenen in der Mission geteilt.

24. Dezember – Am Morgen wurden Gebete in der Sprache der Einheimischen für die ganze Familie gelesen. Nach dem Frühstück streifte ich in den Gärten und auf dem Hof umher. Es war Markttag, und die Einheimischen aus den umliegenden Weilern brachten Kartoffeln, Mais oder Schweine, um sie gegen Decken, Tabak und manchmal auch, nach Überredung durch die Missionare, Seife einzutauschen. Mr. Davies' ältester Sohn, der seinen eigenen Hof betreibt, führt die Marktgeschäfte. Die Kinder der Missionare, die mit jungen Jahren auf die Insel kamen, verstehen die Sprache besser als ihre Eltern und erreichen, dass die Einheimischen etwas bereitwilliger tun.

Maori-Schule in Neuseeland

Eine Weile vor Mittag gingen die Herren Williams und Davies zu einem Wald nahebei, um mir die berühmte Kaurifichte zu zeigen. Ich vermaß einen dieser edlen Bäume und fand, dass sein Umfang oberhalb der Wurzeln einunddreißig Fuß maß. Ganz in der Nähe stand eine weitere, die ich nicht sah; sie maß dreiunddreißig Fuß; und ich hörte von einer, die nicht weniger als vierzig maß. Das Besondere dieser Bäume ist ihr ebenmäßiger zylindrischer Stamm, der auf eine Höhe von sechzig und sogar neunzig Fuß aufragt. Die Astkrone am Wipfel ist unverhältnismäßig klein, bezogen auf den Stamm, und ebenso unverhältnismäßig klein sind die Blätter, bezogen auf den Ast. Der Wald bestand hier fast ausschließlich aus den Kauri, und die größten Bäume standen aufgrund ihrer Parallelität wie gigantische Holzsäulen beieinander. In den Wäldern sah ich wenig Vögel.

Was Tiere betrifft, ist es ganz bemerkenswert, dass eine so große Insel, die über 700 Meilen lang und an vielen Stellen neunzig breit ist, mit mannigfaltigen Kolonien, einem guten Klima und Land jeglicher Höhe, von 14 000 Fuß abwärts, mit Ausnahme einer kleinen Ratte kein einziges heimisches Tier aufwies. Die zahlreichen Arten der riesigen Vogelgattung *Deinornis* haben hier offenbar die Stelle säugender Vierfüßer eingenommen, so wie es die Reptilien auf den Galapagosinseln noch heute tun. Es heißt, dass die gemeine Ratte die neuseeländische Art in dem kurzen Zeitraum von zwei Jahren in diesem nördlichen Teil der Insel ausgerottet hat. An vielen Stellen bemerkte ich mehrere Sorten Unkraut, die ich, wie die Ratten, als Einheimische anerkennen musste. Ein Lauch hat ganze Gegenden überrannt und wird sich noch als sehr lästig erweisen, doch er wurde von einem französischen Schiff als Gefälligkeit eingeführt. Ebenfalls verbreitet ist der gemeine Ampfer und wird, wie ich befürchte, auf immer Beweis für die Büberei eines Engländers sein, der die Samen als die der Tabakpflanze verkauft hat.

1. Weihnachtstag – In wenigen Tagen wird das vierte Jahr unserer Abwesenheit von England zu Ende gehen. Unser erstes Weihnachten verbrachten wir in Plymouth, das zweite in St. Martin's Cove bei Kap Hoorn, das dritte in Port Desire in Patagonien, das vierte vor Anker in einem wilden Hafen auf der Halbinsel Tres Montes, dieses fünfte hier, und das nächste, so vertraue ich der Vorsehung, wird in England sein. Wir besuchten den Gottesdienst in der Kapelle von Pahia; ein Teil der Predigt wurde auf Englisch gelesen, ein Teil in der heimischen Sprache. Solange wir in Neuseeland waren, hörten wir nichts von jüngsten Akten von Kannibalismus, allerdings fand Mr. Stokes auf einer Insel nahe unserem Ankerplatz um eine Feuerstelle verstreut verbrannte Menschenknochen, doch diese Überreste eines behaglichen Banketts mochten auch schon mehrere Jahre dort gelegen haben.

26. Dezember – Mr. Bushby erbot sich, Mr. Sulivan und mich mit seinem Boot einige Meilen flussaufwärts nach Cawa-Cawa zu fahren, und schlug vor, danach zu dem Dorf Waiomio zu gehen, wo es einige merkwürdige Steine gibt. Wir folgten einem der Arme der Bucht und genossen eine angenehme Ruderfahrt, wobei wir durch eine hübsche Landschaft gelangten, bis wir zu einem Dorf kamen, von dem an das Boot nicht mehr weiter konnte. In diesem Ort erklärten sich ein Häuptling und mehrere Männer bereit, uns nach Waiomio zu begleiten, was vier Meilen entfernt liegt. Der Häuptling war zu jener Zeit heftig in Verruf geraten, weil er unlängst eine seiner Frauen und einen Sklaven wegen Ehebruchs aufgehängt hatte. Als einer der Missionare ihm Vorhaltungen machte, wirkte er überrascht und sagte, er habe geglaubt, genau der englischen Methode zu folgen. Der alte Shongi, der zur Zeit des Prozesses gegen die Königin in England weilte, bekundete große Missbilligung über das ganze Vorgehen: Er sagte, er habe fünf Frauen, und lieber würde er ihnen allen den Kopf abhacken, als sich so viel Ärger mit einer zu machen. Nachdem wir dies Dorf verlassen hatten, gingen wir zu einem anderen hinüber, das in geringer Entfernung an einem Hang lag. Die Tochter eines Häuptlings, der noch Heide war, war fünf Tage zuvor dort gestorben. Die Hütte, in der sie verschieden war, hatte man niedergebrannt: Ihr Leichnam war zwischen zwei kleine Kanus aufrecht auf die Erde gestellt und durch eine Einfriedung mit Holzbildern von ihren Göttern geschützt, und das Ganze war hell-

GEGENÜBER: *Tu Kaitote, the Pah of Te Whero Whero, on the Waikato*, George French Angas, um 1845

rot angemalt, damit man es auch schon von weitem sah. Ihr Gewand war am Sarg befestigt und ihr Haar abgeschnitten und an seinen Fuß geworfen. Die Verwandten der Familie hatten sich an Armen, Körper und Gesicht das Fleisch aufgerissen, sodass sie von geronnenem Blut bedeckt waren, und die alten Frauen starrten vor Schmutz und sahen abscheulich aus. Tags darauf suchten Offiziere den Ort auf, da heulten die Frauen noch immer und schnitten sich.

Bevor wir die Häuser verließen, erhielt jeder von uns einen kleinen Korb voll gerösteter Süßkartoffeln, und dem Brauch entsprechend nahmen wir sie mit und aßen sie auf dem Marsch. Mir fiel auf, dass sich unter den Frauen, die mit Kochen beschäftigt waren, auch ein Sklave befand: Es muss in diesem kriegslustigen Land demütigend für einen Mann sein, das tun zu müssen, was als die niedrigste Frauenarbeit gilt. Sklaven dürfen nicht in den Krieg ziehen, das aber kann man wohl kaum als Bedrückung ansehen. Hiernach hatten wir einen angenehmen Gang zurück zum Boot, erreichten das Schiff jedoch erst am späten Abend.

30. Dezember – Am Nachmittag verließen wir die Bay of Islands und nahmen Kurs auf Sydney. Ich glaube, wir waren alle froh, Neuseeland hinter uns zu lassen. Es ist keine angenehme Gegend. Den Einheimischen fehlt jene reizende Schlichtheit, der man auf Tahiti begegnet, und die Engländer dort sind überwiegend der Ausschuss der Gesellschaft. Auch das Land selbst ist nicht reizvoll. Ich schaue nur auf einen Lichtblick zurück, und das ist Waimate mit seinen christlichen Bewohnern.

UNTEN: *Englische Missionare in Kidikidi, Neuseeland,* Louis-Claude de Freycinet, 19. Jahrhundert

Foto von neuseeländischen Ureinwohnern, aufgenommen bei der Fahrt der HMS *Challenger* (1872-1876)

Die Felsformation der Zwölf Apostel an der Küste von Victoria, Australien

19. Kapitel

AUSTRALIEN

Sydney – Exkursion nach Bathurst – Erscheinungsbild der Wälder – Gruppe Einheimischer – allmähliche Ausrottung der Aborigines – Infektion, übertragen durch Umgang mit gesunden Männern – Blue Mountains – Anblick der großen golfartigen Täler – ihr Ursprung, ihre Formation – Bathurst, allgemeine Höflichkeit der Unterschicht – Zustand der Gesellschaft – Van Diemen's Land – Hobart – Aborigines alle vertrieben – Mount Wellington – King George's Sound – freudloses Erscheinungsbild des Landes – Bald Head, Kalkablagerungen auf Ästen – Gruppe Einheimischer – verlassen Australien

12. Januar 1836 – Am frühen Morgen trug uns ein lindes Lüftchen zur Einfahrt von Port Jackson. Statt dass wir grünes Land erblickten, gesprenkelt mit schönen Häusern, erinnerte uns ein gerader, gelblicher Kliffstreifen an die Küste Patagoniens. Einzig ein allein stehender Leuchtturm aus weißem Stein sagte uns, dass wir uns nahe einer großen und volkreichen Stadt befanden. In den Hafen eingefahren, erscheint er uns schön und geräumig, eingefasst von Steilküsten aus horizontal geschichtetem Sandstein. Das nahezu ebene Land ist mit dünnen, mickrigen Bäumen bestanden, die vom Fluch der Unfruchtbarkeit künden. Kommt man weiter landeinwärts, wird das Land besser: Hier und da sind schöne Villen und hübsche Häuschen den Strand entlang verstreut. In der Ferne wiesen uns Steinhäuser, zwei, drei Stockwerke hoch, und Windmühlen am Rande eines Ufers auf die Nähe der Hauptstadt Australiens hin.

Ich mietete einen Mann und zwei Pferde, die mich nach Bathurst bringen sollten, ein Dorf, das ungefähr hundertzwanzig Meilen im Landesinnern liegt und das Zentrum eines großen ländlichen Bezirks bildet. Dadurch hoffte ich, einen allgemeinen Eindruck vom Gepräge der Landschaft zu erhalten. Am Morgen des 16. (Januar) brach ich zu meiner Exkursion auf. Der erste Abschnitt führte uns nach Paramatta, eine kleine Stadt, in der Bedeutung Sydney nachgeordnet. Die Straßen waren hervorragend und nach dem MacAdam-Prinzip gebaut, wofür Basalt aus einer Entfernung von mehreren Meilen herangeschafft worden war. In jeder Hinsicht hatte sie große Ähnlichkeit mit England: Vielleicht waren die Bierhäuser hier zahlreicher. Am wenigsten wie England erschienen die Kettentrupps, also Gruppen von Häftlingen, die ein Verbrechen begangen haben: Sie arbeiteten in Ketten, von Wachen mit geladener Waffe beaufsichtigt. Die Fähigkeit, welche die Regierung vermöge der Zwangsarbeit besitzt, gute Straßen gleichzeitig im ganzen Land zu eröffnen, ist, glaube ich, der Hauptgrund für den frühen Wohlstand dieser Kolonie. Nachts schlief ich in einem sehr behaglichen Gasthof bei der Emu-Fähre, fünfunddreißig Meilen hinter Sydney, nahe dem Anstieg der Blue Mountains. Diese Straßenlinie ist die belebteste und die von allen anderen in der Kolonie am längsten bewohnte. Das ganze Land ist mit hohen Geländern eingehegt, da es den Bauern nicht gelungen ist, Hecken zu ziehen. Es liegen viele stattliche Häuser und gute Hütten verstreut, doch obgleich beträchtliche Flächen kultiviert sind, ist der überwiegende Teil noch immer wie damals, als er entdeckt wurde.

Überall finden wir offenes Waldland, dessen Boden mit sehr feinem Weidegras bedeckt ist und auf dem sich nur wenig Grün zeigt. Die Bäume gehören nahezu sämtlich einer Familie an, und ihre Blätter sind überwiegend vertikal statt, wie in Europa, horizontal angeordnet: Das Laub ist dürftig und von einer eigentümlich hellgrünen Färbung ohne jeden Glanz. Daher wirken auch die Wälder hell und schattenlos; das stellt für den Reisenden unter der sengenden Sommersonne zwar einen Verlust an Bequemlichkeit dar, doch für den Bauern ist es von Bedeutung, da so Gras an Stellen wachsen kann, wo es sonst nicht sprießen würde. Die Blätter werden nicht regelmäßig abgeworfen: Dies scheint der gesamten südlichen Hemisphäre gemein zu sein, also Südamerika, Australien und dem Kap der Guten Hoffnung.

Bei Sonnenuntergang kam uns eine Gruppe von rund zwanzig Aborigines entgegen, ein jeder, wie bei ihnen üblich, mit einem Bündel Speere und anderen Waffen ausgerüstet. Indem wir einem jungen Anführer einen Shilling gaben, waren sie leicht zurückgehalten und warfen zu meiner Belustigung ihre Speere. Sie waren alle teilweise bekleidet, und einige sprachen ein wenig Englisch: Ihre Gesichter waren gutmütig und angenehm, und sie erschienen mir keineswegs als jene zutiefst entwürdigten Wesen, als die sie immer dargestellt werden. In ihren

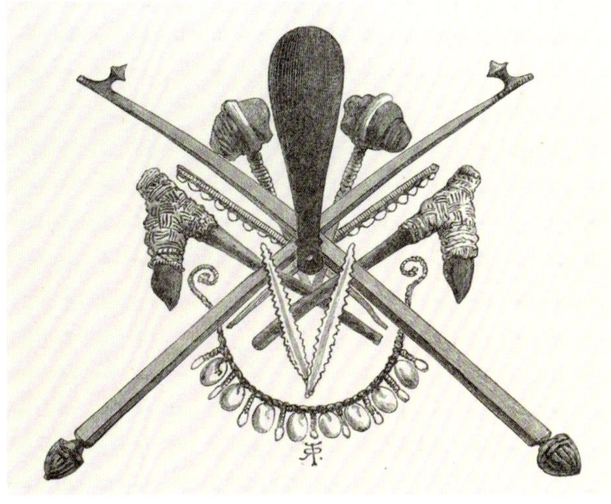

Australische Waffen und Wurfstöcke

~ AUS ~

VERLAUF DER ZWEITEN EXPEDITION 1831–1836

VON ROBERT FITZ ROY

Es fällt schwer zu glauben, dass Sydney weiterhin so florieren wird wie zur Zeit seines Aufstiegs. Es ist zu plötzlich entstanden. Sträflinge haben sein Wachstum angetrieben, genau wie ein Frühbeet Pflanzen antreibt, und bei einer derartigen vorzeitigen Reife darf ein vorzeitiger Verfall erwartet werden. Andere aufstrebende Kolonien haben Vorteile hinsichtlich der Lage und des Klimas, die das Land rund um Sydney nicht aufweist; und falls unsere Regierung abgezogen wird, wird just von diesem Tage an der Niedergang der Stadt einsetzen, denn ihre natürlichen Vorzüge reichen nicht aus, dass sie mit anderen Orten in diesen Gegenden mithalten könnte, wenn sie nicht durch die reguläre Anwesenheit von Regierungsbeamten, Truppen und eine große Sträflingsgemeinde gefördert würde.

Sydney, 1835

Künsten leisten sie Hervorragendes. Eine Mütze, in dreißig Yard Entfernung angebracht, durchbohrten sie mit dem Speer, vom Wurfstock mit der Schnelligkeit eines Pfeils vom Bogen eines geübten Schützen abgeschossen. Beim Aufspüren von Tieren oder Menschen legten sie einen ganz wunderbaren Scharfsinn an den Tag, und mehrere ihrer Bemerkungen bewiesen mir beträchtliche Klugheit. Allerdings bestellen sie nicht das Land oder bauen Häuser und bleiben sesshaft oder machen sich auch nur die Mühe, eine Schafherde zu hüten, wenn man ihnen eine gibt. Im Ganzen scheinen sie mir auf der Zivilisationsleiter einige Stufen höher zu stehen als die Feuerländer.

Es ist ganz eigenartig, inmitten eines zivilisierten Volkes Gruppen harmloser Wilder so herumziehen zu sehen, ohne dass sie wissen, wo sie nachts schlafen werden, und die sich von der Jagd in den Wäldern ernähren. Auf seinem Vordringen hat sich der weiße Mann auf dem Land ausgebreitet, das mehreren Stämmen gehört. Diese halten, obgleich solchermaßen von einem gemeinsamen Volk umringt, ihre alten Unterschiede aufrecht und ziehen bisweilen gegeneinander in den Krieg. Bei einem Treffen, das unlängst stattfand, wählten sich die beiden Parteien als Schlachtfeld erstaunlicherweise den Mittelpunkt des Dorfes Bathurst. Das nützte der geschlagenen Seite, denn die flüchtenden Krieger suchten Zuflucht in der Kaserne.

Die Aborigines werden zusehends weniger an Zahl. Auf meinem ganzen Ritt sah ich mit Ausnahme einiger Jungen, die von Engländern aufgezogen wurden, nur noch eine weitere Gruppe. Der Rückgang ist zweifellos der Einführung des Branntweins geschuldet, auch europäischen Krankheiten (selbst den leichteren, die sich, wie die Masern,[1] als sehr zerstörerisch erweisen) und der allmählichen Ausrottung der wilden Tiere. Es heißt, zahlreiche Kinder gingen unweigerlich schon in frühem Alter an den Folgen ihres Wanderlebens zugrunde, und da die Schwierigkeiten der Nahrungsbeschaffung zunähmen, müssten sie auch mehr umherziehen, weswegen die Bevölkerung im Vergleich zu zivilisierten Ländern, wo der Vater sich durch vermehrte Arbeit verletzen mag, aber seine Nachkommen nicht tötet, äußerst rapide dezimiert wird, und das ohne ersichtliche Hungertote.

Neben diesen verschiedenen Todesursachen ist offenbar allgemein eine noch rätselhaftere Kraft am Werk. Wo sich der Europäer auch hinwendet, scheint der Tod die Eingeborenen zu verfolgen.

Reverend J. Williams sagt in seiner interessanten Arbeit,[2] der erste Verkehr zwischen Einheimischen und Europäern «wird unweigerlich von der Einführung von Fieber, Dysenterie und einer weiteren Krankheit begleitet, die zahlreiche Menschen dahinrafft». Weiterhin erklärt er: «Es ist gewiss eine Tatsache, die nicht bestritten werden kann, dass die meisten Krankheiten, die auf den Inseln während meines Aufenthalts gewütet haben, von Schiffen[3] mitgebracht wurden; dies wird dadurch bemerkenswert, dass sich die Krankheit bei der Mannschaft jenes Schiffs, das den zerstörerischen Importartikel gebracht hat, nicht bemerkbar macht.»

17. Januar – Am Morgen überquerten wir auf einem Fährboot den Nepean. Der Fluss führte, obgleich an dieser Stelle breit und tief, nur sehr wenig Wasser. Nachdem wir auf der anderen Seite ein flaches Stück Land durchquert hatten, erreichten wir die Hänge der Blue Mountains. Der Anstieg ist nicht steil, und die Straße war mit großer Sorgfalt in die Seite eines Sandsteinhangs geschnitten. Oben erstreckt sich eine nahezu gerade Ebene, welche, unmerklich nach Westen ansteigend, schließlich eine Höhe von 3000 Fuß erreicht. Bei einem so großartigen Namen wie Blue Mountains und ihrer absoluten Höhe hatte ich erwartet, dass eine kühne Gebirgskette das Land durchzog, stattdessen aber bietet eine schräge Ebene dem Tiefland nahe der Küste lediglich eine unbeträchtliche Front dar. Von diesem ersten Hang aus bot sich ein eindrucksvoller Blick auf das ausgedehnte Waldland im Osten, und die umstehenden Bäume waren von kühnem und hohem Wuchs. Auf der Sandsteinebene wird die Landschaft jedoch außerordentlich eintönig; beide Seiten der Straße sind von kümmerlichen Bäumen der allgegenwärtigen Eukalyptusfamilie gesäumt, und mit Ausnahme zweier oder dreier kleiner Herbergen gibt es keine Häuser oder bestelltes Land: Auch die Straße ist einsam; am häufigsten begegnet man Ochsenkarren, die mit Holzscheiten beladen sind.

18. Januar – In aller Frühe ging ich ungefähr drei Meilen zum Govett's Leap: Ein Blick von ähnlicher Art wie der beim Weatherboard, aber vielleicht noch eindrucksvoller. So früh am Tag lag über dem Golf ein dünner blauer Dunst, der, obgleich er die allgemeine Wirkung des Blicks zerstörte, die tatsächliche Tiefe, in welcher sich der Wald zu unseren Füßen erstreckte, scheinbar noch verstärkte. Diese Täler,

Porträt von Bungeree, einem Ureinwohner von New South Wales, mit Fort Macquerie und Sydney Harbor im Hintergrund.
Augustus Earle, um 1826

die für die Versuche der Wagemutigsten unter den Kolonisten, ins Landesinnere vorzustoßen, so lange eine unüberwindliche Barriere darstellten, sind ganz bemerkenswert. Große, armartige Buchten, die sich an ihrem oberen Ende ausdehnen, zweigen oft vom Haupttal ab und dringen in die Sandsteinebene ein; die Plattform reckt ihrerseits oftmals Vorgebirge in die Täler und lässt sogar große, nahezu freistehende Massen darin zurück. Um in manche dieser Täler hinabzusteigen, muss man zwanzig Meilen herumgehen; in andere sind die Vermesser erst kürzlich vorgedrungen, und die Kolonisten haben es noch nicht geschafft, ihr Vieh hineinzutreiben. Das auffallendste Merkmal ihrer Struktur ist jedoch, dass sie am Kopfende zwar mehrere Meilen breit sind, sich an der Mündung jedoch so weit zusammenziehen, dass sie praktisch unpassierbar sind. Der Generalvermesser Sir T. Mitchell[4] versuchte vergeblich, erst mit Gehen, dann mit Klettern, zwischen den großen herabgefallenen Sandsteinbrocken die Schlucht hinaufzusteigen, mittels derer der Fluss Grose in den Nepean mündet, doch das Tal des Grose bildet, wie ich sah, in seinem oberen Teil ein herrliches ebenes Becken von einigen Meilen Breite und ist an allen Seiten von Kliffs umgeben, deren Gipfel-punkte an keiner Stelle unter 3000 Fuß über Meereshöhe liegen sollen. Sir T. Mitchell gibt an, dass sich das große Tal des Cox mit allen seinen Abzweigungen da, wo er sich mit dem Nepean vereint, auf eine 2200 Fuß breite und 1000 Fuß tiefe Schlucht verengt. Weitere ähnliche Fälle hätten noch genannt werden können.

Der erste Eindruck beim Anblick der Entsprechung der horizontalen Schichten auf beiden Seiten dieser Täler und großen amphitheaterhaften Erdfälle ist, dass sie, wie andere Täler, durch die Kraft von Wasser ausgehöhlt worden sind, doch bedenkt man die enorme Steinmasse, die nach dieser These durch bloße Schluchten oder Spalten abgeführt sein müssen, stellt man sich die Frage, ob diese Räume sich nicht vielleicht abgesenkt haben. Doch angesichts der Form der unregelmäßig abzweigenden Täler und der schmalen Vorgebirge, welche von den Ebenen aus in sie hineinragen, sehen wir uns genötigt, diesen Gedanken zu verwerfen. Einige Bewohner sagten mir, sie müssten beim Anblick jener buchtartigen Ausläufer, wo die Vorgebirge an beiden Seiten zurückweichen, stets an eine steile Meeresküste denken. Dies ist gewiss der Fall; überdies zeigen sich die zahlreichen schönen, weit verzweigten Häfen an der heutigen Küste von New South Wales, die im Allgemeinen durch einen schmalen, in das Sandsteinkliff gegrabenen, zwischen einer Viertelmeile und einer Meile breiten Durchlass mit dem Meer verbunden sind, als Abbild der großen Täler im Landesinnern, wenn auch in kleinem Maßstab. Doch sogleich erhebt sich das verblüffende Problem, warum das Meer diese großen, wenn auch umgrenzten Niederungen auf einer weiten Plattform ausgewaschen und an den Öffnungen bloße Schluchten hinterlassen hat, durch welche die ganze riesige Menge zerriebenen Gesteins hinausgetragen worden sein muss. Das einzige Licht, das ich auf dieses Rätsel werfen kann, ist der Verweis darauf, dass sich heute offenbar Ufer mit den unregelmäßigsten Formen an manchen Meeren wie in Teilen der Karibik und am Roten Meer bilden und dass ihre Ränder außerordentlich steil sind. Solche Ufer werden, wie ich Anlass habe anzunehmen, von Sediment geformt, das von starken Strömungen auf einem unregelmäßigen Grund angehäuft wurde. Dass das Meer das Sediment in manchen Fällen, statt es als gleichmäßige Decke auszubreiten, um unterseeische Felsen und Inseln anhäuft, ist nach einem Blick auf die Seekarten der Karibik kaum zu bezweifeln, und dass Wellen die Kraft haben, hohe und steile Kliffs zu bilden, selbst in landumschlossenen Häfen, habe ich in vielen Gegenden Südamerikas beobachtet.

Bald nach unserem Abschied vom Blackheath stiegen wir von der Sandsteinebene über den Pass des Mount Victoria hinab. Um diesen Pass zu bauen, musste eine gewaltige Steinmenge durchschnitten werden, ein Vorhaben und seine Ausführung, die jeder Straßenführung in England würdig gewesen wären. Wir gelangten nun in ein Land, das um nahezu eintausend Fuß tiefer lag und aus Granit bestand. Mit dem Wechsel der Gesteinsart verbesserte sich auch die Vegetation; die Bäume waren schöner und standen weiter auseinander, und das Weideland dazwischen war ein wenig grüner und dichter. Bei Hassan's Walls verließ ich die Landstraße und machte einen kurzen Umweg zu einem Gut namens Walerawang, für dessen Aufseher ich ein Empfehlungsschreiben des Besitzers in Sydney besaß. Mr. Browne war so freundlich, mich aufzufordern, auch noch am folgenden Tag zu bleiben, was ich mit Freuden annahm. Das Gut steht als Beispiel für die großen Landbau- oder vielmehr Schafzuchtbetriebe der Kolonie. Rinder und Pferde sind hier jedoch viel zahlreicher als üblich vertreten, da einige der Täler sumpfig sind und ein gröberes Weidegras hervorbringen. Zwei, drei flache Stücke Land waren gerodet und mit Getreide bepflanzt, welches die Erntehelfer gerade einbrachten: Allerdings wird nicht mehr Weizen ausgesät, als für den jährlichen Bedarf der auf dem Gehöft Beschäftigten notwendig ist. Die übliche Zahl der zugeteilten Sträflingsknechte liegt hier bei ungefähr vierzig, jetzt aber waren es weit mehr. Obgleich das Gut mit allem Nötigen

Fortsetzung auf Seite 396

Felsformation der Three Sisters in den Blue Mountains von New South Wales, Australien

~ AUS ~

GEOLOGISCHE BEOBACHTUNGEN ÜBER DIE VULKANISCHEN INSELN

VON CHARLES DARWIN

Der Sandstein der Blauen Berge ist wenigstens 1200 Fuß mächtig und ist allem Anscheine nach an einigen Stellen von noch größerer Mächtigkeit; er besteht aus kleinen Körnern von Quarz, welche durch eine erdige Substanz miteinander verkittet und von eisenhaltigen Adern außerordentlich reich durchzogen sind. Die unteren Schichten wechseln zuweilen mit Schiefer und Steinkohle ab; bei Wolgan fand ich in Kohlenschiefer Blätter der *Glossopteris Brownii*, einem Farnkraut, welches die Steinkohle von Australien so häufig begleitet. Der Sandstein enthält Quarzrollsteine; und diese nehmen meistens in den oberen Schichten an Zahl und Größe zu (indessen selten einen Durchmesser von ein oder zwei Zoll überschreitend): Erin ähnliches Verhältnis habe ich in der großen Sandsteinformation am Kap der Guten Hoffnung beobachtet. An der Küste von Südamerika, wo tertiäre und supratertiäre Schichten in so ausgedehntem Maße emporgehoben worden sind, habe ich wiederholt bemerkt, dass die obersten Schichten aus gröberem Material gebildet worden als die unteren: Dies scheint darauf hinzuweisen, dass in dem Maße, als das Meer seichter wurde, die Kraft der Wellen oder Strömungen zugenommen hat. Indessen habe ich auf dem untern Plateau zwischen den Blauen Bergen und der Küste beobachtet, dass die oberen Schichten des Sandsteins häufig in einen tonigen Schiefer übergingen – wahrscheinlich die Wirkung davon, dass dieser untere Raum während seiner Erhebung gegen starke Strömungen geschützt war. Der Sandstein der Blauen Berge ist offenbar mechanischen Ursprungs, und deshalb war ich überrascht, zu bemerken, dass in manchen Stücken nahezu sämtliche Quarzkörner so vollkommen mit brillanten Facetten kristallisiert waren, dass sie offenbar in ihrer gegenwärtigen Form in keinerlei irgend früher schon existierendem Gestein aggregiert worden sind. Es ist schwierig, sich vorzustellen, wie diese Kristalle sich gebildet haben können; man kann doch kaum annehmen, dass sie in ihrem jetzigen kristallisierten Zustand einzeln niedergeschlagen wurden. Ist es möglich, dass eine Flüssigkeit, welche ihre Flächen korrodierte, auf die abgerundeten Quarzkörner eingewirkt und frische Kieselsäure auf sie abgelagert hat? Ich will bemerken, dass es bei der Sandsteinformation des Kaps der Guten Hoffnung offenbar ist, dass sich Kieselsäure in überreicher Menge aus wässriger Lösung niedergeschlagen hat.

Das Grose Valley und die Blue Mountains, New South Wales, Australien

Fortsetzung von Seite 393

reichlich versehen war, fehlte es doch offenkundig an Behaglichkeit, auch lebte dort keine einzige Frau. Der Sonnenuntergang nach einem schönen Tag wirft allgemein eine Aura heiterer Zufriedenheit auf jede Szenerie, hier aber, auf diesem abgelegenen Gut, ließen mich noch die leuchtendsten Tönungen der umliegenden Wälder nicht vergessen, dass vierzig verhärtete, ruchlose Männer gleich Sklaven aus Afrika, doch ohne deren heiligen Anspruch auf Mitgefühl, ihr Tagewerk beendeten.

Am folgenden Morgen war Mr. Archer, der Oberaufseher, so freundlich, mich auf die Kängurujagd mitzunehmen. Wir ritten den überwiegenden Teil des Tages, hatten aber wenig Glück; wir sahen kein Känguru, nicht einmal einen wilden Hund. Die Windhunde hetzten eine Kängururatte in einen hohlen Baum, aus dem wir sie dann zogen: Das Tier ist groß wie ein Kaninchen, aber von der Gestalt eines Kängurus. Noch vor wenigen Jahren war das Land voller wilder Tiere, doch nun ist der Emu über weite Strecken vertrieben und das Känguru selten geworden; für beide hat sich der englische Windhund als äußerst schädlich erwiesen. Es mag noch lange dauern, bis diese Tiere ganz ausgerottet sind, doch ihr Schicksal ist besiegelt. Die Aborigines sind stets begierig, die Hunde von den Bauernhöfen auszuborgen: Deren Nutzung, der Abfall bei der Schlachtung eines Tieres und etwas Milch von den Kühen, das sind die Friedensangebote der Siedler, die immer weiter ins Landesinnere vorstoßen. Der gedankenlose Eingeborene, von diesen unbedeutenden Vorteilen geblendet, freut sich über das Nahen des weißen Mannes, der ausersehen scheint, das Land seiner Kinder zu erben.

In diesen Wäldern leben nicht viele Vögel, allerdings sah ich große Schwärme des weißen Kakadus auf einem Getreidefeld picken sowie einige wun-

Australisches Baumkänguru (*Macropodidae dendrolagus*)

derschöne Papageien; Krähen gleich unserer Dohle waren recht häufig, dazu ein weiterer Vogel, welcher der Elster ähnelte. In der Abenddämmerung unternahm ich einen Spaziergang eine Teichkette entlang, die in diesem trockenen Land den Lauf eines Flusses darstellte, und hatte das Glück, etliche der berühmten *Ornithorhynchus* paradoxus zu sehen. Sie tauchten und spielten auf der Wasseroberfläche, zeigten aber so wenig von ihrem Körper, dass man sie leicht mit Wasserratten hätte verwechseln können. Mr. Browne schoss eines: Es ist wahrhaftig ein ganz außerordentliches Tier; ein ausgestopftes Exemplar vermittelt in keiner Weise eine angemessene Vorstellung vom Anblick des lebenden Kopfes und Schnabels; Letzterer wird hart und zieht sich zusammen.[5]

20. Januar – Ein langer Tagesritt nach Bathurst. Bevor wir wieder auf die Landstraße stießen, folgten wir einem schmalen Pfad durch den Wald; das Land war mit Ausnahme einiger weniger Siedlerhütten sehr einsam. An dem Tag erlebten wir den schirokkartigen Wind Australiens, der aus den ausgedörrten Wüsten im Innern kommt. In alle Richtungen wehten Staubwolken, und der Wind fühlte sich an, als wäre er über ein Feuer gezogen. Später erfuhr ich, dass das Thermometer im Freien bei 48° und in einem geschlossenen Raum bei 36° gestanden hatte. Am Nachmittag kamen wir in Sichtweite der Hügel von Bathurst. Die welligen, aber nahezu glatten Ebenen sind in diesem Land sehr auffällig, weil sie vollkommen baumlos sind. Lediglich dünnes, braunes Gras wächst darauf. Wir ritten einige Meilen durch dieses Land und erreichten dann die Stadtgemeinde Bathurst, die mitten in einem breiten Tal oder einer schmalen Ebene lag, je nachdem, wir man es nennen will. In Sydney hatte man mir gesagt, ich solle mir kein allzu schlechtes Bild von Australien machen, indem ich es nach der Landschaft am Wegesrand beurteilte, und auch kein allzu gutes von Bathurst; in letzterer Hinsicht sah ich mich nicht in der mindesten Gefahr, von Vorurteilen beherrscht zu sein. Die Jahreszeit war, das muss man sagen, sehr trocken gewesen, und das Land hatte kein gefälliges Gepräge, wobei es zwei, drei Monate zuvor unvergleichlich schlimmer gewesen sein soll. Das Geheimnis des rasch wachsenden Wohlstands von Bathurst liegt darin, dass das braune Gras, das dem Auge des Fremden so erbärmlich erscheint, hervorragend für Schafe geeignet ist. Die Stadt liegt in einer Höhe von 2200 Fuß über dem Meer an den Ufern des Macquarie, einem der Flüsse, die in das riesige und weithin unbekannte Landesinnere fließen. Die Wasserscheide, welche die Inlandflüsse von jenen teilt, die zur Küste fließen, liegt auf einer Höhe von rund 3000 Fuß und verläuft in Nord-Süd-Richtung in einer Entfernung von achtzig bis einhundert Meilen vom Meer. Der Macquarie ist auf der Karte als respektabler Fluss eingezeichnet und der größte derer, die diese Seite der Wasserscheide entwässern, doch zu meiner Überraschung begegnete er mir als eine Kette von Tümpeln, die durch nahezu trockene Flächen voneinander getrennt waren. Zumeist fließt ein kleiner Wasserlauf, zuweilen führt er aber auch hohe, heftige Fluten. So knapp der Vorrat an Wasser im ganzen Bezirk auch ist, wird er doch weiter landeinwärts noch knapper.

22. Januar – Ich begab mich auf die Rückreise und folgte einer neuen Straße namens Lockyer's Lane, an der die Landschaft deutlich hügeliger und malerischer ist. Der Hof, auf dem ich die Nacht verbrachte, gehörte zwei jungen Männern, die erst kürzlich hergekommen waren und ein Siedlerleben begannen. Der vollkommene Mangel an nahezu jeder Annehmlichkeit war nicht sehr reizvoll, doch künftiger und gewisser Wohlstand stand ihnen vor Augen, und das in nicht weiter Ferne.

Am folgenden Tag gelangten wir durch weite Gegenden, die in Flammen standen; Rauchwolken wehten über die Straße. Noch vor Mittag stießen wir auf unsere alte Straße und erstiegen den Mount Victoria. Ich schlief im Weatherboard und unternahm noch vor Einbruch der Dunkelheit einen weiteren Gang zum Amphitheater. Auf dem Weg nach Sydney verbrachte ich einen sehr angenehmen Abend mit Kapitän King in Dunheved, und so endete meine kleine Exkursion in die Kolonie New South Wales.

Bevor ich hier ankam, interessierten mich drei Dinge am meisten – die Verfassung der Gesellschaft in den höheren Schichten, die Lage der Sträflinge und welcher Anziehungskraft es bedurfte, um einen Menschen zum Einwandern zu bewegen. Natürlich ist eine Meinung nach einem so kurzen Besuch kaum etwas wert, doch ist es ebenso schwierig, sich keine Meinung zu bilden, wie zu einem korrekten Urteil zu gelangen. Im Ganzen war ich, mehr nach dem, was ich hörte, als was ich sah, vom Zustand der Gesellschaft enttäuscht. Die ganze Gemeinschaft ist bei nahezu jedem Thema in erbitterte Parteien gespalten. Von denen, die ihrem Stand im Leben nach die Besten sein sollten, befleißigen sich viele einer solch offenen Lasterhaftigkeit, dass ehrbare Menschen nicht mit ihnen verkehren können. Zwischen den Kindern der reichen Emanzipisten und der freien Siedler herrscht viel Eifersucht; Erstere betrachten ehrliche Menschen gern als Eindringlinge. Die ganze Bevölkerung, Reich wie Arm, ist darauf aus, Reichtum zu erwerben: Unter den höheren Schichten sind Wolle und Schafzucht die wesent-

OBEN: *Goldsucher bei der Ankunft in Bathurst auf dem Weg nach Ophir, dem Goldgebiet, Australien,* 1800
GEGENÜBER: Australisches Buschfeuer

lichen Gesprächsthemen. Das Glück der Familien unterliegt vielen schwerwiegenden Beeinträchtigungen, deren wichtigste vielleicht die ist, dass sie von Sträflingsdienern umgeben sind. Es ist durch und durch abscheulich, von einem Mann aufgewartet zu werden, der vielleicht noch am Tag zuvor aufgrund der eigenen Darstellung wegen eines lässlichen Vergehens ausgepeitscht worden ist. Die weiblichen Bedienten sind natürlich viel schlimmer: Von ihnen lernen die Kinder die schlimmsten Ausdrücke, und man kann von Glück sagen, wenn nicht auch noch ebenso schlimme Gedanken.

Andererseits bringt einem Mann sein Kapital ohne jeden eigenen Aufwand die dreifachen Zinsen im Vergleich zu England, und mit etwas Vorsicht wird er ganz sicher reich. Die Annehmlichkeiten des Lebens sind im Überfluss vorhanden und nur geringfügig teurer als in England, die meisten Nahrungsmittel billiger. Das Klima ist hervorragend und vollkommen gesund, für mich aber verlieren seine Reize durch das wenig einladende Aussehen des Landes.

Das rasche Gedeihen und die Zukunftsaussichten dieser Kolonie sind für mich, der ich von solchen Themen nichts verstehe, sehr verwirrend. Die beiden wichtigsten Ausfuhrartikel sind Wolle und Walöl, und beider Produktion sind Grenzen gesetzt. Ackerbau kann wegen der Dürreperioden in großem Stile niemals gelingen: Daher muss Australien, so weit ich sehe, sich letztlich darauf stützen, das Handelszentrum der südlichen Hemisphäre zu sein, vielleicht auch auf seine künftigen Fabriken. Da es über Kohle verfügt, hat es auch immer Antriebskraft bereit. Da das bewohnbare Land sich die Küste entlang erstreckt und es englischen Ursprungs ist, wird es bestimmt eine Seefahrernation sein. Früher glaubte ich, Australien werde dereinst ein ebenso großes und mächtiges Land wie Nordamerika sein, nun aber will mir scheinen, dass eine solche künftige Größe recht problematisch ist.

Was den Zustand der Sträflinge angeht, so hatte ich noch weniger Gelegenheit zur Beurteilung als bei den anderen Dingen. Die erste Frage ist, ob ihre Lage überhaupt eine Bestrafung darstellt: Niemand wird behaupten, dass es eine sehr schwere sei. Das jedoch ist vermutlich von geringer Bedeutung, solange Verbrecher in der Heimat sie weiterhin fürchten. Für die leiblichen Bedürfnisse der Sträflinge ist einigermaßen gesorgt: Ihre Aussicht auf künftige Freiheit und Annehmlichkeit liegt nicht sehr fern und ist ihnen, nach guter Führung, gewiss. Ein «Entlassungsschein», der einen, solange er sich von Verdacht wie auch Verbrechen fern hält, innerhalb eines bestimmten Bezirks zum freien Manne macht, wird nach Jahren, die proportional zur Länge der Strafe stehen, bei guter Führung ausgegeben; doch trotz alledem und abgesehen von der vorherigen Haft und elenden Überfahrt glaube ich, dass die Jahre der Zuweisung in Unzufriedenheit und Leid verbracht werden. Wie ein intelligenter Mann mir sagte, kennen die Sträflinge außer der Sinnlichkeit kein Vergnügen, und darin werden sie nicht befriedigt. Die enorme Verlockung, welche die Regierung mit dem Angebot der Begnadigung besitzt, wie auch die tiefen Schrecken der abgelegenen Strafkolonien zerstören das Vertrauen unter den Sträflingen und verhindern somit Verbrechen. Im Ganzen wird hier als Ort der Bestrafung das Ziel kaum erreicht; als echte Reform ist es gescheitert, wie vielleicht jeder andere Plan scheitern würde; doch als Mittel, Männer nach außen hin ehrlich zu machen – Vagabunden, die in einer Hemisphäre gänzlich nutzlos sind, in tätige Bürger in einer anderen zu verwandeln und dadurch ein neues, großartiges Land entstehen zu lassen – ein großes Zentrum der Zivilisation –,

Abenddämmerung am Mount Wellington, Tasmanien

war es erfolgreich in einem Maße, das in der Geschichte wahrscheinlich ohne Beispiel ist.

30. Januar – Die *Beagle* fuhr nach Hobart Town auf Van Diemen's Land. Am 5. Februar, nach einer sechstägigen Passage, deren erster Teil schön war und der letzte sehr kalt und böig, liefen wir in die Storm Bay ein: das Wetter rechtfertigte diesen fürchterlichen Namen. Die Bucht sollte eher Flussmündung genannt werden, da sie an ihrem Ende das Wasser des Derwent empfängt. Nahe der Öffnung sind ausgedehnte Basaltterrassen zu sehen, in größerer Höhe wird das Land jedoch gebirgig und ist von einem lockeren Wald bedeckt. Die unteren Bereiche der Berge, welche die Bucht umsäumen, sind gerodet, und die hellgelben Kornfelder und dunkelgrünen mit Kartoffeln wirkten sehr üppig. Am Abend ankerten wir in der ruhigen Bucht, an deren Ufer die Hauptstadt von Tasmanien liegt. Der erste Eindruck des Ortes war dem Sydneys deutlich unterlegen; dies ließe sich eine Stadt nennen, jener nur ein Dorf. Es liegt am Fuße des Mount Wellington, einem 3100 Fuß hohen Berg, aber von geringer malerischer Schönheit: Von dort wird es jedoch gut mit Wasser versorgt. Die Bucht entlang stehen einige stattliche Speicher und an einer Seite ein kleines Fort. Nach den spanischen Siedlungen, wo auf die Befestigung allgemein so große Sorgfalt verwandt wird, erschienen die Verteidigungsanlagen in diesen Kolonien sehr verachtenswert. Beim Vergleich der Kleinstadt mit Sydney fiel mir hauptsächlich die geringe Anzahl großer Häuser auf, seien sie gebaut oder im Bau befindlich. Hobart Town hat nach dem Zensus von 1835 13 826 Einwohner, ganz Tasmanien 36 505.

Alle Ureinwohner wurden zu einer Insel in der Bass Strait verbracht, sodass Van Diemen's Land den großen Vorteil genießt, von einer einheimischen

Bevölkerung frei zu sein. Dieser äußerst grausame Schritt scheint als das einzige Mittel, eine fürchterliche Abfolge von Raub, Brandschatzung und Mord, von den Schwarzen begangen, zu beenden, ganz unvermeidlich gewesen zu sein, da sie andernfalls früher oder später zu ihrer völligen Ausrottung geführt hätte. Ich fürchte, es steht außer Zweifel, dass diese Abfolge von Übeltaten und ihre Folgen auf das schändliche Verhalten einiger unserer Landsleute zurückzuführen sind. Dreißig Jahre sind eine kurze Zeit, um den letzten Ureinwohner aus seinem Heimatland vertrieben zu haben – und diese Insel ist beinahe so groß wie Irland. Die Korrespondenz über dieses Thema, die zwischen der Regierung Großbritanniens und jener von Van Diemen's Land stattfand, ist sehr interessant. Obgleich etliche Eingeborene in den Scharmützeln, die mit Unterbrechungen über sieben Jahre gingen, erschossen und gefangen genommen wurden, schien nichts sie bewegt zu haben, unsere überwältigende Übermacht anzuerkennen, bis das ganze Land 1830 unter Kriegsrecht gestellt und die gesamte Bevölkerung per Erlass angewiesen wurde, in dem großen Versuch mitzuwirken, die ganze Rasse zu erhalten. Der gefasste Plan glich praktisch dem der großen Treibpartien in Indien: Eine Linie wurde gebildet, die über die ganze Insel reichte und mit der die Einheimischen in eine Sackgasse auf der Tasmanhalbinsel getrieben werden sollten. Der Versuch schlug fehl; eines Nachts stahlen sich die Einheimischen, nachdem sie ihre Hunde angebunden hatten, durch die Linien.

Aber um zu der Jagdpartie zurückzukehren: Die Einheimischen, die diese Form der Kriegführung kannten, waren furchtbar bestürzt, denn sie erkannten sogleich die Macht und Anzahl der Weißen. Kurze Zeit danach kam eine Gruppe von dreizehn Männern, die zwei Stämmen angehörten, und lieferten sich, da sie um ihre ungeschützte Lage wussten, in ihrer Verzweiflung an uns aus. Daraufhin wurden durch die furchtlosen Bemühungen Mr. Robinsons, eines tätigen und gütigen Mannes, der selbst die feindseligsten Eingeborenen allein aufsuchte, alle bewegt, diesem Beispiel zu folgen. Anschließend wurden sie auf eine Insel verbracht, wo man ihnen Nahrung und Kleidung bereitstellte. Graf Strzelecki gibt an,[6] dass «zur Zeit ihrer Deportation 1835 die Zahl der Eingeborenen 210 betrug. 1842, also sieben Jahre später, waren es nur noch vierundfünfzig Personen, und während jede Familie aus dem Innern von New South Wales, unbefleckt vom Kontakt mit den Weißen, Massen von Kindern hat, hatten jene auf Flinders Island im Laufe von acht Jahren einen Zuwachs von lediglich vierzehn an der Zahl!» Die *Beagle* blieb hier zehn Tage, und während dieser Zeit unternahm ich mehrere kleine Exkursionen, hauptsächlich mit dem Ziel, den geologischen Aufbau der unmittelbaren Umgebung zu untersuchen. Die interessantesten Besonderheiten bestehen zunächst aus stark fossiliferen Schichten, die dem Devon oder Karbon angehören, zweitens aus Beweisen für eine späte geringe Erhebung des Landes und schließlich aus einem einzelnen, oberflächlichen Stück gelblichen Kalksteins oder Travertins, das zahlreiche Eindrücke von Baum blättern sowie von Landmuscheln enthält, die heute nicht mehr existieren. Es ist nicht unwahrscheinlich, dass dieser eine kleine Steinbruch das einzige verbliebene Zeugnis der Vegetation auf Van Diemen's Land während einer früheren Epoche enthält.

Das Klima ist hier feuchter als in New South Wales und das Land daher fruchtbarer. Der Acker-

GEGENÜBER: Ansicht von Hobart Town, Joseph Lycett, 1824

Liverpool Street, Hobart Town, 1879

bau blüht: Die kultivierten Felder sehen gut aus, und in den Gärten gedeihen Gemüse und Obstbäume ganz prächtig. Einige der abgeschieden liegenden Bauernhäuser geben ein sehr reizvolles Bild ab. Das allgemeine Gepräge der Vegetation ähnelt dem Australiens; vielleicht ist es ein wenig grüner und freundlicher, und das Gras zwischen den Bäumen ist deutlich üppiger. An einem Tag unternahm ich eine lange Wanderung auf der dem Ort gegenüberliegenden Seite der Bucht: Ich setzte mit einem Dampfboot über, wovon zwei beständig hin- und herfahren. Die Maschinerie eines dieser Fahrzeuge war gänzlich in dieser Kolonie hergestellt, welche von ihrer Gründung an da erst dreiunddreißig Jahre zählte! An einem anderen Tag bestieg ich den Mount Wellington; ich nahm einen Führer mit, denn den ersten Versuch musste ich abbrechen, weil der Wald so dicht war. Unser Führer war jedoch ein dummer Geselle und geleitete uns zu der südlichen, feuchten Seite des Berges, wo die Vegetation sehr üppig war und wo die Mühen des Anstiegs wegen der Vielzahl modernder Baumstämme fast so groß waren wie bei einem Berg in Feuerland oder auf Chiloé. Es kostete uns fünfeinhalb Stunden tüchtigen Kletterns, bis wir den Gipfel erreichten. An vielen Stellen wuchs der Eukalyptus zu beträchtlicher Größe an und bildete einen stattlichen Wald. In einigen der feuchtesten

Schluchten wuchsen Baumfarne in einem außerordentlichen Maß; einer dürfte bis zum Ansatz der Wedel wenigstens zwanzig Fuß gemessen haben, und sein Umfang betrug genau sechs Fuß. Der Gipfel des Berges ist breit und eben und besteht aus gewaltigen kantigen Massen kahlen Grünsteins. Seine Höhe beträgt 3100 Fuß über dem Meeresspiegel. Der Tag war herrlich klar, und wir genossen einen sehr weiten Blick; nach Norden hin erschien das Land als Ansammlung bewaldeter Berge von ungefähr der gleichen Höhe wie der, auf dem wir standen, und mit ebenso sanften Konturen; im Süden lagen das zerklüftete Land und das Wasser, das zahlreiche verschlungene Buchten bildete, sehr klar vor uns ausgebreitet. Nachdem wir einige Stunden auf dem Gipfel geblieben waren, fanden wir eine bessere Route für den Abstieg, erreichten die *Beagle* nach einem harten Tagewerk aber erst um acht Uhr.

7. Februar – Die *Beagle* verließ Tasmanien und erreichte am 6. des folgenden Monats den King George's Sound nahe der Südwestspitze Australiens. Dort blieben wir acht Tage; es war die ödeste und uninteressanteste Zeit unserer ganzen Reise. Das Land, von einer Anhöhe betrachtet, zeigt sich als bewaldete Ebene, aus der hier und da ein gerundeter und teilweise kahler Granithügel herausragt. An einem Tag schloss ich mich einer Gesellschaft an in der Hoffnung, eine Kängurujagd zu erleben, und zog über etliche Meilen Land. Überall war die Erde sandig und sehr schlecht; sie trug entweder eine grobe Vegetation aus dünnem, niedrigem Gestrüpp und drahtigem Gras oder einen Wald aus verkümmerten Bäumen. Die Landschaft ähnelte jener auf dem Sandsteinplateau der Blue Mountains; allerdings ist der Casuarina (ein Baum, der ungefähr der schottischen Fichte gleicht) hier in größerer Zahl vertreten, der Eukalyptus dagegen in geringerer. In den offenen Bereichen standen viele Grasbäume – eine Pflanze, deren Erscheinungsbild eine gewisse Ähnlichkeit mit der Palme hat, doch statt von einer Krone aus stattlichen Wedeln bedeckt zu sein, weist sie lediglich einen Büschel aus sehr groben, grasartigen Blättern auf.

An einem Tag begleitete ich Kapitän Fitz Roy zum Bald Head; der Ort wird von so vielen Navigatoren erwähnt, und manche glaubten, dort Korallen zu sehen, andere, versteinerte Bäume, die noch genauso standen, wie sie gewachsen waren. Unserer Ansicht nach sind die Felder vom Wind geformt, der feinen Sand aufgehäuft hat, welcher sich aus winzigen gerundeten Muschel- und Korallenpartikeln zusammensetzt, wodurch Äste und Wurzeln von Bäumen, dazu viele Landmuscheln, eingeschlossen wurden. Das Ganze festigte sich dann durch das Einsickern von kalkhaltigen Stoffen, und die zylindrischen Höhlungen, die das verfallende Holz hinterließ, wurden so ebenfalls von hartem, pseudostalaktitischem Stein ausgefüllt. Das Wetter trägt nun die weicheren Stellen ab, und als Folge davon ragen die harten Formen von Baumwurzeln und -ästen über die Oberfläche und ähneln in äußerst trügerischer Weise den Stümpfen eines toten Dickichts.

Ein großer Stamm Eingeborener namens Weiße-Kakadu-Männer stattete der Siedlung gerade einen Besuch ab, während wir da waren. Diese Männer wie auch diejenigen des Stammes, die zum King George's Sound gehören, konnten, verführt von dem Angebot einiger Tonnen Reis und Zucker, dazu bewegt werden, ein *corrobery* abzuhalten, also einen großen Tanz. Bei Einbruch der Dunkelheit wurden kleine Feuer entzündet, und die Männer begannen ihre Toilette, welche darin bestand, sich weiße Flecken und Linien aufzumalen. Sobald alles bereit war, wurden große Feuer entzündet, um welche die

Corroboree am Lagerfeuer, John Lycett, um 1817

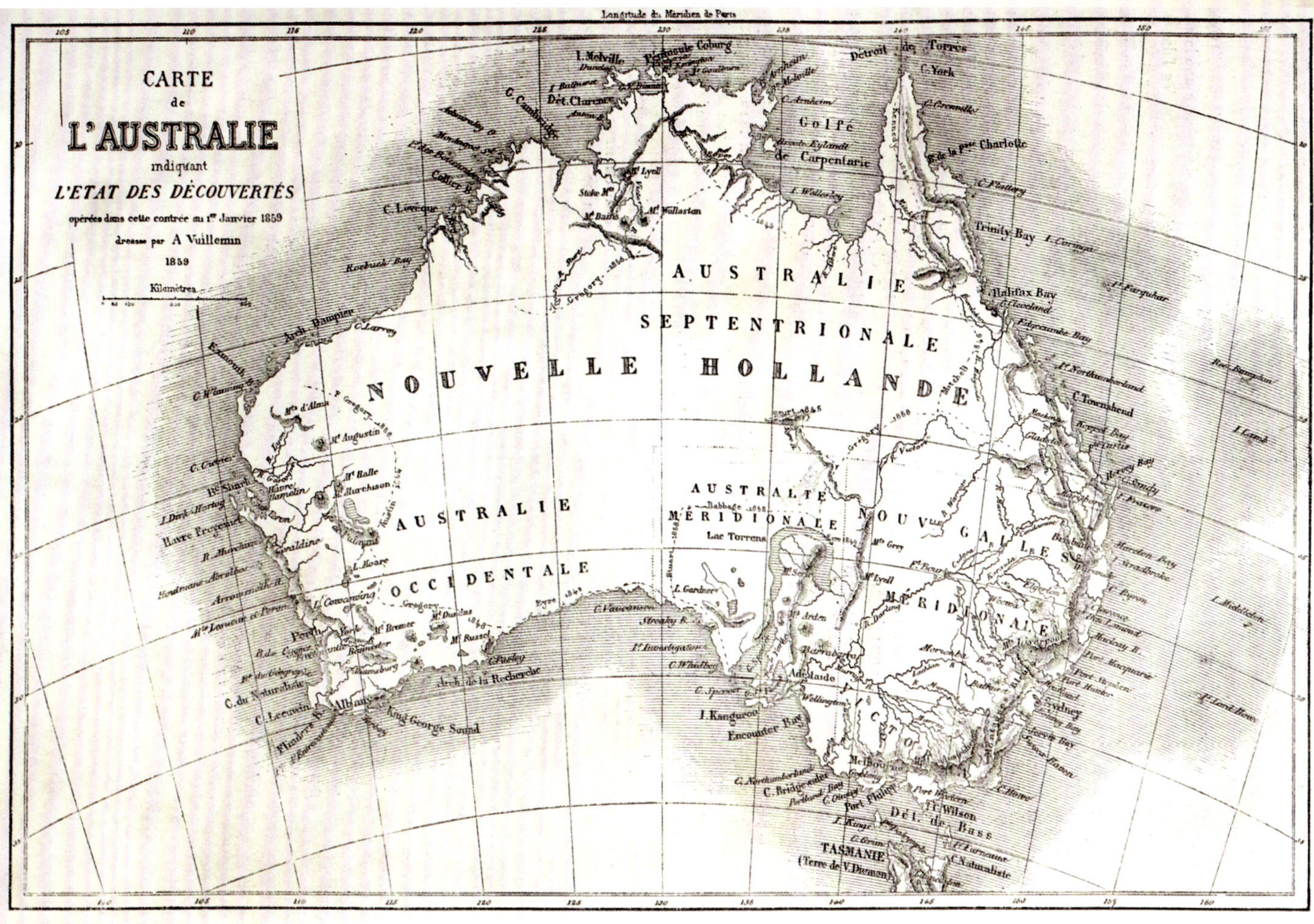

Karte von Australien, Vuillemin und Erhard, 1860

Frauen und Kinder als Zuschauer gruppiert wurden; die Kakadu- und King-George-Männer bildeten zwei eigenständige Gruppen und tanzten allgemein in Antwort aufeinander. Der Tanz bestand daraus, dass sie entweder seitlich oder hintereinander auf einen freien Raum liefen und mit großer Wucht auf den Boden stampften, wenn sie zusammen marschierten. Als beide Stämme sich bei ihrem Tanz vermischten, erzitterte die Erde von ihren schweren Schritten, und die Luft hallte von ihren wilden Schreien wider. Alle schienen bester Laune, und die Gruppe der fast nackten Gestalten, die sich alle im Schein des prasselnden Feuers in grausiger Harmonie bewegten, war die vollendete Darstellung einer Festlichkeit unter den niedersten Barbaren. In Feuerland sahen wir viele merkwürdige Szenen im Leben der Wilden, aber keine, glaube ich, bei dem die Eingeborenen so gehobener Stimmung und so vollkommen gelassen waren. Nachdem der Tanz vorbei war, bildete die ganze Gruppe einen großen Kreis auf der Erde, worauf zur Freude aller der gekochte Reis und der Zucker verteilt wurden.

Nach mehreren lästigen Verzögerungen durch bewölktes Wetter liefen wir am 14. März sehr gern aus dem King George's Sound aus und nahmen Kurs auf die Keelinginsel. Lebe wohl, Australien! Du bist ein wachsendes Kind, und zweifellos wird im Süden dereinst ein großer Fürst regieren: Doch bist du zu groß und ehrgeizig für Zuneigung, aber nicht groß genug für Respekt. Ich verlasse deine Gestade ohne Schmerz oder Bedauern.

Ankunft auf den Kokos-(Keeling-)Inseln im Mai 1616, Jacob Le Maire, 17. Jahrhundert

20. Kapitel

KEELINGINSEL – KORALLEN-FORMATIONEN

Keelinginsel – einzigartige Erscheinung – karge Flora – Transport von Samen – Vögel und Insekten – Quellen mit Ebbe und Flut – tote Korallenfelder – in Baumwurzeln transportierte Steine – großer Krebs – Korallen fressender Fisch – Korallenformationen – Laguneninseln oder Atolle – Tiefe, in der riffbauende Korallen leben können – weite Gebiete, die mit flachen Koralleninseln durchsetzt sind – Absenkung ihres Fundaments – Barriereriffe – Saumriffe – Umwandlung von Saumriffen in Barriereriffe und Atolle – Indiz für Veränderung der Höhe – Strände an Barriereriffen – Malediven-Atolle, ihre eigentümliche Struktur – tote und gesunkene Riffe – Gebiete mit Absenkung und Anhebung – Verteilung von Vulkanen – Absenkung langsam und in gewaltigem Maße

1. April [1836] – Wir gelangten in Sichtweite der Keeling- oder Kokosinseln, die im Indischen Ozean liegen, ungefähr sechshundert Meilen von der Küste Sumatras entfernt. Es ist eine der Laguneninseln (oder Atolle) aus Korallenformationen ähnlich dem des Low-Archipels, das wir nahebei passierten. Als das Schiff im Kanal an der Einfahrt lag,

Junge Kokosnüsse

kam Mr. Liesk, ein englischer Bewohner, mit dem Boot. Die Geschichte der Einwohner dieser Insel ist in so wenigen Worten wie möglich folgende: Vor ungefähr neun Jahren brachte Mr. Hare, ein wertloser Mensch, vom Ostindischen Archipel etliche malaiische Sklaven, welche nun samt ihren Kindern über hundert zählen. Kurz darauf traf Kapitän Ross, der diese Inseln schon zuvor mit seinem Handelsschiff besucht hatte, aus England ein und brachte seine Familie und Güter mit, um sich dort anzusiedeln: Bei ihm war Mr. Liesk, der auf dem Fahrzeug Maat gewesen war. Die malaiischen Sklaven flüchteten bald von der Insel, auf der Mr. Hare sich niedergelassen hatte, und schlossen sich Kapitän Ross' Gesellschaft an. Daraufhin sah Mr. Hare sich schließlich gezwungen, die Insel zu verlassen.

Die Malaien befinden sich nun nominell in einem Zustand der Freiheit und sind es gewiss auch, was ihre persönliche Behandlung angeht, in den meisten anderen Belangen werden sie jedoch als Sklaven betrachtet. Wegen ihrer unbefriedigenden Lage, wegen ihres beständigen Wechsels von Insel zu Insel und vielleicht auch aufgrund von ein wenig

~ AUS ~

VERLAUF DER ZWEITEN EXPEDITION 1831–1836

VON ROBERT FITZ ROY

Zwischen den vielen Arten an Korallen, die um die unmittelbar sichtbare Unterlage Wände bauen, und unterseeischen Wäldern auf den Keelinginseln bestehen mehr Unterschiede als zwischen einem Schattenblümchen und einer knorrigen Eiche. Manche sind zerbrechlich und zart, haben verschiedene Farben und sehen aus wie Gemüse, andere sind von robuster Machart, wie petrifizierte Tropenpflanzen; aber sie alle wachsen innerhalb der Außenriffkante und vornehmlich in den Lagunen.*

Das Außenriff, über das schon so viel von fähigen Männern gesagt und gedacht wurde, ohne dass sie zu einem abschließenden Urteil gelangt wären, ist fest und steinartig mit einer glatten Oberfläche, und wo die Brandung am stärksten ist, sind die Korallen voller Lebewesen. Ich war bestrebt, wenn möglich festzustellen, bis in welche Tiefe die lebende Koralle reicht, doch meine Bemühungen waren nahezu vergebens, wegen der stets heftigen Brandung und weil die Außenriffkante so hart ist, dass ich unter fünf Faden Tiefe keine Stücke abschlagen konnte. Kleine Anker, Haken, Enterhaken und Ketten wurden ausprobiert – und alle zerbrachen wegen der Dünung, sobald wir auf sie mit der «Winde» von unseren größten Booten «Druck ausübten». Aus den Abdrücken, die sie auf einem großen Blei hinterließen, dessen Ende verbreitert und mit Talg, der mit Kalk gehärtet wurde, bedeckt wurde, und aus den kleinen Stücken, die wir hochholen konnten, schloss ich, dass die Koralle ab sieben Faden unter Niedrigwasser nicht lebendig ist. Doch dieses Thema wurde oder wird von Mr. Darwin ausführlich besprochen, weswegen ich nicht mehr sagen muss.

In einem Atoll, Keelinginseln

* *Eine Art Koralle sticht, in lebendem Zustand, bei Berührung schmerzhaft in menschliches Fleisch. Eine andere ist so hart, dass sie Funken sprüht, wenn man mit Stahl auf sie schlägt.*

Missverwaltung sind die Dinge nicht sehr gedeihlich. Die Insel hat mit Ausnahme des Schweins keinen heimischen Vierfüßer, und das wichtigste pflanzliche Erzeugnis ist die Kokosnuss. Von diesem Baum hängt der gesamte Wohlstand der Insel ab: Einzig ausgeführt werden das Öl der Nuss sowie die Nüsse selbst; sie werden nach Singapur und Mauritius gebracht, wo sie, geraspelt, hauptsächlich für Currys verwendet werden. Von der Kokosnuss leben auch fast ausschließlich die Schweine, die ordentlich fett sind, sowie die Enten und das Geflügel. Selbst ein riesiger Landkrebs ist von der Natur mit den Mitteln ausgestattet, dies äußerst nützliche Erzeugnis zu öffnen und sich davon zu ernähren.

Ich möchte nun einen Abriss der Naturgeschichte dieser Inseln geben, welche gerade wegen ihrer geringen Zahl von besonderem Interesse ist. Die Kokospalme scheint auf den ersten Blick den gesamten Wald zu bilden, doch gibt es auch noch fünf bis sechs weitere Bäume. Einer wächst zu beträchtlicher Größe an, ist jedoch wegen der außerordentlichen Weichheit seines Holzes nutzlos; eine andere Sorte liefert hervorragendes Holz für den Schiffbau. Abgesehen von den Bäumen ist die Zahl der Pflanzen außerordentlich begrenzt und besteht aus unbedeutendem Unkraut. In meiner Sammlung, die, wie ich glaube, nahezu die vollständige Flora umfasst, gibt es zwanzig Arten, Moos, Flechten und Pilze nicht eingerechnet. Dieser Zahl müssen zwei Bäume hinzugefügt werden; der eine stand nicht in Blüte, und vom anderen hatte ich nur gehört. Letzterer ist der einzige Baum seiner Art und wächst nahe dem Strand, wo der eine Samen zweifellos von den Wellen hingeworfen worden war. Auf nur einem der Eilande wächst auch eine Guilandina. In die oben genannte Liste schließe ich nicht das Zuckerrohr, die Banane, einige andere Gemüse, Obstbäume und eingeführte Gräser ein. Da die Inseln ausschließlich aus Korallen bestehen und einstmals lediglich von Wasser überspülte Riffe gewesen sein dürften, müssen alle ihre Landerzeugnisse von den Meereswellen hergetragen worden sein. Demnach hat die kleine Flora durchaus den Charakter eines Obdachs für die Hilflosen: Professor Henslow teilt mir mit, dass von den zwanzig Arten neunzehn unterschiedlichen Gattungen angehören, und diese wiederum nicht weniger als sechzehn Familien![1]

In Holmans *Travels*[2] werden unter Berufung auf Mr. A. S. Keating, der zwölf Monate auf diesen Inseln verbrachte, verschiedene Samen und andere Körper beschrieben, die, wie man weiß, an Land gespült wurden. «Samen und Pflanzen von Sumatra und Java sind von der Brandung auf die dem Wind zu liegende Seite der Inseln geworfen worden. Darunter wurden gefunden die Kimiri, auf Sumatra und der Halbinsel Malakka heimisch, die Kokosnuss aus Balci, die man an ihrer Größe und Form erkennt, die Dadass, die von den Malaien zusammen mit dem Pfefferstrauch angebaut wird, der sich um ihren Stamm windet und sich mittels Dornen an ihrem Stiel festhält, der Seifenbaum, die Kastorölpflanze, Stämme der Sagopalme sowie weitere Samenarten, die den Malaien, welche auf diesen Inseln siedeln, unbekannt sind. Diese sollen alle vom Nordwestmonsun an die Küste von Neuholland und von dort vom Südostpassat auf diese Inseln geweht worden sein. Auch sollen große Massen Java-Teak und Gelbholz gefunden worden sein, dazu riesige rote und weiße Zedern und der blaue Fieberbaum von Neuholland in vollkommen gesundem Zustand. Wenn sie, wie von Mr. Keating mit viel Plausibilität angedeutet, zunächst an die Küste Neuhollands getragen wurden und dann zusammen mit den Erzeugnissen

Die Keelinginseln von oben

jenes Landes zurücktrieben, müssen die Samen vor der Keimung zwischen 1800 und 2400 Meilen zurückgelegt haben.

Chamisso[3] sagt in seiner Beschreibung des Radack-Archipels, das im westlichen Pazifik liegt, dass «das Meer diesen Inseln die Samen und Früchte vieler Bäume bringt, wovon die meisten hier noch nicht gewachsen sind. Der größere Teil der Samen scheint die Fähigkeit zu wachsen noch nicht eingebüßt zu haben».

Die Liste der Landtiere ist noch kürzer als die der Pflanzen. Einige der Inseln sind von Ratten bevölkert, die mit einem Schiff aus Mauritius kamen, das hier Schiffbruch erlitt. Diese Ratten sind Mr. Waterhouses Ansicht nach identisch mit der englischen Art, aber kleiner und heller. Echte Landvögel gibt es keine, denn eine Schnepfe und eine Ralle *(Rallus phillippensis)* leben zwar ausschließlich im trockenen Gras, gehören jedoch zur Ordnung der Watvögel. Vögel dieser Ordnung sollen auf mehreren der kleinen flachen Pazifikinseln anzutreffen sein. Auf Ascension, wo es keinen Landvogel gibt, wurde nahe dem Berggipfel eine Ralle *(Porphyrio simplex)* geschossen, offensichtlich ein versprengtes Tier. Auf Tristan d'Acunha, wo es, Carmichael zufolge, nur zwei Landvögel gibt, lebt ein Wasserhuhn. Aufgrund dieser Fakten glaube ich, dass nach den unzähligen schwimmfüßigen Arten die Watvögel im Allgemeinen die ersten Kolonisten auf den kleinen, isolierten Inseln sind. Ich darf noch hinzufügen, dass nichtozeanische Vögel, die ich weit draußen auf See beobachtete, stets dieser Ordnung angehörten, und daher werden sie wohl naturgemäß die frühesten Kolonisten auf jedem fernen Landpunkt sein.

An Reptilien sah ich nur eine kleine Echse. Bei den Insekten gab ich mir größte Mühe, alle Arten zu sammeln. Abgesehen von den Spinnen, die zahlreich vertreten waren, gab es dreizehn Arten.[4] Darunter befand sich nur ein Käfer. Eine kleine Ameisenart schwärmte zu Tausenden unter den losen, trockenen Korallenblöcken; sie war das einzige Insekt, das reichlich vertreten war. Die Erzeugnisse des Landes mögen karg sein, doch werfen wir einen Blick auf das Wasser des darum liegenden Ozeans, ist die Zahl der organischen Lebewesen wahrhaft unendlich. Chamisso hat die Naturgeschichte einer Laguneninsel im Radack-Archipel beschrieben,[5] und es ist bemerkenswert, wie stark deren Bewohner an Zahl wie Arten denen auf der Keelinginsel gleichen. Es gibt dort eine Echse und zwei Watvögel, und zwar eine Schnepfe und einen Brachvogel. An Pflanzen sind neunzehn Arten vorhanden, darunter ein Farn; einige entsprechen denen, die hier wachsen, obwohl diese Insel so weit entfernt und in einem anderen Ozean liegt.

Die langen Landstreifen, welche die lang gezogenen Eilande bilden, wurden lediglich so weit ange-

Südsee-Sumpfhuhn (*Porzana tabuensis*, links) und Bindenralle (*Gallirallus philippensis*, rechts), 1888

hoben, dass die Brandung Korallenfragmente darauf werfen und der Wind kalkhaltigen Sand aufhäufen kann. Die feste Korallenbank an der Außenseite bricht mittels ihrer Breite die erste Wucht der Wellen, die ansonsten diese Eilande und alle ihre Erzeugnisse an einem Tag hinwegspülen würden. Ozean und Land scheinen hier um die Vorherrschaft zu ringen: Obwohl festes Land einen Halt gefunden hat, befinden die Bewohner des Wassers ihren Anspruch für wenigstens ebenso gut. Überall trifft man hier auf Einsiedlerkrebse von mehr als einer Art,[6] welche auf dem Rücken die Muscheln tragen, die sie vom benachbarten Strand gestohlen haben. Darüber ruhen sich weiße Tölpel, Fregattvögel und Seeschwalben auf den Bäumen aus, daher könnte man die Wälder wegen der vielen Nester und des Geruchs in der Luft einen Krähenhorst des Meeres nennen.

Sonntag, 3. April – Nach dem Gottesdienst begleitete ich Kapitän Fitz Roy zu der Siedlung in einer Entfernung von einigen Meilen an einer Stelle der Insel, welche dicht mit hohen Kokospalmen bewachsen ist. Kapitän Ross und Mr. Liesk leben in einem großen, scheunenartigen Haus, das an beiden Enden offen und mit Matten aus gewobener Rinde ausgelegt ist. Die Häuser der Malaien stehen entlang der Küste der Lagune. Das Ganze bot ein recht trostloses Bild, denn es waren keine Gärten vorhanden, die auf Pflege und Kultivierung hindeuteten. Die Einheimischen gehören verschiedenen Inseln des Ostindischen Archipels an, sprechen aber alle dieselbe Sprache: Wir sahen Bewohner von Borneo, Celebes, Java und Sumatra. Nach der Färbung ähneln sie den Tahitiern, von denen sie sich auch in den Gesichtszügen nicht sehr unterscheiden. Einige der Frauen wiesen jedoch chinesische Merkmale auf. Mir gefielen ihr allgemeines Aussehen ebenso wie der Klang ihrer Stimme. Sie wirkten arm, und ihre Häuser waren bar aller Möbel, doch die Fülligkeit ihrer Kinder machte deutlich, dass Kokosnuss und Schildkröte keine schlechte Nahrung bieten.

Auf dieser Insel sind die Quellen, von denen Schiffe ihr Wasser nehmen. Auf den ersten Blick erscheint es durchaus bemerkenswert, dass das Süßwasser mit den Gezeiten fällt und steigt, und man hat sogar geglaubt, dass Sand über die Fähigkeit verfügt, das Salz aus dem Meerwasser zu filtrieren. Solche Tidenquellen kommen auf manchen der flachen Westindischen Inseln vor. Der komprimierte Sand oder poröse Korallenstein ist gleich einem Schwamm von Salzwasser durchdrungen, doch der Regen, der auf die Oberfläche fällt, muss auf die Höhe des umliegenden Meeres absinken und sich dort ansammeln, wobei er eine ebenso große Masse Salzwassers verdrängt.

Den folgenden Tag verbrachte ich damit, den außerordentlich interessanten, gleichwohl einfachen Aufbau und Ursprung dieser Inseln zu untersuchen. Das Wasser war ungewöhnlich ruhig, also watete ich über die äußere Bank aus totem Gestein bis hinaus zu den lebenden Korallenwällen, an denen sich die Dünung des offenen Meeres bricht. In einigen der Rinnen und Höhlungen waren schöne grüne und andersfarbige Fische zu sehen, und die Formen und Tönungen vieler Zoophyten waren prachtvoll.

6. April – Ich begleitete Kapitän Fitz Roy zu einer Insel an der Spitze der Lagune: Der Kanal schlängelte sich in äußerst komplizierten Windungen durch Felder zart verästelter Korallen. Wir sahen mehrere Schildkröten, worauf zwei Boote ausgeschickt wurden, sie zu fangen. Das Wasser ist so klar und flach, dass die Schildkröte zunächst zwar außer Sichtweite taucht, die Verfolger in ihrem Kanu oder Boot unter Segeln sie aber nach nicht allzu langer Zeit einholen. Ein Mann steht im Bug

OBEN: Strand auf den Kokos-(Keeling-)Inseln
GEGENÜBER: Männlicher Großer Fregattvogel *(Fregata minor)* mit aufgeblasenem Kehlsack

bereit und springt der Schildkröte nun auf den Rücken; dann klammert er sich mit beiden Händen an der Schale des Nackens fest und wird von dem Tier mitgezogen, bis es erschöpft ist und gefangen wird. Es war eine recht interessante Jagd, wie die beiden Boote so umherkurvten und die Männer kopfüber ins Wasser sprangen, um ihre Beute zu fassen.

Wir kehrten erst spätabends an Bord zurück, da wir lange in der Lagune blieben, die Korallenfelder und die riesigen Schalen der Chama untersuchten, aus der ein Mensch, sollte er die Hand hineinstecken, sie nicht mehr herausziehen kann, solange das Tier lebt. Nahe der Spitze der Lagune erblickte ich zu meiner Überraschung eine weite Fläche, erheblich größer als eine Quadratmeile, mit einem Wald aus zart verästelten Korallen darauf, die, obgleich aufrecht stehend, allesamt tot und verrottet waren. Zunächst konn-te ich mir die Ursache dessen nicht erklären, doch dann fiel mir ein, dass dies wohl einer Kombination der folgenden, recht merkwürdigen Umstände geschuldet war. Zunächst sollte ich jedoch sagen, dass Korallen nicht überleben können, wenn sie auch nur kurze Zeit an der Luft der Sonne ausgesetzt sind, weswegen die Obergrenze ihres Wachstums vom niedrigsten Wasserstand bei Springfluten bestimmt wird. Aus einigen alten Seekarten geht hervor, dass die lange Insel auf Luv vormals durch breite Kanäle in mehrere Eilande aufgeteilt war, was sich auch daran zeigt, dass die Bäume in diesen Bereichen jünger sind. In dem damaligen Zustand des Riffs hob ein kräftiger Wind, indem er mehr Wasser über die Barriere warf, den Wasserspiegel der Lagune an. Jetzt aber bewirkt er genau das Gegenteil, denn das Wasser in der Lagune wird nicht nur durch die Strömungen von außen vermehrt, sondern wird von der Kraft des Windes seinerseits hinausgetrieben. Daher wird beobachtet, dass die Tide nahe der Lagunenspitze bei starkem Wind nicht so hoch steigt wie bei Windstille. Der Unterschied in der Höhe des Wasserspiegels hat, obgleich zweifellos sehr gering, meiner Ansicht nach den Tod dieser Korallenhaine verursacht, welche unter den früheren, offeneren Bedingungen der Außenriffs die höchstmögliche Grenze des Aufwärtswachstums erreicht hatten.

Einige Meilen nördlich von Keeling liegt ein weiteres kleines Atoll, dessen Lagune nahezu vollständig mit Korallenschlamm aufgefüllt ist. Kapitän Ross fand in dem Konglomerat an der Außenküste ein wohlgerundetes Fragment Grünstein, deutlich größer als ein Männerkopf: Er und seine Begleiter waren davon so überrascht, dass sie ihn mitnahmen und als Kuriosität aufbewahrten. Das Vorhandensein dieses einen Steins, wo jegliches andere Materieteilchen aus Kalk besteht, ist in der Tat sehr rätselhaft. Die Insel war kaum einmal besucht worden, auch ist es unwahrscheinlich, dass ein Schiff dort gestrandet ist. Mangels einer besseren Erklärung kam ich zu dem Schluss, dass er in den Wurzeln eines größeren Baumes gesteckt haben muss: Als ich jedoch die große Entfernung vom nächstgelegenen Land bedachte, die Kombination aus Zufällen, dass ein Stein so darin verkeilt war, der Baum ins Meer gespült wurde, so weit geschwommen ist, dann sicher gelandet und der Stein schließlich so eingebettet wurde, dass seine Entdeckung möglich wurde, fürchtete ich mich fast, mir einen offenkundig so unwahrscheinlichen Transportweg vorzustellen. Daher entdeckte ich mit großem Interesse, dass Chamisso, der zu Recht ausgezeichnete Naturforscher, der Kotzebue begleitete, angab, dass die Bewohner des Radack-Archipels, eine Gruppe von Laguneninseln mitten im Pazifik, an Steine zum Schärfen ihrer Gerätschaften gelangten, indem sie die Wurzeln der Bäume absuchten, die auf den Strand geworfen wurden. Es liegt auf der Hand, dass dies mehrmals geschah, da Gesetze erlassen wurden, wonach solche Steine dem Häuptling gehören und jedermann bestraft wird, der sie zu stehlen versucht. Wenn die abgeschiedene Lage dieser kleinen Inseln inmitten eines riesigen Ozeans – ihre große Entfernung von jedem Land mit Ausnahme von Korallenformationen wird von dem Wert bestätigt, den die Bewohner, die so kühne Navigatoren sind, einem Stein jedweder Art beimessen[7] – und die Langsamkeit der Strömungen im offenen Meer berücksichtigt werden, erscheint das Vorkommen von derart transportierten Kieseln tatsächlich wundersam.

Ich habe schon einen Krebs erwähnt, der auf den Kokospalmen lebt: Er ist überall auf dem trockenen Land sehr verbreitet und wächst zu monströser Größe an: Er ist eng verwandt oder identisch mit dem *Birgos latro*. Das vordere Paar Beine läuft in sehr kräftige, schwere Scheren aus, das hinterste ist mit schwächeren und viel schma leren versehen. Zunächst würde man es für völlig ausgeschlossen halten, dass ein Krebs eine starke, mit ihrer Hülle bedeckte Kokosnuss öffnen kann, doch Mr. Liesk versichert mir, er habe es wiederholt gesehen. Der Krebs beginnt damit, dass er die Hülle Faser um Faser abreißt, wobei er stets an der Seite mit den drei Augenlöchern beginnt; ist das getan, hämmert er mit seinen schweren Klauen so lange auf eines der Augenlöcher, bis eine Öffnung hergestellt ist. Sodann dreht er sich um und zieht mit Hilfe seines hinteren, schmalen Scherenpaars die weiße, albuminöse Substanz heraus. Ich finde das einen merkwürdigen Fall von Instinkt, wie ich von kaum einem gehört habe, ebenso einen der Anpassung der Strukturen zweier Dinge, die im Plan der Natur scheinbar so fern liegen wie ein Krebs und eine Kokosnuss. Der Birgos ist am Tage aktiv, doch anscheinend stattet er jede Nacht dem Meer einen Besuch ab, zweifellos, um seine Kiemen zu befeuchten. Die Jungen schlüpfen ebenfalls an der Küste aus und leben eine Zeit lang dort. Manche Autoren haben geschrieben, der Birgos krabble die Kokospalmen hinauf, um die Nüsse zu stehlen: Ich habe starke Zweifel, dass dies möglich ist; beim Pandanus[8] wäre die Aufgabe weit leichter. Mr. Liesk sagte mir, auf diesen Inseln lebe der Birgos nur von den Nüssen, die schon auf die Erde gefallen sind.

Kapitän Moresby teilt mir mit, dass dieser Krebs die Gruppen der Chagos und Seychellen bewohnt, nicht aber den benachbarten Malediven-Archipel. Früher sei er auf Mauritius häufig gewesen, jetzt würden dort nur wenige kleine gefunden. Im Pazifik soll[9] diese Art eine einzige Koralleninsel bewohnen, nördlich der Gesellschaftsinseln. Um die wunderbare Kraft des vorderen Scherenpaars zu zeigen, darf ich erwähnen, dass Kapitän Moresby eine in eine feste Blechdose sperrte, die Kekse enthalten hatte; der Deckel war mit Draht befestigt, doch der Krebs bog die Ecken um und entfloh. Dabei bohrte er sogar viele kleine Löcher durch das Blech!

Ich war erheblich überrascht darüber, zwei Korallenarten der Gattung *Millepora* (*M.complanata* und *alcicornis*) anzutreffen, die stechen können. Die steinernen Zweige oder Platten fühlen sich, frisch aus dem Wasser genommen, rau an und gar nicht schleimig, wobei sie allerdings einen kräftigen, unangenehmen Geruch verströmen. Die Fähigkeit zu stechen scheint bei den verschiedenen Exemplaren zu variieren: Drückte oder rieb man ein Stück auf der zarten Haut des Gesichts oder Arms, wurde zumeist ein Jucken ausgelöst, das nach einer Sekunde kam und nur wenige Minuten anhielt. Einmal jedoch trat der Schmerz sofort auf, als ich mit einem Zweig nur das Gesicht berührte; er wurde wie sonst auch nach wenigen Sekunden stärker und blieb einige Minuten lang scharf, war jedoch noch eine halbe Stunde danach spürbar. Der Reiz war so stark wie bei einer Brennnessel, ähnelte aber eher dem, der durch die Physalia oder Portugiesische Galeere ausgelöst wird. Auf der Haut des Armes entstanden rote Pünktchen, die aussahen, als würden sie wässrige Pusteln bilden, doch das taten sie nicht.

Zwei Fischarten von der Gattung *Scarus*, die hier verbreitet sind, ernähren sich ausschließlich von Korallen: Beide haben eine wunderbare bläulich grüne Färbung, die eine lebt immer nur in der Lagune, die andere in den äußeren Brechern. Mr. Liesk versicherte uns, er habe wiederholt ganze Schwärme mit ihrem kräftigen, knochigen Maul auf den Korallenzweigen

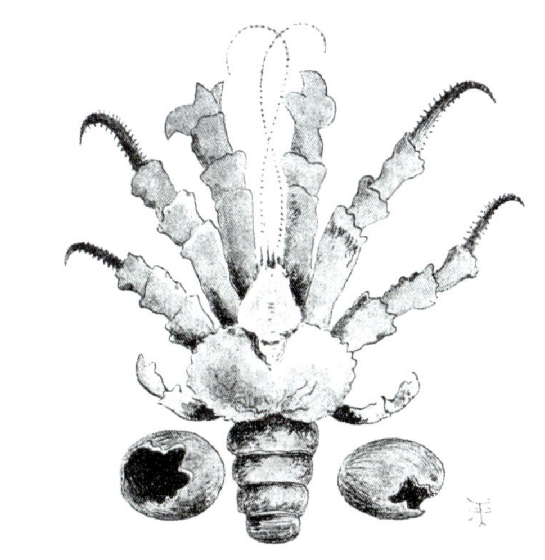

Kokosnusskrabbe (*Birgos latro*), Keelinginsel

weiden sehen: Ich öffnete mehreren die Gedärme und fand sie aufgebläht von gelblichem, kalkigem Sandschlamm. Die schleimigen, ekelerregenden Holothuriae (verwandt mit unserem Seestern), den die chinesischen Gourmands so sehr schätzen, ernähren sich ebenfalls, wie Dr. Allan mir mitteilt, bevorzugt von Korallen, wozu das Knochengerüst in ihrem Körper auch gut geeignet erscheint.

12. April – Am Morgen verließen wir die Lagune in Richtung der Isle de France. Ich bin froh, dass wir diese Inseln besucht haben: Solche Formationen nehmen unter den wunderbaren Dingen dieser Welt zweifellos einen höchsten Rang ein. Kapitän Fitz Roy fand mit einer 7200 Fuß langen Leine in einer Entfernung von nur 2200 Yard vor der Küste keinen Grund; die Insel bildet also einen hohen Unterwasserberg, dessen Seiten noch steiler sind als der abrupteste Vulkankegel. Der untertassenförmige Gipfel hat einen Durchmesser von nahezu zehn Meilen, und jedes einzelne Atom[10] vom winzigsten Partikel bis zum größten Gesteinsbrocken in diesem großen Haufen, der im Vergleich zu sehr vielen anderen Laguneninseln indes klein ist, trägt den Stempel, einer organischen Gliederung ausgesetzt gewesen zu sein.

Ich werde nun eine sehr kurze Darstellung der drei großen Klassen von Korallenriffen geben, nämlich Atolle, Barrieren- und Saumriffe, und meine Meinung[11] zu ihrer Entstehung erläutern. Nahezu jeder Reisende, der den Pazifik überquert hat, hat sein grenzenloses Erstaunen über die Laguneninseln oder Atolle, wie ich sie künftig nach ihrer indianischen Bezeichnung nennen möchte, bekundet und sich an einer Erklärung versucht.

Die ersten Seefahrer nahmen an, dass die Korallen bauenden Tiere ihre großen Kreise instinktiv deshalb anlegten, um sich in den inneren Teilen Schutz zu verschaffen; dies aber ist so weit von der Wahrheit entfernt, dass jene massiven Formen, von deren Wachstum an den exponierten äußeren Ufern die Existenz des Riffs überhaupt abhängt, nicht innerhalb der Lagune leben können, wo andere, zart verzweigte Formen gedeihen. Überdies sollen sich gemäß dieser Ansicht viele Arten verschiedener Gattungen und Familien zu einem Ziel zusammenschließen, doch von einem solchen Zusammenschluss findet sich in der gesamten Natur kein einziges Beispiel. Die Theorie, welche die verbreitetste Anerkennung findet, ist die, dass Atolle auf unterseeischen Kratern gründen, doch wenn wir Form und Größe mancher, Zahl, Nähe und relative Lage anderer betrachten, verliert diese Theorie an Überzeugungskraft: So hat das Suadiva-Atoll in einer Richtung einen Durchmesser von 44 geographischen Meilen und von 34 in einer anderen; Rimsky ist 54 auf 20 Meilen groß und hat einen eigenartig gekrümmten Rand; das Bow-Atoll ist 30 Meilen lang und durchschnittlich nur 6 breit, das Menchicoff-Atoll besteht aus drei vereinigten oder verbundenen Atollen. Überdies ist diese Theorie vollkommen unanwendbar auf die nördlichen Malediven-Atolle im Indischen Ozean (eines hat eine Länge von 88 Meilen und ist zwischen 10 und 20 breit), da sie, anders als gewöhnliche Atolle, nicht von schmalen Riffen umringt sind, sondern von einer Vielzahl separater kleiner Atolle; andere kleine Atolle erheben sich aus den großen lagunenartigen Flächen in deren Mitte. Eine dritte und bessere Theorie wurde von Chamisso vorgelegt, der glaubte, die Korallen wüchsen kräftiger dort, wo sie dem offenen Meer ausgesetzt sind, was zweifellos der Fall ist, weswegen die Außenränder von dem allgemeinen Sockel vor jedem anderen Teil emporwüchsen, was

GEGENÜBER: Felsformation auf Mauritius

auch die ring- oder tassenförmige Struktur erklären würde. Indes werden wir sogleich sehen, dass dabei wie auch bei der Kratertheorie eine äußerst wichtige Erwägung übersehen wurde, nämlich: Worauf haben die riffbauenden Korallen, die in großer Tiefe nicht leben können, ihre massiven Gebilde gegründet?

Von Kapitän Fitz Roy wurden an der steilen Außenseite des Keeling-Atolls zahlreiche sorgfältige Lotungen vorgenommen, woraus sich ergab, dass der präparierte Talg an der Unterseite des Bleis bis auf zehn Faden beständig mit den Abdrücken von lebenden Korallen heraufkam, aber auch so rein, als wenn er auf einen Rasenteppich geworfen worden wäre; mit zunehmender Tiefe wurden die Abdrücke immer weniger, die daran hängenden Sandpartikel dagegen immer zahlreicher, bis schließlich klar war, dass der Grund aus einer weichen Sandschicht bestand: Um die Analogie des Rasens fortzusetzen, wurden die Grashalme immer dünner, bis der Boden schließlich so unfruchtbar war, dass nichts mehr darauf wuchs. Aus diesen Beobachtungen, die von zahlreichen anderen bestätigt werden, kann man getrost schließen, dass die äußerste Tiefe, in der Korallen ein Riff bauen können, zwischen 20 und 30 Faden beträgt. Nun gibt es im Pazifischen und Indischen Ozean riesige Flächen, auf denen jede einzelne Insel eine Korallenformation ist und nur bis auf die Höhe angehoben wird, auf welche die Wellen Bruchstücke werfen und die Winde Sand aufhäufen können. Daher ist die Atollgruppe von Radack ein unregelmäßiges Viereck, das 520 Meilen lang und 240 breit ist; der Low-Archipel hat die Form einer Ellipse und misst auf seiner längeren Achse 840, auf seiner kürzeren 420 Meilen: Zwischen diesen beiden Archipelen gibt es weitere kleine Gruppen und einzelne flache Inseln, die eine lineare Ozeanfläche von über 4000 Meilen Länge bilden, auf dem keine einzige Insel über die angegebene Höhe hinaus ansteigt. Dann wiederum gibt es im Indischen Ozean eine Ozeanfläche von 1500 Meilen Länge mit drei Archipelen, deren jede Insel flach ist und aus einer Korallenformation besteht. Aufgrund der Tatsache, dass die riffbauenden Korallen nicht in größeren Tiefen leben, steht absolut fest, dass es in diesen ganzen weiten Gebieten, wo immer heute ein Atoll ist, ursprünglich eine Basis in einer Tiefe von 20 bis 30 Faden von der Oberfläche gegeben haben muss. Wenn die Fundamente, auf denen die atollbauenden Korallen wuchsen, daher nicht aus Sedimenten gebildet waren und wenn sie nicht auf die erforderliche Höhe angehoben wurden, so müssen sie sich zwangsläufig darauf abgesenkt haben, und das löst die Schwierigkeit sogleich. Denn indem Berg um Berg und Insel um Insel langsam im Wasser versanken, entstanden sukzessive neue Fundamente für das Wachstum der Korallen. Es ist an dieser Stelle unmöglich, in alle notwendigen Details zu gehen, doch fordere ich jedermann auf,[12] in anderer Weise zu erklären, wie es möglich ist, dass zahlreiche Inseln auf riesigen Gebieten verstreut sind – wobei alle diese Inseln niedrig und alle aus Korallen erbaut sind,

Koralleninsel mit kreisförmigem Korallenriff

~ AUS ~

VERLAUF DER ZWEITEN EXPEDITION 1831–1836

VON ROBERT FITZ ROY

Mich haben mehrere Gründe bewogen, diese Gruppe Koralleninselchen für eine Untersuchung auszuwählen, so es Zeit und Mittel erlauben würden; und da die Tiden an einem für die Beobachtung so günstigen Ort besondere Aufmerksamkeit erregten, wurde sogleich ein Tidenmaß aufgestellt. Dessen Machart war damals neu, und da ich danach gefragt wurde, will ich es kurz beschreiben. Zwei Pfosten wurden aufrecht fixiert, der eine am Ufer (über der Hochwassermarke und windgeschützt) und der andere im Meer unter der Brandung bei Niedrigwasser. Oben an den Pfosten wurde jeweils ein Lochholz befestigt und durch diese ein Stück straff gespannte Peilschnur gezogen.* Das eine Ende der Schnur wurde an einem Brett befestigt, das im Wasser trieb; an dem anderen Ende hing ein Bleigewicht, das sich am Uferpfosten mit dem Wasserpegel nach oben und unten verschob. So einfach die Vorrichtung war, und nützlich, wie wir vielfach feststellten, wenn die Brandung oder der Wellengang es erschwerte, des Nachts ohne Boot die Tiden zu messen, dachte ich doch erst daran, als wir den King George Sound hinter uns hatten.

** Eine sehr kleine Metallkette wäre besser, denn eine Schnur, so straff sie auch gespannt ist, wird nachgeben, sobald sie vom Regen nass ist, und wieder schrumpfen, wenn sie trocknet.*

welche ein Fundament innerhalb einer begrenzten Tiefe unter der Oberfläche unbedingt erfordern.

Bevor wir erklären, wie Riffe in der Form eines Atolls ihre eigentümliche Struktur erhalten, müssen wir uns der zweiten großen Klasse zuwenden, nämlich den Barriereriffen. Diese erstrecken sich entweder in gerader Linie vor der Küste eines Kontinents oder einer großen Insel, oder sie umschließen kleinere Inseln; in beiden Fällen sind sie durch einen breiten und tiefen Wasserkanal vom Land getrennt, analog zur Lagune innerhalb eines Atolls. Es fällt auf, wie wenig Aufmerksamkeit umschließenden Barriereriffen zuteil geworden ist, sind es doch wahrhaft wunderbare Gebilde. Die folgende Zeichnung stellt einen Teil der Barriere dar, welche, von einem ihrer Gipfel aus gesehen, die Insel Bolabola im Pazifik umschließt. In diesem Beispiel wurde die gesamte Rifflinie in Land umgewandelt; meistens scheidet jedoch eine schneeweiße Linie großer Brecher, aus der sich nur hier und da eine einzelne, von Kokospalmen gekrönte niedrige Insel erhebt, die dunklen, wogenden Wasser des Ozeans von der hellgrünen

Weite des Lagunenkanals. Und die ruhigen Wasser dieses Kanals bespülen gemeinhin einen Rand niedriger alluvialer Erde, welche mit den schönsten Erzeugnissen der Tropen bestanden ist und am Fuße der wilden, steilen Berge in der Mitte liegt.

Umschließende Barriereriffe gibt es in allen Größen, von drei Meilen bis nicht weniger als vierundvierzig Meilen Durchmesser, und jenes, das einer Seite Neukaledoniens vorgelagert ist und beide Enden umschließt, ist 400 Meilen lang. Jedes Riff schließt eine, zwei oder mehrere Felseninseln von unterschiedlicher Höhe ein, in einem Falle sogar zwölf separate Inseln. Das Riff verläuft in größerer oder geringerer Entfernung von dem eingeschlossenen Land, bei den Gesellschaftsinseln im Allgemeinen zwischen drei und vier Meilen, aber bei Hogoleu ist das Riff 20 Meilen von der Südseite und 14 Meilen von der gegenüberliegenden, also Nordseite der umschlossenen Inseln entfernt. Auch die Tiefe innerhalb des Lagunenkanals ist sehr unterschiedlich; 10 bis 30 Faden können als Durchschnitt angesehen werden, doch bei Vanikoro gibt es Stellen, die nicht weniger als 56 Faden oder 336 Fuß tief sind. Im Innern fällt das Riff entweder sanft in den Lagunenkanal ab oder endet in einer senkrechten Wand, die unter Wasser zuweilen eine Höhe von zwei- bis dreihundert Fuß hat; an der Außenseite erhebt sich das Riff, gleich einem Atoll, mit äußerster Schroffheit aus den immensen Tiefen des Ozeans. Was kann einzigartiger sein als solche Gebilde.

Was das eigentliche Korallenriff angeht, so gibt es an allgemeiner Größe, Kontur, Anordnung und selbst in ganz geringfügigen Einzelheiten nicht den geringsten Unterschied zwischen einem Barrierenriff und einem Atoll. Der Geograph Balbi hat zu Recht angemerkt, eine umschlossene Insel sei ein Atoll, aus dessen Lagune hohes Land aufragt; entfernte man dies Land im Innern, so bliebe das perfekte Atoll.

Was aber hat diese Riffe veranlasst, in solch großer Entfernung von der Küste der eingeschlossenen Inseln aufzusteigen? Dass die Korallen nicht nahe am Land wachsen wollen, kann es nicht sein, denn die Küsten innerhalb des Lagunenkanals sind, wo nicht von Schwemmland umgeben, oftmals von lebenden Korallen gesäumt, und wir werden gleich sehen, dass es eine ganze Klasse gibt, die ich wegen ihrer engen Verbindung mit den Küsten von Kontinenten wie auch von Inseln Saumriffe genannt habe. Worauf also gründen die riffbauenden Korallen, die nicht in großer Tiefe leben können, ihre einschließenden Gebilde? Das ist eine große offensichtliche Schwierigkeit, analog jener bei den Atollen, die allgemein übersehen worden ist. Dies wird man deutlicher erkennen, wenn man die folgenden, realen Querschnitte betrachtet, welche in nordsüdlicher Richtung durch die Inseln Vanikoro, Gambier und Maurua samt ihren Barriereriffen angefertigt worden sind; sie sind, sowohl vertikal als auch horizontal, im selben Maßstab eines Zolls zu einer Meile erstellt.

Man beachte dabei, dass die Querschnitte in jeder Richtung durch die Inseln wie auch durch viele andere umsäumte Inseln hätten gemacht werden können; die grundlegenden Eigenschaften wären dieselben geblieben. Wenn man nun bedenkt, dass die riffbauende Koralle in einer größeren Tiefe als 20 bis 30 Faden nicht leben kann und dass der Maßstab so klein ist, dass die Bleilote rechter Hand eine Tiefe von 200 Faden anzeigen, worauf gründen diese Barriereriffe dann? Sollen wir annehmen, dass jede Insel von einem kragenartigen unterseeischen Gesteinsgrat oder einer großen Sedimentbank umgeben ist, die abrupt da endet, wo auch das Riff endet? Wenn das Meer sich einstmals tief in die Inseln gefressen hätte, bevor sie von den Riffen geschützt waren, und so einen flachen Rand unter Wasser um sie herum zurückgelassen hätte, so wären die heutigen Ufer zwangsläufig von Steilhängen umgeben; dies jedoch ist nur äußerst selten der Fall. Zudem lässt sich unter dieser Annahme unmöglich erklären, warum die Korallen gleichsam als Mauer vom äußersten Außenrand des Vorsprungs emporgewachsen sind und häufig eine breite Wasserfläche darin beließen, die zu tief für Korallen ist. Die Ansammlung einer breiten Sedimentbank um diese Inseln herum, bei den kleinsten Inseln im Allgemeinen am breitesten, ist angesichts ihrer exponierten Lage in den zentralen und tiefsten Bereichen des Ozeans äußerst unwahrscheinlich. Im Falle des Barriereriffs vor Neukaledonien, das sich 150 Meilen über den nördlichen Punkt der Insel hinaus auf derselben geraden Linie erstreckt, auf der es vor der Westküste liegt, ist es kaum vorstellbar, dass eine Sedimentbank sich in gerader Linie vor einer hohen Insel und so weit über deren Ende hinaus hätte ablagern können. Wenn wir den Blick schließlich auf andere ozeanische Inseln von ungefähr derselben Höhe und ähnlicher geologischer Beschaffenheit, nicht aber von Korallenriffen umsäumt, lenken, so suchen wir wohl vergebens nach einer so geringfügigen Tiefe wie 30 Faden, es sei denn ganz nahe am Ufer, denn zumeist fällt Land, das sich jäh aus dem Wasser erhebt, wie bei den meisten umschlossenen und nicht umschlossenen Inseln der Fall, darunter ebenso jäh ab. Worauf also, wiederhole ich, gründen sich diese Barriereriffe? Warum liegen sie mit ihren breiten und tiefen, burggrabenartigen Kanälen so weit entfernt von dem eingeschlossenen Land? Wir werden bald sehen, wie schnell sich diese Schwierigkeiten auflösen.

Wir kommen nun zu unserer dritten Klasse von Saumriffen, die einer sehr kurzen Anmerkung bedürfen. Fällt das Land unter Wasser jäh ab, so

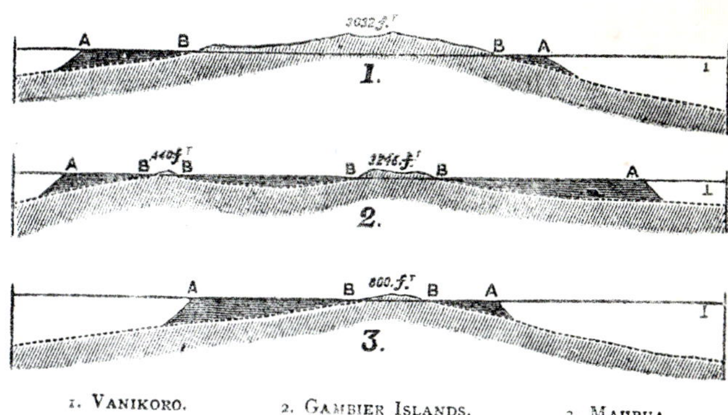

1. Vanikoro. 2. Gambier Islands. 3. Maurua.

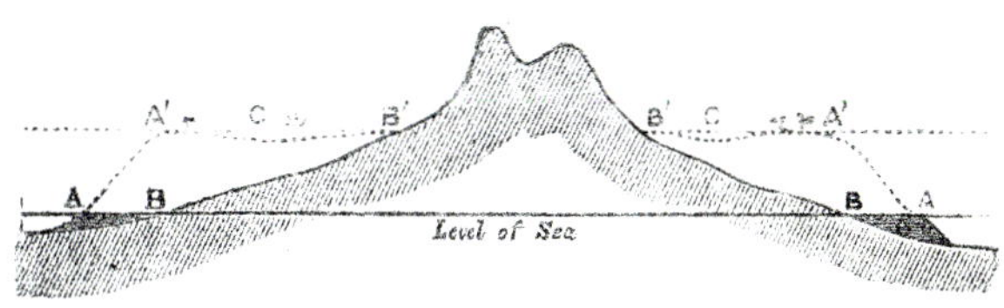

AA. Outer edges of the fringing-reef, at the level of the sea. BB. The shores of the fringed island.
A'A'. Outer edges of the reef, after its upward growth during a period of subsidence, now converted into a barrier, with islets on it. B'B'. The shores of the now encircled island. CC. Lagoon-channel.
N.B.—In this and the following woodcut, the subsidence of the land could be represented only by an apparent rise in the level of the sea.

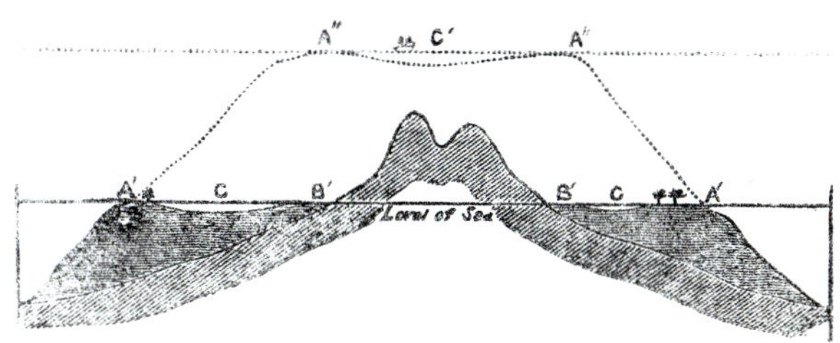

A'A'. Outer edges of the barrier-reef at the level of the sea, with islets on it.
B'B'. The shores of the included island.
CC. The lagoon-channel.
A''A''. Outer edges of the reef, now converted into an atoll. C'. The lagoon of the new atoll.
N.B.—According to the true scale, the depths of the lagoon-channel and lagoon are much exaggerated.

Querschnitte von Barriereriffen

Ein sich verästelndes Riff von oben

sind diese Riffe nur wenige Yard breit und bilden lediglich ein Band oder einen Rand um die Küsten herum: Wo das Land unter Wasser sanft abfällt, reicht das Riff weiter hinaus, manchmal bis zu einer Meile vom Land entfernt, doch in solchen Fällen zeigen die Lotungen außerhalb des Riffs stets, dass die unterseeische Ausdehnung des Landes sanft abfällt. Überhaupt erstrecken sich die Riffe nur so weit vom Land, bis ein Fundament auf der erforderlichen Tiefe von 20 bis 30 Faden angetroffen wird. Hinsichtlich des eigentlichen Riffs gibt es keinen wesentlichen Unterschied zwischen ihm und jenem, das eine Barriere oder ein Atoll bildet: Allerdings ist es in der Regel weniger breit, und folglich haben sich auch weniger Inseln darauf gebildet. Wegen der Korallen, die kräftiger an der Außenseite wachsen, und wegen der schädlichen Wirkung des hineingespülten

Sediments ist der Außenrand des Riffs die höchste Stelle, und zwischen ihm und dem Land findet sich zumeist ein flacher, sandiger Kanal von nur wenigen Fuß Tiefe. Wo sich, wie in Teilen der Karibik, Sedimentbänke nahe der Oberfläche angesammelt haben, sind sie zuweilen von Korallen gesäumt und ähneln somit in gewisser Weise Laguneninseln oder Atollen, so wie Saumriffe, die sanft abfallende Inseln umgeben, in gewisser Weise Barriereriffen ähneln.

Keine Theorie der Bildung von Korallenriffen, die diese drei großen Klassen nicht einschließt, kann als befriedigend gelten. Wie wir gesehen haben, sind wir genötigt, die Absenkung dieser riesigen Gebiete anzunehmen, die durchsetzt sind von flachen Inseln, wovon keine einzige über die Höhe ragt, auf die Wind und Wellen Materie werfen können, und die dennoch von Lebewesen erbaut sind, die eines Fundaments bedürfen, und dass dieses Fundament in nicht sehr großer Tiefe liegt. Nehmen wir nun eine Insel, die von Saumriffen umgeben ist, welche keine Schwierigkeit in ihrer Struktur darstellen, und diese Insel mit ihrem Riff, auf dem Holzschnitt mit den durchgehenden Linien dargestellt, soll nun langsam absinken. Während diese Insel nun absinkt, entweder einige Fuß auf einmal oder ganz unmerklich, können wir nach dem, was über die dem Wachstum der Korallen förderlichen Bedingungen bekannt ist, mit Sicherheit folgern, dass die lebenden Massen, die am Rand des Riffs von der Brandung umspült werden, bald an die Oberfläche gelangen. Das Wasser greift jedoch nach und nach auf das Ufer über, die Insel wird immer flacher und kleiner, und der Raum zwischen dem Innenrand des Riffs und dem Strand wird verhältnismäßig breiter. Ein Schnitt durch Riff und Insel in diesem Zustand, nach einer Absenkung von mehreren hundert Fuß, ist durch die gepunktete Linie wiedergegeben. Auf dem Riff sollen sich Koralleninseln gebildet haben; im Lagunenkanal liegt ein Schiff vor Anker. Der Kanal wird, je nach Absenkungsrate, nach dem darin abgelagerten Sediment und dem Wachstum der fein verästelten Korallen, die dort leben können, mehr oder weniger tief sein. Der Schnitt gleicht in diesem Zustand in jeder Hinsicht dem, der durch eine umschlossene Insel gezogen wird: Tatsächlich ist es ein realer Schnitt (im Maßstab von 0,517 Zoll zu einer Meile) durch Bolabola im Pazifik. Wir sehen nun sogleich, warum einschließende Barriereriffe so weit von den Küsten entfernt liegen, denen sie vorgelagert sind. Auch können wir erkennen, dass eine Linie, die senkrecht vom Außenrand des neuen Riffs zum Fundament aus massivem Gestein unter dem alten Saumriff gezogen wird, den geringen Tiefenbereich, in dem die effektiven Korallen leben können, um ebenso viele Fuß überschreiten wird, wie die Absenkung beträgt: Die kleinen Baumeister haben ihre große mauerartige Masse, während das Ganze absank, auf einem Fundament errichtet, welches aus anderen Korallen und ihren vereinten Fragmenten gebildet worden ist. Und so verschwindet die Schwierigkeit dieser Frage, die so groß erschienen war.

Hätten wir statt einer Insel die Küste eines mit Riffen gesäumten Kontinents genommen und uns vorgestellt, sie sei abgesunken, so wäre das Ergebnis offensichtlich eine große, gerade Barriere ähnlich der Australiens oder Neukaledoniens, vom Land durch einen breiten, tiefen Kanal getrennt, gewesen.

Nun wollen wir unser neues umschließendes Barriereriff, dessen Schnitt nun mit durchgehenden Linien dargestellt ist und der, wie ich schon sagte, ein echter Schnitt durch Bolabola ist, absinken lassen. Während das Barriereriff langsam absinkt, wachsen die Korallen weiterhin energisch aufwärts, doch indem die Insel absinkt, geht das Wasser Zoll um Zoll weiter den Strand hinauf – die gesonderten Berge bilden zunächst gesonderte Inseln in einem großen Riff –, und schließlich verschwindet der letzte und höchste Gipfel. In dem Augenblick, in dem dies geschieht, ist ein vollkommenes Atoll gebildet: Ich habe gesagt, nimmt man das Hochland aus dem es umschließenden Barriereriff, so bleibt ein Atoll, und das Land ist fort. Wir erkennen nun, wie es kommt, dass Atolle, die aus umschließenden Barriereriffen entstanden sind, diesen in allgemeiner Größe, Gestalt und in der Art ähneln, wie sie in einer Gruppe stehen, sowie in ihrer Reihung in einzelnen oder doppelten Linien, denn man könnte sie grobe Konturenkarten der versunkenen Inseln nennen, über welchen sie stehen. Des Weiteren können wir sehen, wie es kommt, dass die Atolle

LINKS UND UNTEN: Mounta Otemanu auf Bora Bora (Bolabola)

im Pazifischen und Indischen Ozean sich in Linien erstrecken, die parallel zu dem vorherrschenden Verlauf der hohen Inseln und der großen Küstenlinien jener Ozeane liegen. Ich möchte daher behaupten, dass mit der Theorie des Aufwärtswachstums der Korallen im Zuge des Absinkens des Landes[13] alle wesentlichen Merkmale in diesen wunderbaren Gebilden, den Laguneninseln oder Atollen, die seit so langer Zeit die Aufmerksamkeit Reisender erregen, ebenso wie in den nicht weniger wunderbaren Barriereriffen, ob sie nun kleine Inseln umfassen oder sich über Hunderte von Meilen die Gestade eines Kontinents entlang erstrecken, einfach erklärt sind.

Man mag fragen, ob ich einen direkten Beweis für das Absinken von Barriereriffen oder Atollen liefern kann, doch ist zu bedenken, wie schwierig es stets sein muss, eine Bewegung zu ermitteln, welche die Tendenz hat, den betroffenen Teil unter Wasser zu verbergen. Gleichwohl beobachtete ich auf Keeling an allen Seiten der Lagune alte Kokosbäume, die unterspült wurden und umfielen, sowie an einer Stelle die Pfähle des Fundaments eines Schuppens, der, wie mir die Einwohner versicherten, noch sieben Jahre zuvor unmittelbar über der Hochwassermarke gestanden hatte, nun jedoch von jeder Flut umspült werde: Auf Nachfrage erfuhr ich, dass während der vergangenen zehn Jahre drei Erdbeben, eines davon schwer, gespürt worden seien. Auf Vanikoro ist der Lagunenkanal beachtlich tief, auch haben sich hier am Fuße der hohen eingeschlossenen Berge kaum Sedimente angesammelt, und auffallend wenige Eilande wurden hier durch die Anhäufung von Gesteinsbrocken und Sand auf dem mauerartigen Barriereriff gebildet; diese Tatsachen wie auch einige analoge führten mich zu der Annahme, dass diese Insel spät abgesunken und das Riff emporgewachsen sein muss: Auch hier sind Erdbeben häufig und sehr stark. Auf dem Gesellschaftsarchipel wiederum, wo die Lagunenkanäle nahezu verstopft sind, wo sich viel Sedimentland angesammelt hat und wo sich mancherorts auf den Barriereriffen lange Eilande gebildet haben – und alles darauf hinweist, dass sich die Inseln nicht vor sehr kurzer Zeit abgesenkt haben –, werden nur äußerst selten schwache Stöße wahrgenommen. In diesen Korallenformationen, wo Land und Wasser um die Vorherrschaft ringen, muss es stets schwierig sein, sich zwischen den Auswirkungen einer Veränderung in den Gezeiten und einem leichten Absinken zu entscheiden: Dass viele dieser Riffe und Atolle Veränderungen unterworfen sind, steht fest; auf manchen Atollen scheinen die Eilande im Lauf einer späten Periode stark angewachsen zu sein, auf anderen wurden sie teilweise oder ganz hinweggespült.

Nach unserer Theorie liegt es auf der Hand, dass Küsten, die lediglich von Riffen gesäumt sind, sich in keinem merklichen Maße absenken konnten; daher müssen sie entweder unverändert geblieben oder angehoben worden sein. Nun ist es bemerkenswert, wie mit dem Vorhandensein angehobener organischer Überreste grundsätzlich gezeigt werden kann, dass die umsäumten Inseln selbst angehoben wurden: Und bis jetzt ist dies ein indirekter Beweis für unsere Theorie. Besonders fiel mir das auf, als ich zu meiner Überraschung entdeckte, dass die Beschreibungen der Herren Quoy und Gaimard nicht, wie von ihnen impliziert, auf Riffe allgemein anwendbar waren, sondern nur auf diejenigen der Saum-Klasse; meine Überraschung schwand jedoch, als ich später entdeckte, dass durch einen wunderlichen Zufall alle die verschiedenen Inseln, welche diese bedeutenden Naturforscher besucht hatten, in einer jüngeren geologischen Zeit angehoben wurden, wie sich durch deren eigene Erklärungen zeigte.

Nicht nur die großen strukturellen Merkmale der Barriereriffe und Atolle sowie ihrer Ähnlichkeit in Form, Größe und anderen Charakteristika lassen sich mit der Theorie der Absenkung erklären – eine Theorie, die wir unabhängig davon durch die Notwendigkeit, ein Fundament für die Korallen in der erforderlichen Tiefe zu finden, gerade für die fraglichen Gebiete anerkennen müssen –, sondern auch viele Details in der Struktur ebenso wie außergewöhnliche Fälle. Ich gebe nur einige wenige Beispiele. Bei Barriereriffen wird seit langem überrascht bemerkt, dass die Passagen durch das Riff Tälern auf dem umschlossenen Land genau gegenüberliegen, selbst in Fällen, wo das Riff durch einen Lagunenkanal vom Land getrennt ist, der so breit und um so viel tiefer ist als die Passage selbst, dass es kaum möglich scheint, dass die sehr geringe Menge an Wasser oder mitgeführtem Sediment den Korallen auf dem Riff schaden könnte. Nun ist jedes Riff der Saumklasse von einem schmalen Zugang vor dem kleinsten Bach durchbrochen, selbst wenn er den größten Teil des Jahres trocken ist, denn Schlamm, Sand oder Kies, die gelegentlich herabgespült werden, töten die Korallen, auf denen er sich ablagert. Wenn eine solchermaßen eingeschlossene Insel daher absinkt, werden, obgleich die meisten der schmalen Zugänge wahrscheinlich durch die nach außen und oben wachsenden Korallen geschlossen werden, die offen bleibenden (einige werden durch das Sediment und das unreine Wasser, das aus dem Lagunenkanal hinausfließt, stets geöffnet bleiben) weiterhin genau gegenüber den oberen Teilen jener Täler liegen, an deren Öffnungen das ursprüngliche Basissaumriff durchbrochen wurde.

Wir können leicht erkennen, wie eine Insel, der nur an einer Seite ein Barriereriff vorgelagert ist oder die an einer Seite von einem oder beiden En-

Atolle im Indischen Ozean

den eines solchen umschlossen ist, nach einem lange anhaltenden Absinken entweder in ein einzelnes, mauerartiges Riff, in ein Atoll, von dem ein großer, gerader Sporn absteht, oder in zwei oder drei durch gerade Riffe verbundene Atolle umgewandelt wird – alle diese ungewöhnlichen Beispiele treten auf. Da die riffbildenden Korallen Nahrung brauchen, von anderen Tieren gefressen werden und leicht in eine Tiefe hinabgetragen werden können, von wo aus sie sich nicht mehr erheben können, muss es uns nicht überraschen, wenn die Riffe sowohl von Atollen wie auch Barrieren teilweise unvollkommen sind. So ist die große Barriere von Neukaledonien unvollkommen und an vielen Stellen durchbrochen; daher würde dieses große Riff nach langem Absinken kein großes, 400 Meilen langes Atoll hervorbringen, sondern eine Kette oder ein Archipel von Atollen von nahezu denselben Ausmaßen wie das Maledivenarchipel. Überdies ist es bei einem Atoll, das einmal an gegenüberliegenden Seiten durchbrochen ist, wegen der Wahrscheinlichkeit, dass ozeanische oder Gezeitenströmungen geradewegs durch die Brüche dringen, kaum denkbar, dass es den Korallen, zumal während eines fortgesetzten Absinkens, je wieder gelingt, den Spalt zu schließen; gelingt es ihnen nicht, da das Ganze niedersinkt, würde ein Atoll in zwei oder mehrere aufgeteilt. Auf dem Maledivenarchipel gibt es getrennte Atolle, die nach ihrer Lage so sehr in Verbindung stehen und dabei von nicht messbaren oder sehr tiefen Kanälen getrennt sind (der Kanal zwischen den Atollen Ross und Ari ist 150 Faden tief, der zwischen dem nördlichen und dem südlichen Nilandu-Atoll 200 Faden), dass man unmöglich auf eine Karte blicken kann, ohne zu glauben, dass sie einstmals noch enger verbunden waren. Und im selben Archipel ist das Mahlos-Mahdoo-Atoll durch einen sich gabelnden Kanal von 100 bis 132 Faden Tiefe in einer Weise getrennt, dass man kaum sagen kann, ob es streng genommen als drei separate Atolle oder ein großes, noch nicht endgültig geteiltes Atoll anzusehen ist.

Auf weitere Details möchte ich nicht eingehen, allerdings muss ich anmerken, dass die eigentümliche Struktur der nördlichen Malediven-Atolle (wenn man den freien Zugang des Meeres durch ihre durchbrochenen Ränder in Betracht zieht) eine einfache Erklärung in den nach oben und außen wachsenden Korallen erhält, die ursprünglich auf kleinen, abgetrennten Riffen in ihren Lagunen, wie sie in gewöhnlichen Atollen auftreten und auf gebrochenen Teilen des linearen Randriffs, wie es jedes Atoll mit gewöhnlicher Form umgibt. Ich muss einfach noch einmal die Einzigartigkeit dieser komplexen Strukturen betonen – aus dem unergründlichen Ozean erhebt sich jäh eine große sandige und im Allgemeinen konkave Scheibe, deren mittlere Fläche gesprenkelt und deren Rand symmetrisch gesäumt ist mit ovalen Becken aus Korallengestein, die gerade so die Meeresoberfläche berühren, zuweilen mit Vegetation bedeckt sind und wovon jede einen See mit Süßwasser aufweist!

Eines noch im Detail: Da auf zwei benachbarten Archipelen Korallen auf einem, nicht aber auf dem anderen wachsen, und da, wie oben aufgeführt, so viele Bedingungen auf ihre Existenz einwirken müssen, wäre es unerklärlich, wenn die riffbauenden Korallen während der Veränderungen, denen Erde, Luft und Wasser ausgesetzt sind, an einem beliebigen Ort oder Gebiet auf immer am Leben blieben. Und da sich unserer Theorie nach die Gebiete, die Atolle und Barriereriffe einschließen, absinken, müssten wir hin und wieder auf tote wie auch untergegangene Riffe stoßen. Da das Sediment aus der Lagune oder dem Lagunenkanal nach Lee ausgespült wird, ist diese Seite bei allen Riffen die für das lange andauernde kräftige Wachstum der Korallen ungünstigste; daher treten tote Riffteile nicht selten auf der Leeseite auf, auch sind sie, selbst wenn sie sich noch ihre normale mauerartige Form bewahren, in mehreren Fällen mehrere Faden tief unter die Oberfläche abgesunken. Die Chagos-Gruppe scheint aus irgendeinem Grund, möglicherweise weil das Absinken zu rasch geschah, für das Wachstum von Riffen gegenwärtig weit ungünstiger zu sein als früher: Bei einem Atoll ist ein neun Meilen langer Teil seines Saumriffs tot und abgesunken, ein zweiter hat nur einige wenige kleine lebende Stellen, die an die Oberfläche reichen, ein dritter und vierter sind vollkommen tot und abgesunken, ein fünfter ist ein bloßes Wrack, dessen Struktur nahezu zerstört ist. Es fällt auf, dass in allen diesen Fällen die toten Riffe und Riffteile auf nahezu derselben Tiefe liegen, nämlich zwischen sechs und acht Faden unter der Oberfläche. Eines dieser «halb ertrunkenen Atolle», so Kapitän Moresby (dem ich viele wertvolle Informationen verdanke), ist von beträchtlicher Größe, nämlich neunzig Seemeilen in einer Richtung breit und siebzig Meilen auf einer anderen Linie und in vieler Hinsicht außerordentlich seltsam. Da aus unserer Theorie folgt, dass sich neue Atolle gemeinhin in jedem neuen Gebiet der Absenkung bilden, könnten zwei gewichtige Einwände erhoben werden, nämlich dass Atolle an Zahl unbegrenzt zunehmen und zweitens, dass jedes Atoll in alten Gebieten der Absenkung unbegrenzt an Stärke gewinnt, wenn keine Beweise für ihre gelegentliche Zerstörung erbracht werden können. So haben wir nun die Geschichte dieser großen Ringe aus Korallenstein von ihrem ersten Auftauchen über ihre normalen Veränderungen und die gelegentlichen Ereignisse in ihrem Leben bis hin zu ihrem Tod und ihrer endgültigen Auslöschung nachgezeichnet.

Einige Autoren haben überrascht festgestellt, dass Atolle in manchen riesigen Ozeanbereichen zwar zu den verbreitetsten Korallengebilden zählen, in anderen Meeren, wie in Westindien, jedoch vollkommen fehlen: Wir können nun sogleich die Ursache dafür erkennen, denn wo es keine Absenkung gegeben hat, können sich auch keine Atolle gebildet haben, und im Falle von West- wie auch Ostindien weiß man, dass diese Bereiche innerhalb der jüngsten Periode angehoben worden sind. Wenn wir die Beweise für eine kürzlich erfolgte Erhebung an den gesäumten Küsten wie auch an manchen anderen (beispielsweise in Südamerika) berücksichtigen, wo es keine Riffe gibt, gelangen wir zu dem Schluss, dass die großen Kontinente überwiegend ansteigende Gebiete sind und, aufgrund der Natur der Korallenriffe, die zentralen Flächen der großen Ozeane sinkende. Der ostindische Archipel, das zerklüftetste Land der Welt, ist überwiegend ein ansteigendes Gebiet, dabei aber von schmalen absinkenden Gebieten, wahrscheinlich auf mehr als einer Linie, umgeben und durchdrungen.

Obgleich die meisten von Barriereriffen umschlossenen Inseln im Pazifik vulkanischen Ursprungs sind, auf denen man auch oftmals noch die Überreste von Kratern erkennen kann, ist von keiner einzigen ein Ausbruch bekannt. Daher hat es in diesen Fällen den Anschein, dass die Vulkane an derselben Stelle ausbrachen und erloschen, entsprechend den dort vorherrschenden Hebe- oder Sinkbewegungen. Zahllose Fakten konnten als Beweis dafür herangezogen werden, dass angehobene organische Überreste überall dort auftreten, wo es aktive Vulkane gibt, doch bis gezeigt werden konnte, dass Vulkane in absinkenden Gebieten entweder fehlten oder inak-tiv waren, wäre die Folgerung, wie einleuchtend auch immer, dass ihre Verteilung vom Ansteigen

Proben, die Darwin auf den Keelinginseln gesammelt hat

Die Atolle der Malediven im Indischen Ozean

oder Absinken der Erdoberfläche abhängt, riskant gewesen. Nun aber können wir, so meine ich, diese bedeutende Ableitung uneingeschränkt bestätigen.

Bezüglich der angehobenen organischen Überreste getroffenen Aussage müssen wir über die Größe der Gebiete staunen, die in einer geologisch nicht weit zurückliegenden Zeit Niveauveränderungen nach unten oder oben erfahren haben. Auch will es scheinen, dass die Hebe- und Sinkbewegungen nahezu denselben Gesetzen gehorchen. In allen Gebieten, die mit Atollen gesprenkelt sind, wo keine einzige Landspitze über dem Meeresspiegel geblieben ist, muss das Absinken von gewaltigen Ausmaßen gewesen sein. Zwangsläufig muss das Absinken auch, ob es nun stetig vonstatten ging oder periodisch und

mit Pausen dazwischen, die genügend lang waren, dass die Korallen ihre lebenden Gebäude an die Oberfläche bringen konnten, äußerst langsam erfolgt sein. Diese Schlussfolgerung ist wahrscheinlich die wichtigste, die aus dem Studium der Korallen abgeleitet werden kann – und es ist kaum vorstellbar, wie man sonst dazu hätte gelangen können. Die Riff bauenden Korallen haben wahrhaftig wunderbare Denkmale für die unterirdischen Niveauschwankungen errichtet und bewahrt; in jedem Barriereriff sehen wir einen Beweis dafür, dass das Land sich abgesenkt hat, und in jedem Atoll ein Monument für eine Insel, die untergegangen ist. So erhalten wir nun gleich einem Geologen, der seine zehntausend Jahre gelebt und über all die Veränderungen Buch geführt hat, eine Einsicht in das große System, wodurch die Oberfläche dieses Erdballs aufgebrochen worden ist und Land und Wasser sich ausgetauscht haben.

Port St. Louis, William Rider, 1831

21. Kapitel

VON MAURITIUS NACH ENGLAND

Mauritius, schönes Erscheinungsbild von – großer kraterförmiger Gebirgsring – Hindus – St. Helena – Geschichte der Veränderungen der Vegetation – Ursache des Aussterbens von Landmuscheln – Ascension – Änderung bei eingeführten Ratten – Vulkanbomben – Felder mit Infusorien – Bahia – Brasilien – Pracht der Tropenlandschaft – Pernambuco – einzigartiges Riff – Sklaverei – Rückkehr nach England – Rückschau auf unsere Fahrt

29. April [1836] – Am Vormittag umfuhren wir das nördliche Ende von Mauritius oder Isle of France. Von dort aus entsprach das Aussehen der Insel den Erwartungen, die durch die zahlreichen bekannten Beschreibungen ihrer schönen Landschaft geweckt wurden. Die abfallende Ebene der *pamplemousses*, mit Häusern durchsetzt und von den großen Feldern mit Zuckerrohr hellgrün gefärbt, bildete den Vordergrund. Die Leuchtkraft des Grüns war desto bemerkenswerter, als es sich um eine Farbe handelt, die im Allgemeinen nur aus sehr geringer Entfernung auffällt. Zur Inselmitte hin erhoben sich aus dieser stark kultivierten Ebene bewaldete Berggruppen; ihre Gipfel waren, wie bei altem Vulkangestein so häufig der Fall, zu den schärfsten Spitzen gezackt. Um diese Gipfel waren weiße Wolkenmassen versammelt, wie um das Auge des Fremden zu erfreuen. Die ganze Insel mit ihrem abfallenden Rand und den Bergen in der Mitte war mit vollkommener Eleganz geschmückt:

Port Louis auf Mauritius, heute und zur Zeit von Darwins Besuch

Die Landschaft erschien dem Blick, wenn ich einen solchen Ausdruck gebrauchen darf, harmonisch. Ich verbrachte den folgenden Tag vor allem damit, die Stadt zu erwandern und verschiedene Menschen zu besuchen. Die Stadt ist von beträchtlicher Größe und soll über 20 000 Einwohner beherbergen; die Straßen sind sehr sauber und regelmäßig. Obgleich die Insel schon so viele Jahre der englischen Regierung untersteht, ist sie doch durchaus französisch geprägt: Engländer sprechen mit ihren Bedienten auf Französisch, und auch die Läden sind allesamt französisch; ich würde sogar sagen, dass Calais oder Boulogne viel stärker anglisiert sind. Es gibt ein sehr hübsches kleines Theater, in dem hervorragende Opern aufgeführt werden. Auch sahen wir zu unserer Überraschung große Buchhandlungen mit gut gefüllten Regalen – Musik und Lektüre künden davon, dass wir uns der alten Welt der Zivilisation nähern, denn Australien und Amerika sind wahrhaft neue Welten.

Die verschiedenen Menschenrassen auf den Straßen bieten in St. Louis das interessanteste Schauspiel. Sträflinge aus Indien sind auf Lebenszeit hierher verbannt; gegenwärtig sind es ungefähr 800, und sie werden bei vielerlei öffentlichen Arbeiten eingesetzt. Bevor ich diese Menschen gesehen hatte, war mir überhaupt nicht bewusst, dass die Bewohner Indiens von solch edler Gestalt sind. Ihre Haut ist außerordentlich dunkel, und viele ältere Männer trugen einen großen Schnurr- und Vollbart von schneeweißer Farbe; dies verlieh ihnen, zusammen mit der Glut ihres Ausdrucks, ein imposantes Aussehen.

1.Mai – Sonntag. Ich unternahm einen ruhigen Spaziergang die Küste entlang zum Norden der Stadt. Die Ebene hier ist völlig unkultiviert; sie besteht aus einem schwarzen Lavafeld, das von grobem Gras und Gebüsch, Letzteres hauptsächlich Mimosen, überzogen ist. Am folgenden Tag bestieg ich La Pouce, ein Berg, so benannt wegen einer daumenförmigen Ausstülpung, der sich gleich hinter der Stadt bis auf eine Höhe von 2600 Fuß erhebt. Die Inselmitte besteht aus einem großen Plateau, das von alten, zerklüfteten Basaltbergen umgeben ist, deren Schichten sich zum Meer hinabneigen. Das mittlere Plateau, von vergleichsweise jungen Lavaströmen gebildet, ist von ovaler Form, dreizehn Meilen im Durchmesser auf der kürzesten Achse. Der äußere Bergring gehört jener Klasse von Gebilden an, die man Krater durch Anhebung nennt; sie sollen nicht wie gewöhnliche Krater entstanden sein, sondern durch eine gewaltige, jähe Erhebung.

9. Mai – Wir verließen Port Louis und gelangten nach einem Besuch am Kap der Guten Hoffnung am 8. Juli nach St. Helena. Diese Insel, deren abstoßender Anblick schon so oft beschrieben worden ist, erhob sich gleich einer riesigen schwarzen Burg jäh aus dem Ozean. Nahe der Stadt füllen, wie um die natürliche Wehr zu vervollkommnen, kleine Forts und Kanonen jeden Spalt in den zerklüfteten Felsen aus. Die Stadt zieht sich ein flaches, schmales Tal hinauf; die Häuser wirken anständig und sind durchsetzt mit sehr wenigen grünen Bäumen. Als wir uns dem Ankerplatz näherten, bot sich uns ein eindrucksvolles Bild: Eine regellose Burg hockte auf dem Gipfel eines hohen Berges und ragte, umgeben von ein paar verstreuten Kiefern, kühn in den Himmel.

Am folgenden Tag erhielt ich Unterkunft einen Steinwurf entfernt von Napoleons Grab:[1] Es war eine vortreffliche zentrale Lage, von wo aus ich Exkursionen in alle Richtungen unternehmen konnte. Während der vier Tage, die ich hier war, wanderte ich von Morgen bis Abend über die Insel und untersuchte ihre geologische Geschichte. Mein Logis lag in einer Höhe von ungefähr 2000 Fuß; das Wetter hier war kalt und stürmisch, und unablässig gingen Regenschauer nieder. Hin und wieder war die ganze Landschaft in dicke Wolken gehüllt.

Die wilden Täler unter dem oberen und mittleren grünen Kreis sind recht trostlos und unbewirtschaftet. Hier gab es Landschaften von äußerstem Reiz für den Geologen; sie zeigten aufeinander folgende Veränderungen und komplizierte Faltungen. Meinen Prüfungen zufolge existiert St. Helena als Insel seit einer sehr fernen Epoche: Einige obskure Beweise für die Anhebung des Landes sind jedoch noch vorhanden. Ich glaube, dass die zentralen und höchsten Gipfel Teile des Randes eines großen Kraters bilden, deren südliche Hälfte vollständig von den Meereswellen abgetragen worden ist: Überdies gibt es noch eine äußere Mauer aus schwarzem Basaltgestein, ähnlich den Küstenbergen auf Mauritius, das älter als die zentralen Vulkanströme ist. Auf den höher gelegenen Teilen ist in beträchtlicher Zahl eine Muschel, die lange für eine Meeresart gehalten wurde, im Erdreich eingebettet. Sie erweist sich als eine *Cochlogena*, also eine Landmuschel, von sehr eigenartiger Form;[2] zusätzlich fand ich sechs weitere Arten, und an einer anderen Stelle eine achte. Es fällt auf, dass keine davon noch lebend angetroffen wird. Ihr Aussterben hatte als Ursache wohl die völlige Vernichtung der Wälder, die am Beginn des vergangenen Jahrhunderts geschah, und den daraus folgenden Verlust von Nahrung und Schutz.

Die Geschichte der Veränderungen, denen die angehobenen Ebenen von Longwood und Deadwood, wie in General Beatsons Bericht von der Insel geschildert, unterworfen waren, ist äußerst eigenartig. Beide Ebenen, so heißt es, seien früher einmal mit Wäldern bedeckt gewesen, weswegen sie Great Wood genannt wurden. Noch bis ins Jahr 1716 standen viele Bäume, doch 1724 waren die alten überwiegend gefallen, und da Ziegen und Schweine frei umherstreifen durften, starben alle jungen Bäume ab. Aus den behördlichen Aufzeichnungen geht auch hervor, dass auf die Bäume einige Jahre später unerwartet ein Rispengras folgte, das sich über die ganze Fläche ausbreitete.[3]

St. Helena, das so fern von jedem Kontinent inmitten eines großen Ozeans liegt und eine einzigartige Flora besitzt, erregt unsere Neugier. Die acht Landmuscheln, die zwar ausgestorben sind, und eine lebende *Succinea* sind Arten, die sonst nirgendwo zu finden sind. Mr. Cuming teilt mir dagegen mit, dass hier eine englische *Helix* sind, wie zu erwarten war, von sehr geringer Zahl, ja ich glaube, die Vögel wurden alle erst in den letzten Jahren eingeführt. Rebhühner und Fasanen sind einigermaßen verbreitet: Die Insel ist viel zu englisch, um nicht strengen Jagdgesetzen unterworfen zu sein. Ich hörte von einem ungerechteren Tribut an solche Verordnungen, als mir selbst in England berichtet wurde. Die Armen verbrannten früher eine Pflanze, die auf den Küstenfelsen wächst, und exportierten das Soda der Asche, doch dann wurde strenge Anweisung erlassen, die diese Praxis untersagte, und als Grund dafür wurde angegeben, dass die Rebhühner sonst nichts mehr zum Nestbau hätten.

Am 19. Juli erreichten wir Ascension. Wer schon einmal eine Vulkaninsel in einem ariden Klima gesehen hat, wird sich das Erscheinungsbild von Ascension sogleich ausmalen können. Er wird sich glatte konische Berge von hellroter Farbe vorstellen, die Gipfel generell gekappt und jeder für sich aus einer ebenen Fläche aus schwarzem Lavageröll aufragend. Eine Haupterhebung in der Inselmitte scheint der Vater der kleineren Kegel zu sein. Sie heißt Green Hill, ein Name, der nach der äußerst schwachen Tönung dieser Farbe gewählt wurde, welche zu dieser Jahreszeit vom Ankerplatz aus kaum zu erkennen ist. Um das trostlose Bild zu vervollständigen, werden die schwarzen Felsen an der Küste von einem wilden, aufgewühlten Meer gepeitscht.

Die Insel St. Helena im Atlantik

Am folgenden Morgen bestieg ich den Green Hill, 2840 Fuß hoch, und ging von dort aus über die Insel zur Luvspitze. Ein guter Fahrweg führt von der Küstensiedlung zu den Häusern, Gärten und Feldern, die nahe dem Gipfel des mittleren Berges angelegt sind. Am Wegesrand stehen Meilensteine und auch Zisternen, wo der durstige Wanderer gutes Wasser trinken kann. Ähnliche Sorgfalt wird auf jeden Bereich der Einrichtung und insbesondere auf den Unterhalt der Quellen verwandt, damit kein Tropfen Wasser verloren geht: Ja, die ganze Insel lässt sich mit einem riesigen Schiff vergleichen, das erstklassig in Ordnung gehalten ist.

Nahe der Küste wächst nichts; weiter landeinwärts begegnet man gelegentlich einer grünen Rizinuspflanze und einigen Heuschrecken, den wahren Freunden der Wüste. Auf der Oberfläche der zentralen Hochregion wächst verstreut etwas Gras, und das Ganze ähnelt stark den schlechteren Gegenden der walisischen Berge. Doch so karg das Weideland auch wirkt, gedeihen doch ungefähr sechshundert Schafe, viele Ziegen und ein paar Kühe und Pferde gut darauf. An heimischen Tieren schwärmen zahllose Landkrebse und Ratten umher. Ob die Ratte tatsächlich indigen ist, mag wohl bezweifelt werden; von Mr. Waterhouse sind zwei Varietäten beschrieben; eine ist schwarz gefärbt, hat ein schönes, glänzendes Fell und lebt auf dem Grasgipfel; die andere ist braun und weniger glänzend, hat langes Haar und lebt nahe der Siedlung an der Küste. Beide Varietäten sind kleiner als die gemeine schwarze Ratte *(M.rattus)*; sie unterscheiden sich beide von ihr in der Farbe und dem Gepräge ihres Fells, sonst aber in keiner Hinsicht.

Napoleons Grabstätte auf St. Helena, Lieutenant-Colonel Richard Brunton, um 1826

Ich habe kaum Zweifel, dass diese Ratten (wie die gemeine Maus, die ebenfalls verwildert ist) eingeführt wurden und sich, wie auf den Galapagosinseln, unter den neuen Bedingungen, denen sie ausgesetzt waren, verändert haben: Daher unterscheidet sich die Varietät auf dem Hochland von jener an der Küste. Heimische Vögel gibt es keine; allerdings sieht man allerorten das Perlhuhn, das von den Kapverdischen Inseln eingeführt wurde, und auch das gemeine Huhn ist verwildert. Einige Katzen, ursprünglich ausgesetzt, um die Ratten und Mäuse zu vernichten, haben sich so stark vermehrt, dass sie eine große Plage geworden sind. Die Insel ist vollkommen baumlos, worin sie, wie auch in jeder anderen Hinsicht, St. Helena weit unterlegen ist.

Die Geologie dieser Insel ist in vieler Hinsicht interessant. An mehreren Stellen bemerkte ich Vulkanbomben, also Lavamassen, welche in flüssigem Zustand durch die Luft geschleudert wurden und folglich eine runde oder birnenförmige Gestalt annahmen. Nicht nur ihre äußere Form, sondern in mehreren Fällen auch ihr innerer Aufbau zeigen in ganz eigenartiger Weise, dass sie sich auf ihrem Wege durch die Luft gedreht haben. Der innere Aufbau einer dieser Bomben, die aufbrach, ist auf dem Holzschnitt sehr genau dargestellt. Der Mittelteil ist grobzellig, wobei die Zellen zur Außenseite hin immer kleiner werden; dort folgt eine panzerartige Hülle aus kompaktem Stein von ungefähr einem Drittel Zoll Stärke, die wiederum von einer äußeren Kruste aus feinzelliger Lava überzogen ist. Meiner Meinung nach besteht kaum ein Zweifel daran, dass sich, erstens, die äußere Kruste rasch in den Zustand, in dem wir sie nun sehen, abgekühlt hat; zweitens, dass die noch flüssige Lava im Innern von der Zentrifugalkraft, welche durch die Rotation der Bombe entstand, gegen die äußere abgekühlte Kruste gepresst wurde und somit den festen Steinpanzer bildete; und schließlich, dass die Zentrifugalkraft, indem sie in den zentraleren Teilen der Bombe den Druck minderte, die heißen Dämpfe ihre Zellen erweitern ließ, wodurch die grobe Zellenmasse im Zentrum gebildet wurde.

Ein Berg, aus der älteren Serie Vulkangestein gebildet und fälschlicherweise als der Krater eines Vulkans angesehen, ist deswegen ungewöhnlich, weil sein breiter, leicht ausgehöhlter und kreisrunder Gipfel nacheinander mit vielen Schichten Asche und feiner Schlacke aufgefüllt worden ist. Ich habe Proben einer dieser tuffartigen, rosa gefärbten Schichten mitgebracht, und es ist ganz außerordentlich, dass sie sich Professor Ehrenberg[5] zufolge fast zur Gänze aus einstmals belebter Materie zusammensetzen: Er hat darin mit Kieseln gepanzerte Süßwasserinfusorien und nicht weniger als fünfundzwanzig verschiedene Formen des Kieselgewebes von Pflanzen entdeckt, hauptsächlich von Gräsern. Da keinerlei Kohlenstoffe vorhanden sind, glaubt Professor Ehrenberg, dass diese organischen Körper durch das vulkanische Feuer gelangt sind und in dem Zustand eruptiert wurden, in dem wir sie jetzt sehen. Das Bild der Schichten führte mich zu der Annahme, dass sie unter Wasser abgelagert waren, obgleich mich die extreme Trockenheit des Klimas zu der Vorstellung bewegte, dass es während einer großen Eruption möglicherweise stark regnete und sich daher ein temporärer See bildete, in den die Asche fiel. Nun aber lässt sich vermuten, dass der See nicht temporär war.

Seeschwalben und Noddis auf der Insel Ascension

Von Ascension segelten wir nach Bahia an der Küste Brasiliens, um die chronometrische Vermessung der Welt abzuschließen. Wir trafen dort am 1. August ein und blieben vier Tage, an denen ich mehrere Spaziergänge unternahm. Zu meiner Erleichterung stellte ich fest, dass meine Freude an der tropischen Landschaft, weil diese mir nicht mehr neu war, nicht im Mindesten abgenommen hatte. Die Elemente der Landschaft sind so einfach, dass sie zum Beweis dafür, von welch unbedeutenden Umständen eine erlesene natürliche Schönheit abhängt, einer Erwähnung wert sind.

Man kann das Land als flache Ebene auf ungefähr dreihundert Fuß Höhe beschreiben, das überall zu flachsohligen Tälern abgetragen wurde. Bei einem Granitboden ist diese Struktur bemerkenswert, bei all jenen weicheren Formationen, aus denen Ebenen gemeinhin bestehen, hingegen der Normalfall. Die gesamte Fläche ist von verschiedenartigen stattlichen Bäumen bestanden, dazwischen liegen Flecken kultivierten Landes, auf denen sich Häuser, Klöster und Kapellen erheben. Dabei ist zu bedenken, dass die wuchernde Üppigkeit in den Tropen selbst in der Umgebung großer Städte nicht verloren geht, denn die natürliche Vegetation der Hecken und Berghänge übersteigt an malerischer Wirkung die künstlichen Anstrengungen des Menschen. Daher gibt es nur wenige Stellen, wo das leuchtend rote Erdreich in starken Kontrast zu dem allgemeinen grünen Kleid tritt. Von den Rändern der Ebene sieht man in der Ferne entweder den Ozean oder die große Bucht mit ihren niedrig bewaldeten Küsten, an denen auch zahlreiche Boote und Kanus ihre weißen Segel zeigen. Abgesehen davon ist die Landschaft äußerst beschränkt; folgt man den ebenen Wegen in beide Richtungen, erhält man nur flüchtige Blicke in die bewaldeten Täler. Die Häuser und besonders die geweihten Gebäude sind, wie ich noch hinzufügen darf, in einem eigentümlichen und recht phantastischen Architekturstil erbaut. Sie sind alle weiß getüncht, sodass sie sich, wenn sie von der strahlenden Mittagssonne erleuchtet werden, von dem hellblauen Himmel am Horizont mehr wie Schatten denn reale Gebäude abheben.

Wenn ich still die schattigen Wege entlangging und jeden neuen Blick bewunderte, wünschte ich mir, eine Sprache zu finden, die meine Vorstellungen ausdrücken kann. Epitheton um Epitheton wurde als zu schwach befunden, um jenen, welche die intertropischen Regionen nicht besucht haben, die freudigen Empfindungen zu vermitteln, die der Geist erfährt. Ich habe gesagt, die Pflanzen in einem Treibhaus versagten darin, eine angemessene Vorstellung von der Vegetation zu geben; dennoch muss ich darauf zurückgreifen. Das Land ist ein einziges großes, wildes, unsauberes, üppiges Treibhaus, das die Natur sich selbst geschaffen, wovon aber der Mensch Besitz ergriffen und es mit freundlichen Häusern und angelegten Gärten verziert hat. Wie groß wäre bei jedem Bewunderer der Natur das Verlangen, die Landschaft eines anderen Planeten zu schauen, wenn das denn möglich wäre! – doch für jeden Menschen in Europa öffnet sich, wie man füglich sagen kann, in einer Entfernung von nur wenigen Grad von seinem Heimatboden die Pracht einer anderen Welt. Auf meiner letzten Wanderung hielt ich immer wieder inne, um diese Schönheit zu bestaunen, und versuchte, in meinem Geiste auf immer einen Eindruck zu verankern, der, wie ich schon wusste, früher oder später versagen muss. Die Form des Orangenbaums, der Kokospalme, der Palme, des Mango, des Baumfarns, der Banane werden klar und gesondert bleiben, doch die tausend Schönheiten, welche diese zu einer makellosen Szenerie vereinen, werden verblassen; dennoch werden sie gleich einem Märchen aus der Kindheit ein Bild voller undeutlicher, aber überaus schöner Figuren hinterlassen.

6. August – Am Nachmittag liefen wir aus, um auf direktem Kurs zu den Kapverdischen Inseln zu segeln. Doch widrige Winde hielten uns auf, und am 12. lagen wir vor Pernambuco – eine große Stadt an der Küste Brasiliens auf 8°S. Wir ankerten außerhalb des Riffs, doch schon bald kam ein Lotse an Bord und brachte uns in den inneren Hafen, wo wir nahe der Stadt lagen.

Pernambuco ist auf schmalen, flachen Sandbänken erbaut, die durch seichte, Salzwasser führende Kanäle voneinander getrennt sind. Die drei Teile der Stadt sind mit zwei langen Brücken verbunden,

die auf Holzpfählen errichtet sind. Die Stadt ist überall abstoßend, die Straßen sind schmal, schlecht gepflastert und schmutzig, die Häuser hoch und düster. Die Zeit des starken Regens hatte noch kaum geendet, weswegen das umliegende Land, das sich nur geringfügig über die Meeresoberfläche erhebt, mit Wasser überflutet war; alle meine Versuche, lange Wanderungen zu unternehmen, scheiterten.

Das flache Sumpfland, auf dem Pernambuco steht, ist in einer Entfernung von einigen Meilen von einem Halbkreis aus niedrigen Hügeln oder vielmehr vom Rand eines Landes umgeben, das

CELLULAR FORMATION OF VOLCANIC BOMB.

OBEN: Georgetown, Insel Ascension
EINSATZ: Zellformation von Vulkanbomben
GEGENÜBER: Der Archipel Fernando de Noronha, vor der Küste von Pernambuco, Brasilien

vielleicht zweihundert Fuß über dem Meer liegt. Auf einer Spitze dieser Kette liegt die alte Stadt Olinda. Einmal nahm ich mir ein Kanu und fuhr einen der Kanäle hinauf, um sie zu besuchen; ich fand die alte Stadt durch ihre Lage reizvoller und auch sauberer als Pernambuco. Der Kanal, auf dem wir nach Olinda fuhren und wieder darauf zurückkehrten, war an beiden Seiten mit Mangroven gesäumt, welche gleich einem Miniaturwald aus den glitschigen Schlickufern ragten. Die leuchtend grüne Farbe dieser Büsche erinnerte mich stets an das wuchernde Gras auf einem Kirchhof: Beide werden durch faulige Ausdünstungen genährt; das eine kündet von vergangenem Tod, das andere allzu oft von künftigem.

Das Eigenartigste, das ich in dieser Gegend sah, war das Riff, das den Hafen bildete. Ich habe Zweifel, ob auf der ganzen Welt noch ein anderes natürliches Gebilde ein so künstliches Bild abgibt.[6] Er erstreckt sich über mehrere Meilen in schnurgerader Linie parallel zur Küste und nicht weit entfernt davon. Seine Breite variiert von dreißig bis sechzig Yard, und seine Oberfläche ist eben und glatt: Es besteht aus obskur geschichtetem, hartem Sandstein. Bei Hochwasser branden die Wellen darüber, bei Niedrigwasser bleibt der Kamm trocken und ließe sich für einen Wellenbrecher halten, den zyklopische Arbeiter geschaffen haben. An dieser Küste häufen die Meeresströmungen gern lange

Zungen und Streifen losen Sandes auf, und auf einer solchen steht ein Teil von Pernambuco.

Am 19. August verließen wir endlich Brasiliens Gestade. Gott sei Dank werde ich nie wieder ein Sklavenland besuchen. Bis zum heutigen Tage erinnere ich mich, wenn ich von fern einen Schrei höre, mit schmerzlicher Lebhaftigkeit daran, was ich empfand, als ich an einem Haus nahe Pernambuco vorüberging und das erbarmungswürdigste Stöhnen hörte, das mich nur eines vermuten ließ, nämlich dass da gerade ein armer Sklave gequält wurde, und ich dennoch wusste, dass ich machtlos wie ein Kind war, auch nur zu protestieren. Ich nahm an, dass dies Stöhnen von einem gequälten Sklaven kam, weil man mir bei einem anderen Mal sagte, dies sei der Fall. Nahe Rio de Janeiro wohnte ich gegenüber einer alten Dame, die Schrauben hatte, womit sie ihren Sklavinnen die Finger quetschte. Ich habe in einem Haus gewohnt, in dem ein junger Hausmulatte täglich, stündlich genügend beschimpft, geschlagen und verfolgt wurde, um selbst das niedrigste Tier zu brechen. Ich habe gesehen, wie ein kleiner Junge, sechs, sieben Jahre alt, drei Mal mit einer Pferdepeitsche auf den nackten Kopf geschlagen wurde (bevor ich einschreiten konnte), weil er mir Wasser in einem Glas gereicht hatte, das nicht ganz sauber war; ich sah, wie sein Vater beim bloßen Blick aus den Augen seines Herrn erzitterte. Letztere Grausamkeiten sah ich in einer spanischen Kolonie, wo, wie es immer hieß, die Sklaven besser behandelt würden als von den Portugiesen, Engländern oder anderen europäischen Nationen. In Rio de Janeiro habe ich gesehen, wie ein mächtiger Neger sich fürchtete, einen Hieb abzuwehren, der, wie er meinte, gegen sein Gesicht gerichtet war. Ich war zugegen, als ein gutherziger Mann im Begriff stand, die Männer, Frauen und Kinder einer großen Zahl von Familien, die lange zusammengelebt hatten, auf immer zu trennen. Ich will gar nicht erst auf die vielen furchtbaren Gräuel verweisen, von denen man mir glaubhaft berichtete – ebenso wenig hätte ich die obigen abscheulichen Einzelheiten erwähnt, wäre ich nicht mehreren Menschen begegnet, die von der natürlichen Fröhlichkeit des Negers so geblendet waren, dass sie von der Sklaverei als einem erträglichen Übel sprachen. Solche Leute verkehren im Allgemeinen in Häusern der Oberschicht, wo die Haussklaven generell gut behandelt werden, und haben nicht, wie ich, unter den niederen Schichten gelebt.

Diejenigen, die dem Sklavenhalter mit Nachsicht begegnen und dem Sklaven mit kaltem Herzen, scheinen sich nie in die Lage Letzterer zu versetzen – welch freudlose Aussicht, und ohne jede Hoffnung auf Veränderung! Man male sich den Fall aus, der einen stets bedroht, dass einem Frau und kleine Kinder – jene Objekte, welche die Natur selbst den Sklaven drängt, sein Eigen zu nennen – entrissen und wie Tiere an den nächstbesten Bieter verkauft werden! Und diese Taten werden von Menschen begangen und beschönigt, die vorgeben, ihren Nächsten wie sich selbst zu lieben, die an Gott glauben und beten, dass sein Wille auf Erden geschehe! Es bringt das Blut in Wallung und lässt doch das Herz erbeben, dass wir Engländer und unsere amerikanischen Abkömmlinge mit ihrem prahlerischen Freiheitsgeschrei dessen schuldig waren und sind: Doch gereicht die Überlegung zum Trost, dass wir immerhin ein größeres Opfer gebracht haben als jede andere Nation, unsere Sünde zu büßen.

Am letzten Augusttag gingen wir ein zweites Mal vor Porto Praya auf dem Kapverdischen Archipel vor Anker; von dort ging es weiter zu den Azoren, wo wir sechs Tage blieben. Am 2. Oktober erreichten wir die Gestade Englands, und in Falmouth verließ ich

Sklaven, die ein Fass tragen, und schwarze Menschen aus verschiedenen Staaten, Thierry Frères, 1839

die *Beagle*, nachdem ich nahezu fünf Jahre an Bord des guten kleinen Schiffs gelebt hatte.

Nachdem unsere Reise nun an ihr Ende gekommen ist, möchte ich einen kurzen Rückblick auf die Vor- und Nachteile, die Freuden und Leiden unserer Weltumsegelung machen. Sollte mich jemand um Rat fragen, bevor er eine lange Reise unternimmt, würde meine Antwort davon abhängen, ob er eine ausgeprägte Neigung für einen Wissenszweig besitzt, welche dadurch gefördert werden könnte. Zweifellos gereicht es zu großer Befriedigung, verschiedene Länder und die zahlreichen Rassen der Menschheit zu sehen, doch die dabei erworbenen Freuden wiegen nicht die Übel auf. Es ist notwendig, sich auf einen Ertrag zu freuen, wie fern er auch sein mag, da eine Frucht geerntet, ein Gutes bewirkt wird.

Viele der Verluste, die man erleben muss, liegen auf der Hand; beispielsweise jener der Gesellschaft eines jeden alten Freundes und des Anblicks jener Orte, womit eine jede liebste Erinnerung so innig verbunden ist. Diese Verluste werden während dieser Zeit indes teilweise durch die unerschöpfliche Freude gelindert, den lange ersehnten Tag der Rückkehr im Voraus zu empfinden. Wenn das Leben, wie die Dichter sagen, ein Traum ist, so sind es auf einer Reise gewiss die Visionen, welche am besten dazu taugen, die lange Nacht zu vertreiben. Andere Verluste, wenn auch nicht gleich verspürt, wiegen nach einiger Zeit schwer: Es sind dies das Bedürfnis nach Raum, nach Zurückgezogenheit, nach Ruhe; das ermattende Gefühl beständiger Hast, die Entbehrung kleiner Annehmlichkeiten, der Verlust der heimischen Gesellschaft und selbst der Musik und der anderen Freuden der Phantasie. Wenn solche Kleinigkeiten Erwähnung finden, liegt es nahe, dass die wirklichen Beschwernisse des Lebens auf See, von Unfällen abgesehen, ein Ende gefunden haben. Der kurze Zeitraum von sechzig Jahren hat die Seefahrt über weite Strecken in erstaunlichem Maße erleichtert. Noch zu Cooks Zeiten setzte sich einer, der den häuslichen Herd zu solchen Expeditionen verließ, harten Entbehrungen aus. Heute kann eine Yacht mit allen Annehmlichkeiten des Lebens den Erdball umrunden. Neben den gewaltigen Verbesserungen bei Schiffen und Seeeinrichtungen ist nun die gesamte Westküste Amerikas aufgestoßen und Australien zur Kapitale eines aufstrebenden Kontinents geworden. Wie anders sind die Umstände für einen, der heute im Pazifik Schiffbruch erleidet, verglichen mit den Zeiten Cooks! Seit seiner Reise ist der zivilisierten Welt eine ganze Hemisphäre hinzugefügt worden.

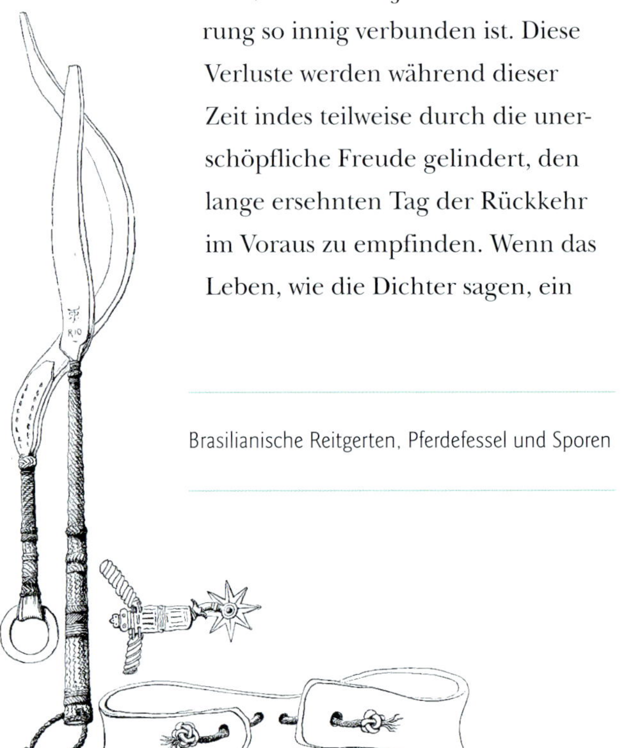

Brasilianische Reitgerten, Pferdefessel und Sporen

Leidet jemand stark an der Seekrankheit, so soll er sie schwer in die Waagschale werfen. Ich spreche aus Erfahrung: Sie ist kein unbedeutendes Übel, von dem man binnen einer Woche kuriert wird. Hat er hingegen Freude an maritimer Taktik, so wird er dafür gewiss ein weites Betätigungsfeld finden. Doch muss immer bedacht werden, wie groß der Anteil auf einer langen Fahrt ist, der auf dem Wasser verbracht wird, verglichen mit den Tagen im Hafen. Und was ist die gerühmte Herrlichkeit des gren-

Die *Beagle* auf dem Weg nach Hause

zenlosen Ozeans? Eine öde Verschwendung, eine Wasserwüste, wie der Araber ihn nennt.

Zweifellos gibt es auch prächtige Szenen. Eine mondbeschienene Nacht mit klarem Himmel und gleißendem Meer, und die weißen Segel gefüllt vom linden Hauch eines sanft wehenden Passats; eine völlige Kalme, die wogende Fläche wie ein Spiegel poliert, und alles ruhig, nur dass gelegentlich das Segeltuch schlägt. Es ist gut, auch einmal eine Bö mit ihrem aufsteigenden Bogen und dem nahenden Gebraus zu erleben oder den schweren Sturm und berghohe Wellen. Doch muss ich gestehen, dass meine Phantasie mir den ausgewachsenen Sturm erhabener, furchterregender ausgemalt hat. Er ist ein unvergleichlich schöneres Schauspiel, wenn man ihn vom Ufer aus sieht, wo die schwankenden Bäume, der wilde Flug der Vögel, die dunklen Schatten und hellen Lichter, das Rauschen des Regens allesamt vom Wettstreit der entfesselten Elemente künden. Auf See fliegen Albatros und St. Petersvogel, als wäre der Sturm der ihnen eigene Raum, das Wasser steigt und fällt, als wäre es seine übliche Aufgabe, und allein das Schiff und seine Bewohner scheinen Gegenstand des Zorns. An einer verlassenen und windumtosten Küste ist das Schauspiel allerdings ein anderes, doch die Empfindungen haben mehr von Grauen als von wilder Freude.

Nun wollen wir uns der angenehmeren Seite der vergangenen Zeit zuwenden. Das Vergnügen, das aus dem Anblick der Landschaft und des allgemeinen Gepräges der verschiedenen Länder, die wir besucht haben, gewonnen wird, war fraglos der beständigste und höchste Quell der Freude. Es ist wohl möglich, dass die malerische Schönheit vieler Gegenden Europas alles übertrifft, was wir gesehen haben. Doch liegt ein wachsendes Vergnügen im Vergleich des Gepräges der Landschaft verschiedener Länder, der sich in gewisser Weise von der bloßen Bewunderung ihrer Schönheit unterscheidet. Es hängt im Wesentlichen von einer Vertrautheit mit den einzelnen Aspekten der jeweiligen Ansicht ab: Ich neige stark zu der Ansicht, dass so wie in der Musik derjenige, der, wenn er über den gebührenden Geschmack verfügt und jede Note versteht, das Ganze desto voller genießen kann, auch derjenige, der jeden Aspekt einer schönen Ansicht untersucht, die volle und vereinte Wirkung gründlich zu verstehen vermag. Daher sollte der Reisende Botaniker sein, denn bei allen Ansichten bilden Pflanzen die wesentliche Verzierung. Gruppiert man Massen nackten Gesteins selbst in den wildesten Formen, so bieten sie eine Zeit lang ein erhabenes Schauspiel, werden gleichwohl rasch eintönig. Bemalt man

~ AUS ~

VERLAUF DER ZWEITEN EXPEDITION 1831–1836

VON ROBERT FITZ ROY

Unsere Fahrt nach Mauritius verlief langsam, aber auf ruhigem Wasser. Ab und an sahen wir Tropenvögel, einige Seeschwalben und Tölpel, als wir in die Gegend der Chagos Islands kamen und beim Anfahren der Insel Rodriguez. Wir gingen am 29. April in Port Louis auf Mauritius vor Anker; segelten am 9. Mai weiter, vorbei an Madagaskar – dann die afrikanische Küste entlang – und ankerten am 31. in Simon's Bay am Kap der Guten Hoffnung. Von diesem bekannten Ort aus fuhren wir über St. Helena, Ascension, Bahia, Pernambuco zu den Kapverden und den Azoren und warfen am 2. Oktober nach einer Abwesenheit von vier Jahren und neun Monaten von England in Falmouth Anker.

Von Falmouth fuhren wir nach Plymouth und von da, mit Halt in Portsmouth, zur Themse. Am 28. ließen wir in Greenwich den Anker hinunter, und nachdem die Chronometer überprüft waren, machte die Beagle in Woolwich fest, wo die Heuer am 17. November bezahlt wurde.

sie mit leuchtenden und vielfältigen Farben wie in Nordchile, so werden sie phantastisch; bekleidet man sie mit Vegetation, so geben sie ein ordentliches, wenn nicht gar schönes Bild ab.

Wenn ich sage, dass die Landschaft von Teilen Europas wahrscheinlich allem, was wir sahen, überlegen ist, so nehme ich dabei als eine Klasse für sich die intertropischen Zonen aus. Die beiden Klassen lassen sich nicht miteinander vergleichen, doch ich habe mich schon häufig über die Pracht jener Regionen verbreitet. Da die Kraft der Eindrücke im Allgemeinen von vorgeprägten Vorstellungen abhängt, darf ich noch hinzufügen, dass die meinen von den lebendigen Beschreibungen der *Personal Narrative* von Humboldt stammten, welche an Wert alles, was ich gelesen habe, bei weitem übersteigen. Doch ungeachtet dieser hochfliegenden Vorstellungen empfand ich bei meiner ersten und letzten Landung an Brasiliens Gestaden nicht den leisesten Hauch von Enttäuschung.

Von den Szenen, die sich tief in mir eingeprägt haben, sind keine erhabener als die von Menschenhand unberührten Urwälder, seien es jene Brasiliens, wo die Mächte des Lebens vorherrschen, oder jene Feuerlands, wo Tod und Verfall obsiegen. Beide sind Tempel, angefüllt mit den mannigfaltigen Erzeugnissen des Gottes der Natur – niemand kann ungerührt in dieser Einsamkeit stehen und nicht spüren, dass im Menschen mehr ist als nur der bloße Atem seines Körpers. Wenn ich Bilder aus der Vergangenheit herbeirufe, stelle ich fest, dass häufig die Ebenen Patagoniens vor meinen Augen entstehen; dennoch werden diese Ebenen allseits als elend und nutzlos bezeichnet. Sie lassen sich nur durch negative Eigenschaften beschreiben; ohne Behausungen, ohne Wasser, ohne Bäume, ohne Berge, bringen sie lediglich einige Zwergpflanzen hervor. Warum also, und das ist nicht nur bei mir der Fall, nimmt dieses aride Ödland meine Erinnerung so fest in Beschlag? Warum haben nicht die noch flacheren, die grüneren und fruchtbareren Pampas einen vergleichbaren Eindruck hinterlassen? Diese Empfindungen kann ich kaum analysieren: Aber es muss teilweise an dem freien Spielraum liegen, den die Phantasie erhält. Die Ebenen Patagoniens sind grenzenlos, denn sie sind kaum passierbar und mithin unbekannt: So, wie sie jetzt sind, tragen sie den Stempel, schon seit Ewigkeiten zu bestehen, und für ihre Dauer in künftigen Zeiten scheint es keine Grenze zu geben. Wenn, wie früher angenommen, die flache Erde von unpassierbaren Wassermassen oder in unerträglichem Maße erhitzten Wüsten um-

Nationalpark Torres del Paine, Chile

geben war, wer würde diese letzten Barrieren für das Wissen des Menschen nicht mit tiefen, wenn auch schlecht definierten Empfindungen betrachten?

Und schließlich ist, bei Naturlandschaften, der Blick von hohen Bergen in mancher Hinsicht zwar nicht schön, aber doch sehr denkwürdig. Blickte man vom höchsten Gipfel der Kordilleren hinab, so war der Geist, von nichtigen Einzelheiten ungestört, von den gewaltigen Dimensionen der umliegenden Massen erfüllt.

Zu den anderen höchst bemerkenswerten Schauspielen, die wir gesehen haben, dürften das Kreuz des Südens, die Magellan'schen Wolken und die anderen Konstellationen der südlichen Hemisphäre zählen – die Wasserhose – der Gletscher, der seinen blauen Eisstrom führt und in kühnem Abfall überm Meer hängt – eine Laguneninsel, angehoben von den riffbauenden Korallen – ein aktiver Vulkan – und die überwältigenden Auswirkungen eines heftigen Erdbebens. Letztere Phänomene sind für mich vielleicht von besonderem Interesse, weil sie aufs engste mit den geologischen Strukturen der Welt verbunden sind. Das Erdbeben hingegen dürfte für jedermann ein eindrucksvolles Ereignis sein: Die Erde, von frühester Kindheit an als Inbegriff des Festen erachtet, hat wie eine dünne Kruste unter unseren Füßen oszilliert, und wenn wir sehen, wie die mühevolle Arbeit des Menschen in einem Augenblick umgestoßen wird, empfinden wir die Bedeutungslosigkeit seiner angemaßten Macht.

Es gibt auf einer langen Reise noch weitere Quellen der Freude, die von vernünftigerer Natur sind. Die weißen Flächen auf der Weltkarte verschwinden; sie wird zum Bild voll der vielfältigsten und belebtesten Figuren. Jeder Teil erlangt seine angemessene Größe: Kontinente werden nicht mehr als Inseln betrachtet, Inseln nicht mehr als bloße Flecke, sind sie doch in Wahrheit größer als so manches Königreich in Europa. Afrika oder Nord- und Südamerika sind wohlklingende Namen und leicht auszusprechen, doch erst wenn man wochenlang an kleinen Abschnitten ihrer Küste entlanggesegelt ist, gewinnt man die tiefe Überzeugung, für welch ungeheure Räume auf unserer unermesslichen Welt diese Namen stehen.

Abschließend will mir scheinen, dass für einen jungen Naturforscher nichts förderlicher sein kann als eine Reise in ferne Länder. Sie schärft und stillt zum Teil auch jenes Bedürfnis und Sehnen, welches, wie Sir J. Herschel bemerkt, ein Mann erfährt, selbst wenn ein jeder körperliche Sinn voll befriedigt scheint. Der Reiz durch die Neuartigkeit von Dingen und die Aussicht auf Erfolg regt ihn zu gesteigerter Tätigkeit an. Zudem führt, indem etliche isolierte Fakten bald uninteressant werden, die Gewohnheit des Vergleichens zu Verallgemeinerung. Andererseits müssen, da der Reisende immer nur für kurze Zeit an einem Orte bleibt, seine Beschreibungen grundsätzlich aus bloßen Skizzen bestehen statt aus detaillierten Beobachtungen. Daher ergibt sich, wie ich aus eigener Erfahrung weiß, eine beständige Neigung, die großen Wissenslücken mit ungenauen und oberflächlichen Hypothesen aufzufüllen.

Doch habe ich meine Reise zu sehr genossen, um nicht jedem Naturforscher zu empfehlen, auch wenn er nicht erwarten darf, mit seinen Begleitern so vom Glück begünstigt zu sein, wie ich es war, unbedingt sein Glück zu versuchen und auf Reisen zu gehen, wenn möglich über Land, ansonsten lange zu bleiben. Er kann versichert sein, dass er, allenfalls in seltenen Fällen, keinen derartigen

GEGENÜBER: Dschungel von Bahia, Brasilien

~ AUS ~

DAS LEBEN VON CHARLES DARWIN

VON GEORGE THOMAS BETTANY

Mit der Veröffentlichung von *Die Zoologie der Fahrt der Beagle* ab 1838 unter Darwins Leitung erhielt die Naturgeschichte einen umfassenderen Blick, als er bis dahin möglich war, auf die Errungenschaften. Das Schatzamt, das nach den Vorführungen seitens der Direktoren der Linnean, Zoological und Geological Societies wie auch des Naturforschers selbst in Aktion trat, zahlte 1837 einen Zuschuss von 1000 Pfund zu den Veröffentlichungskosten dieser Abhandlungen. Owens Beschreibung der fossilen Säugetiere, abgeschlossen 1840; jene der lebenden Säugetiere von G. Waterhouse, 1839; die der Vögel durch Gould 1841; die der Fische von L. Jenyns, 1842, sowie der Reptilien durch Thomas Bell 1843 – sie alle, im Quartformat mit schönen Tafeln, bildeten das solide Zeugnis eines glanzvollen Erfolges. Darwin schrieb jeweils die Einleitung sowie die Abschnitte über die Lebensweise und Verbreitung der lebenden Tiere.

Drei Arten von *Mastodon* und das *Megatherium* waren die einzigen ausgestorbenen Säugetiere, die man vor Darwin aus Südamerika kannte. Nun kamen hinzu: *Mylodon Darwinii*, das Riesenfaultier; *Scelidotherium*, eine etwas kleinere Form; das große kamelähnliche *Macrauchenia* mit den drei Zehen und das *Taxodon*, so groß wie ein Nilpferd, aber von einer seltsamen Ähnlichkeit mit kleinen Nagetieren. Sie gehörten zu geologischen Ablagerungen, die nicht weit zurück liegen. Die Sammlungen lebender Wirbeltiere waren nicht ganz so interessant, doch die Zahl neuer Arten war enorm; und dass ein so guter Beobachter deren Lebensweise und Vorkommen aufgezeichnet hatte, machte es noch wertvoller.

Schwierigkeiten oder Gefahren begegnen wird, wie er sie am Beginn voraussieht. Unter einem moralischen Gesichtspunkt sollte eine solche Reise ihn gutwillige Geduld lehren, Freiheit von Selbstsucht, die Gewohnheit, für sich selbst zu handeln und aus jedem Geschehnis das Beste zu machen. Kurzum, er sollte die charakteristischen Eigenschaften des Seemannes besitzen. Reisen sollte ihn auch Misstrauen lehren, aber gleichzeitig wird er entdecken, wie viele wahrhaft gutherzige Menschen es gibt, mit denen er nie zuvor Kontakt hatte und auch nie mehr wieder haben wird, und die dennoch bereit sind, ihm die uneigennützigste Hilfe zu gewähren.

GEGENÜBER: Der Mount Fitz Roy, der höchste Berg im Nationalpark Los Glaciares, Argentinien

Down House: Charles Darwins Heim. Fotografie und Gemälde von Darwins Studierzimmer (oben und rechts) sowie eine Illustration für die Wochenzeitung *Graphic* von 1882 (gegenüber)

1. The Exterior from the Garden.—2. Mr. Darwin's Study.
THE HOME OF THE LATE CHARLES DARWIN, DOWN, KENT

Anmerkungen

VORWORT

1. Ich möchte diese Gelegenheit ergreifen, Mr. Bynoe, dem Wundarzt der *Beagle*, für seine außerordentlich freundliche Behandlung, als ich in Valparaíso krank war, aufrichtig Dank zu sagen.

1. KAPITEL

1. Ich schreibe dies unter Berufung auf Dr. E. Dieffenbach und seine Übersetzung der ersten Ausgabe dieses Tagebuchs.
2. Die Kapverdischen Inseln wurden 1449 entdeckt. Ein Grabstein eines Bischofs trug das Datum 1571 sowie als Wappen eine Hand und einen Dolch mit Datum 1497.
3. Ich möchte diese Gelegenheit ergreifen, die große Freundlichkeit anzuerkennen, mit der dieser renommierte Naturforscher etliche meiner Proben untersucht hat. Einen umfassenden Bericht über das Fallen dieses Staubs habe ich an die geologische Gesellschaft gesandt (Juni 1848).
4. So benannt entsprechend Patrick Symes' Nomenklatur.
5. Vgl. *Encyclopaedia of Anatomy and Physiology*, Artikel «Cephalopoda».
6. Mr. Horner und Sir David Brewster haben eine ungewöhnliche «künstliche Substanz, ähnlich einer Muschel» beschrieben (*Philoso phical Transactions* 1836, S. 65). Sie ist in feinen, durchsichtigen, stark geglätteten, braun gefärbten Plättchen mit besonderen optischen Eigenschaften an der Innenseite eines Gefäßes eingelagert, in dem Tuch, zuvor mit Leim und dann mit Kalk präpariert, in Wasser schnell gedreht wird. Es ist viel weicher und durchsichtiger und enthält mehr tierische Stoffe als die natürliche Inkrustation von Ascension; aber auch hier sehen wir wieder die starke Tendenz von Kalkstein und tierischen Stoffen, eine feste Substanz zu bilden, die sich mit der Muschel verbindet.
7. *Personal Narrative, Band V, Pkt. 1, S. 18.*
8. M. Montaigne in *Comptes Rendus* usw., juillet 1844, und *Annales des Sciences Naturelles*, décembre 1844.
9. M. Lesson (Voyage de la «Coquille», Bd. I, S. 255) erwähnt rotes Wasser vor Lima, dem offenbar die gleiche Ursache zugrunde lag. Peron, der hervorragende Naturforscher, gibt in der Voyage aux Terres Australes nicht weniger als zwölf Verweise auf Reisende, die von verfärbtem Wasser im Meer gesprochen haben (Bd.II, S.239). Zu Perons Verweisen dürfen noch hinzugefügt werden Humboldts Personal Narrative, Bd.VI, S.804, Flinders' Voyage, Bd.I, S.92, Labilladière, Bd.I, S.287, Ulloas Voyage, Voyage of the Astrolabe and of the Coquille, Kapitän Kings Survey of Australia usw.

2. KAPITEL

1. Das portugiesische Wort für Gasthof.
2. *Annales des Sciences Naturelles*, 1833.
3. Ich habe diese Art in den *Annals of Natural History*, Bd.XIV, S.241, beschrieben.
4. Ich schulde Mr. Waterhouse großen Dank für seine Freundlichkeit, diese und viele andere Insekten für mich benannt und mir viel wertvolle Unterstützung gewährt zu haben.
5. Kirbys *Entomology*, Bd.II, S.317.
6. Mr. Doubleday hat unlängst (vor der Entomologischen Gesellschaft, am 3. März 1815) eine besondere Struktur in den Flügeln dieses Schmetterlings beschrieben, mittels derer dieser offenbar die Geräusche macht. Er sagt: «Auffällig an ihm ist eine Art Trommel am Sockel der Vorderflügel zwischen der Seitenader und der subkostalen. Diese beiden Adern haben zudem im Innern eine eigentümlich schraubenartiges Diaphragma oder Gefäß.» Außerdem wird in Langhoffs *Travels* (in den Jahren 1803–07, S. 74) erwähnt, auf der Insel St. Catherine's vor der Küste Brasiliens mache ein Schmetterling namens *Februa hoffmanseggi* beim Davonfliegen ein Geräusch wie eine Rassel.
7. Ich darf als gewöhnliches Beispiel für das Sammelergebnis eines Tages (23. Juni) anführen, dass ich, als ich nicht besonders auf die Coleoptera achtete, achtundsechzig von dieser Art fing. Darunter waren nur zwei Carabidae, vier Brachelytera, fünfzehn Rhyncophora und vierzehn Chrysomelidae. Siebenunddreißig Arten Arachnidae, die ich mit nach Hause brachte, werden als Beweis genügen, dass ich der allgemein bevorzugten Ordnung der Coleoptera nicht allzu große Aufmerksamkeit widmete.
8. In einem Manuskript im Britischen Museum von Mr. Abbott, der seine Beobachtungen in Georgia machte; vgl. M. A. Whites Aufsatz in den *Annals of Natural History*, Bd.VII, S.472. Leutnant Hutton hat im *Journal of the Asiatic Society*, Bd. I, S. 555, eine Grabwespe in Indien mit ähnlichen Eigenschaften beschrieben.
9. Don Felix Azara (Bd.I, S.175) erwähnt ein hymenopterides Insekt, vermutlich von derselben Gattung, und führt dazu aus, er habe gesehen, wie es eine tote Spinne durchs hohe Gras in gerader Linie zu ihrem Nest zog, das einhundertdreiundsechzig

Schritte entfernt lag. Er fügt hinzu, dass die Wespe, um den Weg zu finden, immer wieder «demitours d'environ trois palmes» machte.

10. Azaras *Voyage*, Bd.I, S.213.

3. KAPITEL

1. Hearnes *Journey*, S.383.
2. McLaren, Artikel «America», *Encyclopaedia Britannica*.
3. Azara schreibt: «Je crois que la quantité annuelle des pluies est, dans toutes ces contrées, plus considerable qu'en Espagne.» – Bd. I, S. 36.
4. In Südamerika sammelte ich insgesamt siebenundzwanzig Mäusearten, und weitere dreizehn sind aus dem Werk Azaras und anderer Autoren bekannt. Die von mir selbst gesammelten sind von Mr. Waterhouse bei den Tagungen der Zoologischen Gesellschaft benannt und beschrieben worden. Es muss mir gestattet sein, die Gelegenheit zu ergreifen, Mr. Waterhouse und den anderen Herren, die mit dieser Einrichtung verbunden sind, für ihre freundliche und äußerst großzügige Unterstützung bei allen Gelegenheiten meinen herzlichen Dank zu sagen.
5. Im Magen und Zwölffingerdarm eines Capybara, das ich öffnete, fand ich eine große Menge dünner, gelblicher Flüssigkeit vor, worin sich kaum eine Faser unterscheiden ließ. Mr. Owen teilte mir mit, ein Teil der Speiseröhre sei so gebaut, dass nichts, was viel größer als eine Krähenfeder ist, hinabgelangen kann. Gewiss sind die breiten Zähne und kräftigen Kiefer des Tieres gut geeignet, die Wasserpflanzen, von denen es sich ernährt, zu einer breiigen Masse zu zermahlen.
6. Am Rio Negro im nördlichen Patagonien lebt ein Tier mit derselben Lebensweise; vermutlich ist es eine nahe verwandte Art, die ich aber nicht gesehen habe. Sein Geräusch unterscheidet sich von jenem der Maldonado-Art; es wird statt drei oder vier Mal nur zwei Mal wiederholt und ist ausgeprägter und wohltönender: Hört man es aus einiger Entfernung, ähnelt es so sehr dem Klang vom Fällen eines kleinen Baums mit einer Axt, dass ich manchmal darüber im Zweifel blieb.
7. *Philos. Zoolog.*, Bd. I, S. 242.
8. *Mag. of Zoology and Botany*, Bd. I, S. 217.
9. Vorgetragen vor der Akad. d. Wissen. in Paris; *L'Institut*, 1834, S. 418.
10. *Geological Transactions*, Bd.II, S.528. In den *Philosophical Transactions* (1790, S. 794) hat Dr. Priestley einige unvollkommene Kieselröhren und einen geschmolzenen Quarzkiesel beschrieben, die er fand, als er an einer Stelle in der Erde grub, wo ein Mann vom Blitz erschlagen worden war.
11. *Annales de Chimie et de Physique*, tom. xxxvii, S. 319.
12. Azaras Voyage, Bd. I, S. 36.

4. KAPITEL

1. Der Corral ist ein Gehege, das aus hohen, kräftigen Pfählen besteht. Über einen solchen verfügt jede estancia, d. h. Bauerngut.
2. So werden die Hütten der Indianer genannt.
3. Bericht der Agricultural Chemical Association in der *Agricultural Gazette*, 1845, S. 93.
4. *Linnaean Transactions*, Bd.XI, S.205. Es fällt auf, wie sich alle Umstände in Verbindung mit den Salzseen in Sibirien und Patagonien ähneln. Sibirien scheint ebenso wie Patagonien erst in jüngster Zeit über das Meerwasser angehoben worden zu sein. In beiden Ländern füllen die Salzseen seichte Senken auf einer Ebene aus, in beiden ist der Schlamm an den Rändern schwarz und übelriechend, unter der Kruste des gewöhnlichen Salzes treten unvollkommen kristallisiertes schwefelsaures Natrium oder Bittersalz auf, und in beiden ist der schlammige Sand mit Gipslinsen vermischt. Die sibirischen Salzseen sind von kleinen Krustentieren bewohnt: Auch Flamingos (*Edinburgh New Philosophical Journal*, Januar 1830) suchen sie auf. Da diese scheinbar so geringfügigen Umstände auf zwei fernen Kontinenten auftreten, können wir davon ausgehen, dass sie die zwangsläufigen Ergebnisse gemeinsamer Ursachen sind. Vgl. Pallas' *Travels, 1793–94*, S. 129–34.
5. An dieser Stelle muss ich meiner Verpflichtung gegenüber der Regierung von Buenos Ayres für die zuvorkommende Art und Weise, in der mir als Naturforscher der *Beagle* Pässe für alle Teile des Landes ausgestellt wurden, in den stärksten Worten Ausdruck verleihen.
6. Diese Prophezeiung hat sich als vollkommen und schändlich falsch erwiesen (1845).
7. *Voyage dans l'Amérique Mérid. par M. A. d'Orbigny*, Part. Hist. tom. I, S. 64.

5. KAPITEL

1. *Principles of Geology*, Bd.IV, S.40.
2. Diese Theorie wurde erstmals in *Zoology of the Voyage of the Beagle* und danach in Professor Owens *Memoir on Mylodon robustus* entwickelt.
3. Damit möchte ich die Gesamtmenge ausschließen, die in einem bestimmten Zeitraum nacheinander erzeugt und verbraucht worden ist.
4. *Travels in the Interior of South Africa*, Bd.II, S.207.
5. Der Elefant, der bei Exeter Change getötet wurde, wurde auf ein Gewicht von fünfeinhalb Tonnen geschätzt (teilweise gewogen). Die Elefantendarstellerin wog, wie man mir sagte, eine Tonne weniger, sodass wir als durchschnittliches Gewicht eines ausgewachsenen Elefanten fünf annehmen können. In Surrey Gardens sagte man mir, ein Flusspferd, welches in Stücke zerteilt nach England geschickt wurde, sei auf dreieinhalb Tonnen geschätzt worden; sagen wir drei. Bei diesen Voraussetzungen können wir jedem der drei Rhinozerosse dreieinhalb Tonnen geben, vielleicht eine Tonne der Giraffe und eine halbe dem Kaffernbüffel wie auch der Elenantilope (ein großer Ochse wiegt 1000 bis 1500 Pfund). Das ergibt für die zehn größten Pflanzen fressenden Tiere des südlichen Afrika (obigen Schätzungen zufolge) ein durchschnittliches Gewicht von 27 Tonnen. In Südamerika haben wir, wenn wir den beiden Tapiren zusammen 1000 Pfund zugeben, 550 dem Guanaco und Vicuna, 500 für drei Hirsche, 300 für Capybara, Peccari und einen Affen, so erhalten wir einen Durchschnitt von 250 Pfund, die, glaube ich, über das Ergebnis hinausgehen. Das Verhältnis ist für die zehn größten Tiere aus den beiden Kontinenten daher eines von 6048 zu 250 oder 24 zu 1.
6. Nehmen wir den Fall an, das Skelett eines Grönlandwals würde in fossilem Zustand entdeckt und die Existenz keines einzigen walfischartigen Tieres wäre bekannt, welcher Naturforscher hätte die Mutmaßung gewagt, der Kadaver eines so gewaltigen Lebewesens habe sich von den winzigen Krustentieren und Mollusken, die in den eisigen Gewässern des äußersten Nordens leben, ernähren können?
7. Vgl. Zoologische Anmerkungen zu Kapitän Backs Expedition von Dr. Richardson. Er sagt: «Der Untergrund nördlich einer Breite von 56° ist dauerhaft gefroren, wobei der Tau an der Küste nicht tiefer als drei Fuß eindringt, und am Bärensee auf der Breite von 64° nicht tiefer als zwanzig Zoll. Die gefrorene Unterlage selbst zerstört die Vegetation nicht, denn an der Oberfläche gedeihen Wälder noch in einiger Entfernung von der Küste.»
8. Vgl. Humboldt, *Fragments Asiatiques*, S. 386. Bartons *Geography of Plants*; und Malte Brun. Im letzteren Werk heißt es, dass die Wachstumsgrenze von Bäumen in Sibirien unter der Parallele von 70° gezogen werden kann
9. Ein Gaucho versicherte mir, er habe einmal eine schneeweiße oder Albino-Variante gesehen, es sei ein wunderschöner Vogel gewesen.
10. Als wir am Rio Negro waren, hörten wir viel von der unermüdlichen Arbeit dieses Naturforschers. M. Alcide d'Orbigny durchquerte während der Jahre 1825 bis 1833 weite Teile Südamerikas; er hat eine Sammlung angelegt und veröffentlicht nun die Ergebnisse in einer Vorzüglichkeit, welche ihn in der Liste der Amerikareisenden sogleich unmittelbar hinter Humboldt stellt.
11. Bericht über die Abipones, AD 1749, Bd. I (englische Übersetzung), S. 314.
12. [spätere Anmerkung] – Diese Schlange ist eine neue Art der *Trigonocephalus*, welche M. Bibron *T.crepitans* zu nennen vorschlägt.
13. Die Höhlungen, die von den fleischigen Fächern der Extremität wegführten, waren mit einer gelben, breiigen Substanz gefüllt, welche, unterm Mikroskop betrachtet, ein außergewöhnliches Aussehen zeigte. Die Masse bestand aus gerundeten, halb durchscheinenden, unregelmäßigen Körnern, die zusammen zu Partikeln unterschiedlicher Größe vereinigt waren. Alle diese Partikel wie auch die separaten Körnchen besaßen die Fähigkeit zur schnellen Bewegung; generell drehten sie sich um verschiedene Achsen, manchmal aber auch vorwärts. Die Bewegung war schon mit einer sehr geringen Stärke zu sehen, doch nicht einmal mit der größten ließ sich ihre Ursache entdecken. Sie unterschied sich stark von der Zirkulation der Flüssigkeit in dem elastischen Beutel, welcher die dünne Extremität der Achse enthielt. Bei anderen Gelegenheiten habe ich beim Sezieren kleiner Meerestiere unterm Mikroskop gesehen, wie Partikel einer breiigen Substanz, manche von beträchtlicher Größe, zu rotieren begannen, sobald sie voneinander getrennt waren. Ich habe mir gedacht, mit wie viel Berechtigung, weiß ich nicht, dass diese körnigbreiige Substanz im Begriff war, zu Eiern zu werden. Bei diesem Zoophyten jedenfalls schien dies der Fall zu sein.
14. Kerrs *Collection of Voyages*, Bd.VIII, S.119.
15. Purchas *Collection of Voyages*. Ich glaube, das Datum war tatsächlich 1537.
16. Azara bezweifelt sogar, dass die Pampas indianer überhaupt jemals Bogen benutzten.

6. KAPITEL

1. Ich nenne sie Distelstängel mangels eines korrekteren Namens. Ich glaube, es handelt sich um eine *Eryngium*-Art.
2. *Travels in Africa*, S.233.
3. Zwei Spezies der *Tinamus* und *Eudromia elegans* von A.d'Orbigny, die lediglich hinsichtlich ihrer Gewohnheiten Rebhuhn genannt werden können.
4. *History of the Abipones*, Bd.II, S.6.
5. Falconers *Patagonia*, S.70.
6. *Fauna Boreali-Americana*, Bd. I, S. 35.
7. Vgl. Mr. Atwaters Bericht über die Prärien in seinem *North American Journal*, Bd. I, S. 117.
8. Azaras Voyage, Bd. I, S. 373.
9. M.A.d'Orbigny (Bd.I, S.474) sagt, sowohl Kardone als auch Artischocke würden wild angetroffen. Dr. Hooker (*Botanical Magazine*, Bd. LV, S.2862) hat eine Varietät der Cynara aus diesem Teil Südamerikas unter dem Namen *inermis* beschrieben. Er stellt fest, dass Botaniker heute allgemein darin übereinstimmen, dass Kardone und Artischocke Varietäten einer Pflanze sind. Ich darf noch hinzufügen, dass ein intelligenter Bauer mir versicherte, er habe beobachtet, wie Artischocken in einem verlassenen Garten sich in die gemeine Kardone gewandelt hätten. Dr. Hooker glaubt, dass Heads kon-kurrierende Beschreibung der Pampasdistel auch auf die Kardone zutrifft; das aber ist ein Irrtum. Kapitän Head meinte die Pflanze, die ich einige Zeilen weiter unter dem Namen Riesendistel erwähnt habe. Ob diese eine echte Distel ist, weiß ich nicht, doch unterscheidet sie sich von der Kardone ganz erheblich und gleicht eher der zu Recht so genannten Distel.
10. Sie soll 60 000 Einwohner haben. Monte Video, die zweite Stadt von Bedeutung an den Ufern des Plata, hat 15 000.

7. KAPITEL

1. Die Viscacha *(Lagostomus trichodactylus)* ähnelt ungefähr einem großen Kaninchen, jedoch mit größeren Nagezähnen und einem langen Schwanz: Allerdings hat sie wie das Aguti hinten nur drei Zehen. Seit drei bis vier Jahren werden die Häute dieser Tiere wegen des Fells nach England geschickt.
2. *Journal of Asiatic Society*, Bd. V, S. 363
3. Ich brauche hier wohl kaum zu betonen, dass es gute Beweise gibt, dass zu Kolumbus' Zeiten noch kein Pferd in Amerika lebte.
4. Cuvier, *Ossemens Fossiles*, tom. I, S. 158.
5. Dies ist die geographische Teilung, die von Lichtenstein, Swainson, Erichson und Richardson vorgenommen wird. Der Abschnitt von Vera Cruz nach Acapulco, von Humboldt in dem *Political Essay on the Kingdom of Northern Spain* angegeben, wird zeigen, welch gewaltige Grenze das mexikanische Tafelland bildet. Dr. Richardson sagt in seinem großartigen *Report on the Zoology of North America*, 1836, vorgetragen vor der British Association, wo er über die Identifizierung eines mexikanisches Tier mit dem *Synetheres prehensilis* spricht (S. 157): «Wir wissen nicht, mit welcher Berechtigung, doch wenn es stimmt, so ist es, wenn kein einzelnes Beispiel, so doch annähernd eines von einem Nagetier, das in Nord- wie Südamerika heimisch ist.»
6. Vgl. Dr. Richardsons *Report*, S. 157, ebenso L'Institut, 1837, S. 253. Cuvier sagt, der Kinkaju werde auf den größeren Antillen angetroffen, doch das ist zweifelhaft. M. Gervais erklärt, das *Didelphis crancrivora* werde dort angetroffen. Fest steht, dass die Westindischen Inseln einige Säugetiere aufweisen, die ihnen eigen sind. Aus Bahama wurde der Zahn eines Mastodons gebracht: *Edinburgh New Philosophical Journal*, 1826, S. 395.
7. Vgl. den hervorragenden Anhang von Dr. Buckland zu Beecheys Voyage, ebenso die Schriften Chamissos in Kotzebues *Voyage*.
8. In Kapitän Owens *Surveying Voyage* (Bd.II, S.274) findet sich eine merkwürdige Schilderung der Auswirkungen der Dürre auf die Elefanten in Benguela (Westküste Afrikas). «Etliche dieser Tiere waren seit einiger Zeit als Gruppe in die Stadt eingedrungen, um die Brunnen in Besitz zu nehmen, da sie sich im Land kein Wasser verschaffen konnten. Die Einwohner sammelten sich, woraufhin es zu einem verzweifelten Kampf kam, welcher mit der letztlichen Niederlage der Eindringlinge endete, jedoch erst, nachdem sie einen Mann getötet und mehrere verwundet hatten.» Die Stadt soll eine Einwohnerschaft von nahezu dreitausend gehabt haben! Dr. Malcolmson teilte mir mit, dass in Indien wilde Tiere während einer großen Dürre in die Zelte von Truppen in Ellore eindrangen und dass ein Hase aus einem Gefäß trank, welches ihm der Adjutant des Regiments hinhielt.
9. Diese Dürreperioden scheinen bis zu einem gewissen Grad beinahe periodisch aufzutreten; man sagte mir die Daten mehrerer anderer, und die Intervalle betrugen ungefähr fünfzehn Jahre.

8. KAPITEL

1. Mr. Waterhouse hat eine detaillierte Beschreibung dieses Kopfes abgefasst, die er, wie ich hoffe, in einer Zeitschrift veröffentlichen wird.
2. M. A. d'Orbigny hat diese Hunde ganz ähnlich beschrieben; tom. i, S. 175.
3. Ich muss Mr. Keane Dank sagen, in dessen Haus ich am Berquelo wohnte, ebenso Mr. Lumb aus Buenos Ayres, ohne deren Mithilfe diese wertvollen Reste England niemals erreicht hätten.
4. Lyells *Principles of Geology*, Bd.III, S.63.
5. Mr. Blackwell macht in seinen *Researches in Zoology* viele hervorragende Beobachtungen über die Lebensweise der Spinnen.
6. Ein Abriss findet sich im *Magazine of Zoology and Botany*, Nr. IV.
7. Ich habe hier eine Kaktusart vorgefunden, die Professor Henslow unter dem Namen *Opuntia darwinii* (*Magazine of Zoology and Botany*, Bd. I, S. 466) beschrieben hat und deren Besonderheit die Reizbarkeit der Staubfäden war, wenn ich einen Stock oder auch eine Fingerspitze in die Blüte steckte. Auch die Segmente der Blütenhülle schlossen sich über dem Stempel, aber langsamer als die Staubfäden. Pflanzen dieser Familie, die gemeinhin als tropisch gilt, treten in Nord amerika (Lewis' und Clarkes *Travels*, S. 221) auf der gleichen hohen Breite auf wie hier, nämlich in beiden Fällen bei 47°.
8. Diese Insekten fanden sich häufig unter Steinen. Ich traf auf einen kannibalischen Skorpion, der genüsslich einen anderen fraß.
9. Shelley, Zeilen an den Mont Blanc.
10. Unlängst habe ich gehört, dass Kapitän Sulivan, RN, am Ufer des Rio Gallegos auf 51° 4' S zahlreiche fossile Knochen, vergraben in regelmäßigen Schichten, gefunden hat. Einige Knochen sind groß, andere klein, und sie gehörten offenbar zu einem Gürteltier. Das ist eine äußerst interessante und bedeutende Entdeckung.
11. Vgl. die hervorragenden Ausführungen zu diesem Thema von Mr. Lyell in seinen Principles of Geology.

9. KAPITEL

1. Die Wüstengebiete Syriens zeichnen sich, Volney zufolge (tom. i, S. 351), durch holzige Büsche, zahlreiche Ratten, Gazellen und Hasen aus. In Patagonien ersetzt das Guanako die Gazelle und das Aguti den Hasen.
2. Ich bemerkte, dass mehrere Stunden, bevor so ein Kondor starb, alle Läuse, wovon er befallen war, zu den äußeren Federn krabbelten. Man versicherte mir, dass dies immer geschehe.
3. Loudon's *Magazine of Natural History*, Bd.VII.
4. Berichten zufolge, die seit unserer Fahrt veröffentlicht wurden, besonders aber aufgrund mehrerer interessanter Briefe von Kapitän Sulivan, RN, der mit Vermessungen beauftragt war, haben wir das schlechte Klima dieser Inseln offenbar übertrieben dargestellt. Doch wenn ich an die nahezu ungebrochene Torfdecke denke und auch daran, dass Weizen dort nur selten reift, kann ich kaum glauben, dass das Klima im Sommer so schön und trocken sein soll, wie es unlängst dargestellt worden ist.
5. Lessons *Zoology of the Voyage of the «Coquille»*, tom. i, S.168. Alle früheren Seefahrer, insbesondere Bougainville, sagen klar, der wolfartige Fuchs sei das einzige heimische Tier der Insel gewesen. Die Unterscheidung des Kaninchens als Art gründet sich auf die Besonderheiten des Fells, auf die Form des Kopfes und die Kürze der Ohren. Ich darf hier anmerken, dass der Unterschied zwischen dem irischen und dem englischen Hasen auf nahezu ähnlichen Eigenschaften beruht, die nur stärker ausgeprägt sind.
6. Ich habe allerdings Grund zu der Annahme, dass es auch noch eine Feldmaus gibt. Die gemeine europäische Ratte und Maus sind weit von den Ansiedlungen der Siedler umhergestreift. Auch das gemeine Schwein ist auf einer Insel verwildert: Alle sind schwarz gefärbt, die Eber sind sehr wild und haben große Hauer.
7. Der *culpeu* ist der *Canis magellanicus*, den Kapitän King von der Magellanstraße mit nach Hause gebracht hat. Er ist in Chile heimisch.
8. Pernety, *Voyage aux Isles Malouines*, S.526.
9. «Nous n'avons pas été moins saisis d'étonnement à la vûe de l'innombrable quantité de pierres de toutes grandeurs, bouleversées les unes sur les autres, et cependant rangés, comme si elles avoient été amoncelées négligemment pour remplir des ravins. On ne se lassoit pas l'admirer les effets prodigieux de la nature.» – Pernety, S. 526.
10. Ein Einwohner von Mendoza, der somit durchaus eines Urteils fähig ist, versicherte mir, er habe während der langen Jahre, die er auf diesen Inseln gelebt habe, nie auch nur die leiseste Erschütterung eines Erdbebens verspürt.
11. Zu meiner Überraschung entdeckte ich, als ich die Eier einer großen weißen Doridae (dieser Nacktkiemer war dreieinhalb Zoll lang) zählte, wie außerordentlich zahlreich sie waren. Zwei bis fünf Eier (ein jedes drei Tausendstel eines Zolls im Durchmesser) waren in einem kleinen kugelförmigen Gehäuse enthalten. Diese waren zu zweien in diagonalen Reihen angeordnet, die ein Band bildeten. Das Band haftete an der Kante in einer ovalen Windung am Fels. Ich fand eines, das nahezu zwanzig Zoll in der Länge und ein halbes in der Breite maß. Durch Zählung, wie viele Kugeln auf dem Zehntel eines

Zolls in einer Reihe waren und wie viele Reihen auf gleicher Länge des Bandes, ergaben sich bei maßvollstem Überschlag sechshunderttausend Eier. Doch waren diese Doridae keineswegs sehr verbreitet; obwohl ich häufig unter Steinen suchte, sah ich lediglich sieben Exemplare. *Kein Trugschluss tritt bei Naturforschern häufiger auf, als dass die Anzahl einer einzelnen Art von ihrem Fortpflanzungsvermögen abhängt.*

10. KAPITEL

1. Die Substanz ist in trockenem Zustand einigermaßen kompakt und von geringem spezifischem Gewicht; Professor Ehrenberg hat sie untersucht: Er stellt fest (König Akad. der Wissen: Berlin, Februar 1845), dass sie aus Infusorien besteht, darunter vierzehn Polygastrica und vier Phytolitharia. Er sagt, sie lebten allesamt in Süßwasser; es ist dies ein schönes Beispiel für die Ergebnisse, die sich durch Professor Ehrenbergs mikroskopische Forschungen erzielen lassen, denn Jemmy Button erzählte mir, es werde immer aus dem Bett von Bergbächen gesammelt. Überdies fällt bei der geographischen Verteilung der Infusorien auf, die bekanntlich eine sehr große Verbreitung haben, dass alle Arten in dieser Substanz, obgleich vom äußersten südlichen Punkte Feuerlands mitgebracht, alte, bekannte Formen sind.
2. Einmal bot sich uns vor der Ostküste Feuerlands ein großartiger Anblick von mehreren Pottwalen, die ganz aufrecht bis zu den Heckflossen aus dem Wasser sprangen. Wenn sie seitlich hinabfielen, spritzte das Wasser hoch auf, und der Klang hallte wie von einer fernen Breitseite wider.
3. Kapitän Sulivan, der seit seiner Fahrt auf der *Beagle* bei der Vermessung der Falkland inseln beschäftigt war, hörte 1842 (?) von einem Robbenfänger, am Westende der Magellanstraße sei eine Eingeborene zu ihm an Bord gekommen, die etwas Englisch konnte. Dies war zweifellos Fuegia Basket. Sie lebte (ich fürchte, dieses Wort birgt womöglich eine doppelte Interpretation) einige Tage an Bord.

11. KAPITEL

1. Die Südwestwinde sind im Allgemeinen sehr trocken. Am 29. Januar, als wir im Schutze von Kap Gregory ankerten: Ein sehr schwerer Sturm von West zu Süd, klarer Himmel mit sehr wenigen Kumuli, Temperatur 14 °C, Taupunkt 2° – Differenz 12°. Am 15.Januar bei Port St. Julian: am Morgen leichter Wind mit viel Regen, gefolgt von sehr schwerer Bö mit Regen – steigerte sich zu schwerem Sturm mit großen Kumuli – klarte auf, blies sehr kräftig aus Südsüdwest, Temperatur 16 °C, Taupunkt 6° – Differenz 10°.
2. Rengger, *Natur der Säugethiere von Paraguay*, S.334.
3. Kapitän Fitz Roy teilte mir mit, im April wechselten die Blätter jener Bäume, die nächst dem Fuß der Berge wachsen, die Farbe, nicht aber jene in größerer Höhe. Ich entsinne mich, einige Beobachtungen gelesen zu haben, die zeigen, dass die Blätter in England in einem warmen und schönen Herbst früher als in einem späten und kalten fallen. Dass die Veränderung der Farbe hier auf den erhöhteren und mithin kälteren Lagen verzögert wird, dürfte auf das gleiche allgemeine Gesetz der Vegetation zurückzuführen sein. Die Bäume Feuerlands werfen zu keiner Jahreszeit die Blätter ab.
4. Nach meinen Exemplaren, Anmerkungen von Reverend J.M.Berkeley in den *Linnean Transactions* (Bd.XIX, S.37) unter dem Namen *Cyttaria darwinii* beschrieben; die chilenische Art ist *C. bertetroii*. Diese Gattung ist verwandt mit *Bulgaria*.
5. Ich glaube, eine alpine *Haltica* und ein einzelnes Exemplar von *Melasoma* muss ich ausnehmen. Mr. Waterhouse teilte mir mit, von den Harpalidae gebe es acht oder neun Arten – wobei die Formen der größeren Zahl ganz eigentümlich seien, von den Heteromera vier oder fünf, von den Rhyncophora sechs oder sieben und von den folgenden Familien jeweils eine Art: Staphylinidae, Elateridae, Cebrionidae, Melolonthidae. Die Arten bei den anderen Ordnungen seien noch seltener. Bei allen Ordnungen sei die Seltenheit der Einzelnen noch bemerkenswerter als die der Arten. Die meisten Coleoptera sind von Mr. Waterhouse in den *Annals of Natural History* sorgfältig beschrieben worden.
6. Ihre geographische Verbreitung ist erstaunlich groß; man findet sie von den äußersten Inseln im Süden bei Kap Hoorn bis auf eine Breite von 43° an der Ostküste (aufgrund einer Information von Mr. Stokes) – an der Westküste hingegen erstreckt sie sich, wie Dr. Hooker mir sagte, bis nach San Francisco in Kalifornien und vielleicht gar bis Kamtschatka. Wir haben daher eine gewaltige Ausdehnung in der Breite und, da Cook, der mit dieser Art wohl vertraut gewesen sein muss, sie auf den Kerguelen vorfand, nicht weniger als 140° in der Länge.
7. *Voyages of the Adventure and Beagle*, Bd.I, S.363 – Offenbar wächst Seetang sehr schnell. Mr. Stephenson entdeckte (Wilsons *Voyage round Scotland*, Bd.II, S.228), dass ein nur bei Springtiden nicht bedeckter Fels, der im November glatt gemeißelt worden war, im darauf folgenden Mai, also binnen eines halben Jahres, dicht mit *Fucus digitatus* in einer Länge von zwei Fuß und mit *F.esculentus* in einer von sechs Fuß bedeckt war.

8. Agüeros, *Descrip. Hist. de la Province de Chiloé*, 1791, S. 94.

9. Vgl. die deutsche Übersetzung dieses Journals und zu den anderen Fakten Mr. Browns Anhang zu Flinders *Voyage*.

10. In den Kordilleren Zentralchiles variiert die Höhe der Schneegrenze, wie ich glaube, in verschiedenen Sommern sehr stark. Man hat mir versichert, dass in einem sehr trockenen und langen Sommer der Schnee auf dem Aconcagua vollständig verschwand, obgleich er dort die erstaunliche Höhe von 23 000 Fuß erreicht. Wahrscheinlich ist diese Schneemenge in einer solchen Höhe nicht geschmolzen, sondern verdunstet.

11. Miers' *Chile*, Bd. I, S. 415. Zuckerrohr soll noch bei Ingenio, 32° bis 33° S, gewachsen sein, aber nicht in genügenden Mengen, um den Anbau profitabel zu machen. Im Tal Quillota sah ich einige große Dattelpalmen.

12. Bulkeley und Cummins *Faithful Narrative of the Loss of the «Wager»*. Das Erd beben ereignete sich am 25. August 1741.

13. Agüeros, *Descr. Hist. de Chiloe*, S.227.

14. *Geological Transactions*, Bd.VI, S.415.

15. Einzelheiten zu diesem Thema (ich glaube, die ersten, die veröffentlicht worden sind) habe ich in der ersten Ausgabe und im Anhang dazu veröffentlicht. Dort habe ich gezeigt, dass die scheinbaren Ausnahmen beim Fehlen von erratischen Blöcken in gewissen heißen Ländern auf irrige Beobachtungen zurückzuführen sind; mehrere dort gegebene Darlegungen habe ich inzwischen von anderen Autoren bestätigt gefunden.

16. *Geographical Journal*, 1830, S. 65 f.

17. Richardsons Anhang zu Backs *Expedition* und Humboldts *Fragments Asiatiques*, tom. ii, S.386.

18. Die Herren Dease und Simpson in *Geographical Journal*, Bd.VIII, S.218 und 220.

19. Cuvier (*Ossemens Fossiles*, tom. i, S. 151), aus Billings *Voyage*.

20. In der vorigen Ausgabe und im Anhang habe ich einige Fakten über den Transport erratischer Blöcke und Eisberge in den Atlantischen Ozean genannt. Dieses Thema wurde unlängst ganz hervorragend von Mr. Hayes im *Boston Journal* (Bd.IV, S.426) behandelt. Indes kennt der Autor wohl einen Fall nicht, der von mir veröffent licht wurde (*Geographical Journal*, Bd.IX, S.528), nämlich von einem gigantischen, in einem Eisberg im Antarktischen Ozean eingeschlossenen Felsblock, mit ziemlicher Sicherheit einhundert Meilen von jedem Land entfernt und vielleicht noch viel weiter. Im Anhang habe ich ausführlich die (damals kaum erwogene) Wahrscheinlichkeit diskutiert, dass Eisberge, wenn sie gestrandet sind, Felsen wie Gletscher kerben und schleifen. Dies ist heute eine weit verbreitete und anerkannte Meinung, und ich kann mich noch immer nicht des Verdachts erwehren, dass sie sogar auf Fälle wie den des Jura zutrifft. Dr. Richardson hat mir versichert, dass die Eisberge vor Nordamerika Kiesel und Sand vor sich herschoben und die felsigen Untiefen unter Wasser völlig kahl zurück ließen; es ist kaum zu bezweifeln, dass solche Felsbänke in Richtung des Laufs der vorherrschenden Strömungen geschliffen und gekerbt werden. Nach der Abfassung dieses Anhangs habe ich in Nordwales (*London Philosophical Magazine*, Bd.XXI, S.180) die Nebenwirkung von Gletschern und treibenden Eisbergen gesehen.

12. KAPITEL

1. Caldcleugh, in *Philosophical Transactions*, 1836.

2. *Annales des Sciences Naturelles*, März 1833. M. Gay, ein begeisterter und fähiger Naturforscher, beschäftigte sich damals mit dem Studium eines jeden Zweiges der Naturgeschichte im gesamten Königreich Chile.

3. Burchells *Travels*, Bd.II, S.45.

4. Es ist bemerkenswert, dass Molina zwar alle Vögel und Tiere Chiles detailliert beschreibt, diese Gattung jedoch, deren Arten so verbreitet und in ihrer Lebensweise so merkwürdig sind, kein einziges Mal erwähnt. War er in Verlegenheit darum, wie er sie benennen sollte, und meinte er daher, dass Schweigen der klügere Weg sei? Dies ist nur ein Beispiel für die Häufigkeit von Auslassungen durch Autoren gerade bei den Themen, bei denen man es am wenigsten erwartet hätte.

13. KAPITEL

1. *Horticultural Transactions*, Bd.V, S.249. Mr.Caldcleugh schickte zwei Knollen nach Hause, welche, gut gedüngt, schon im ersten Jahr zahlreiche Kartoffeln und eine Fülle von Blättern hervorbrachten. Vgl. Humboldts interessante Diskussion dieser Pflanze, die in Mexiko anscheinend unbekannt war, in *Political Essay on New Spain*, Buch IV, Kap. ix.

2. Indem ich mit meinem Insektennetz durch die Luft fuhr, erhielt ich dort eine beträchtliche Anzahl winziger Insekten der Familie Staphylinidae und andere, mit den *Pselaphus* verwandte sowie winzige Hymenoptera. Die zahlenmäßig charakteristischste Familie, sowohl an Zahl wie auch an Arten, ist in allen offeneren Teilen von Chiloé und Chonos jedoch die der Telephoridae.

3. Es heißt, einige Raubvögel brächten ihre Beute lebendig zum Nest. Wenn das so ist, dann entweicht den Jungvögeln im

Lauf der Jahrhunderte hin und wieder eines. Solche Vorfälle sind notwendig, um die Verbreitung der kleineren Nagetiere auf Inseln, die nicht sehr nahe beieinander liegen, zu erklären.

4. Als Beweis dafür, wie groß der Unterschied zwischen den Jahreszeiten in den bewaldeten und offenen Gegenden dieser Küste ist, darf ich erwähnen, dass diese Vögel am 20.September auf einer Breite von 34°S Junge im Nest hatten, während sie auf den Chonos-Inseln, drei Monate später im Sommer, erst noch legten; der Unterschied in der Breite zwischen diesen beiden Orten beträgt ungefähr 700 Meilen.

14. KAPITEL

1. M. Arago in *L'Institut*, 1839, S. 337. Vgl. auch Miers *Chile*, Bd.I, S.392, und Lyells *Principles of Geology*, II. Buch, Kap. xv.
2. Zu einem umfassenden Bericht über die vulkanischen Phänomene, welche das Erdbeben vom 20. begleiteten, und die Schlüsse, die daraus gezogen werden können, muss ich auf *Geological Transactions*, Bd. V, verweisen.

15. KAPITEL

1. Scoresbys *Arctic Regions*, Bd. I, S. 122.
2. Ich habe in Shropshire gehört, dass das Wasser des Severn viel trüber ist, wenn er von lang anhaltendem Regen angeschwollen ist, als wenn es aus dem Schnee kommt, der in den Waliser Bergen schmilzt. D'Orbigny (tom. i, S.184) bemerkt, als er die Ursache der verschiedenen Färbungen der Flüsse in Südamerika erklärt, dass jene mit blauem oder klarem Wasser ihren Ursprung in den Kordilleren haben, wo der Schnee schmilzt.
3. Dr. Gillies in *Journal of Natural and Geographical Science*, August 1830. Der Autor gibt die Höhe der Pässe an.
4. Diese Struktur in gefrorenem Schnee wurde schon vor längerem von Scoresby in den Eisbergen bei Spitzbergen beobachtet und später mit mehr Sorgfalt von Colonel Jackson (*Journal of the Geographical Society*, Bd.V, S.12) auf der Neva. Mr. Lyell (*Principles*, Bd.IV, S.360) hat die Risse, durch welche die Säulenstruktur bestimmt zu sein scheint, mit den Spalten verglichen, die nahe zu alle Gesteine durchziehen, am besten aber in den nicht geschichteten Massen zu sehen sind. Ich darf bemerken, dass sich die Säulenstruktur beim gefrorenen Schnee einer *metamorphischen* Tätigkeit verdanken muss, nicht einem Prozess bei der *Ablagerung*.
5. Dies ist lediglich eine Illustration der hervorragenden, erstmals von Mr. Lyell formulierten Gesetze über die geographische Verbreitung von Tieren unter dem Einfluss geologischer Veränderungen. Die gesamte Argumentation basiert natürlich auf der Annahme der Unveränderlichkeit der Arten, ansonsten könnte man den Unterschied bei den Arten in den beiden Gebieten als im Laufe einer gewissen Zeit dazugekommen ansehen.

16. KAPITEL

1. Bd.IV, S.11, und Bd. II, S.217. Zu den Bemerkungen über Guyaquil vgl. Sillimans *Journal*, Bd.XXIV, S.384. Zu denen über Tacna von Mr.Hamilton vgl. *Transactions of the British Association*, 1840. Zu denen über Coseguina vgl. Mr. Caldcleugh in *Philosophical Transactions*, 1835. In der vorigen Ausgabe habe ich mehrere Verweise auf das Zusammentreffen eines plötzlichen Abfalls des Barometers und Erdbeben sowie zwischen Erdbeben und Meteoriten gesammelt.
2. *Observa, sobre el clima de Lima*, S. 67; *Azaras Travels*, Bd. I, S. 381; Ulloas *Voyage*, Bd.II, S.28; Burchells *Travels*, Bd.II, S.524; Websters *Description of the Azores*, S.124; *Voyage à l'Isle de France par un Officier du Roi*, tome I, S.248; *Description of St.Helena*, S.123.
3. Temple sagt über seine Reisen durch das obere Peru oder Bolivien auf dem Weg von Potosi nach Oruro: «Ich sah viele indianische Dörfer oder Behausungen in Ruinen liegen, sogar bis ganz oben auf den Berg gipfeln, was eine ehemalige Besiedelung belegt, wo nun alles wüst ist.» Ähnliches bemerkt er an anderer Stelle, aber ich kann nicht sagen, ob diese Verwüstung durch mangelnde Bevölkerung oder einen veränderten Zustand des Landes ausgelöst worden ist.
4. *Edinburgh Philosophical Journal*, Januar 1830, S. 74, und April 1830, S. 258. Ebenso Daubenys *Volcanoes*, S. 438, und *Bengal Journal*, Bd.VII, S.324.
5. *Political Essay on the Kingdom of New Spain*, Bd.IV, S.199.
6. Ein ähnlich interessanter Fall ist im *Madras Medical Quarterly Journal*, 1830, S. 340 aufgezeichnet. Dr. Ferguson zeigt in seinem hervorragenden Aufsatz (vgl. *Edinburgh Royal Transactions*, Bd.IX) deutlich, dass das Gift beim Trocknungsprozess entsteht; daher sind trockene, heiße Länder oftmals die ungesündesten.

17. KAPITEL

1. *Voyage aux Quatre Iles d'Afrique*. Zu den Sandwichinseln vgl. Tyermans und Bennetts *Journal*, Bd. I, S. 434. Zu Mauritius vgl. *Voyage par un Officier etc.*, 1. Teil, S.170. Auf den Kanarischen Inseln gibt es keine Frösche (Webb et Berthelot, *Histoire Naturelle des Iles Canaries*). Auf St. Jago von den Kapverden sah ich keine. Auf St. Helena gibt es keine.

2. *Annals and Magazine of Natural History*, Bd.XVI, S.19.3 *Voyage in the US ship «Essex»*, Bd. I, S. 215.4 *Linnean Transactions*, Bd.XII, S.496. Der anomalste Umstand bei diesem Thema, dem ich begegnet bin, ist die Wildheit der kleinen Vögel in den arktischen Gebieten Nordamerikas (wie von Richardson in *Fauna Bor.*, Bd.II, S.332 beschrieben), wo sie anscheinend überhaupt nicht verfolgt werden. Dieser Fall ist desto merkwürdiger, als behauptet wird, einige Exemplare dieser Art seien in ihrem Winterquartier in den Vereinigten Staaten zahm. Vieles an den unterschiedlichen Graden von Scheu und Sorgfalt, mit der Vögel ihr Nest verbergen, ist, wie Dr. Richardson anmerkt, absolut un erklärlich. Wie sonderbar ist es doch, dass die englische Holztaube, im Allgemeinen ein so wilder Vogel, seine Jungen ganz häufig in Büschen in der Nähe von Häusern aufzieht!

19. KAPITEL

1. Es ist erstaunlich, wie sich dieselbe Krankheit in verschiedenen Klimaten modifiziert. Auf der Insel St. Helena ist das Scharlachfieber seit seiner Einführung als Seuche gefürchtet. In manchen Ländern sind Ausländer und Einheimische von bestimmten ansteckenden Leiden so unterschiedlich betroffen, als wären sie unterschiedliche Tiere; Beispiele sind in Chile aufgetreten und, Humboldt zufolge, in Mexiko (*Political Essay on New Spain*, Bd.IV).

2. *Narrative of Missionary Enterprise*, S. 282.

3. Kapitän Beechey (Bd.I, Kap. IV) gibt an, die Einwohner der Pitcairninsel seien der festen Überzeugung, dass sie jedes Mal nach dem Eintreffen eines Schiffes an Haut- und anderen Leiden erkranken. Kapitän Beechey schreibt dies dem Nahrungswechsel während der Zeit des Besuches zu. D. Macculloch (*Western Isles*, Bd.II, S.32) sagt: «Es wird behauptet, dass bei Eintreffen eines Fremden (auf St. Kilda) alle Bewohner sich (in der allgemeinen Ausdrucksweise) erkälten.» Dr. Macculloch erachtet diesen Fall, obgleich oftmals bestätigt, als lächerlich. Allerdings fügt er hinzu, dass «wir diese Frage den Bewohnern stellten, die der Geschichte einhellig zustimmten». In Vancouvers *Voy age* findet sich eine durchaus ähnliche Behauptung hinsichtlich Otaheite. Dr. Dieffenbach gibt in einer Anmerkung zu seiner Übersetzung dieses Journals an, dass die Bewohner der Chathaminseln und von Teilen Neuseelands allgemein dasselbe annehmen. Eine solche Annahme hätte sich in der nördlichen Hemisphäre, auf den Antipoden und im Pazifik ohne gute Grundlage unmöglich so verbreiten können. Humboldt (*Political Essay on King of New Spain*, Bd.IV) sagt, die großen Epidemien in Panama und Callao seien durch das Eintreffen von Schiffen aus Chile bezeichnet, weil die Menschen aus jener gemäßigten Zone erstmals die fatalen Auswirkungen der heißen erlebten. Ich darf hinzufügen, dass ich in Shropshire gehört habe, dass Schafe, die per Schiff eingeführt worden und bei guter Gesundheit gewesen seien, in der Herde Krankheiten verbreitet hätten, als sie zu ihr in dieselbe Hürde gebracht worden seien.

4. *Travels in Australia*, Bd.I, S.154. Ich muss Sir T. Mitchell meinen Dank für mehrere interessante persönliche Gespräche über das Thema dieser großen Täler von New South Wales aussprechen.

5. Interessanterweise fand ich hier die hohle, konische Fallgrube des Ameisenlöwen oder eines anderen Insekts; erst rutschte eine Fliege den tückischen Hang hinab und verschwand sogleich, dann kam eine große, aber arglose Ameise; da ihr Kampf ums Entrinnen sehr heftig war, wurden jene eigenartigen kleinen Sandstrahlen, die Kirby und Spence beschrieben haben (*Entomology*, Bd. I, S. 425) und die vom Schwanz des Insekts geworfen werden, prompt auf das erwartete Opfer gerichtet. Doch der Ameise wurde ein besseres Schicksal zuteil als der Fliege; sie entkam den tödlichen Fängen, welche am Grund der konischen Höhlung verborgen lagen. Diese australische Fallgrube war nur ungefähr halb so groß wie jene des europäischen Ameisenlöwen.

6. *Physical Description of New South Wales and Van Diemen's Land*, S.354.

20. KAPITEL

1. Diese Pflanzen sind in den *Annals of Natural History*, Bd. I (1838), S. 337, beschrieben.

2. Holmans *Travels*, Bd.IV, S.378.

3. *Kotzebue's First Voyage*, Bd.III, S.155.

4. Die dreizehn Arten gehören den folgenden Ordnungen an: Zu Coleoptera ein winziger Springkäfer, zu Orthoptera ein Gryllus und ein Blatta, zu Hemiptera eine Art, zu Homoptera zwei, zu Neuroptera eine Chrysopa: zu Hymenoptera zwei Ameisen, Lepidoptera nocturna, eine Diopaea und eine Pterophorus (?), zu Diptera zwei Arten.

5. *Kotzebue's First Voyage*, Bd.III, S.222.

6. Die großen Klauen oder Scheren einiger dieser Krebse sind, wenn eingezogen, wunderbar geeignet, einen Deckel für den Panzer zu bilden, fast so vollkommen wie der eigentliche, der ursprünglich zu dem Weichtier gehörte. Man versicherte mir, und so weit meine Beobachtungen gingen, fand ich dies bestätigt, dass bestimmte Arten des Einsiedlerkrebses stets bestimmte Muschelarten benutzen.

7. Einige Eingeborene, von Kotzebue nach Kamtschatka gebracht, sammelten Steine, um sie in ihr Land mitzunehmen.

8. Vgl. *Proceedings of Zoological Society*, 1832, S.17.

9. Tyerman und Bennett, *Voyage*, etc., Bd.II, S.33.

10. Natürlich schließe ich Erdreich aus, das per Schiff von Malakka und Java herangeschafft wurde, ebenso einige Bröckchen Bimsstein, die von den Wellen hier angetrieben wurden. Auch der eine Grünstein auf der Nordinsel muss davon ausgenommen werden.

11. Diese wurden erstmals vor der Geological Society im Mai 1837 vorgetragen und seitdem in einem gesonderten Band über die *Structure and Distribution of Coral Reefs* entwickelt.

12. Es ist bemerkenswert, dass Mr. Lyell schon in der ersten Ausgabe seiner *Principles of Geology* folgerte, die Höhe der Absenkung im Pazifik müsse jene des Anstiegs übertroffen haben, da die Landfläche im Verhältnis zu den Kräften, die diese dort ausbilden, also das Wachstum der Korallen und vulkanische Tätigkeit, sehr gering ist.

13. Zu meiner großen Befriedigung fand ich die folgende Passage in einer Schrift von Mr. Couthouy, einem der Naturforscher bei der großen antarktischen Expedi tion der Vereinigten Staaten: «Nachdem ich zahl reiche Koralleninseln persönlich untersucht habe und acht Monate unter der vulkanischen Klasse mit Küsten- und teils umschließenden Riffen gelebt habe, darf ich wohl sagen, dass meine Beobachtungen mich von der Richtigkeit der Theorie Mr. Darwins überzeugt haben.» Indes differieren die Naturforscher dieser Expedition in einigen Punkten hinsichtlich der Korallenformationen.

21. KAPITEL

1. Nach den beredsamen Bänden, die sich zu diesem Thema ergossen haben, ist es gefährlich, das Grab auch nur zu erwähnen. Ein moderner Reisender belastet das arme kleine Eiland auf zwölf Zeilen mit den fol genden Titeln: Es ist Grab, Grabmal, Pyramide, Friedhof, Gruft, Katakombe, Sarkophag, Minarett und Mausoleum!

2. Es verdient Aufmerksamkeit, dass die vielen Exemplare dieser Art, die ich an einer Stelle fand, sich als ausgeprägte Varietät von anderen Exemplaren, auf die ich an einer anderen Stelle stieß, unterscheiden.

3. Beatsons *St. Helena*, Einleitungskapitel, S. 4.

4. Unter diesen wenigen Insekten entdeckte ich zu meiner Überraschung einen kleinen *Aphodius (nov. spec.)* und einen *Oryctes*, beide unter Dung außerordentlich zahlreich. Als die Insel entdeckt wurde, gab es darauf gewiss keinen Vierfüßer, außer vielleicht eine Maus: Es wird daher schwer sein zu ermitteln, ob diese Kot fressenden Insekten seither zufällig eingeführt wurden oder, wenn sie heimisch sind, wovon sie sich davor ernährten. Am Ufer des Plata, wo die schönen Grasebenen wegen der großen Zahl von Rindern und Pferden reich gedüngt sind, sucht man die vielen Arten der Kot fressenden Käfer, die in Europa so verbreitet sind, vergebens. Ich beobachtete lediglich einen *Oryctes* (die Insekten dieser Gattung leben im Allgemeinen von verfaulten Pflanzenstoffen) und zwei Arten von *Phanaeus*, die in solchen Gegenden verbreitet sind. Auf der anderen Seite der Kordilleren, auf Chiloé, ist eine andere Art des *Phanaeus* außerordentlich verbreitet; sie vergräbt den Dung des Rindes in großen irdenen Kugeln in der Erde. Es besteht Grund zu der Annahme, dass die Gattung *Phanaeus* vor der Einführung von Rindern dem Menschen als Aasfresser dienlich war. In Europa sind die Käfer, die Nahrung in Stoffen finden, welche schon zum Leben anderer und größerer Tiere beigetragen haben, so zahlreich, dass es erheblich mehr als hundert ver schiedene Arten davon geben muss. Dies bedenkend und bei der Beobachtung, welche Mengen an solcher Nahrung auf den Ebenen des La Plata verloren gehen, glaubte ich ein Beispiel dafür gesehen zu haben, wie der Mensch die Kette stört, durch die so viele Tiere in ihrem Heimatland mitein-ander verbunden sind. Auf Van Diemen's Land fand ich hingegen vier Arten des *Ontophagus*, zwei des *Aphodius* und eine einer dritten Gattung, die im Dung von Kühen sehr verbreitet ist; diese letzteren Tiere waren jedoch erst seit dreiunddreißig Jahren eingeführt. Davor waren das Känguru und einige andere kleine Tiere die einzigen Vierfüßer, und deren Dung unterscheidet sich in seinen Eigenschaften sehr stark von dem ihrer vom Menschen eingeführten Nachfolger. In England sind die meisten Dung fressenden Käfer in ihrem Appetit beschränkt, das heißt, sie sind zum Überleben nicht wahllos auf jeden Vierfüßer angewiesen. Daher ist die Veränderung in der Lebensweise, die auf Van Diemen's Land stattgefunden haben muss, ganz bemerkenswert. Ich schulde Reverend F. W. Hope Dank, der mir, wie ich hoffe, gestattet, ihn meinen Lehrmeister der Entomologie zu nennen, weil er mir die Namen der voran gegangenen Insekten genannt hat.

5. *Monats. der König. Akad. d. Wiss. zu Berlin*, April 1845.

6. Ich habe diese Barriere detailliert beschrieben im London and Edinburgh Philosophical Magazine, 1841, Bd. XIX, S.257.

Register

Aborigines (von Australien) 387 f., 390, *391*, 396, *406*
siehe auch Australien
Abrolhos-Inseln 29
Aconcagua (Vulkan) 213, 220, 250, 292, *293*, 310, 464
Agua del Guanaco 216
Agua-Negra-Pass *300*
Albatros, 138, 183, 246, 449
Albemarle Island, 328, *329*, 330, 341, 349, 351, *352*, 353
Allan, Dr. 420
Agua Negra Pass, *300*
Anden 157, 168, 213, 215, 217, 221, 234, 269 f., 274, 279, *280*, *283*, 284, *286*, 287 f., 296, 302, 305, 310
Andenkondor *158*
Anden-Kordilleren *257*
Anden-Skunk *77*
Antarktis *208*, *210*
antarktische Inseln 204–208, *208*
südliche Shetland-Inseln *208*, 209
Antipoden 374
Antuco (Vulkan) *266*, 266, 299
Archer 396
Areco 95, 111
Arequipa 307
Argentinien 63, 76
Bilder: 66, 73–76, 100, 143, 154, 243, 280, 283, 291 f., 300
Arica 318
Ascension 23, 414, 437, 440, 442, *442*, *444*
Astelia pumila, 244
Atoll (Laguneninsel) 409, *411*, 418, 420–432, *430*, *434*, 434
Athene cunicularia, 113, *114*
Attagis genus of birds, 90
Audubon, John James 59, 159
Australien 56, 208, 359, 387, 394, 395, 438, 448
Aborigines 387 f., 390, *391*, 396, *406*
Bathhurst, 388–397, *398*
Bilder:
Blue Mountains *395*
Buschfeuer *399*
Goldsucher *398*
Grose Valley *395*,
Karte von Australien *407*
Porträt von Bunguree *391*
King George's Sound 387, 405, 407, 423
New South Wales *391*, 392, *393*, *395*, 398, 403, 466
Azara, Felix 47, 58, 63, 77, 107, 307

Bahia (San Salvador) 24, *27*, *28*, 29, 41, 70–74, 104, 437, 442, 450, *452*
Bilder
Bahia *28*
Dschungel von Bahia *453*
Steilwände von Bahia *27*
Bahía Blanca 67, 70, 74, 77, 79–97, 99 f., 117 f., 148, 285, 322
Bahía Buen Suceso 173
Baker, Sir Thomas 19, 375
Baker, Thomas, 19
Balbi 424
Bald Head 387, 405
Ballenar, 302 ff.
Banda Oriental 52, *54–55*, 55, 95, 107 f., 113, 128 f., 135–149
Basket, Fuegia 176 f.
Bathurst 387 f., 397, *398*
siehe auch Australien
Bay of Islands, *372*, 374, 376, 384
Beagle-Kanal 173, 179, 183, 185, 188, 190, 200
Beaufort, Francis 11 f.
Beechy, Frederick William 371
Bell, Thomas 12, 340, 343, 454
Beringstraße 119, 148
Berkeley, J.M. 13, 29, 463

Enthüllung der Statue des verstorbenen Charles Darwin im Naturhistorischen Museum, South Kensington, 1885

Register

Aborigines (von Australien) 387 f., 390, *391*, 396, *406*
siehe auch Australien
Abrolhos-Inseln 29
Aconcagua (Vulkan) 213, 220, 250, 292, *293*, 310, 464
Agua del Guanaco 216
Agua-Negra-Pass *300*
Albatros, 138, 183, 246, 449
Albemarle Island, 328, *329*, 330, 341, 349, 351, *352,* 353
Allan, Dr. 420
Agua Negra Pass, *300*
Anden 157, 168, 213, 215, 217, 221, 234, 269 f., 274, 279, *280, 283*, 284, *286*, 287 f., 296, 302, 305, 310
Andenkondor *158*
Anden-Kordilleren *257*
Anden-Skunk *77*
Antarktis *208, 210*
antarktische Inseln 204–208, *208*
südliche Shetland-Inseln *208*, 209
Antipoden 374
Antuco (Vulkan) *266*, 266, 299
Archer 396
Areco 95, 111
Arequipa 307
Argentinien 63, 76
Bilder: 66, 73–76, 100, 143, 154, 243, 280, 283, 291 f., 300
Arica 318
Ascension 23, 414, 437, 440, 442, *442, 444*
Astelia pumila, 244
Atoll (Laguneninsel) 409, *411*, 418, 420–432, *430, 434,* 434
Athene cunicularia, 113, *114*
Attagis genus of birds, 90
Audubon, John James 59, 159
Australien 56, 208, 359, 387, 394, 395, 438, 448
Aborigines 387 f., 390, *391*, 396, *406*
Bathhurst, 388–397, *398*
Bilder:
Blue Mountains *395*
Buschfeuer *399*
Goldsucher *398*
Grose Valley *395,*
Karte von Australien *407*
Porträt von Bunguree *391*
King George's Sound 387, 405, 407, 423
New South Wales *391*, 392, *393, 395*, 398, 403, 466
Azara, Felix 47, 58, 63, 77, 107, 307

Bahia (San Salvador) 24, *27, 28*, 29, 41, 70–74, 104, 437, 442, 450, *452*
Bilder
Bahia *28*
Dschungel von Bahia *453*
Steilwände von Bahia *27*
Bahía Blanca 67, 70, 74, 77, 79–97, 99 f., 117 f., 148, 285, 322
Bahía Buen Suceso 173
Baker, Sir Thomas 19, 375
Baker, Thomas, 19
Balbi 424
Bald Head 387, 405
Ballenar, 302 ff.
Banda Oriental 52, *54–55*, 55, 95, 107 f., 113, 128 f., 135–149
Basket, Fuegia 176 f.
Bathurst 387 f., 397, *398*
siehe auch Australien
Bay of Islands, *372*, 374, 376, 384
Beagle-Kanal 173, 179, 183, 185, 188, 190, 200
Beaufort, Francis 11 f.
Beechy, Frederick William 371
Bell, Thomas 12, 340, 343, 454
Beringstraße 119, 148
Berkeley, J.M. 13, 29, 463

Berkeley Sound 160, *161*, 166 f.
siehe auch Falklandinseln
Beudant, M. 65
Bibron, M. 335, 349, 460
Bindenralle *414*
siehe auch Rallenvögel
Bingley 305
Blue Mountains 387 f., 390, *393, 395*, 405, *428*
Bolabola (Insel) 423, 427
Botofogo (Bucht) 33, 37, *38*
Bougainville, Louis-Antoine de 462
Bourbon (Insel) 357
Bramador (Berg) 314
Brown, Robert 288
Browne 393, 397
Buenos Aires *98, 109, 110, 112*
siehe auch Buenos Ayres
Buenos Ayres 56, 65, 68, 70, 72, 74, 79 f., 95, 98, 99–107, *108 ff.*, 111, 112, 113–125, 128–131, 160, 199, 221, 284, 459, 462
siehe auch Buenos Aires
Burchell, William John 85, 224
Bushby 376, 382
Button, Jemmy 176, *176*, 181 ff., 192 f., 201, 463
Byron *140*, 141,164

Caldcleugh, Alexander 270, 292, 464 f.
Callao 265, 295, 317 ff., 321 f., 466
Campana (Bergkette) 216 f.
Capybara *56*, 56, 81, 85, 121, 146, 148, 244, 459 f.
siehe auch Wasserschwein
Caracara (Adlerart) *63*, 63, 139, 159, 357
siehe auch Schopfcaracara
Carmichael, Dugald 357 414
Carthagena 318
Castro 236 f., 250, 252
Cauquenes 213, 216, 222, *296*
Chaffers 135, 141, 152
Chagos-Archipel 419, 432, 450
Chamisso Adalbert von 414, 418, 420, 461
Chaneral (Tal) 302
Chanuncillo 273, 305
Charles Island 325, 328, 330, 336, 346, 349, 351, 354
Chatham Island 326 ff., 331 ff., 338, 342, 349, 351, 466
Chilicauquen 216
Chiloé 204, 206, 227, *230*, 231–247, *235, 237, 239*, 249–267, *251, 255*, 289, 299, 318, 404, 464, 467
Chonos-Archipel 113, 231, 239, *242*, 233 f., 266
Clarke 379
Clausen 117, 146
Cochranes, Lord 215,319
Colonia del Sacramiento 127 f.
Concepcíon *248*, 249–266, *267 f.*, 269, 289, 374
Cook, James *175*, 175, 183, 202, 209, 375, 448, 463
Copiapó (Stadt) 307, *308*
Coquimbo 273, 295, 297 ff., 299, 300–303, 306, 317
Corcovado (Vulkan) 33, *39*, 234, 250, 252
Corfield, Richard 215, 226, 292
Coseguina (Vulkan) 249 f., 306, 465
Cucao 249–252
Cucao-See 251
Cumbre (Berg) 292
Cuming 343
Cuvier, Georges 28, 37, 91, 164, 461, 462

Darwin-Blattohrmaus, nach Darwin benannte Maus-Spezies *330*
siehe auch Mäuse
Darwin-Briefe, Auszug aus 34, 281

Darwin erkundet die Küste Südamerikas,
Bild *96–97*
Darwinfink, nach Darwin benannte
Finkenart *354*
siehe auch Finken (Sperlingsvögel)
d'Orbigny, Alcide 52, 88, 108, 141, 459–462, 465
Davies 379 ff.
Deception Island *208*
Derwent (Fluss) 401
Despoblado (Tal) 295,, 309 f., 314,
Dieffenbach, Ernst 206, 458, 466
Dobrizhoffer 88, 105
Doubleday, Henry 458
Douglas 237 f.
Drigg (Cumberland) *64*, 65
Dschungel 83, 121, *453*
von Bahia, Brasilien *453*
siehe auch Brasilien
Du Bois 357

Edwards 298
Ehrenberg, Christian Gottfried 21, 81, 138, 314, 442, 463
Eimeio (Insel) 359, 364 f., *365*
Eisberge 144. 146, 160, 189, 207 f., *208, 210,* 211, 464 f.
El Carmen 68 f., *69*
siehe auch Patagones
Elmsfeuer 49, *50*
Eisberge 144, 146, 160, 189, 207 f., *210,* 211, 464 f.
Entre Rios 108, 116
Eyre's Sound 207, *207*

Falconer 95, 106, 121, 142, 461, 472
Falklandinseln 62 f., *150,* 151–171, *161, 167, 171*
Falklandwolf *166*
Fernando Noronha (Insel) 17, 19, *25 f.*, 26
Feuerland 17, 31, 62, 90, 95, 140, 144, 169, *172,* 173–195, *175, 179, 184, 186, 190, 193 f.,* 198–208, 213, 216, 220, 226 f., 231, 232, 234, 239, 243, 245 ff., 254, 274, 301, 310, 343, 357, 389, 404, 407, 450, 463
Ushuaia, Bild *179*
Finken (Sperlingsvögel) 139, 201, 245, 325, 331–334, 342, 349, 351, 353 f., *354*
Bilder
Darwinfink *354*
Darwins Finkenschädel *350*
Mittel-Grundfink *(Geospiza fortis) 354*
Waldsängerfink *355*
Fitz Roy, Robert 8, 11, *14, 19,* 79, 100, *104,* 142, 151 f., 160, 176, 182 ff., *186,* 186 f., 190 f., *198,* 202 f., 239, 250, 258, 265, 269, 295, 296, 373 ff., 405, 415, 420, 422, 463
Fitz Roy (Berg) *455*
siehe auch Mount Fitz Roy
Fledermaus 200
siehe auch Gemeiner Vampir
Fliegender Fisch *139*
Flinders Island 403, 464
Forbes, Edward 144, 301

Gaimard, Joseph Paul 429
Galapagos-Archipel 13, 31, 318, 325–357, *327, 331, 357,* 359, 464
Gambier (Insel) 424
Gauchos 52, 0, 71, 73, 87, 100, 102, 112, *132,* 132 ff., *136,* 162 ff., *163,* 166, 256, 286, 330
Gauchos aus Tucuman, Bild *71*
Gay 35, 223
Gemeiner Vampir 35, *36*
siehe auch Fledermaus
Georgia (Insel) 209, 458
Gesellschaftsinseln 419, 424
Gould, John 12, 59, 88, 333 f., 454
Govett's Leap 390

Green Hill 440
Grose Valley *395, siehe auch* Australien
Grüne Meeresschildkröte (*Chelonia mydas) 324*
siehe auch Schildkröten
Guanaco (wildes Lama) 71, 85, 101, 108, *141*, 153, *155*, 192, 460
Guantajaya 315
Guardia del Monte 99, 107
Guasco 295, 297, 299 f., 302 f., 305
Gürteltier 76, 80, 90, 103, 118, 146, 284, 462
Pichi, Zwerggürteltier *91*

Hachette, M. 65
Hall Basil 299
Hammond, Josiah 188
Hare 410
Harris 68, 70
Head, F. 273
Head, Kapitän 297, 461
Henslow, John Steven 12 f., 242, 412, 462
Herschel, John 453
HMS Beagle, Bild *13*
Hinds 343
Hobart Town 387, 401, *402, 404*
Hogoleu (Riff) 424
Hood 65, 342
Hood Island 324, 328
Hooker, Joseph Dalton 13, *120*, 120, 346, 351, 461, 463
Humboldt, Alexander von 27, 39, 41, 91, 305 f., 318 f., 450, 458, 460 f., 464, 466

Île de France 420
Infusorien (Protozoa) 17, 21, *30*, 31, 70, 81, *81*, 143, 442, 463
Insekten gesammelt von Darwin, Bild *44*
Iquique 285, 295, 314 f.
Isabela Island *329, 337, 339, 347, 352*
siehe auch Albemarle Island

Jaguar 56 f., 121 ff., *122*, 211
Jajuel 218 f., 223, 310
James Islands 325, 330, 336, 342, 348 f., 351
Jenyns, L. 12, 454
Juan Fernandez (Insel) 266, 299, 346

Käfer 24, 33–42, 90 f., 121, 136, *137*, 139, 143, 201 f., 227, 284, 343, 346, *347*, 414, 466 f.
Leuchtkäfer 40 f., 121
Schnellkäfer 41
Wasserkäfer 202, 346
Kaffeebohnen 35, *37*
Kammratte *57*
siehe auch Tucutuco
Kanarische Inseln 17 f., 466
Kanincheneule 113, *114*
Kap Corrientes 105
Kap Gregory 196, 463
Kap der Guten Hoffnung 86, 208, 220, 388, 394, 439, 450
Kap Hoorn 173, 179, *179 f.*, 183, *189*, 246, 463
Kap Negro 195
Kapverdische Inseln 17–31, 20, 318, 441, 443, 446, 450
Kater's Peak 179
Keating, A.S., 412
Keelinginseln 13, *408*, 409–435, *411 f., 417, 419, 433*
siehe auch Kokosinseln
Kendall, John Dixon 209
King George's Sound 387, 405, 407, 423
siehe auch Australien
King (Kapitän) 17, 152, 179, 398, 462
King, Mr. 250, 252
Kokosinseln *344, 408, 417*
siehe auch Keelinginseln
Kokosnusskrabbe *(Birgos latro) 419*
Korallenriffe 12, 301, 362, 420, *422*, 424 f., 427, 432

Kordilleren 72, 90, 95, 108, 112, 115, 144, 146, 151, 155, 157, 159 f., 168, 182, 195, 199, 206, 215 f., 218, 222, *222*, 226, 233 f., 242, 250, 252, *260*, 266 f., 269–292, *276*, 297, 302, 305, 309 ff., 317 f., 322, 453, 464 f., 467
Kotzebue, Otto von 371, 418

La Plata 42, 59, 62 f., 88, 90, 108, 146, 148,226, 244, 301, 307, 467
Laguna de San Rafael 207
Laguna del Potrero 65
Lamarck, Jean-Baptiste 57
Lambs 108
Lampyridae (Leuchtkäfer) 41
siehe auch Käfer
Lancaster, Bill 93
Las Animas (Pass) 289
Las Minas 52, 56
Lawson 338, 348
Lemuy (Insel) 238
Lesson 123, 357, 458
Liesk 410, 415, 418 f.
Lima 227, 265, *294*, 313, 318 ff., *320*, 321, 373, 458
Low 181, 199, 242
Low-Archipel 333, 343, 359, 409, 422
Lumb 131, 462
Lund 117, 146, 313
Luxan 95, 111, 284 ff., 289
Lyell Charles 20, 82, 108, 117, 120, 146, 220, 265, 299, 333, 462, 465, 467
Lymington 70

Macquarie (Fluss) 397
Macrauchenia (ausgest. Vierfüßer) 80, 144, *145*, 146, *147*, 322, 454
Madagaskar 450
Magdalen-Kanal 203
Magellan, Ferdinand 164
Magellanspecht, Specht *201*
Magellanstraße 67, 88, 156 f. 160, *162*, 164, 175, *183*, *194*, 195, *196*, 197–211, *199 f.*, *203 f.*, *207*, 243, 283, 285, 462 f.
Mahdoo-Atoll 431
Maldonado 43, 50–67, 51, 123, 128, 187
siehe auch Uruguay, heutiges
Malediven-Archipel 419
Martens 88, 152
Matthews, Richard 174, 176, 186 f., 190
Mauritius 307, 412, 419, *421*, 437–457, *438*
Maurua (Insel) 424
Mäuse (verschiedene Arten) 56, 113, 148, 154, 168, 200, 244, 283, 314, *330*, 331 f., 441, 459, 462
Maypu (Fluss) 221, 271, 273, *273*
Mendoza 112, 270, 275, 279 f., *280*, 281, *283*, 284 ff., 299, 462
Minster, York 176 f., 180, 182 f., 186, *193*, 235
Mitchell, Thomas 392, 466
Molina 164, 224, 464
Monte Video *48*, 49 f., *52*, 55 f., 63, 65, 77, 107 f., 123, *126*, 127 f., 133, *134*, 177, 461
Moresby, Robert 419, 432
Mounta Otemanu *428*
siehe auch Bolabola
Mount Fitz Roy *455*
Mount Sarmiento (Berg) *196*, 203
Mount Tarn (Berg) 199
Mount Usborne 62, 214
Mount Victoria 393, 398
Mount Wellington 217, 387, *401*, 404
Murray, John 8
Murray-Meerenge *172*, 174

Nandu (Laufvogel) *86*
Darwin-Nandu *87*
Napoleon Bonaparte 72, 439, *441*
Narborough, J. 153
Narborough Island 328
Neukaledonien 424 f., 427, 431

Neuseeland 190, 206, 353, 361, 374–385, *377, 381, 384*, 466
Bilder:
Farmland bei Waimate 377
Foto von neuseeländischen Ureinwohnern 385
Hongi-Begrüßung, Maori 377
Maori-Schule 381
Missionare in Kidikidi 384
Porträt eines Maori 378
Tu Kaitote 382
Waimate 376, *377*, 379, 384
New South Wales *391*, 392, *393, 395*, 398, 403, 466
Bilder:
Porträt von Bunguree *391*
Grose Valley und Blue Mountains *395*
siehe auch Australien
Niebla 256
Nixon 222 f.
Noddis 24, *442*
siehe auch Seeschwalben

Olinda (Stadt) 455
Osorno (Vulkan) 233 f., 236, *244*, 249, 299
Otaheiti (Insel) 364
Owen, Professor 12, 80, 82, 117, 159, 454, 459

Pallas 211
Pampas 53, 63, *71*, 72, *77*, 81, *93 f.*, 95, 107 f., 112, 117, 129, 133, 153, 209, 224, 235, 283 f., 332, 451, 460
Panorama von Rio de Janeiro, Stich, Bild *32*
Patagones (Rio Negro) 68 f., *69*
siehe auch El Carmen
Patagonien 17, 59, 62 f., 70, 77, 86 ff., 112, 127–149, *140*, 153–156, 156, 157–163, *163*, 169–173, 195, 197, 201, 214, 226, 277, 281, 284 f., 289, 300–304, 322, 335, 346, 382, 387, 451, 459, 462
Patagonier *140*, 197, *198*
Penas, Golf von 207
Pentland, Joseph Barclay 292
Pernambuco 437, 443 f., *445*, 445 f., 450
Pennety, Antoine Joseph 167, 357, 462
Peuquenes (Bergkette) 276 f., 279 f., 282
Pinguin 48, 168, *169*
Pitcairninsel 466
Ponsonby-Sund 173, 183, 185, 191
Port Desire 72, 88, (127), 134 f., 138, 142, 157, 357, 382
Port Famine 139, 179, 195, *199*, 199 f., 205
Port Jackson 387
Port St. Julian 73, (127), 135, 142 ff., (151), 246, 463
Porter, David 348
Portillo (Bergkette, Pass) *217*, 269 ff., *272, 274*, 276 f., 280 ff., 287, 310
Porto Praya *16*, 17 f., 20, 446
Porträt von Darwin, Bild *10*
Porträt von Robert Fitz Roy, Bild *15*
Prevost 58
Prichad 373
Puente del Incas 289, 291
Punta Alta 77, 79, 81
Punta Gorda 123
Punta Huantamo 252

Quillota 213, 218 f.
Quillota, Glocke von 296
Quillota-Tal 215 f., 218 f., 224, 302, 307, 464
Quinchao (Insel) 236
Quintero 215
Quiriquina (insel)258 ff.
Quoy, Jean René Constant 429

Rallenvögel 330, 334, *414*
Bindenralle *414*
Wasserralle 330
Reeks, Trenham 69, 133

Regenpfeifer (langbeiniger) 99, 103
Stelzenläufer *106*
Ribeira Grande 17 f.
Richardson, John 107, 332, 460 f., 464, 466
Riesenfaultier *80, 149,* 454
Rimsky-Atoll 420
Rio Cachapual 222
Rio Colorado 67, 143, 285
Rio de Janeiro 19, *32,* 33–47, *34, 38, 47,* 49, 91, 177, 239, 446
Corcovado mit Christus-Statue heute *39*
Rio Negro 67–77, *69,* 87 f., 49 f., 112, 128, 130, 138, *144,* 157, 199, 459 f.
Rio de la Plata *78*
Rio Plata 65, 124, 134, 144
Rio Sauce 100
Rio Tapalguen 106
Rio Tercero 115, 133
Rio de las Vacas 289, 291
Robinson 403
Rosario 113, 115, 124
Rosas, Juan Manuel 70, *73,* 73 f., 76, 93 ff., 103, 106 f., 124 f., *125,* 198
Ross, Kapitän 410, 415, 418
Rouse, Rolla Charles Meadows 260, 263
Rubintyrann (Sperlingsvogel) *334*
siehe auch Finken (Galapagos)

Saladillo (Fluss) 113, 115, *115*
Salado (Fluss) 95, 107 f.,
San Carlos *230,* 231, 236, 249–252, *252*
San Felipe 216, 218 f.
San Fernando 216, 222
San Lorenzo (Insel) 321 f.
San Pedro (Berg) 239, 273
San Pedro (Insel) 119, 239
San Pedro da Atacama 290
San Pedro de Nolasko (Berg) 273
Sandwichinseln 466
Santa Cruz (Fluss) 144, 151–171, *154,* 201, *214,* 284, 300, 304
Santa Fé 111-125, 129
Santa Maria (Insel) 265
Santa Rosa 292, 315
Santiago (de Chile) 213, 220 f., *221 f.,* 224, *270, 273,* 292
Schildkröten 325, *326,* 328, 335 ff., *337,* 338–354, 415, 417
Elefantenschildkröte, oder
Galapagos-Riesenschildkröte *335*
Galapagos-Schildkröte
(Geochelone nigra) 326, 337
Landschildkröten 335
Meeresschildkröten *324,* 335, 343
Sumpfschildkröten 336
Schirdel 95
Schmetterlinge, Nachtfalter 24, 33, 42, *43,* 136, *137,* 202, 227, 458
Schopfcaracara *63*
siehe auch Caracara
Scoresby, William 274, 465
Seeschwalben 31, 242, 415, *442,* 450
Seetzen 314
Sextanten 40
Darwins Sextant an Bord der *Beagle,* Abbildung *40*
Seychellen 22, 419
Shelley, Percy Bysshe 462
Shetlandinseln *208,* 209
Sibirien 86, 119, 209, 459 f.
Sierra Tapalguen 72, 105
Smith, Andrew 83 f.
Spottdrossel *58,* 59, 333, 349, 351, 353 f.
St. Catherine's (Insel) 458
St. Helena (Insel) 18, 24, 307, 346, 439, 440 f., 450, 465 ff.
St. Jago (Insel) 16, 18-31, 166, 466
St. Jago 162, 166
St. Paul's Rocks (Insel) 22 ff.
St. Vincent, Bory 335
Stokes 151 ff., 214, 336, 382, 463
Strzelecki, Paul Edmund 403
Suadiva-Atoll 420
Südafrika 83, 85, 224
Südamerikanische Indianer, Bild *94*

Südsee-Sumpfhuhn *414*
Sulvan, Kapitän 76, 130, 152, 163, 239, 382, 462 f.
Swainson, William 58
Sydney 384, 388 f., *389*, 397, 401
Sydney Harbor *391*

Taguatagua-See 222
Tahiti 343, 359 f., *360 f., 367, 369, 371*, 381, 384, 415
  Wasserfall *367, 369*
Tahitianer 362, 362–368, 370
Tahitische Fischer 366
Talcahuano 258, 260, *262*, 263, 265, *266*, 298, 321
Tambillos, Ruinas de 310
Tapalguen 106
Tasmanien 401, 405
Teneriffa 17, 19, 213, 279
The Pictoral Museum of Animated Nature, Seite aus, Bild *93*
  siehe auch Pampas
Thirsty Hill 142
Töpfervogel *88*, 90
  Ei vom *103*
Tres Montes (Halbinsel) 231, 239, 241, 282
Tristan d'Acunha (Insel) 357, 414
Tschudi, Johann Jakob 321
Tucutuco (Nagetier) 49, 57, *57*, 76, 81, 148
  siehe auch Kammratte
Tupungato (Berg) 282

Unanùe, Dr. 307
Uruguay (Fluss) 124, *126*, 128, *137*
Uruguay, heutiges *51, 54*
  siehe auch Maldonado
Usborne, Alexander Burns 62, 214
Uspallata (Bergkette, Pass) 270, 281, 286 ff. *290, 292*, 310
  Bilder
    Inkasbrücke *292*
    Schnee in den Anden *291*
  siehe auch Argentinien

Valdivia 204, 254–257, *257, 259*, 266, 299
Valle del Yeso 275
Valparaiso 31, 158, *212*, 213 ff., *215*, 216 f., *217*, 221, *223*, 226, 231, 243, 264 f. *268*, 269 f., 292, 296 ff., 299, 305, 313, 317, 322
Van Diemen's Land 38, 200, 206, 217, 343, 401, 403, 466 f.
Vanikoro (Insel) 424, 429
Ventana, Sierra de la 94, 100, *100*, 102
Vera Cruz 318, 461
Vilinco 251
Viscacha (Nagetier der Pampas) 112, *113*, 284, 461
  siehe auch Pampas

Waimate 376, *377*, 379, 384
  siehe auch Neuseeland
Waiomio 382
Walckenaer, Charles Athanase 47
Walker 13
Wasserschwein 49, *56*
  Capybara *56*, 56, 81, 85, 121, 146, 148, 244, 459 f.
Waterhouse, George R. 13, 335, 346, 351, 414, 440, 454, 458 f., 462 f.
Weatherboard 390, 398
Westindische Inseln 59, 159, 415, 461
White 13, 458
Wickham, John 256
Wigwam-Bucht 179, 182,
Williams 379 ff.
Williams, J. 390
Williams, W. 375 f.
Wilson 361 f., 365
Wood, Kapitän 72
Woollya 186, 186, 190 ff.

Zwerghöhenläufer *88*

Bildnachweis

Alamy
58 (FLPA), 237 (Kevin Schafer), 262–263 (Chronicle), 414 (The Natural History Museum); Schutzumschlag, finch specimens (The Natural History Museum)

Bridgeman Images
Archives Charmet: 98, 330, 447, Schutzumschlag (tree finches and ground finches), Einband (finch)
Bibliothèque Nationale, Paris, France: 361
British Library Board: 184
British Museum, London, UK: 259
De Agostini Picture Library: 71 (G. Dagli Orti), 78 (N. Cirani), 140 (groß), 175, 366, 372
Hermitage, St. Petersburg, Russia: 358
Historic England: 10, 172, 456 (Einsatz)
Ken Welsh: 2, 81, 344
Liszt Collection: 398
Look and Learn: 14, 92, (Bernard Platman Antiquarian Collection), 189, 248, 260, 296 (Illustrated Papers Collection), 457 (Illustrated Papers Collection), 468–469 (Illustrated Papers Collection), 96–97
The Maas Gallery, London: 64 (unten)
National Geographic Creative: 341
National Library of Australia, Canberra, Australia: 391, 404, 406
Natural History Museum, London, UK: 60, 61, 69, 74, 80 (unten), 87, 93, 101, 108, 112, 115 (oben und unten), 120, 131, 134, 140 (Einsatz), 145, 161, 164 (links), 166, 183, 196, 198 (Einsatz), 221 (Mitte und unten), 299, 344, 357, 362, 385, 388, 433, 438 (unten), 440, Schutzumschlag (Beagle)
Purix Verlag Volker Christen: 77
Private Collections: 9, 44, 85, 212, 230, 364, 402, 436, 456 (groß), Umschlag und Einband (portrait)
Royal Geographical Society, London, UK: 40, 345, 383, Einband (sextant)
Royal Naval College, Greenwich, London, UK: 15
Service Historique de la Marine, Vincennes, France: 384
The Stapleton Collection: 16, 32
Tarker: 294
Universal History Archive/UIG: 80 (oben), 176 (oben und unten), 186, 193, 198 (groß), 214, 422, Umschlag (tortoises)
The Worshipful Company of Clockmakers' Collection, UK: 205
Zoological Society of London: 57

Commonwealth Scientific and Industrial Research Organisation (CSIRO)
210

Getty Images
19 (Hulton Archive/Stringer); 21 (Richard Ellis); 23 (Globo); 25 (nok6716); 27 (Leandro Wissinievski); 28 (Marcelo Nacinovic); 37, unten (De Agostini/M. Seemuller); 38, unten (Nature's Inc); 39 (Christian Adams); 43 (ilbusca); 45, rechts (Mark Moffett); 48 (DEA/G. Dagli Orti); 54–55 (Remco Douma); 63 (John Shaw/Getty Images); 66 (Walter Bibikow); 73 (Hulton Archive/Stringer); 89 (Gunter Ziesler); 94 (UniversalImagesGroup); 109 (DEA/G. Dagli Orti); 110 (DEA/G. Dagli Orti); 125 (Leemage); 126 (DEA/G. Dagli Orti); 132 (Glow Images, Inc); 136 (GUY Christian); 137, oben (Nigel Pavitt) und unten (James Christensen/Minden Pictures); 143 (Javier Escobar); 147 (Daniel Eskridge/Stocktrek Images); 150 (Eleanor Scriven); 154 (Rohan); 155 (Martin Harvey); 162 (Michael Nolan); 165 (Mark Newman); 167 (Angelika Stern); 178 (Michael Leggero); 180 (Danita Delimont); 201 (Pablo Cersosimo); 203 (andyKRAKOVSKI); 204 (David M Schleser); 208 (Mint Images—David Schultz); 217 (Ruy Barbosa Pinto); 225 (Sylvain Cordier); 253 (altrendo nature); 272 (Bryce Pincham); 274 (Luis Padilla Silva); 278 (DEA/V. Giannella); 280 (Florian Kopp); 287 (James Christensen/Minden Pictures); 290 (Woods Wheatcroft); 300 (Alexandre Tokovinine); 303 (Brent Winebrenner); 304 (Brent Winebrenner); 311 (Jeffrey Bosdet); 315 (Mark Jones Roving Tortoise Photos); 316 (Hans Neleman); 320 (DEA/A. Dagli Orti); 323 (Kurt Severin/Stringer); 324 (Tui De Roy); 326 (Dorling Kindersley); 329 (Mint Images—Frans Lanting); 332

(Mint Images—Frans Lanting); 334 (Steve Gettle); 335 (Wolfgang Poelzer); 337 (Tui De Roy); 339 (Tui De Roy); 340 (Juergen Ritterbach); 347 (Joel Sartore); 350 (Mint Images—Frans Lanting); 360 (DEA Picture Library); 378 (ilbusca); 381 (ilbusca); 395 (Jochen Schlenker); 399 (John Crux Photography); 408 (DEA/M. SEEMULLER); 416 (Danita Delimont); 417 (Don Fuchs/LOOK-foto); 421 (KAM); 430 (Caroline von Tuempling); 441 (Heritage Images); 445 (Alex Saberi); 451 (Walter Bibikow); 452 (Hervé Gyssels); 455 (David Madison); 254–255 (Bruno Buongiorno Nardelli); 352, groß (Richard l'Anson) und Einsatz (Kseniya Ragozina); 354, Einsatz (Tui De Roy); 377, groß (Peter Walton Photography) und Einsatz (Print Collector); 444, groß (Slow Images); Umschlag, finch skull (Danita Delimont) and crake (Science & Society Picture Library)

Hopkins' Alternative Livestock

103

Image Works

jacket (iguana and bird)

Library of Congress

47, 83, 117, 171 (groß), 194, 207 (unten), 215, 219, 223, 232

National Aeronautics and Space Administration (NASA)

242, 356, 413

National Oceanic and Atmospheric Administration (NOAA)/Department of Commerce

50

Gemeinfrei (verschiedene Quellen)

13, 18, 22 (unten), 34, 36, 38 (oben), 52, 53, 56, 64 (oben), 88, 104, 119, 130, 144, 159 (oben), 179, 218, 244, 246, 252, 257, 266, 267, 273, 279, 292, 297, 331 (rechts), 365, 367, 371, 425, 449, Einband (owl and wolf)

Shutterstock

20 (Susana_Martins); 22, oben (walkdragon); 26 (Kcris Ramos); 30 (Bocman1973); 37, oben (SOMMAI); 46 (Kkindl); 51 (Spectral-Design); 75 (Alfredo Cerra); 86 (Morphart Creation); 91 (zixian); 100 (kastianz); 106 (BGSmith); 113 (Tadas_Jucys); 114 (Don Mammoser); 122 (Mikadun); 128 (sunsinger); 129 (Pascal RATEAU); 139 (bartuchna@yahoo.pl); 141 (elnavegante); 149 (Morphart Creation); 156 (Alfredo Cerra); 158 (Ammit Jack); 159, unten (Ammit Jack); 163 (sunsinger); 169 (francesco de marco); 170 (Fredy Thuerig); 171, Einsatz (Morphart Creation); 188 (unpict); 234–235 (Yoann MORIN); 240 (Dario Sabljak); 243 (hecke61); 245 (Lebedev Yury); 247 (Arturo de Frias); 251 (tupatu76); 268 (Pierre-Yves Babelon); 270 (Marzolino); 275 (Anky); 276 (yxm2008); 283 (Norberto Mario Lauria); 286 (rm); 291 (Klaus Balzano); 293 (Toniflap); 306 (Toniflap); 308 (Richard Peterson); 312 (Jarno Gonzalez Zarraonandia); 317 (Jess Kraft); 331, oben links (Kjersti Joergensen); 331, unten links (Ian Kennedy); 348 (Jess Kraft); 354, groß (Rangzen); 355 (Stubblefield Photography); 369 (Mark Skalny); 386 (Worakit Sirijinda); 393 (Greg Brave); 401 (ian woolcock); 407 (Marzolino); 410 (ARZTSAMUI); 426 (Tanya Puntti); 428, groß (wilar); 434–435 (wilar); 438, oben (Sapsiwai); Umschlag, beetle (Cosmin Manci)

Tim Williams

396

University of Washington Libraries, Freshwater and Marine Image Bank

164 (oben), 207 (oben), 221 (oben), 370, 389, 411, 419, 428 (Einsatz), 442, 444 (Einsatz), 448

Wellcome Images

309

Titel der Englischen Originalausgabe:
The Voyage of the Beagle – The illustrated Edition of Charles Darwin's Travel Memoir and Field Journal

Übersetzung der Texte von Fitz Roy, Registererstellung: Heike Rosbach, Hanne Henninger

Die Deutsche Nationalbibliothek verzeichnet diese Publikation in der Deutschen Nationalbibliografie; detaillierte bibliografische Daten sind im Internet über http://dnb.dnb.de abrufbar.

Sonderausgabe 2019

wbg Theiss ist ein Imprint der wbg.

Die Herausgabe des Werkes wurde durch die Vereinsmitglieder der wbg ermöglicht.

Lektorat: Verlagsservice Henninger GmbH, Würzburg
Satz: Verlagsservice Henninger GmbH, Würzburg

Einbandabbildung: (von oben im Uhrzeigersinn): Stich von Charles Darwin aus *Illustrated London News*, 1882; Fink und Landechse, Galapagosinseln; Ralle oder Sumpfhuhn, Lithographie; Kleine Baum-Finken (*Geospiza parvula*), Lithographie; Sumpfohreule (*Asio flammeus galapagoensis*), Lithographie; Falklandwolf (*Canis antarcticus*, inzwischen *Dusicyon australis*), Lithographie; *Homeward Bound*, Illustration aus *The Voyage of the Beagle*, Ausg. von 1890; Groß-Grundfink (*Geospiza magnirostris*), Lithographie; Galapagos-Riesenschildkröte, Holzstich, 1884; Exemplare aus der Finkensammlung; *Oedemera croceicollis* Käfer; Finkenschädel. Alle Lithographien erstellt von John und Elizabeth Gould und erschienen in *The Zoology of the Voyage of H.M.S. Beagle*.
Auf dem Frontispiz: Die H.M.S. *Beagle*, aus *The Voyage of the Beagle*, Ausgabe von 1890

Einbandgestaltung: Peter Lohse, Heppenheim

Druck und Bindung in China

Besuchen Sie uns im Internet: www.wbg-wissenverbindet.de

ISBN 978-3-8062-3839-6